La Peur au corps

Du même auteur

Série Reed & Sydowski

1. *If Angels Fall*, Pinnacle Books, 2000.
   La Dérive des anges. Roman.
   Lévis : Alire, GF, 2012.

2. *Cold Fear*, Pinnacle Books, 2001.
   La Peur au corps. Roman.
   Lévis : Alire, GF, 2013.

3. *Blood of Others*, Pinnacle Books, 2002.
   Le Sang des autres. Roman. (Prix Arthur-Ellis 2003)
   Lévis : Alire, GF, 2013.

4. *No Way Back*, Pinnacle Books, 2003.
   Sans retour. Roman.
   Lévis : Alire, GF, 2014.

5. *Be Mine*, Pinnacle Books, 2004.
   Tu seras mienne. Roman.
   Lévis : Alire, GF, 2014.

La Peur au corps

Rick Mofina

traduit de l'anglais
par
Luc Baranger

Illustration de couverture
BERNARD DUCHESNE

Photographie
MICHAEL MOFINA

Diffusion et distribution pour le Canada
Messageries ADP
2315, rue de la Province, Longueuil (Québec) Canada J4G 1G4
Tél.: 450-640-1237 Fax: 450-674-6237

Pour toute information supplémentaire
LES ÉDITIONS ALIRE INC.
C. P. 67, Succ. B, Québec (Qc) Canada G1K 7A1
Tél.: 418-835-4441 Fax: 418-838-4443
Courriel: info@alire.com
Internet: www.alire.com

Les Éditions Alire inc. bénéficient des programmes d'aide à l'édition de la Société de développement des entreprises culturelles du Québec (SODEC), du Conseil des Arts du Canada (CAC) et reconnaissent l'aide financière du gouvernement du Canada par l'entremise du Fonds du Livre du Canada (FLC) pour leurs activités d'édition. Nous remercions également le gouvernement du Canada de son soutien financier pour nos activités de traduction dans le cadre du Programme national de traduction pour l'édition du livre.

Gouvernement du Québec – Programme de crédit d'impôt pour l'édition de livres – Gestion Sodec.

Dépôt légal: 1er trimestre 2013
Bibliothèque et Archives nationales du Québec
Bibliothèque et Archives Canada

À ma mère, à sa mémoire

Table des matières

« Car nous n'avons pas à lutter contre la chair et le sang, mais contre les dominations, contre les autorités, contre les princes de ce monde de ténèbres. »

Éphésiens 6.12

« Le doute hante à jamais l'esprit coupable… »

Henri VI, acte V, scène 6,
William Shakespeare

PROLOGUE

COUP DE SANG

Avant de fuir le campement familial, la dernière chose qu'a vue Paige Baker a été le sang qui dégoulinait de la hache de son père.

L'altercation entre ses parents venait de se solder par le départ précipité de sa mère. Paige, elle, avait couru se réfugier dans sa tente avec son chien pendant que son père se mettait furieusement à couper du petit bois.

À l'intérieur, tout en écoutant les « han ! » de bûcheron que poussait son père pour passer sa colère, la fillette avait fondu en larmes. Puis elle avait tenté de se calmer en pensant au moyen susceptible de réconcilier ses parents. Mais qu'y peut réellement une fillette de dix ans ?

Paige devait-elle aller chercher sa mère et lui parler ? Elle se mit à farfouiller dans son sac à dos tout en se disant que, malgré le sentiment d'impuissance qui l'habitait, elle devrait peut-être essayer de parler à son père.

Rassemblant son courage à deux mains, Paige sortit de sa tente avec son chien Kobee dans les bras.

— Papa ?

Mais papa ne répondit pas. Les muscles bandés, il continuait à fendre du bois. La sueur ruisselait sur son visage et commençait à tacher le cou et les aisselles de son t-shirt d'ancien marine.

Han! Han! Han!

— Je t'en prie, papa, il faut que je te parle.

— Fous-moi le camp ! Va retrouver ta foutue mère !

Quand Kobee, le beagle, se mit à japper, la fillette, pétrifiée d'effroi, serra son animal contre elle.

— Papa, je t'en prie… J'ai besoin de te parler…

Tenant une bûche verticalement de la main gauche, le père leva sa hache de la droite.

— Papa ! supplia la petite.

Ce seul mot suffit à distraire le père. La lame dévia et entailla la paume qui serrait le bout de bois. Le sang jaillit. Le père jura, puis, sans crier gare, marcha vers sa fille, la hache dégoulinante de sang à la main.

— Nom de Dieu, je t'ai demandé de disparaître, oui ou non ? Va retrouver ta mère !

Paige poussa un hurlement et, le cœur battant, tenant son chien en laisse, s'enfuit à toute vitesse vers un sentier forestier. Des objets s'échappèrent de son sac à dos. Jamais Paige n'avait vu son père dans un tel état.

Une fois sur le sentier, à mi-chemin de l'endroit où elle pensait trouver sa mère, la petite finit par ralentir sa course. L'intervention surprise d'un écureuil, un suisse, lui coupa le souffle. La petite cessa de pleurer. La bestiole zigzagua d'un rocher à un tronc avant de ricocher sur un autre rocher et de disparaître dans les fourrés. Kobee l'avait vue. Paige n'eut pas le temps de réagir. La laisse lui glissa entre les doigts dans un cliquetis métallique aux accents d'au revoir. Le chien lui faussa compagnie pour se lancer à la poursuite de l'écureuil et s'évanouir dans l'immense et sombre sous-bois.

— Kobee ! Reviens !

Paige fit quelques pas à sa poursuite, mais les fourrés étaient si épais qu'elle regagna le sentier.

— Kobee, reviens immédiatement !

La petite s'assit et se frotta les genoux. *Faut que je fasse quelque chose*, se dit-elle. Mais dans ce coin du

Montana, beau à couper le souffle, dans cette région reculée qu'on appelle la *Devil's Grasp*, la Main-du-Diable, là où les montagnes Rocheuses flirtent avec le parc national des Glaciers, il n'était guère recommandé de quitter le sentier.

Les minutes s'égrenèrent. Et toujours aucun signe de Kobee.

Paige prit une profonde inspiration et s'élança enfin dans les bois à la recherche du chien. D'une branche, elle se fit un bâton de marche. Quand elle entra sous les sapins et les épicéas odoriférants, la lumière faiblit et la température descendit de quelques degrés. Des branchages lui égratignèrent le visage et les bras, s'accrochèrent à elle et giflèrent son jean et son sac à dos. Bientôt la végétation devint si touffue que s'y frayer un chemin fut impossible. Mais, au sommet d'une pente, Paige insista, se servant de son bâton pour écarter branches et ramures.

— Kobee ? Reviens, mon chien.

Soudain, la fillette perdit l'équilibre, chuta et se mit à glisser sur les épines de pins. Heurtant des troncs d'arbres, elle tenta de se retenir à des buissons, mais n'y parvint pas. Elle rebondit contre des arbres et crut que cette descente en toboggan ne finirait jamais. Elle s'arrêta enfin dans une zone ombragée et tapissée de mousse. Retenant son souffle, elle perçut le lointain cliquetis de la laisse de son chien. *Par là !* pensa-t-elle. Confiante, elle brossa la terre qui maculait son jean et s'enfonça plus profondément dans la forêt.

— Kobee ! Kobee !

Paige atteignit un petit cours d'eau. *Et maintenant ? Je fais quoi ? Hé, ce serait pas la laisse de Kobee que j'entends cliqueter au loin, de l'autre côté du ruisseau ?* Mais si ! C'était ça ! La petite aperçut des papillons. Kobee était sûrement en train de les chasser. *Attends,* se dit-elle. *Et pour revenir sur mes pas, j'ai juste à remonter cette pente à travers bois*. Elle cligna des yeux.

Tout allait bien. Trouvant un pont naturel fait de troncs couchés en travers du ruisseau, elle franchit les eaux tumultueuses du cours d'eau et atteignit l'autre rive.

— Kobee ! Kobee !

Pas de trace du chien. Paige commença à s'inquiéter sérieusement. Par où aller à présent ?

Et ses parents ? Quelle idée ils avaient eue d'entreprendre cette stupide randonnée ! Pourquoi n'étaient-ils pas restés tranquillement chez eux, à San Francisco ? Pourquoi venir jusqu'ici ? Qu'est-ce qu'une enfant de dix ans était censée comprendre au naufrage conjugal de ses parents ? Que savait-elle de cette chose terrible qui rendait parfois sa mère d'une incroyable tristesse, au point de s'enfermer pendant des heures dans le mutisme ?

Sa mère était-elle un peu mentalement perturbée ?

Paige entendit à nouveau un bruit de laisse en provenance de l'inquiétante forêt touffue.

— Kobee ! Espèce d'idiot de chien, reviens ici tout de suite !

La fillette envisagea de faire demi-tour et de retourner au camp chercher son père. Mais non, impossible, il était trop en colère.

Elle décida donc d'explorer la lisière de la forêt.

— Ça suffit à présent, Kobee ! Tu m'entends ? Laisse-moi te dire que tu t'es mis dans un sale pétrin !

La fillette atteignit un nouveau ruisseau. Le quatrième ? Mais toujours aucune trace de Kobee. Elle resta assise sur un rocher à contempler les cimes enneigées. Il se faisait tard. La fatigue et la faim commençaient à la tarauder. Elle se dit qu'elle ferait mieux de revenir sur ses pas sans tarder, que cet idiot de Kobee finirait bien par retrouver son chemin. Tout en reniflant, elle farfouilla dans son sac à dos. Elle n'y trouva rien d'extraordinaire, à part un paquet de biscuits ; elle en prit un, qu'elle tapota contre son bâton de marche. Avec Kobee, ça fonctionnait toujours ; pourquoi n'y avait-elle pas pensé plus tôt ?

— Kobee… J'ai un biscuit pour toi…

Mais toujours pas de chien en vue. Paige continua à tapoter le biscuit contre son bâton pendant presque une demi-heure. Ne lui répondit que l'écho d'un coassement porté par le vent qui se frayait un chemin entre les sommets. Paige se décida à manger un biscuit. Elle regarda le ciel. Quelques jours plus tôt, par le hublot de l'avion, elle avait admiré la majesté des Rocheuses qui semblaient monter vers elle depuis la terre. À perte de vue se dressaient des milliers de pics enneigés qui dessinaient comme une gigantesque tarte à la crème. C'était beau et en même temps effrayant. Il n'y avait ni villes, ni maisons, ni routes. Rien. Rien que des montagnes, des rivières, des lacs et des forêts jusqu'à l'infini.

Si je me perdais là-dedans ? Comment ferait-on pour me retrouver ?

Paige n'avait aucune expérience de la forêt. C'était la première fois qu'elle faisait du camping. Elle avait grandi à San Francisco, où son univers se résumait à des centres commerciaux, aux vêtements, à la musique, au cellulaire, au football et à l'Internet, sur lequel elle surfait sans aucun problème. Mais la nature lui était étrangère. *C'est comme si on remontait dans le temps*, s'était-elle dit en regardant défiler les lignes de crêtes derrière son hublot.

Et aujourd'hui, en plein bois, incapable de retrouver son chemin, dévorée par la peur, elle s'interrogeait. Comment avait-elle pu en arriver là ? Elle prit subitement conscience de la situation, comme un skieur qui se fait surprendre par une avalanche.

Paige était à deux doigts de pleurer, incapable de dire depuis combien de temps elle était partie, combien de temps elle avait erré sur la *Grizzly Tooth Trail*, la nouvelle piste de la Dent-du-Grizzly, dans la région qu'on appelait la Main-du-Diable, l'une des plus perdues de tout le pays, qui s'aventurait également au Canada voisin.

Inquiète, Paige partit un coup à gauche, puis un coup à droite, avec l'espoir de remarquer quoi que ce soit qui lui rappellerait quelque chose. Peut-être allait-elle rencontrer d'autres randonneurs. Et si sa mère avait décidé de venir la chercher dans cette direction ? Son père allait peut-être allumer un feu de camp grâce auquel elle pourrait se repérer. La température baissait à présent de minute en minute. À bout de forces, morte de peur, la fillette commença à souffrir de ses égratignures et des piqûres d'insectes. Elle avait en plus mal aux jambes et aux pieds.

Arrivée au bord d'une barrière rocheuse qui dominait une forêt si vaste qu'elle donnait l'impression de recouvrir la terre entière, la petite hurla :

— Papa !

Mais seul l'écho lui répondit.

— Maman ! cria Paige.

Là encore, c'est l'écho de sa propre voix qui lui revint dans les oreilles.

Sans lâcher son bâton de marche, Paige se laissa choir sur le sol. Pourquoi fallait-il que cela lui arrive, à elle ? Le soleil déclinait à l'horizon. Elle se dit que la nuit devait être très noire et glaciale, et qu'elle ignorait comment faire un feu. Au loin elle perçut un roulement de tonnerre.

— Maman ! cria-t-elle à nouveau.

En s'effaçant derrière les montagnes, le soleil repeignit une partie du ciel dans un dégradé de rose, d'orange et de bleu qui lui donna des allures de paradis.

Paige perçut un bruit sec derrière elle, dans les bois déjà plongés dans l'obscurité.

Le souffle coupé, elle se leva.

Il n'y avait rien.

Qu'est-ce que ça pouvait bien être ? Un oiseau ? Un écureuil ?

Il y eut un autre bruit sec, comme une branche qu'on brise. Il y avait quelque chose dans les bois, qui bougeait et s'approchait, quelque chose qui semblait bien plus gros que Paige.

— C'est toi, maman ? osa la fillette.

Rien.

Le cœur battant la chamade, Paige demanda :

— Papa ? C'est toi ?

Seul le silence lui répondit.

Jour 1

1

Après sa dispute avec Doug, Emily Baker trouva refuge au bord d'une falaise, où un aigle la frôla au point qu'elle entendit le bruissement de ses ailes. Emily se demanda si elle n'avait pas commis une bêtise en proposant cette randonnée en montagne. De retourner au Montana, était-ce bien là la seule façon de mettre un terme à ses tourments ? Elle interrogea les pics alentours. Comme s'ils pouvaient lui apporter une réponse.

Le monstre qui la hantait était là. Quelque part.

Emily ne pouvait pas se dérober plus longtemps. Il lui fallait l'affronter et tout raconter à Doug et à Paige. Tout ! De A à Z. Elle était désolée de ces altercations avec son mari, de ce qu'elle avait fait endurer à sa famille, tout comme de ce qu'elle s'apprêtait à lui faire vivre. Elle n'en voudrait jamais à Doug et à Paige de ne pas comprendre. Après des années de calvaire, Emily rassemblait son courage à deux mains pour enfin révéler son terrible secret aux deux êtres qu'elle aimait le plus.

Quand je pense que je suis responsable de la mort d'un enfant.

« Regarde bien ce que j'vais faire… »

Ainsi parlait le monstre.

C'était ce qu'elle-même et sa psychologue avaient convenu d'appeler « son » problème, parce que l'une comme l'autre savaient que c'était là la clé qui avait libéré la parole de la jeune femme, au point qu'elle avait pu remettre les pieds au Montana pour la première fois depuis l'adolescence.

Ton monstre habite de nouveau au ranch. Allez, Emily, on en a déjà parlé. tu dois retourner là-bas pour clore toute cette histoire. Tu l'as laissé te détruire à petit feu beaucoup trop longtemps. Si tu ne parviens pas à effectuer la démarche, alors le monstre aura le dessus. Il gagnera sur toute la ligne. Tu veux vraiment le laisser gagner sur toute la ligne ?

Non.

Alors Emily avait repris le combat avec son passé. Elle était à nouveau prête à affronter la mort.

Les exigences de son monstre devenaient exorbitantes. Doug et Paige en souffraient. Il fallait mettre un terme au chantage, tout comme elle devait cesser de s'engueuler, d'ériger des murs autour d'elle, de se méfier et de fuir les gens qui comptaient sur elle. Il fallait que cela cesse ! Quel qu'en soit le prix à payer ! Le Montana offrait le cadre idéal pour cela. Et le temps était venu. Sa psy était d'accord. Tout ce dont avait besoin Emily, c'était de quelques jours supplémentaires.

Et puis tout le monde apprendrait enfin son lourd secret.

À l'ouest, le soleil plongea vers l'horizon, recouvrant les vallées d'une couverture sombre.

La prise de bec avec Doug datait de plusieurs heures maintenant. Emily se dit qu'il avait sûrement dû se calmer.

Elle prit le sentier qui serpentait dans la forêt pour retourner au camp. C'est là que, soudainement, elle commença à s'inquiéter. Elle sentit que *quelque chose* n'allait pas. Elle s'arrêta. Apparemment tout était calme. Mais le malaise, lui, était bien réel. La jeune femme haussa les épaules et continua son chemin.

De trouver son mari en train de lire à côté de leur petite tente bleue la rassura. Doug, qui avait servi dans les marines, enseignait aujourd'hui la littérature au secondaire et entraînait l'équipe de football de son école. Bel homme d'allure athlétique, il portait un jean délavé et son ancien t-shirt gris des marines mettait son teint hâlé, ses cheveux poivre et sel et ses yeux gris en valeur.

— Tu sais où est Paige ? demanda Emily.

— Elle est partie te rejoindre, répondit Doug, sèchement.

— Vraiment très drôle !

Dans la seconde, Doug analysa la situation et son visage se voila de gravité. Il jeta son bouquin et fonça vers le sentier au pas de course.

— Doug ! cria Emily, dont le cœur se mit à battre à tout rompre. Doug, qu'est-ce qui se passe ?

— T'éloigne pas du camp, Emi, lui cria-t-il.

Puis il appela Paige. Alors qu'il disparaissait, Emily sentit son estomac se serrer. Elle ouvrit les pans de toile qui fermaient leurs deux tentes.

— Paige, t'es là ?

Elle fit le tour du campement tout en appelant sa fille et le chien.

Doug revint. Haletant. Il se courba en deux pour reprendre son souffle. C'est alors qu'Emily remarqua sa main gauche enveloppée d'un bout de tissu. S'était-il blessé ?

— Où est Paige, Doug ? Que s'est-il passé ? Elle était avec toi quand je suis partie.

— Je l'ai envoyée te rejoindre. Elle est partie avec Kobee. Peut-être dix minutes après ton départ. Je pensais que depuis tout ce temps elle était avec toi.

— Ben non, répondit Emily qui réprima ses larmes. Je ne l'ai ni vue ni entendue.

— Tu ne l'as pas vue ?

— Je viens de te le dire.

— Et Kobee ?

— Pas davantage.

Emily baissa les yeux vers la blessure de son mari.

— Qu'est-ce que tu t'es fait à la main ?

— Je me suis coupé en fendant du bois.

— Coupé comment ? Doug, dis-moi ce qui s'est passé.

— J'étais en train de fendre du bois. Un truc a détourné mon attention, je me suis coupé. J'ai envoyé Paige à ta rencontre.

— Mais tu étais supposé la surveiller, Doug. Te rends-tu compte que ça fait des heures à présent qu'elle a disparu ? Pourquoi ne l'as-tu pas surveillée ?

— Pourquoi *moi* ? Où étais-tu passée ? T'es restée absente pendant des heures. Qu'est-ce que t'as fait toute seule dans les bois ?

Emily commença à sangloter.

Le temps pressait, Doug refusa de s'emporter.

— Emily ! dit-il en prenant sa femme par les épaules. Écoute-moi, nom de Dieu !

— Doug, Paige était tellement perturbée hier. Souviens-toi…

— Emily, arrête !

— Hier on a croisé cette famille. Ils nous ont vus nous disputer. Ils étaient tout près. Ils ont dit qu'ils avaient vu un ours…

— Arrête avec ça, Emily ! Écoute-moi plutôt. Le bout de sentier que tu as pris, il mesure quoi ? Cent mètres ? Il franchit une crête, c'est bien ça ?

— Euh… Oui.

— Toi et moi, on va prendre chacun d'un côté de la paroi et descendre en zigzags. On va crier le nom de Paige et s'appeler mutuellement toutes les minutes, pour être certains qu'on peut s'entendre. Il nous reste un petit peu de temps avant la nuit. Tu as bien compris ?

Emily demeura inerte.

— Emily !

Elle finit par tressaillir et répondre :

— Ou… Oui. J'ai compris.

— Alors allons-y !

Ils fouillèrent le long de la crête. De toute sa vie, Doug n'avait jamais vu la nuit tomber aussi rapidement. Il se demanda pourquoi il avait si brutalement réagi vis-à-vis de sa fille, jusqu'à l'effrayer alors qu'elle avait besoin de lui. *Pourquoi ne tournait-il pas rond ? Peut-être Paige s'était-elle endormie quelque part. Mais peut-être avait-elle fait une chute... voire pire.*

— Paige ! Kobee !

Sa voix portait, suivie par les échos de celle d'Emily, qui ne faisait qu'accentuer son angoisse de père.

Doug refusa de s'avouer vaincu. Il était mort d'inquiétude pour sa fille et sa femme et se demandait ce qui avait bien pu les pousser tous les trois à venir au Montana. *Était-ce pour négocier avec Emily ? Mais négocier quoi ? Son passé torturé ? Avaient-ils eu raison de venir ? Bon Dieu, mais qu'est-ce qui leur arrivait ?* Il fouilla le fond d'une minuscule grotte à l'aide d'une branche.

Il n'y trouva rien.

Doug connaissait bien peu de choses de la jeunesse de sa femme au Montana, sauf qu'elle avait grandi pas très loin de Buckhorn Creek, une petite ville de montagne. Emily avait perdu ses parents très tôt. C'était à peu près tout ce qu'il savait. Et depuis leur rencontre, Emily avait refusé d'en dire plus.

Pour seule et unique famille, elle avait sa tante Willa, qui continuait à l'appeler « Lee », le petit nom qu'on donnait à Emily quand elle était jeune. Si Willa connaissait le passé de sa nièce, elle aussi refusait d'en parler. Quelques mois plus tôt, lors d'une exposition des photographies d'Emily, Doug avait pris Willa à part et tenté d'en savoir davantage. Peine perdue.

— Elle te parlera de son passé quand le moment sera venu, Doug. Ça doit venir d'elle, pas de moi, avait dit Willa en se mordant la lèvre. J'espère seulement que c'est pour bientôt. Très bientôt.

Encore très récemment, Emily avait consulté une psychologue. Elle avait informé Doug que la résolution de ses problèmes passait par le Montana, qu'elle devait y retourner, mais qu'elle craignait d'y aller seule. « Eh bien, allons-y tous les trois ! » lui avait proposé Doug. Là-bas, ils affronteraient ce qui faisait en sorte que sa femme prenait ses distances, non seulement par rapport à lui-même, mais aussi par rapport à Paige et à elle-même.

Puis hier soir, pour la première fois depuis toutes ces années, Emily avait semblé prête à parler de ses problèmes. Paige dormait dans sa petite tente. Emily et Doug s'étaient assis à la belle étoile, près du feu de camp, avec les reflets des flammes dansant sur leurs visages. Emily avait commencé à parler de sa vie au Montana, avant de se murer à nouveau dans le silence, ce qui avait exaspéré son mari.

Le lendemain matin, ce repli d'Emily avait donné naissance à une nouvelle dispute.

Et à présent Paige avait disparu.

— Paige ! Kobee !

Doug donna de violents coups de pied dans un buisson avant de se rendre soudainement compte de l'inutilité de son geste. Il atteignit une clairière. Il scruta les parois géantes qui apparaissaient dans une trouée, entre les cimes des arbres. Ses genoux faillirent fléchir sous son propre poids. L'immensité de la région ne coupait même plus le souffle : elle devenait effrayante.

Mon Dieu, aidez-nous.

Il appela « Paige ! » et sa voix porta à des kilomètres. Comme si elle ne s'arrêterait jamais. *Ma petite fille.*

Il se passa une main sur le visage. Il était à bout de forces. Au loin les appels d'Emily faiblissaient. Doug comprit qu'elle sanglotait, parce que leurs recherches étaient demeurées vaines. La nuit était à présent tombée et ils n'avaient vu nulle trace de Paige ou de son chien.

Le froid s'était installé. Le ciel était de plus en plus nuageux. Doug s'employa à allumer un feu dont les flammes reflétèrent l'angoisse de leurs yeux brillants d'émotion.

— Elle va avoir froid, fit Emily en reniflant.

Doug hocha la tête.

La peur l'annihilait totalement. Il tenta de se souvenir des derniers mots tendres qu'il avait dits à sa fille et de la dernière fois où il l'avait embrassée. Il refusa d'admettre que les dernières paroles qu'il lui avait dites étaient teintées de colère.

— Tu sais, Emi, on va avoir besoin d'aide. Au lever du jour, je vais foncer à l'arrêt de bus pour donner l'alerte.

— Mais ça nous a pris deux jours pour monter de l'arrêt de bus jusqu'ici !

— On n'a pas le choix. Tu resteras ici, au cas où Paige reviendrait d'elle-même. Tu cesseras les recherches, tu resteras au camp.

Emily renifla à nouveau, hocha la tête et dit :

— Elle va aussi avoir faim. C'est une petite citadine, Doug. Elle ignore tout de la vie en pleine nature. Elle n'avait jamais mis les pieds en forêt jusqu'à ce que je vous force à y venir. Pourquoi faut-il qu'une histoire pareille nous arrive, tu peux me le dire ? Paige a déjà si mal vécu notre dispute d'hier. Elle a dit qu'elle se jetterait du haut d'une montagne à cause de moi. Doug, tout ça c'est… c'est à cause de moi. Mais bon Dieu, pourquoi ne l'as-tu pas surveillée ? Je n'arrive pas à imaginer comment tu as pu la laisser s'éloigner toute seule. Pourquoi as-tu fait ça ?

— Arrête, tu veux ? Ça ne sert à rien de ressasser des trucs pareils ou de rester là à nous jeter nos responsabilités à la face. C'est totalement contre-productif. Ne renonce pas, Emi. Tu m'écoutes ?

Emily hocha la tête et chercha à contenir ses larmes.

— Doug, tu peux me dire très exactement comment tu t'y es pris pour te blesser de la sorte ?

— Je te l'ai expliqué. C'est arrivé pendant que je fendais du bois, répondit-il, à deux doigts de se confesser. Je… J'ai eu un moment d'inattention et j'ai envoyé Paige te rejoindre.

Emily garda le silence. Les minutes s'égrenèrent.

Au loin, dans l'obscurité, le tonnerre gronda. Une heure plus tard, les premières gouttes émirent des sifflements en s'écrasant sur les bûches. Doug et Emily rentrèrent à l'abri sous leur tente.

La pluie s'intensifia. De tout son cœur, Doug fit le vœu que sa fille se soit construit une cabane. Il comprit que la pluie amenuiserait les chances de retrouver la trace de Paige.

Cette nuit-là, ni lui ni sa femme ne fermèrent l'œil plus de cinq minutes d'affilée.

Ils restèrent le regard braqué sur les flammes qui luttaient pour ne pas succomber à la pluie. Mais le feu finit par s'éteindre.

Regarde bien ce que j'vais faire…

Le monstre d'Emily était de retour.

2

La peur s'empara de la fillette.

Pétrifiée dans la pénombre crépusculaire, incapable d'avaler sa salive ou de cligner des yeux, Paige avait l'impression que les battements de son cœur émettaient un bruit assourdissant.

Elle entendit à nouveau un son. Tout près. En provenance d'un bosquet plongé dans la noirceur.

Il y eut une espèce de halètement, suivi d'un cliquetis. La chair de poule gagna la fillette sur les bras.

Mais elle ne voyait toujours rien. Il y eut un violent craquement de branche brisée sous le poids d'une masse colossale.

Il y a quelque chose, là, dans le noir. Quelque chose de gros et de grand qui me regarde.

Tremblante de peur, mais tous les sens en alerte, Paige s'éloigna lentement.

Vas-y! Cours!

Elle entendit d'autres craquements de branches brisées.

Ça se rapproche!

Cours! Vas-y! Cours!

Une subite montée d'adrénaline propulsa une Paige gémissante et haletante vers le sommet d'une falaise, puis vers une autre, avant de dévaler un champ d'éboulis. Ignorant la morsure des rochers sur ses mains et ses pieds, elle glissa en franchissant un cours d'eau, mais il en aurait fallu davantage pour l'arrêter. Au pas de course elle escalada une nouvelle paroi. Ses jambes ayant du mal à la porter, elle s'effondra de fatigue sous un aplomb guère plus gros que la plage arrière d'une voiture de taille modeste.

Les oreilles lui sifflaient et elle était hors d'haleine.

Je voudrais tellement que ce cauchemar s'arrête, pensa-t-elle.

Quelques minutes passèrent et la fillette reprit peu à peu son souffle.

Mon Dieu, je vous en prie, je voudrais être quelque part en sécurité.

Depuis son maigre refuge, elle regarda la nuit prendre possession des montagnes alentour. Elle n'avait jamais entendu le tonnerre gronder avec une telle puissance. Il semblait ricocher d'un bout à l'autre des Rocheuses. Les éclairs se disputèrent un ciel fâché avant qu'il se mette à pleuvoir des trombes d'eau.

Malgré l'obscurité, Paige sortit un t-shirt et un sweat-shirt de son sac à dos. Elle les enfila, ce qui la réchauffa. Elle en avait peut-être mis un à l'envers, mais c'était le cadet de ses soucis. Elle continua à farfouiller dans son sac à la recherche de nourriture. Elle trouva une pomme et une bouteille d'eau quasiment pleine.

Ne sois pas stupide, se dit-elle. *Bois-en juste un petit peu.*

Elle s'allongea dans le noir, tremblant de froid dans cet environnement humide, sursautant à chaque coup de tonnerre.

Mourir, est-ce que ça fait mal? s'interrogea Paige, qui se mit à pleurer.

Elle se vida de ses larmes, jusqu'à tomber de sommeil, un sommeil entrecoupé de réveils soudains chaque fois qu'elle s'imaginait avoir à nouveau entendu ce halètement qui lui faisait si peur.

Jour 2

3

C'est dans la lumière d'une aube frisquette que Doug étudia sa plaie. Il avait bandé sa main à l'aide d'un morceau du t-shirt tombé du sac à dos de Paige, lorsque la veille la petite avait quitté le camp de manière précipitée. Ce t-shirt, acheté chez Gap, était l'un des préférés de la petite. Rose à l'origine, il était maintenant marron et maculé de sang, sorte d'oriflamme de la culpabilité du père.

Doug se sentait trop honteux pour avouer à Emily qu'il avait chassé Paige en jurant comme un charretier et alors que sa main qui tenait la hache pissait le sang.

Je suis vraiment désolé.

La pluie avait cessé et des plaques de rosée damaient les pentes de la forêt. De la vallée montaient des coassements qui se répondaient d'écho en écho. Doug s'affaira à rallumer le feu avec le petit bois qu'il avait mis à l'abri dans sa tente… dans l'hypothèse où Paige serait rentrée et qu'il aurait fallu la réchauffer.

Alors que les bûchettes commençaient à fumer et à crépiter, Doug secoua Emily avec douceur. Elle se réveilla en sanglotant. C'était l'heure. Doug devait partir chercher du secours.

— Ça va bien aller, promit-il en préparant son sac.

Incapable d'articuler le moindre mot, Emily se contenta de hocher la tête.

— Tu vas voir, ajouta Doug, elle est capable de se pointer à peine j'aurai le dos tourné. Cette histoire ne sera bientôt plus qu'un mauvais souvenir.

Emily s'accrocha à Doug, comme si tout son poids cherchait à l'entraîner vers les abysses. Avec des gestes tendres, Doug se détacha de sa femme, puis se mit en route.

Course, trot, train d'enfer, l'ancien marine repoussa ses propres limites physiques. Malgré l'isolement de la région, il conservait l'espoir de croiser quelqu'un équipé d'un cellulaire ou d'un walkie-talkie. Mais la chance n'était pas de son côté. Il avait laissé sa voiture à une demi-journée de là, sur le parking de leur motel, près de Columbia Falls, à l'extérieur de l'entrée ouest du parc. Puis un bus les avait déposés à l'entrée principale. De là, à bord d'une navette, ils avaient longé la très touristique Going-to-the-Sun Road, qui traversait le parc de part en part. Plus au nord, à un croisement, ils avaient pris une seconde navette qui les avait déposés près de la nouvelle Icefields Highway, qui serpentait entre falaises et parois escarpées. C'est le long de cette route que les randonneurs trouvaient les points de départ des sentiers qui les mèneraient vers la Main-du-Diable.

Tout en progressant rapidement, malgré l'hostilité du terrain, Doug pria pour sa fille. *Pourvu qu'elle ait survécu à cette nuit. Si jamais quelque chose lui arrivait... Arrête de penser à ça. Elle s'est perdue. Tout bêtement. À l'heure qu'il est, elle doit être quelque part, blottie tout contre Kobee.*

Au milieu de l'après-midi, Doug atteignit un arrêt de bus sur une petite route de montagne. C'est là qu'il aperçut une navette et lui fit signe de s'arrêter avec de grands gestes. Le chauffeur fit rugir son diesel et appela aussitôt par radio le poste des gardes de la Main-du-Diable.

Quand la navette atteignit le poste, le garde Mac McCormick attendait déjà Doug sur le pas de la porte.

— Ma fille s'est perdue ! Je vous en prie, organisez vite des recherches ! Elle n'est pas rentrée depuis hier après-midi. Et il a plu là-haut.

Le garde fit entrer Doug dans le bureau où un de ses collègues, une jeune femme qui faisait la saison, signalait déjà la disparition de la petite.

Mac était l'un des meilleurs gardes du parc des Glaciers. Tout juste diplômé de l'Institut de formation fédérale des policiers de Géorgie, il attendait les documents confirmant son grade de garde de Première catégorie.

— Vous inquiétez pas, monsieur. On va réunir des secours aussi vite que possible.

Tout en priant Doug de bien vouloir prendre place sur une chaise rembourrée derrière le comptoir, Mac remarqua l'aspect débraillé du randonneur, son regard hagard, sa barbe de deux jours, une certaine excitation, et surtout cette blessure à la main gauche. Pour lui, il ne faisait aucun doute que Doug avait chuté en route.

— On va avoir besoin de quelques renseignements, fit Mac. Sally, dit-il en s'adressant à sa collègue, demande au répartiteur du parc qu'il informe notre supérieur qu'on nous a signalé une disparition. Contacte les compagnies de West Glacier qui organisent des tours en hélicos pour savoir s'il y a des appareils de disponibles. Qu'on nous envoie une équipe de toute urgence.

Mac s'empressa de remplir un questionnaire de personne portée disparue. Il demanda l'état de santé, le nom de la petite, ceux de ses parents, à quoi elle ressemblait physiquement, l'heure à laquelle elle avait été vue pour la dernière fois, qui lui avait parlé en dernier, dans quel coin elle avait disparu, comment elle était habillée, si elle était accoutumée à la vie au grand air, si elle avait peur des animaux, de l'obscurité, des adultes, et quelle était sa personnalité. Tout en posant ses questions, Mac ne cessa de rassurer Doug en lui affirmant que les secours s'organisaient.

Doug informa Mac de la présence de Kobee, le beagle de Paige.

— Mais les animaux familiers sont interdits dans le parc... fit remarquer le garde.

— Oui, on est au courant.

— Alors comment avez-vous pu...

— On a fait entrer Kobee en douce. Pour Paige. Kobee et elle sont inséparables.

Mac inscrivit la présence du chien. Puis, respectueux de la procédure, il demanda à sa collègue intérimaire de faxer les informations recueillies à tous les gardes du parc, qui eux-mêmes les relaieraient aux forces de police. Enfin, Mac entraîna Doug vers l'immense carte qui recouvrait tout un pan de mur lambrissé et verni du bureau. Il essaya, à l'aide d'une punaise, de marquer l'endroit où les Baker avaient décidé de camper.

La punaise prit l'allure d'une étoile perdue dans l'immensité d'un parc sillonné par plus de mille kilomètres de sentiers et hérissé de pics et de points de vue s'étendant sur plus de quatre mille kilomètres carrés de glaciers, de lacs, de forêts et de montagnes vieilles de quelque soixante millions d'années. Réunis, le parc des Glaciers et son homologue canadien de Waterton Lakes formaient le parc international Peace.

Les Baker avaient installé leur campement dans la partie appelée la Main-du-Diable, au nord du Montana, loin le long du tout nouveau sentier de la Dent-du-Grizzly, ce qui ne fut pas pour rassurer Mac. La région de la Dent-du-Grizzly était la plus isolée du parc. Peu de gens en avaient entendu parler et, d'après les autorisations délivrées pour y séjourner, moins d'une douzaine de randonneurs s'y trouvaient présentement.

Comme dans la plupart des massifs de type alpin flirtant avec les trois mille mètres d'altitude, la région était soumise à un climat rigoureux. De nombreuses parties du parc connaissaient de fréquents éboulis et offraient un territoire de chasse prisé des ours. C'est là que s'entraînait le personnel du parc, même si tous ceux qui y travaillaient étaient loin de bien connaître la piste de la Dent-du-Grizzly, qui s'étendait jusqu'au Canada sur près de trente kilomètres de terrain accidenté.

Mac eut de la difficulté à avaler sa salive quand il réalisa que vingt-quatre heures s'étaient déjà écoulées depuis la disparition de la fillette. Qu'est-ce que cette famille était allée faire à cet endroit ? Les Baker cherchaient-ils à se prouver quelque chose ? Une gamine de dix ans, citadine de surcroît, n'avait rien à faire dans la région de la Dent-du-Grizzly, tout particulièrement en ce moment, avec les pluies abondantes de la nuit dernière. Les prévisions météo à long terme n'étaient guère fameuses. Et puis il y avait ce chien, véritable appât à ours. L'opération se présentait mal, mais, en véritable professionnel, Mac conserva son calme.

— On ferait bien de dire au répartiteur de prévenir nos collègues canadiens qu'une fillette s'est perdue le long de la piste de la Dent-du-Grizzly. Nous leur en dirons davantage quand nous-mêmes en saurons un peu plus.

Mac offrit un sandwich au jambon et un café à Doug et lui recommanda de profiter de cette courte pause pour se reposer.

— Un hélico est en route ! Il devrait être ici dans vingt minutes, annonça Sally qui répondit aussitôt à un appel. Mac ! C'est Brady Brook. Il est avec Pike Thornton, qui voudrait te dire deux mots.

Thornton était le plus ancien gradé chez les gardes représentant la loi au sein du parc. Peu après l'appel, la cabane qui faisait office de bureau se mit à vibrer à l'arrivée de l'hélicoptère.

— On va y aller, Doug, fit Mac en haussant le son de sa voix pour couvrir le bruit du rotor. Nos équipes de secours nous demandent de nous dépêcher pour préparer les recherches.

◆

Lorsque, dans un feulement de pales, le Bell quitta la terre ferme près du poste des gardes de la Main-du-Diable, le sol s'effaça lentement sous les pieds de Doug, qui connut une sévère montée d'adrénaline.

Une poignée de secondes suffit pour voir la cabane rétrécir et enfin disparaître quand l'hélico vira avant de dominer un océan sans limites de chaînes de montagnes, de forêts, de rivières, de lacs et de glaciers. Doug eut des papillons dans l'estomac quand ils glissèrent au-dessus des contreforts et plongèrent dans les vallées. Les yeux baissés sur sa main où le sang avait coagulé, il ressentit une énorme fatigue mêlée de peur, lui, l'ancien marine, le dur à cuire, le vétéran des guerres du Golfe et de Somalie, lui, l'entraîneur de l'équipe de football du collège qui voyait comme un défi l'enseignement des œuvres d'Hemingway et de Faulkner à des ados branchés.

Il s'était cru sur un petit nuage le jour où il avait épousé un rêve nommé Emily, un rêve avec des yeux d'un bleu capable de rivaliser avec celui des lacs de montagne et des cheveux aux reflets de miel, que la jeune femme portait souvent ramassés en un simple chignon. Il adorait quand des mèches rebelles s'en détachaient, lorsque Emily était plongée dans ses travaux photographiques. S'il aimait la voir en salopette blanche de peintre en bâtiment, sous laquelle elle portait un petit haut, il aimait par-dessus tout la célérité avec laquelle elle était capable de les enlever…

Emily était une femme généreuse et intelligente. Il lui suffisait de sourire pour qu'il fasse beau. Doug gardait en mémoire la plénitude d'Emily le jour où elle avait donné naissance à Paige. Il avait vu un don de Dieu dans l'arrivée de cette enfant. Paige, la fille à son papa. Il se revoyait sabrant le champagne dans le salon de leur petite maison de la banlieue de Richmond, une maison à deux étages, de style Belle-Époque et achetée pour une bouchée de pain. Tout cela n'était que du bonheur. Une chienne du quartier ayant mis bas, ils avaient adopté Kobee. La famille se forgeait une belle vie. Ils étaient même à deux doigts de voir enfin Emily régler définitivement ses problèmes. Doug plongea son regard dans les sommets enneigés des Rocheuses, dans le vert foncé de l'océan de forêts qui se voila, comme s'il lui passait devant les yeux avant de s'effacer.

Paige était forcément là, quelque part.

L'hélico ralentit et commença à vibrer.

— Cramponnez-vous ! annonça le pilote dans la radio de bord. On traverse des courants ascendants !

Doug se dit que de sortir par la trappe arrière d'un Hercule était autrement plus agréable.

Ils s'approchèrent dangereusement d'une paroi dotée d'un immense surplomb.

— Ça doit forcément être ici, dit le pilote. On se pose !

Alors qu'ils négociaient leur descente, Mac et les autres repérèrent les minuscules tentes bleues bien avant l'ancien marine.

— On va tenter de se poser sur cette partie plate, là, environ à cinq heures.

Mais de quelle partie plate parle-t-il ? se demanda Doug qui n'en voyait pas. Le pilote fit descendre l'appareil vers une clairière de la taille d'un terrain de basket. Soudain, Doug, le cœur battant, découvrit les tentes, puis Emily. Son regard fouilla le camp à la recherche de Paige ou de Kobee.

Il ne vit que la silhouette d'Emily, le dos tourné, alors que les courants d'air que provoquaient les rotors fouettaient son blouson et affolaient ses cheveux.

Le Bell se posa, puis redécolla aussitôt après que Doug et les deux gardes eurent mis le pied en toute sécurité sur le sol.

— Il va revenir avec d'autres sauveteurs et du matériel, expliqua Mac en prenant les deux grands sacs de nylon qu'ils avaient apportés.

L'hélicoptère disparut.

Doug se jeta dans les bras de sa femme. Le regard d'Emily parlait de lui-même.

— Toujours pas de trace de Paige, Doug. Rien du tout. C'est terrible.

4

Mac s'approcha de Doug et d'Emily et leur dit :

— Il n'y a pas une seconde à perdre. Les sauveteurs et les équipes de recherches, qu'on appelle les SER dans notre jargon, sont déjà en route. D'autres vont arriver. On va avoir besoin de renseignements plus précis de manière à vraiment commencer les recherches.

Ensemble, ils évaluèrent depuis quand Paige avait disparu, la zone où c'était arrivé et la direction qu'elle avait pu prendre.

Tout cela paraissait irréel.

Emily semblait ignorer la réalité. Il ne s'était rien passé. Elle n'était pas là, sur cet aplomb des Rocheuses, au milieu de gens qu'elle ne connaissait pas, à discuter de la disparition de sa fille, sa seule enfant, qui s'était évanouie dans la nature.

Le monstre rôdait lui aussi quelque part dans les parages.

Le second garde testa le bon fonctionnement de son walkie-talkie et annonça la météo, qui rendait les communications difficiles, puis l'altitude à laquelle il se trouvait et sa distance par rapport aux autres émetteurs. Mac observa les forêts alentour à l'aide d'impressionnantes jumelles.

— Il existe une ancienne piste qu'empruntaient les mineurs au XIXe siècle. Elle épouse le fond des vallées, dit-il. Des gens à cheval vont venir nous aider depuis la réserve des Indiens blackfeet. Ils connaissent le coin comme leur poche.

Une bourrasque de vent frisquet colporta le bruit d'un rotor d'hélicoptère qui amenait trois nouveaux gardes avec du matériel. L'appareil s'en retourna aussitôt. Des hommes au visage marqué par l'inquiétude déclinèrent leur identité avant d'enfiler des combinaisons. Comme s'ils avaient fait cela toute leur vie, ils installèrent de grandes tentes, des tables, un auvent, des groupes électrogènes, des lampes et des réchauds.

Un autre hélico arriva et débarqua de nouveaux venus. Parmi eux, deux types aux allures officielles. Le premier, visage hâlé et impassible, cheveux argentés, costaud, dans les un mètre quatre-vingt-cinq, devait avoir la cinquantaine.

— Je m'appelle Pike Thornton, dit-il d'une voix grave et forte. Je suis officier de police des parcs nationaux.

Emily trouva qu'avec son regard bleu pâle il ressemblait à son propre père.

— Nous avons prévenu le FBI. Ils nous envoient du monde.

— Comment ça… le FBI ? s'étonna Doug.

— Eux et nous avons compétence pour intervenir dans un parc national. Il y a disparition d'enfant, nous prenons cette affaire très au sérieux. C'est pourquoi nous avons prévenu nos collègues. Ils ne seront pas de trop.

Doug s'en tint à ce que Thornton venait de dire.

— Moi, je suis Brady Brook, se présenta le deuxième homme vêtu d'une combinaison bleue. Je suis garde et superviseur des opérations de sauvetage pour la région. C'est moi qui vais commander les SER pour retrouver Paige.

Il paraissait un peu plus jeune que Thornton. Quand il ôta son chapeau, Doug vit qu'il avait des cheveux bruns très courts. Rasé de frais, il portait des lunettes sans monture. Il avait tout du type sûr de lui qui connaît son affaire.

— Je travaille dans ce parc depuis six ans, ajouta-t-il. J'ai organisé une quarantaine d'importantes opérations de recherches de personnes disparues. Chaque fois on les a retrouvées.

— Et dans combien de cas les avez-vous retrouvées vivantes ? demanda Doug.

Thornton et Brook se regardèrent et le second répondit :

— Dans la quasi-totalité des cas.

— Sauf évidemment quand il s'agissait d'un accident, précisa Thornton. Comme des chutes.

Quand Emily porta les mains à sa bouche, Doug posa son bras autour de ses épaules.

— Chaque affaire est unique, fit Brook en regardant Emily et Doug droit dans les yeux. Localiser Paige constitue notre priorité. La petite a disparu depuis plus de vingt-quatre heures. Nous allons donc avoir besoin, et sans tarder, de renseignements précis. Je vous en prie, commençons maintenant.

Brook les entraîna vers une table où une femme tapait sur le clavier de son ordinateur portable. Des hélicos continuèrent à amener de plus en plus de monde pendant que Brook et la femme recueillaient des informations auprès de Doug et d'Emily. Obligés de hurler pour couvrir le bruit des rotors, ils entrèrent les données vitales à propos de Paige, celles concernant ses conditions physique, mentale et médicale.

— A-t-elle des effets personnels avec elle ?

— Elle avait Kobee, son chien. C'est un beagle, dit Emily.

La femme regarda Brook, qui lui-même tourna la tête vers Thornton.

Brook fit la moue en se retenant de dire aux parents que la présence d'un chien attirait les ours, voire les rendait fous, et les conduisait directement au maître de l'animal. Emily et Doug avaient eu conscience du risque, mais l'avaient ignoré. Brook comprit leur sentiment de culpabilité.

— Le chien peut constituer un atout, dit-il. Il peut aider la petite à se réchauffer, la contraindre à réfléchir et à garder le moral. Psychologiquement, c'est un atout.

— C'est vrai ? demanda Emily en reniflant.

— On en a eu la preuve dans d'autres cas de disparitions d'enfants en zones hostiles, expliqua Brook.

Ils procédèrent à l'inventaire de la tente de Paige, mais Thornton fit sa propre inspection. Ils en déduisirent que la petite avait un sweatshirt, des t-shirts, un chapeau, de l'eau ou des jus de fruits, des barres granolas, des sucreries et un canif.

Les sauveteurs demandèrent si Paige avait une quelconque expérience de survie en milieu hostile et quelle était l'ambiance au sein de la famille avant que la petite disparaisse. Doug et Emily se regardèrent.

— On ne peut pas dire qu'elle trouvait ça amusant, répondit Doug. Je parle de notre randonnée. C'était la toute première fois que Paige partait sac au dos ; et la ville et le confort de la maison lui manquaient.

Thornton émit une théorie :

— Aurait-elle pu partir sur un coup de colère comme en connaissent les préados ?

Doug baissa les yeux. Emily regarda au loin vers l'horizon où le soleil allait bientôt lui aussi disparaître. Le vrombissement de plus en plus assourdissant d'un hélicoptère pressait les parents de répondre.

— C'est du domaine du possible, lâcha Doug.

Paige mesurant un mètre quarante pour une trentaine de kilos, on évalua la longueur de son pas en tenant compte du temps et de la configuration du terrain, dans le but de déterminer un périmètre de recherches lui-même divisé en secteurs bien délimités. Puis on répartit les équipes de sauveteurs, tous chaudement vêtus et dotés de walkies-talkies ainsi que d'eau, de nourriture et de matériel.

— Ils vont se relayer jusqu'à la nuit. Après, ça sera trop dangereux pour continuer. Ils bivouaqueront et reprendront les recherches au lever du jour, expliqua Brook. D'autres volontaires, des équipes cynophiles et des avions vont arriver en renfort. Nous chercherons Paige en utilisant toutes les ressources dont nous disposons, et jusqu'à ce qu'on la trouve.

Emily remercia Brook, et Doug l'entraîna à l'écart pour lui parler en particulier.

— Maintenant que vous avez fait vos calculs, commença le père d'une voix mal assurée, et sachant ce que vous savez, pouvez-vous me dire quand exactement la situation va devenir franchement critique ?

— Aucune disparition ne ressemble à une autre, Doug…

— Ne me racontez pas d'histoires. Je suis son père. Et un ancien marine. J'ai déjà entendu parler des statistiques de chances de survie. Dites-moi la vérité.

Brook le regarda droit dans les yeux, d'homme à homme, de père à père.

— Au-delà de trois à cinq jours, la situation devient très critique.

Trois à cinq jours… Sa petite fille n'avait peut-être que trois à cinq jours à vivre et ils avaient déjà gâché vingt-quatre heures.

— Les gens qui composent nos équipes sont des sauveteurs confirmés. Nous avons bon espoir de retrouver Paige.

Brook posa la main sur l'épaule de Doug et s'excusa pour prendre congé.

Doug leva les yeux vers l'hélico qui procédait aux recherches aériennes. En quelques instants, la quarantaine de personnes héliportées en moins d'une heure s'étaient enfoncées dans la forêt. Brook demanda à Doug et à Emily de ne pas s'éloigner du poste de commandement des recherches.

Un poste de commandement, voilà ce qu'était devenu leur campement. Leur randonnée était qualifiée *d'accident* par les autorités fédérales, d'où l'implication du FBI.

Dépassé par les événements, à bout de forces, Doug voulait aller s'asseoir à l'écart quand Thornton vint vers lui et Emily, un calepin à la main.

— Je sais que le moment est mal choisi, mais j'ai d'autres renseignements à vous demander avant de rédiger mon premier rapport. Vous m'en voyez désolé.

Thornton nota les adresses et les numéros de téléphone privés et professionnels de Doug et d'Emily, puis il leur demanda une photo de Paige.

— Une photo ? fit Emily.

— Oui, une récente de préférence. Qu'on va diffuser partout. Aux entrées des parcs, dans les postes de police et dans la presse.

— On en a pris quelques-unes au cours de cette randonnée, mais il y a quelque chose que je ne comprends pas : Paige est quelque part dans la montagne et…

— Nous devons envisager tous les scénarios possibles, madame.

Thornton n'en dit pas davantage, mais Doug avait saisi le message. Emily également, quand le policier passa à la question suivante.

— Au cours de votre randonnée, avez-vous croisé de nombreux inconnus ou remarqué quelque chose qui vous aurait paru bizarre ?

Doug et Emily répondirent par la négative.

— Je suis désolé, on ne va pas parler de ça maintenant, dit Thornton, le visage grave, mais il se pourrait bien que le FBI aborde le sujet. Doug, souhaiteriez-vous qu'on jette un œil à votre blessure ?

Doug baissa les yeux sur sa main gauche ensanglantée et répondit :

— Ç'a l'air plus grave que ce ne l'est en réalité.

— C'est vrai ? Parce que ce n'est pas très beau. Comment est-ce arrivé ?

— En fendant du bois. C'est juste une petite coupure.

Le policier leva les yeux vers Doug. Il le jaugea pendant quelques secondes.

— Vous utilisiez une hache ?

Doug acquiesça.

— Vous êtes certain de ne pas vouloir qu'on y jette un œil ?

— Je vous dis que c'est rien.

Thornton n'insista pas et se tourna vers Emily pour lui redemander une photo.

— Je vais chercher mon appareil, dit-elle. Une photo numérique, ça vous va ?

— Ce sera encore mieux. Les gardes vont pouvoir la transmettre à leur quartier général. Comme ça, elle sera diffusée partout en un rien de temps.

Emily, partant chercher son appareil photo, laissa son mari en compagnie de Thornton qui, depuis l'instant où il avait posé le pied sur le surplomb, n'avait cessé de scruter les faits et gestes du couple de parents.

Cette sale blessure à la main gauche de Doug, par exemple.

Nul doute que les types du FBI se montreraient inquisiteurs au sujet de cette blessure. Par radio, Thornton avait déjà averti leur bureau de Billings, qui avait relayé l'information à la direction régionale de Salt Lake City.

En respectant ainsi la procédure, et dès l'instant où il avait reçu le rapport de Mac et noté la blessure de Doug Baker, Thornton admettait qu'il existait un volet criminel à cette affaire de disparition.

Les consultations du registre national des condamnations et de celui du FBI montrèrent que Doug, quelques années plus tôt, avait passé trois jours à la prison du comté de Cook pour une histoire de bagarre dans un bar de Chicago, au cours de laquelle il avait salement amoché deux types. Cela laissait supposer qu'il était capable de violence.

Mais l'histoire récente s'avéra plus préoccupante, car les ordinateurs du service de police de San Francisco révélèrent que, quelques jours avant que Doug et Emily partent en randonnée au Montana, un de leurs voisins avait appelé la police pour signaler une violente scène de ménage chez les Baker. Le voisin avait entendu Doug hurler et menacer Emily.

Une patrouille était intervenue. Les policiers n'avaient trouvé aucun blessé et personne n'avait porté plainte. Emily avait dit qu'il s'agissait d'une méprise, qu'elle et son mari n'avaient eu qu'une discussion un peu houleuse.

À la suite d'une récente affaire au parc de Yellowstone, la direction fédérale des parcs nationaux, à Washington, avait pondu un nouveau règlement. Un peu plus d'un mois auparavant, un père s'était dérouté d'un sentier perdu pour aller signaler la disparition de sa fillette de cinq ans. On avait entamé des recherches. Dans la précipitation, personne n'avait eu l'idée de creuser le passé du père, qui portait une marque de lacération au cou. Contestant le droit de garde de l'enfant, il avait de plus malmené son ex-femme. Une semaine plus tard, après qu'on avait retrouvé le cadavre de la fillette, il s'était avéré qu'elle avait été poignardée. Mais le père avait eu le temps de fuir, vraisemblablement en Amérique du Sud. À cause de ce drame, Washington avait exigé que, désormais, dans tout signalement sérieux de disparition dans un parc national, le FBI et les autres agences de renseignements fouillent immédiatement les antécédents judiciaires des individus impliqués. La disparition de Paige Baker entrait dans cette catégorie, d'où les implications immédiates du FBI et de la police municipale de San Francisco.

Raisonnant en vieux flic familier de la montagne, Thornton se préoccupait de plusieurs indices. Baker s'était-il blessé comme il le racontait ? en fendant du bois ? Alors qu'on n'avait trouvé nulle trace de hache. Il y avait là quelque chose de louche, quelque chose que les époux Baker lui cachaient… *pour le moment*, pensa-t-il en rangeant son calepin dans sa poche.

5

John, le père de Walt Sydowski, allait sur ses quatre-vingt-huit ans. Il joua la dernière carte qui lui restait en main : la reine de carreau.

— Gagné ! s'exclama-t-il.

— Espèce de vieux roublard, fit Sydowski en polonais, alors qu'il venait de perdre une série de parties de 8 américain, leur jeu préféré.

— Pas si vieux que ça. La preuve : je suis encore capable de t'apprendre un truc ou deux, fit John en prenant le billet de cinq dollars, qu'il plia avec un air triomphal.

— C'est vrai, pa, répondit Walt en posant une main sur celles toutes ridées de son père. Bon ! C'est l'heure d'aller jeter un œil aux oiseaux. Tu veux venir me donner un coup de main ?

— Ouais, allons-y.

Sydowski goûtait chaque instant de ces quelques jours de vacances en compagnie de son père. Walt habitait seul à Parkside, dans la maison où il avait toujours vécu avec sa femme, Basha, la maison où leurs filles avaient grandi. Aujourd'hui la solitude lui pesait un peu. Son père, coiffeur à la retraite, préférait habiter Sea Breeze Villas, un établissement pour personnes âgées du côté de Pacifica. Il y avait ses copains, son potager, et suivait le championnat de baseball à la télé. Walt aimait quand son père venait lui rendre visite. Avant la partie de cartes, ils s'étaient cuisiné une crème de pommes de terre, façon Basha. Avec de la vraie crème.

Ils se rendirent à la volière que Walt avait construite autrefois à l'ombre du chêne. Dans son esprit, « autrefois » sonnait comme « une éternité ». C'est en piaillant que quelque cinq douzaines d'oiseaux les accueillirent dans leur domaine. Aux murs étaient accrochés photos et trophées remportés lors de divers concours. Sydowski aimait venir là, à la fois pour goûter le chant de ces minuscules créatures et faire le point sur ses enquêtes en cours. Comme cette terrible affaire élucidée quelques mois plus tôt, où le tueur, sorte de bête immonde, avait failli lui faire mettre un genou à terre.

Sydowski se faisait du souci pour les perruches aux étonnantes stries cannelle et couleur d'opale qui venaient de naître. Il avait remarqué que la couleur de leurs déjections, qui par ailleurs manquaient de consistance, n'annonçait rien de bon. Il se dit qu'il devrait peut-être renforcer leur nourriture en y ajoutant du calcium.

— Je t'ai dit, pa, que j'avais rencontré une gentille femme il y a quelques mois lors d'une expo d'oiseaux à Seattle ?

— Tu parles de cette Louise, qui habite San Jose ? Celle qui t'a offert le couple de perruches ? Ben oui, tu me l'as déjà dit.

— Je me demandais si je ne devrais pas l'inviter au resto.

— T'as encore besoin d'une femme ? À ton âge ?

— Occupe-toi de tes oignons.

Sydowski sourit en se rappelant la conversation qu'il avait eue avec Louise une semaine plus tôt au téléphone, quand elle lui avait proposé de le retrouver pour prendre un café ensemble.

— Je peux venir à San Francisco, Walt. Ou vous pourriez venir ici.

— C'est que j'ai beaucoup de travail en ce moment, avait-il répondu. Je peux vous rappeler ?

— Bien sûr. Je n'ai pas prévu m'absenter prochainement.

Ils s'étaient connus à Seattle. Louise élevait des perruches. Son mari, un ancien juge, était décédé trois ans plus tôt d'un infarctus. Leur fille dirigeait une petite société d'informatique spécialisée dans le graphisme, à Sacramento, et leur fils habitait Pittsburg, où il était avocat dans le domaine médical. Outre sa passion pour les oiseaux, Louise donnait des cours de théâtre tout en continuant à jouer la comédie. Elle avait tourné dans des publicités diffusées à travers tout le pays et obtenu des petits rôles dans quelques films. Louise était superbe et loin de faire ses soixante et un ans. Pour d'étranges raisons, elle en avait pincé pour Walt dès qu'elle avait aperçu sa silhouette à cette expo de Seattle.

— Dites-moi, monsieur Walt Sydowski, d'où êtes-vous ?

Il s'était retourné pour découvrir deux yeux verts, flirteurs et malicieux, qui le fixaient au-dessus d'une tasse de café.

Avec son mètre quatre-vingt-dix pour quatre-vingt-dix kilos, Sydowski était bien proportionné. Le teint hâlé, il avait des cheveux ondulés poivre et sel. À l'exception des malfrats suspectés de meurtre, on trouvait toujours intrigant son sourire décoré de deux couronnes en or.

Lors de cette rencontre, il avait eu le sentiment que Louise lui avait jeté un sort. Elle avait mené sa petite enquête auprès des autres éleveurs, de sorte que l'inspecteur Wladyslaw Sydowski, de l'escouade des Homicides de San Francisco, n'avait plus aucun secret pour elle.

À midi, Louise et Walt avaient parlé famille, veuvage, théâtre, souvenirs et, bien entendu, ornithologie. Walt avait apprécié la façon dont Louise voyait les choses et lui avait confié son angoisse d'enquêter sur des affaires criminelles impliquant des enfants.

Elle lui avait donné l'impression qu'ils étaient de vieux amis se connaissant depuis toujours. Ils s'étaient rappelés au cours des semaines suivantes. Depuis la mort de sa femme, Walt avait le sentiment qu'une partie de son cœur était glacée, et voilà que, depuis Louise, il sentait que ça se réchauffait. Alors de quoi pouvait-il bien avoir peur ?

— Ça fait six ans que Basha est morte et t'as tout de même l'impression de la tromper, c'est ça ? lui demanda son père. Tu penses que tes filles n'aimeraient pas que tu sortes avec une autre femme que leur mère ? Et t'as besoin de ma bénédiction pour emmener Louise au restaurant ?

Walt caressa un oisillon avec son petit doigt, haussa les épaules et dit :

— Je sais pas. Peut-être.

— Ton problème, fiston, c'est que t'as simplement envie de prendre ta retraite ou besoin de refaire ta vie. Tes dernières enquêtes sur cet assassinat de bébé et ces enlèvements d'enfants t'ont pas mal secoué. Suffit de te regarder pour s'en rendre compte.

En effet, Sydowski n'oublierait jamais l'affaire de la petite Tanita Marie Donner, dont le minuscule cadavre avait été retrouvé caché dans le parc Golden Gate. Pendant un an, incapable de résoudre l'énigme, Walt avait cru devenir fou. Puis on avait kidnappé deux autres enfants. S'en était suivie une véritable paranoïa dans toute la région de San Francisco, sans parler de la pression imposée sur les simples policiers par leurs autorités de tutelle. La crainte que les trois affaires soient liées s'était concrétisée avec l'enlèvement du fils du reporter du *San Francisco Star* qui couvrait les enquêtes. L'auteur de ces rapts, un malade mental du nom de Keller, avait prévu supprimer les enfants.

— C'est vrai, avoua Walt, ces enquêtes m'ont mené la vie dure. Tu as raison, papa, c'est sûrement ça qui m'a perturbé.

Après l'affaire Keller, il avait fallu des semaines à Sydowski pour récupérer. Depuis toutes ces années au sein de la police, au cours desquelles il avait enquêté sur plus de six cents homicides, il n'avait jamais vu ça. Et il espérait bien ne jamais revivre pareille situation. Au plus dur de l'enquête, quand elle piétinait, il allait s'asseoir dans sa volière, parmi ses oiseaux, et il pensait à sa défunte femme, dont l'absence le peinait cruellement. C'était cela, son problème. Les dernières grosses affaires ne mettraient pas un terme à sa carrière. Elles n'auraient pas sa peau. Non ! Sydowski ne rendrait pas son badge de flic ! Toute chose ayant un bon côté, au cours de ces mêmes enquêtes, il s'était rapproché de Linda Turgeon, sa jeune et nouvelle coéquipière.

À cause de leur complicité (même quand ils s'engueulaient), il la considérait un peu comme sa troisième fille. Non, Walt Sydowski, flic de l'escouade des Homicides, n'était pas prêt à raccrocher. Il aimait son métier et faisait tout pour s'entretenir, y compris intellectuellement. Cependant, les moments les plus pénibles réveillaient le sentiment d'absence de Basha, qu'il aimerait à tout jamais, même s'il refusait d'être enchaîné à sa mort. C'était cela, son dilemme. Et puis Louise avait mis le pied dans la porte de sa vie, peut-être pas pour combler un vide, mais pour aider Walt à franchir un cap. Elle souhaitait le revoir et Walt ne savait pas comment répondre à sa sollicitation.

— Je crois que je vais inviter Louise à sortir un de ces soirs. T'en penses quoi, pa ?

— Arrête avec ce genre de questions, veux-tu ? C'est ta copine, pas la mienne, répondit le vieux qui passa la main dans une cage et laissa un canari se poser sur son index.

— Au bout de six ans de veuvage, tu crois que ça peut se faire ?

— Dis donc, de nous deux, le flic, c'est qui ? C'est toi ou c'est moi ? Tu devrais savoir si c'est légal d'inviter une femme au resto.

Le téléphone installé dans la volière retentit. Sydowski décrocha à la deuxième sonnerie. C'était son patron, le lieutenant Leo Gonzales.

— Walt, j'envoie Linda te prendre chez toi pour qu'elle te conduise à l'aéroport.

Sydowski fut pris de court. Il était en congé. C'était une blague ou quoi ?

— Non, Leo, d'abord on dit : « Bonjour, Walt, comment vas-tu ? » Et moi je suis censé te répondre : « Très bien, Leo, et toi, ça va ? »

Sydowski comprit que Leo avait mis une main sur le combiné et qu'il parlait à quelqu'un de l'escouade. La tension dans l'air était palpable.

— Dis-leur, entendit-il Leo conseiller à quelqu'un d'autre, que notre coopération sera pleine et entière. Dis-leur ça. Allô ? Walt ? T'es toujours là ?

— Tu peux m'expliquer ce qui se passe ?

— Tu pars au Montana. Tout de suite.

— Au Montana ? Qu'est-ce que je vais aller foutre au...

— Ta présence est requise pour donner un coup de main au FBI dans une nouvelle affaire.

— Requise par qui ?

— Par les Feds, Walt. Ils ont demandé qu'on leur envoie notre meilleur élément. Alors faut que tu y ailles.

— Maintenant ? fit Sydowski en regardant son père.

— Linda va t'accompagner à l'aéroport et te remettre un dossier. Un gars du FBI t'attendra à l'aéroport de Kalispell.

— Tu peux pas me dire ce qui se passe au Montana ?

— Une gamine de dix ans a disparu dans un parc national. Elle est originaire de San Francisco.

Sydowski sentit son estomac se serrer, ce qui réveilla ses brûlures dues à la crème de pommes de terre, et surtout aux oignons, qu'il ne supportait pas.

Une gamine disparue.

— Mais pourquoi a-t-on besoin de moi au Montana ? C'est bizarre. D'autant plus que le FBI est sur le coup.

C'est pas dans leurs habitudes de nous inviter. Dis-moi vraiment ce qui se passe, Leo.

— La gamine était en randonnée avec papa maman dans le parc des Glaciers. Elle s'est égarée. Le père a crapahuté pour aller signaler la disparition de sa fille.

— On a retrouvé le corps ? Y a des indices qui laisseraient penser à un crime ?

— Rien de tout ça, mais le père est blessé à la main.

— Avoue, Leo, que c'est un peu maigre comme indice. Le passé de cette famille, ça ressemble à quoi ? Dis-moi tout.

— Les Feds nous ont demandé de vérifier si on avait quelque chose au dossier concernant le père. Et bingo ! Quelques jours avant de partir en randonnée, un voisin nous a appelés pour intervenir au sein de la famille.

— Il y a eu des plaintes de déposées ?

— Non, aucune.

— L'appel, c'était pourquoi ?

— Violence conjugale. Le voisin a dit qu'il avait entendu le père gueuler et menacer sa femme de violence. Je n'ai pas encore tous les détails. Linda rassemble les infos, donne des coups de fil et te prépare un dossier complet avec ce que nous a fourni le Bureau. D'après ce qu'on sait, le père aurait aussi eu des problèmes il y a quelques années dans un bar de Chicago. Il aurait fait trois jours de prison pour ça. Il semble avoir un sale tempérament.

— Et c'est ça qui justifie de m'expédier dare-dare au Montana ? Le FBI a des enquêteurs sur place et une représentation ici. Que se passe-t-il ? Ils sont en manque de personnel ?

— La réponse nous échappe, Walt.

— On dirait que quelqu'un s'efforce de monter un dossier, alors que toute cette affaire n'est peut-être que du vent. Ne compte pas sur moi pour aller au Montana, Leo. J'ai d'autres trucs de prévus et je…

— Inspecteur, je vous donne l'ordre de partir au Montana.

— Ah ouais ? Et pourquoi ?

— Ne discute pas. Tu ne peux pas refuser... à moins que t'aies décidé de prendre ta retraite aujourd'hui même ?

— J'aimerais savoir ce qui se trame derrière cette histoire, Leo.

— Depuis le tout début les gardes et les Feds trouvent que ça sent mauvais, répondit le lieutenant en froissant des papiers. La stratégie consiste à prendre toutes les garanties avant qu'on découvre qu'il s'agit d'un homicide. Tu te souviens de ce qui est arrivé il n'y a pas si longtemps dans le parc Yellowstone, quand les gardes et le FBI ont dû mettre les bouchées doubles dès le début de l'enquête ? Et puis il y a eu ce merdier au Colorado, où une disparition a tourné d'abord en kidnapping, puis en meurtre. Et l'histoire en Caroline du Sud ? La mère clamait à qui voulait bien l'écouter qu'un inconnu avait pris ses deux enfants, avant qu'on découvre qu'elle les avait assassinés ? T'as pas oublié ?

— Non, mais en quoi ça nous concerne ? Les gardes et le FBI sont bien assez grands pour s'occuper de leurs propres enquêtes. Nous, quand on arrête un gars, on ne fait pas dans nos culottes, on n'appelle pas la cavalerie à la rescousse.

— Je suppose que derrière tout ça certains gros bonnets de la politique tirent les ficelles. Le parc est une juridiction fédérale, c'est le bijou touristique du Montana. Le gouverneur de l'État a le bras long. Il a appelé Washington, qui a appelé Sacramento, qui a appelé notre boss, qui m'a appelé. Et maintenant c'est moi qui t'appelle. En haut lieu, ils voudraient que l'affaire soit menée rondement. Et sans bavures. Quoi qu'il ait pu se passer là-bas dans la montagne, ils veulent que ça soit réglé rapidement et dans les règles de l'art. Et si ça pouvait se conclure en *happy end*, ça serait la cerise sur le sundae. Ce qui les fâcherait, ce serait de voir à la télé des experts montrer les lacunes de l'enquête et discuter de ce qui a pu déconner.

Sydowski ne put se retenir de lâcher un juron en secouant la tête.

— Y a personne pour considérer qu'il s'agit peut-être d'une banale affaire de disparition de gamine en forêt ?

— Walt, il est de ton devoir d'officier de police de collaborer à cette enquête afin qu'on sache exactement de quoi il retourne. Fais ce qu'on attend de toi et après, si ça te chante, tu pourras aller à la pêche, OK ?

— Dis-moi, Leo, on t'a jamais dit que, dans la catégorie lèche-cul, t'étais en tête de liste ?

— Tu travailleras en soutien à l'agent spécial Frank Zander. C'est un type qui a des couilles. On le dit capable de monter un dossier d'accusation contre le pape pour faire plaisir à la mafia. Je crois qu'il arrive de Washington. J'attends de toi que tu l'assistes intelligemment pour bien ficeler l'affaire.

— Au Montana, Leo, si je croise un ours, sois certain que je vais lui passer les menottes, le ramener à San Francisco et ensuite tu sais où tu pourras te le mettre ?

— Je n'ai jamais douté un seul instant que tu épouserais le fondement de ma pensée. N'oublie pas ta petite laine, Walt, il fait pas chaud là-bas.

— Ta gueule ! dit Sydowski avant de raccrocher.

— Je sais pas pourquoi, mais quelque chose me dit que c'était pas Louise au téléphone, lâcha le père de Walt.

Cet appel signifiait aussi qu'il était temps pour le vieux John de regagner ses pénates à Pacifica. Alors Walt lui appela un taxi et passa ensuite un coup de fil à un ami et voisin, comme lui membre du club ornithologique. Cet ami avait une clé de la volière et s'occupait des oiseaux en l'absence de Walt. Moins de vingt minutes plus tard, quand Linda arriva au volant d'une Chevrolet Caprice banalisée, le père et le fils avaient bouclé leurs valises. C'est le vieux John qui l'accueillit.

— Bonjour, je suis la collègue de Walt, fit Linda en ôtant ses lunettes de soleil.

Très élégante dans un ensemble bleu lavande bien coupé, elle avait récemment opté pour une coiffure au carré.

— Et moi je suis John, son vieux père.

Il portait sa casquette au logo de l'équipe des Giants et un sweatshirt bleu marine, tout effiloché, sur une chemise écossaise.

— Vous êtes jolie, ajouta le vieux. Comme mes petites-filles.

Linda rougit.

— Merci, dit-elle. Walt m'avait prévenue que vous n'aviez pas la langue dans votre poche.

Puis, remarquant la casquette de John et le bagage qu'il couvait à ses pieds, Linda demanda :

— Vous allez accompagner Walt au Montana ?

— Non, Linda, répondit Walt en descendant l'escalier, mon père retourne chez lui. Prends ta valise, pa, ton taxi est arrivé.

— Mon fils fait son grincheux, dit le vieux John. Il a traité votre patron de lèche-cul parce que ce voyage contrarie sa nouvelle histoire d'amour.

Linda fit de grands yeux étonnés et décocha un joli sourire à son collègue, qui entraîna son père vers la porte.

— Faut y aller, pa.

Walt installa son père dans le taxi, ferma sa porte à clé et prit place en soupirant dans le siège passager de la Caprice. En un rien de temps, Linda et lui furent sur la route 101.

Sydowski regarda les gratte-ciel qui, au loin, défilaient derrière le Golden Gate et les majestueuses flèches du Bay Bridge.

— Tu y crois, toi, à cette affaire ? demanda Walt.

— Vous plaisantez, je suppose. Avez-vous déjà oublié ce qu'on a vécu ces dernières semaines ?

— De quoi disposent-ils en haut lieu qui justifie pareille réaction ?

— Vous aviez mieux à faire, c'est ça ? Paraît que vous avez une vie privée maintenant…

— T'as pas un dossier à me remettre ?

— Vous êtes assis dessus. Vous ne voulez pas me parler de votre nouvelle chérie ?

Sydowski bougonna en attrapant le dossier sous ses fesses.

— T'occupe pas de ça. Et toi, ton rendez-vous avec ton ancien fiancé, l'architecte, ça a donné quoi ? demanda-t-il tout en survolant le dossier Doug Baker.

— On a baisé comme des bêtes sur la table de la salle à manger.

— À partir de maintenant, évite de m'inviter à souper, maugréa l'inspecteur qui, ne trouvant pas ses lunettes, se dit qu'après tout il aurait le temps de lire le dossier en avion.

— On s'est contentés de bavarder, Walt. On va prendre les choses l'une après l'autre.

— Vous avez toujours l'intention d'avoir des enfants ?

— On a l'intention de faire des tas de choses… papa.

— Parlons boulot maintenant, tu veux bien ?

— Vos billets vous attendent au comptoir de la compagnie. Nous allons travailler tous les deux sur l'affaire. Je ferai le relais localement avec le FBI. Pour le moment ils font leur show, ils se démènent, rassemblent les éléments du puzzle. Ils avancent très vite.

— À ce stade de l'enquête, quel est ton sentiment ?

— Pour en avoir un, encore faudrait-il disposer d'éléments. Les Feds ne m'ont rien dit. On n'a aucune idée de ce qu'ils pensent, s'il s'agit d'une banale disparition d'enfant ou de quelque chose de plus énigmatique.

— On a au moins ça, dit Sydowski en montrant le dossier.

Linda hocha la tête, l'air très sérieux.

— J'aimerais être informée de votre opinion concernant chaque volet de l'affaire. Vous trouverez quelques feuillets sur les théories déjà élaborées au Montana.

— D'après ce qu'on sait, la petite est portée disparue en forêt depuis… quoi ? vingt-quatre ? trente heures ?

— Ouais.

— Dans un coin perdu du parc des Glaciers, c'est bien ça ?

— Dans un des coins les plus perdus de tout le pays.

— Essaie de savoir si les parents sont des adeptes forcenés de la vie au grand air. Ou s'ils ont entrepris cette randonnée sur un coup de tête. Essaie aussi d'apprendre pourquoi ils sont allés là-bas, pourquoi à cette période de l'année et ce qui se passait dans leur vie à leur départ.

— Ah ! Mais c'est qu'il a retrouvé ses réflexes de vieux flic !

◆

Après le décollage, Sydowski chaussa ses lunettes à double foyer et décrypta le dossier de A à Z. Avant de recommencer l'opération. La copie de la télécopie des récentes notes de Pike Thornton trouva crédit auprès de Sydowski. Il avait rencontré Pike quelques semaines plus tôt lors d'un congrès de détectives à Kansas City. Ils avaient animé un débat sur le thème des constantes en matière d'enquête policière et sur la vertu consistant à tenir compte de ses instincts viscéraux.

Thornton pensait que Doug cachait quelque chose au sujet de sa blessure à la main, que les Baker ne se montraient guère bavards et qu'il restait beaucoup à découvrir à condition de gratter la surface. La blessure de Doug n'était pas claire. Il disait s'être blessé avec une hache, or, cette hache, tout comme la fillette, avait disparu. Sydowski revint sur la récente intervention de la police de San Francisco chez les Baker. Selon un voisin, Doug avait menacé sa propre femme de violence dans la cour arrière de leur maison. Les policiers avaient ressenti une certaine tension, mais il n'y avait eu aucun passage à l'acte. La mère avait prétendu qu'il s'agissait d'une méprise. Et les choses en étaient restées là.

Sydowski referma le dossier, qui contenait bien des interrogations. Ses douleurs d'estomac se rappelèrent à son bon souvenir. Alors il mâcha une pastille de Tums. L'avion obliqua vers le nord et les montagnes Rocheuses.

6

— On a retrouvé la tête de la femme du côté de Dallas, expliquait le flic au téléphone à Tom Reed, le journaliste chargé de la rubrique judiciaire au *San Francisco Star*.

Sur son calepin, où il avait esquissé une carte du pays, Reed dessina un petit cercle au nord du Texas. D'autres morceaux d'un corps humain avaient été dispersés à travers le sud des États-Unis.

La tête du côté de Dallas... Reed consulta la pendule de la salle de rédaction. Plus que quelques heures et il serait en vacances. Dans deux ou trois jours, il devait prendre l'avion pour assister au mariage de sa belle-sœur à Chicago.

— Allô ? T'es toujours là, ô star du journalisme ? demanda l'inspecteur Harry Lance de l'escouade des Homicides, avant de poursuivre ses explications sur cette affaire de corps démembré.

— Ouais, je suis toujours là. Tu disais donc qu'on a trouvé la tête du côté de Dallas, une jambe à Tulsa, une autre à Nashville, un bras près de Wheeling, un second dans la banlieue de Savannah et le reste à Louisville, c'est ça ?

— Ouais. Et d'après toi, ô champion des médias, à qui a-t-on bien pu confier l'enquête ?

Champion des médias… Est-ce qu'un jour ce genre de raillerie prendrait fin ? Pour des raisons impossibles à expliquer, même depuis l'affaire Keller, flics, journalistes ou encore éditorialistes de salon ne pouvaient s'empêcher de se foutre de Reed.

Tu as vraiment joué au con en t'impliquant à ce point dans cette affaire. T'en as conscience ?

Après le dénouement de l'affaire Keller, la presse nationale avait parlé de Reed comme d'un héros, dont « l'abnégation professionnelle » avait contribué à l'arrestation du coupable. Mais Reed connaissait la vérité, pour avoir vécu l'affaire de l'intérieur. Il avait raconté à qui voulait bien l'écouter la stupidité dont il avait fait preuve, il s'était défini comme un héros malgré lui, un antihéros qui avait eu beaucoup de chance, à l'instar des familles des deux autres enfants kidnappés. Voilà ce que Reed avait dit et redit dans chaque interview. Mais ce n'était pas ce que ses confrères voulaient entendre. Ce qui les intéressait exclusivement, c'était son « abnégation professionnelle ».

Tout cela remontait à quelques mois, et aujourd'hui Reed se félicitait de constater que la pression médiatique était redescendue. Il sourit quand son regard tomba sur les photos de Zach et d'Ann collées sur son ordinateur. Les récentes épreuves l'avaient changé. Il s'était recentré sur sa famille et avait retrouvé la paix intérieure. Zach progressait bien à l'école et Ann rencontrait un vif succès avec ses collections de vêtements d'enfants qu'elle écoulait dans ses propres magasins de la région de San Francisco. Leur mariage avait fini par s'arranger. Ils formaient à nouveau une vraie famille dans leur maison du Sunset. De son côté, après avoir renoncé aux appels du pied que lui avaient faits le *Los Angeles Times* et le *Washington Post*, Tom, qui en parallèle écrivait un livre, était retourné travailler au *San Francisco Star*. Excellent reporter chargé des affaires criminelles, il était conscient des limites de ses prérogatives. Il avait su rogner les ailes de son *ego* et de ses obsessions et retrouver confiance en lui. L'escouade des Homicides de San Francisco constituait pour lui un vivier d'informations.

— Alors, Reed, dans une affaire où la victime a été démembrée, à qui confie-t-on la responsabilité judiciaire de l'enquête ?

— Dans le cas présent, ça devrait être à Louisville, puisque c'est là qu'on a retrouvé le cœur.

— T'es un sacré malin, Reed, on te l'a déjà dit ?

— Bon, qu'est-ce que j'ai gagné puisque j'ai répondu à la question ?

— J'ai la main sur ton cadeau, dit le flic au téléphone. Tu la vois, ma main ?

— Ne bouge surtout pas, j'arrive.

— Je dois te laisser, Reed.

— Attends une seconde. Je suis à la recherche d'infos. T'as pas un os à me donner à ronger ?

— Non, rien. On a un junkie qui s'est fait arrêter dans le Tenderloin. Nos gars travaillent sur le dossier.

— Et Sydowski, il fait quoi en ce moment ?

— J'en sais trop rien. Linda est sortie. Pour un truc en rapport avec le FBI au Montana.

— Comment ça, au Montana ? C'est quoi le rapport entre San Francisco et le Montana ?

— Tu te souviens pas quand Montana était le quart des Forty-Niners ?

— Ouais. Même qu'à l'époque t'avais encore des cheveux.

— Pour en revenir à Linda, je crois qu'il s'agit d'une histoire de disparition d'enfant.

— Quel genre de disparition ?

— Le genre « personne sait où est passée la gamine ».

— Harry, je pars en vacances dans quelques heures, dis-moi ce que tu as sur cette histoire, je t'en prie.

— On t'a déjà dit que t'étais aussi chiant qu'un sac de puces ? Attends une seconde.

Lance mit Tom en attente et reprit la parole :

— Bon, il s'agit d'une fillette de dix ans portée disparue dans les Rocheuses au Montana.

— Mais pourquoi vous a-t-on appelés ?

Lance demeura silencieux.

— C'est quoi le vrai rapport entre ici et le Montana ? insista Reed. Il y a quelque chose qui ne colle pas. Quel est le lien avec San Francisco ?

— J'en sais rien.

Reed, qui avait enquêté sur tant de dossiers, pensait aujourd'hui en détective.

— Il serait arrivé un truc pas clair au sein de la famille ?

— Je sais pas.

— Quelqu'un de la famille aurait été condamné ?

— Je sais pas.

— Arrête, tu veux ?

— C'est le père. Il a une blessure à la main.

— Et comment s'est-il fait ça ?

— J'en sais rien, mais ta question mérite réflexion.

— Il y a une mère dans le décor ? Elle fait quoi ?

— Je l'ignore.

— Tu me confirmes qu'on n'a pas retrouvé de corps ? qu'on a juste affaire à une disparition d'enfant ?

— J'ai pas trop de détails. Tout ce que je sais, c'est que les fins limiers du FBI ont pris les choses en main.

— As-tu le nom de la famille ?

— Non. Je sais seulement que les Feds mettent le paquet sur cette histoire. Il se pourrait que Sydowski parte au Montana pour leur donner un coup de main. Excuse-moi, mais je dois te laisser maintenant.

Là-dessus, Lance raccrocha.

Intrigué par l'affaire, Reed consulta à nouveau la pendule de la salle de rédaction. Il avait rendez-vous avec Ann et Zach. Ils devaient aller acheter certaines choses en prévision de leur voyage à Chicago. Pourquoi mettait-on à ce point les bouchées doubles pour une histoire de disparition d'enfant dans les Rocheuses, alors qu'il n'y avait pas d'homicide? Le père semblait éveiller les soupçons. Et Sydowski qu'on expédiait au Montana. Tom se dit qu'il ferait bien, et sans tarder, d'informer le rédacteur en chef, de manière à ce qu'il mette quelqu'un sur le coup.

Cette histoire allait peut-être révéler quelque chose de plus gros. Les doigts de Tom galopèrent sur son clavier d'ordinateur quand il tapa les mots « Montana », « fillette » et « disparition » en mode recherche sur les sites des agences de presse. Il obtint une réponse en quelques secondes, un simple titre: FILLETTE PORTÉE DISPARUE. Et ça provenait de Kalispell, au Montana.

Kalispell, Montana – Dans les Rocheuses, des équipes de chercheurs ont commencé à passer au peigne fin les contreforts d'une zone située au nord du parc national des Glaciers. Plus tôt dans la journée, des parents ont signalé la disparition de leur fillette de dix ans aux autorités du parc.

Ils ont raconté aux gardes que l'enfant s'était éloignée de leur campement avant de s'égarer le long de la piste de la Dent-du-Grizzly, dans une zone escarpée appelée la Main-du-Diable, située loin à l'intérieur du parc et limitrophe du Canada.

L'enfant a été vue pour la dernière fois vingt-quatre heures avant que son père n'alerte les autorités au bout de longues heures de marche en solitaire.

La fillette, dont l'identité n'a pas été révélée, serait originaire de la Californie.

Il n'en fallait pas davantage pour faire saliver Tom Reed. Il ne disposait que de cette maigre dépêche dans laquelle on ne mentionnait ni San Francisco ni aucun soupçon à l'encontre de telle ou telle personne. Peut-être tenait-il là un sacré scoop. L'affaire venait juste de sortir. La gamine étant portée disparue depuis au moins vingt-quatre heures, cela signifiait qu'elle avait passé une nuit à la belle étoile en altitude. Reed pensa à son fils, qui avait sensiblement le même âge que la petite fille. Dans peu de temps, la situation de la fillette s'avérerait critique. Reed avait grandi à Great Falls. En randonneur familiarisé avec les Rocheuses, il savait que s'y perdre revenait à prendre une option sur la mort.

Il se gratta le menton. En plus des faits, la police émettait des soupçons. Dans de telles affaires, la routine voulait qu'on s'intéresse aux proches de la personne portée disparue. Mais ça n'expliquait pas pourquoi on expédiait un flic de San Francisco au Montana. À quelques heures de partir en vacances, Reed s'interrogea. Devait-il faire confiance à Harry Lance ? Et si la petite était déjà morte ?

Il repensa à une certaine nuit passée dans le bureau 450 de l'escouade des Homicides en compagnie de flics qui avaient du métier. C'était il y a longtemps. Chose rare, les gars étaient de bonne humeur, et ils avaient livré à Reed leur conception du crime parfait. L'un d'eux avait suggéré « l'accident dans un coin perdu ».

— Tu pousses la victime du haut d'une falaise, et hop ! terminé. Ni vu ni connu. Pas la moindre trace de violence physique. Il ne te reste que la conscience du tueur à te mettre sous la dent. Le tueur peut avoir un mobile, mais c'est un peu maigre pour l'inculper. Sans compter que, pendant tout un moment, on n'a même pas de cadavre et que les animaux et la décomposition naturelle rendent l'autopsie inutile. Le tueur gagne sur tous les tableaux. La justice s'incline et le meurtre reste impuni.

Tom Reed demeura longuement à ruminer cette idée d'*accident dans un coin perdu*.

Il y eut un cliquettement de bracelets. C'était Molly Wilson, la collègue de Reed, qui travaillait dans le cubicule voisin. Elle rentrait d'une interview avec un expert en empreintes digitales.

— Salut, Tom. Oh ! Oh ! Je vois à ton œil que ça tourne pas mal dans ta tête. On peut savoir de quoi il s'agit ?

Molly et Tom faisaient équipe au journal. Elle aussi avait survécu à l'affaire Keller. Déjà amis avant cette affaire, les hauts et les bas que Tom avait connus au sein de son couple les avaient rapprochés un peu plus. Excellente journaliste, Molly avait été dotée par la nature non seulement d'une sacrée plume, mais aussi d'un sourire éclatant et de chevaux auburn qui faisaient tourner bien des têtes, surtout dans le milieu des flics.

— Tu veux que je te dise ? avait confié à Tom un gars du FBI qui venait de divorcer. La Molly, qu'est-ce qu'elle est *cute* !

Tom avait dû calmer les ardeurs du policier en lui disant que Molly était plutôt du genre à sortir avec des hommes allurés, des types comme on en voit dans les magazines branchés, dans le style de Manny Lewis, l'as du bureau du procureur de l'État.

— Ça y est, Tom ? demanda Molly, tu es redescendu sur terre ? Je peux savoir à quoi tu réfléchissais ?

Tom lui raconta tout. Aussitôt, Molly se lança dans des recherches au sein des archives informatisées du journal.

— Voyons voir… Accident dans de troublantes conditions au milieu de nulle part. On a déjà traité d'une affaire semblable il n'y a pas longtemps. C'était au Wyoming.

Le clavier de Molly crépita.

— Nous y voilà, fit-elle. Nous avons relayé l'article du *Casper Star-Tribune*. Un père, qui faisait de la randonnée avec sa fille de cinq ans dans le parc Yellowstone, a signalé que la petite était tombée dans un ravin. Les gardes ont cherché des journées entières et pendant ce temps le père a filé. Quand on a découvert le cadavre de la petite, on s'est aperçu qu'elle avait été poignardée.

Il y avait de graves tensions entre le père et la mère à cause du droit de garde de la fillette. Le père avait eu le temps de s'envoler pour le Brésil ou la Bolivie.

— Concernant cette nouvelle affaire de disparition, soupira Reed, on ne sait absolument rien. Je ne vais pas tarder à partir en vacances, tu devrais peut-être t'habituer à l'idée que tu vas aller faire un tour au Montana.

Le téléphone de Reed sonna. C'était Zeke Canter, le nouveau rédacteur en chef pour l'édition métropolitaine du journal.

— Tom ? Tu pourrais venir à mon bureau ?

Reed s'entendait bien avec Canter, un type à l'esprit vif, d'une quarantaine d'années, fin et élancé pour un mètre quatre-vingts, qui s'habillait en chemise L.L. Bean et mocassins. Avant de rejoindre le *Star*, il avait passé quinze ans à New York au *Daily News* et à *Newsday*. Dans le bureau de Zeke, il y avait aussi Violet Stewart, la rédactrice en chef pour l'édition nationale du *Star*. Elle était au téléphone et prenait des notes en même temps.

— Vous dites que le prochain vol pour Salt Lake City décolle dans une heure et demie et arrive juste à temps pour la correspondance pour Kalispell ?

Reed comprit de quoi il retournait et dit :

— Non, non, non. Ne comptez pas sur moi. Je serai officiellement en vacances dans… J'y suis déjà quasiment.

Stewart raccrocha, ôta ses lunettes à double foyer, qu'elle laissa pendouiller au bout d'une fine chaînette autour du cou.

— Tom, on aimerait vraiment que tu partes là-bas ce soir.

— C'est hors de question.

— L'affaire prend une curieuse tournure. La fillette de dix ans qui a disparu est originaire de San Francisco, ajouta Canter.

Il tenait à la main une dépêche qui relatait les derniers développements de l'enquête.

— Tiens, regarde, dit Violet, qui montra une photo couleur de Paige Baker. Ça vient juste d'arriver.

La gamine avait un regard qui vous fendait le cœur. Reed ressentit une crampe à l'estomac. L'affaire prenait de l'ampleur à une vitesse folle. Elle allait devenir énorme.

— Et Molly ? Vous avez songé à Molly ? proposa-t-il.

— Vous ferez équipe, expliqua Zeke. Molly éclairera d'ici les différents angles de l'affaire pendant que toi tu la traiteras sur place. Tom, on a vraiment besoin de toi. En plus tu es originaire du Montana. C'est une affaire taillée sur mesure pour un type comme toi.

— Nous pouvons t'assurer que tu ne manqueras pas ce mariage à Chicago, dit Violet.

— Laissez-moi passer un coup de fil. Excusez-moi quelques instants.

De retour à son bureau, Tom composa le numéro du portable de sa femme, car il ne savait jamais dans quel magasin elle se trouvait. Comme avec Ann ce n'était pas gagné d'avance, Molly l'encouragea d'un clin d'œil doublé d'un grand sourire.

— Alors, cow-boy ? dit-elle. C'est toi qui pars au Montana ?

Reed se gratta le nez avec le majeur levé en direction de Molly, puis il expliqua la situation à sa femme, qui n'apprécia pas du tout.

— Mais enfin, Tom, t'es en vacances ! Nous partons dans ma famille pour assister à un mariage. As-tu oublié que nous sommes garçon et demoiselle d'honneur ? Et il n'y a pas que ça. Tu veux que je te rafraîchisse la mémoire ?

Tom avait oublié… jusqu'à cette seconde, qu'après tout ce qu'ils avaient vécu récemment, Ann avait envisagé de demander au prêtre qui allait officier au mariage qu'il procède au renouvellement de leurs vœux.

— Ne me dis pas que tu veux aussi manquer ça ?

— Mais non, absolument pas ! dit-il. Mais tu pourrais partir de ton côté à Chicago avec Zach pendant que je ferai un saut au Montana en emportant toutes mes affaires pour le mariage. Le journal devra assumer les frais, ils n'auront pas le choix. Ils m'ont certifié que je serai à temps à Chicago pour le mariage.

— Ce serait regrettable, Tom, si tu renouais avec tes anciennes habitudes…

Reed s'assit pour raconter à Ann ce qui se passait avec la petite Paige Baker, perdue dans une région hostile. Tout en jetant un œil à la pendule, il estima le temps de vol pour aller au Montana, celui pour se rendre en voiture au parc des Glaciers, celui pour écrire son article. C'est là qu'Ann ajouta :

— Je ne t'ai pas épousé, Tom Reed, pour être mère célibataire.

Tom décoda. Elle venait de l'appeler par son nom et son prénom, ce qui signifiait en clair : « J'en ai vraiment ras le bol, espèce de p'tit con… mais tu as ma bénédiction. »

— Je t'aime, Ann, répondit-il.

Pendant qu'il cherchait sous son bureau le sac dans lequel il gardait le strict nécessaire pour partir en cas d'urgence, il ajouta :

— Sans toi, Ann, je serais rien. Embrasse Zach pour moi.

Dans le dos de Tom, en entendant cela, Molly roula des yeux.

Tom retourna dans le bureau de Canter. Les deux rédacteurs en chef discutaient de ce qu'ils attendaient de Reed au Montana et de Wilson à San Francisco.

— Tom, dans l'hypothèse où l'histoire de la petite Baker tournerait en eau de boudin, dit Violet, serais-tu capable de pondre un article d'une page sur Isaiah Hood, le type qui doit être exécuté dans quelques jours ? Il a peu de chances d'obtenir une réponse positive à son recours en grâce auprès de la Cour suprême. Je te propose ça parce que tu seras sur place.

— Dis-moi, Violet, tu n'aurais pas le nom d'un excellent avocat spécialisé dans les divorces à me recommander ?

— Tom, je te répète que tu seras déjà sur place et nous t'assurons que tu seras à Chicago à temps pour ce mariage. On va tout arranger pour toi.

— Vous pouvez m'expliquer quel est le lien entre l'affaire Isaiah Hood et San Francisco ? Ici, tout le monde s'en fout de cette affaire. Déjà qu'au Montana c'est tout juste si les journaux en parlent. Je ne l'ai même pas suivie. Je sais seulement que Hood est une espèce de petit caïd local qui a tué quelqu'un il y a une quinzaine d'années, d'un coup à la tête, je crois, et qu'il a été condamné à mort. Point barre. Pourquoi gâcher de l'encre pour raconter ça ? Vous savez comme moi qu'on ne couvre pas toutes les exécutions capitales qui ont lieu dans le pays.

— Tom, corrigea Violet, devenue célèbre par ses fameuses couvertures d'exécutions capitales, il y a à prendre et à apprendre dans chaque tragédie. Et cette histoire est si vieille qu'elle n'a pu que se bonifier. On va exécuter un homme. J'ai envie de savoir pourquoi et comment on en est arrivé là. Raconte-moi une histoire, Tom.

Dans le taxi qui le conduisait à l'aéroport, Tom vérifia le bon fonctionnement de ses deux portables. Le premier fonctionnait par satellite. Attendu le coût des communications, il ne l'utiliserait que lorsque le second n'aurait pas de réseau. Il s'informa des derniers développements de l'affaire Paige Baker, qui n'avançait guère. Dix minutes après avoir quitté le journal, il appela Molly.

— Tu es déjà rendu au Montana, cow-boy ? plaisanta-t-elle.

— Tu as quelque chose pour moi ?

— Non, rien. Rappelle-moi quand tu seras à Salt Lake, OK ?

— Ne dis à personne que nous savons que la police nourrit des soupçons. Je vais essayer d'en apprendre plus avec Sydowski si j'arrive à lui mettre le grappin dessus.

— Prends garde aux ours !

Comme l'avion décollait, Reed ouvrit son ordinateur portable pour s'informer des tenants et des aboutissants du dossier Isaiah Hood, que lui avait préparé la recherchiste du journal. Il fut surpris de découvrir trois minces feuillets avec un mot d'excuse de l'archiviste : « Désolée, Tom, mais c'est tout ce qu'on a sur cette affaire. »

Vingt ans plus tôt, Hood avait tué une fillette. Condamné à mort à l'issue d'un procès de deux jours, il avait mis à profit les années suivantes pour user des appels que la loi autorisait. Il n'y avait rien d'extraordinaire dans ce dossier de banale affaire de meurtre, à l'exception de la dernière phrase de l'ultime recours en grâce, car Hood y clamait son innocence.

7

Emily était incapable de maîtriser ses frissons.

Une deuxième nuit sans Paige venait de commencer.

Depuis la disparition de sa petite, la mère n'avait pas mangé et bien peu dormi.

— Vous allez vous geler les os, m'dame, lui dit un jeune garde en essayant de lui couvrir les épaules d'un sac de couchage.

Emily refusa son aide.

— Ma fille n'en a pas, de couverture. Alors, par solidarité avec elle, je m'en passerai !

Doug discutait avec les autorités, face à une table éclairée de lampes, sur laquelle on avait déplié une carte. On avait aussi coupé le son des walkies-talkies. Emily préférait l'obscurité, en lisière du campement. Au loin, dans les vallées en contrebas et au flanc des montagnes alentour, on apercevait les points lumineux des lampes-torches des équipes de chercheurs, comme si la Voie lactée était descendue sur Terre.

Paige était quelque part par là. Le compte à rebours de sa survie avait commencé, égrenant les secondes et transformant les minutes en heures. *Paige, je te supplie de me pardonner. Tout est de ma faute. Tout a toujours été de ma faute.*

« Regarde bien ce que j'vais faire. »

Le monstre qui hantait Emily se frottait contre elle. Il cherchait à l'attraper pour l'attirer dans l'obscurité. *Non, je t'en prie, fais pas ça.* Elle se débattait, tout en entendant la voix de sa psy qui disait : « Emily, quand vous sentez qu'il revient pour s'en prendre à vous, essayez de penser à des choses positives. Ces choses positives, c'est votre cordon de sécurité. Elles sont bien réelles. Sans réserve. C'est à elles que vous devrez votre salut. Attrapez-les et ne les lâchez plus. » Elle chercha à se rappeler un bon souvenir.

Allez ! Poussez, Emily ! La maternité. Les infirmières. Doug qui serrait sa main dans la sienne. Le médecin qui l'encourageait. Prenez deux ou trois grandes inspirations, Emily, et poussez ! Faites-le pour moi. Allez, on y va. On y est presque. Les tout premiers cris du bébé. La joie. Incommensurable. Les félicitations. C'est une fille ! Minuscule frimousse et yeux clairs. Doug qui l'embrasse. Emily croule sous une montagne d'amour. Je t'aime. Elle tient tendrement son nouveau-né, dont elle sent le cœur battre. La douleur ne s'estompe pas. As-tu choisi un prénom ? Paige. On va l'appeler Paige. Emily n'en démordra pas. À l'image de Doug, Paige lui offre une toute nouvelle vie.

C'est la naissance du bébé qui a permis à Emily de briser les chaînes qui la reliaient à son monstre du passé. C'est du moins ce qu'Emily croyait. Mais, les années passant, Paige grandissant, le monstre lui a fait signe de revenir au Montana pour un ultime affrontement. Il faut y aller, lui a conseillé sa psy, sinon vous ne connaîtrez jamais la sérénité, vous ne soulagerez jamais votre conscience. Alors allez au Montana pour calmer les choses.

Emily avait oublié à quel point elle aimait le Montana, à quel point son enfance passée sur le modeste ranch familial adossé aux Rocheuses avait pu ressembler à un conte de fées. La maison traditionnelle à chevrons ? C'était son grand-père qui l'avait construite de ses propres mains dans les années 30. La cuisine et la couture? C'était sa mère qui les lui avait apprises. Le dimanche, quand elle emmenait Emily à la messe en ville, elle lui répétait que, dans la vie, il est aussi important de croire en soi que de croire en Dieu, mais que, par-dessus tout, il ne faut jamais mésestimer les propriétés salutaires du pardon.

Son père l'avait initiée au camping dans l'arrière-pays et à la conduite d'une camionnette à transmission manuelle. Il lui avait enseigné l'honnêteté et appris à ne jamais approcher un cheval énervé quand on est soi-même de mauvaise humeur, « parce que les animaux le sentent ». Emily se souvenait des bonnes odeurs de pin et de cèdre qui embaumaient la maison quand, par les soirées d'hiver, son père s'asseyait au coin du feu pour feuilleter sa collection de *Life* aux pages écornées. Elle se rappela son état d'excitation quand il lui avait montré le maniement de son premier appareil photo, « le seul moyen de capter des moments d'histoire en restant fidèle à ceux qu'on aime ».

Voilà à quoi avait ressemblé son enfance du côté de Buckhorn Creek, là où les étoiles semblaient si proches qu'on aurait dit des diamants, là où l'on avait l'impression de pouvoir toucher les montagnes en tendant le bras et d'entendre le vent chanter et danser. Emily restait persuadée que, dans la vie, un endroit peut devenir aussi important que les gens qui vous entourent.

En scrutant le ciel pourpre au-delà des montagnes, elle se désola de ne pas en entendre la musique. Elle luttait intérieurement. Elle aurait tant souhaité avouer à Doug ce qui s'était passé ici autrefois. Le besoin de le mettre au courant la dévorait, lui qui demeurait solide comme un roc et manifestait à son égard une incroyable patience.

Doug, qui avait eu une vie de solitaire, en parlait facilement.

— Tu sais, Emi, il n'y a pas grand-chose à en dire. J'ai grandi à Houston. Mon père, qui s'y entendait mieux à lever le coude qu'à m'éduquer, était bien meilleur joueur de poker que mécanicien. Quand il a quitté la maison, j'avais treize ans. Il a plaqué ma mère en lui laissant deux enfants, une hypothèque sur la maison et un cœur en miettes. Elle s'en est remise en épousant un chauffeur de camion. On a déménagé à Buffalo. Moi qui ai toujours eu la neige en horreur... Quand je suis parti de la maison, je n'avais pas dix-sept ans. J'ai roulé ma bosse de par le monde, à la recherche de quelqu'un comme toi.

Doug parvenait toujours à la faire sourire. Comme lors de leur première rencontre, quand elle lui avait dit comment elle s'appelait. « Emily, avait-il dit, c'est un prénom qui m'évoque un bouquet de fleurs des montagnes. » Pour elle, Doug était un superbe athlète, musclé, élancé, large d'épaules, doté d'un sourire gravé au burin, un ancien du corps des marines américains qui lisait en secret le *Path of the Paddle*[1] de Bill Mason. Comment aurait-elle pu ne pas aimer cet homme ? Pour payer les factures, Emily faisait des portraits, des photos de mariages ou d'autres encore destinées aux calendriers et aux fabricants de cartes postales. Elle travaillait aussi comme pigiste pour la presse. Mais c'était ses photos artistiques, ces instantanés pris sur le vif de la vie quotidienne, qu'elle avait montrées à Doug. Il les avait vraiment aimées d'emblée, il avait vraiment compris l'histoire qu'Emily voulait lui raconter de manière implicite à travers ces singuliers moments volés au temps qui passe. Ils s'étaient compris.

Ah, Doug et Paige...

Paige, c'était bien la fille à son père, un père qui savait doser tendresse et rigueur héritée de son passage chez les marines. Paige était une petite fille brillante et perspicace, deux qualités qu'elle partageait avec Doug. Parfois, en pensant au lien si fort qui unissait l'enfant

---

1 *L'Aviron qui nous mène*, Broquet, 1997.

à son père, Emily se demandait si ce n'était pas Doug qui avait accouché de Paige.

Quand la fillette avança en âge, pour Emily il devint de plus en plus évident que le monstre qui l'habitait allait se réveiller. S'étant construit une nouvelle vie, elle l'avait pourtant cru mort, alors qu'il n'était qu'en sommeil. Tel un boa constrictor, elle l'avait senti s'enrouler autour d'elle et serrer de plus en fort, dans le but de la ramener vers son passé.

Regarde bien ce que j'vais faire.

Sans prévenir, un vent glacial descendu d'un glacier la noya d'un flot d'images du passé.

Emily avait treize ans le jour où c'était arrivé. Le shérif du comté l'avait raccompagnée chez elle dans sa grosse Ford. Terrorisée, Emily avait été incapable de quitter la voiture. Ses jambes ne la portaient plus. Elle avait eu l'impression d'entendre une voix qui lui répétait en boucle : *Oh mon Dieu. Oh mon Dieu. Oh mon Dieu. Mais c'est pas vrai. C'est pas poss... Oh mon Dieu.* Elle revit l'expression du visage de sa mère apparue sur les marches du perron, entre deux adjoints du shérif dépêchés au ranch dès l'annonce de la nouvelle. Le père d'Emily, les joues striées de larmes, s'était approché de la fenêtre de la Ford. Par respect, le shérif avait ôté son chapeau et lui avait dit : « Winston, tu ne peux pas imaginer à quel point je suis désolé. » C'est à ce moment-là que le père d'Emily avait lâché un cri inhumain, comme si quelque chose d'enfoui au plus profond de lui se brisait si lentement qu'il en était contraint de se mettre à genoux et de frapper la terre à coups de poing. La mère, restée sur le perron, s'était soudain évanouie. Un des adjoints du shérif l'avait rattrapée. Plus tard, les hurlements de la mère étaient allés se perdre dans les montagnes.

Au soir de cette journée, des membres de l'église que fréquentait la famille étaient venus à la maison pour apporter leur soutien. Abattu, le père n'avait cessé de fixer le plancher, pendant que madame Nelson, qui jouait de l'orgue à l'église, murmurait des psaumes. La mère, elle, avait préféré aller s'allonger. Le révérend et sa femme étaient à son chevet pour la réconforter. L'épouse du pasteur lui passait gentiment la main dans les cheveux pour apaiser sa douleur. Assis autour de la table de la cuisine, des hommes parlaient à voix basse de ce qui s'était passé. *Bon Dieu, comment une chose pareille a-t-elle pu se produire ?* La nouvelle se répandant, d'autres visiteurs étaient arrivés de la ville. En état de choc, Emily n'avait cessé de passer d'une pièce dans l'autre. Elle gardait le souvenir d'avoir été embrassée par des gens qui sentaient le parfum, la cigarette, l'alcool et le désespoir.

Ma pauvre enfant. Grâce à Dieu, tu vas t'en remettre. Sois forte. Sois forte pour ton père et ta mère. Mais elle, elle qui avait vécu toute cette histoire, qu'allait-elle devenir ?

Regarde bien ce que j'vais faire.

Ce qui était arrivé était de sa faute.

Emily se revoyait courant à travers bois pour regagner le camp de vacances. Son cœur battait si fort qu'elle en percevait le bruit dans ses oreilles, un bruit qui couvrait les voix des moniteurs.

Lee, où est ta sœur ? Dis-nous ce qui est arrivé à Rachel, Lee !

Hébétée, Emily était restée bouche bée, les yeux ouverts, mais semblant ne rien voir. Le silence s'était installé dans tout le camp, sauf chez les moniteurs qui lui demandaient encore et encore ce qui était arrivé à Rachel, sa petite sœur.

Tout était de sa faute.

Regarde bien ce que j'vais faire.

Non, j't'en supplie, fais pas ça !

Le monstre était dans son rôle de monstre.

Lee ! avait hurlé sa sœur.

Non ! Je t'en supplie. Lâche-la !

Aide-moi, Lee, avait hurlé Rachel. *Le laisse pas faire !*

Lâche-la ! Arrête !

Lee... Lee...

Emily poussa un cri qui ricocha sur les sommets endormis avant d'aller se perdre dans les vallées.

Lâche-la. Tu peux pas faire ça. Oh mon Dieu !

Tout ce qui est arrivé est de ma faute.

Emily s'écroula, en pleurs. Les gardes coururent vers elle pour la relever. Dans la lueur des torches, Pike Thornton vit Doug prendre sa femme dans ses bras.

— Ça va aller, Emi. Paige, on va la retrouver. On va s'en sortir.

De sentir ses bras musclés autour d'elle la réconforta.

Mais le monstre était là. Tout près. Incapable de réprimer ses frissons, Emily sentait son souffle glacé dans son cou.

Qu'est-il arrivé à ta sœur ?

Tout est de ma faute.

Regarde bien ce que j'vais faire.

8

L'aube pointait à l'est quand Emily sombra dans un sommeil agité. Doug la tenait toujours serrée contre lui. Au bord de la falaise, drapées de couvertures, telles des sentinelles dévorées d'angoisse, leurs deux silhouettes se détachaient sur l'arrière-plan des sommets enneigés.

Paige venait de passer sa seconde nuit quelque part en pleine nature. On allait bientôt atteindre les quarante-huit heures. Il avait plu. Les gardes avaient expliqué que, la nuit, la vingtaine de degrés de la journée fondaient jusqu'à atteindre le point de congélation. Emily était certaine que Paige avait son chandail et un peu de nourriture. Et puis elle avait Kobee. Et par-dessus tout la fillette était intelligente. Parviendrait-elle à se tirer de ce mauvais pas ? *Bouge pas d'où tu es, Paige,* murmura son père. *Ne te déplace pas. Construis un abri de fortune et n'en bouge pas. Reste au chaud et au sec.* Il repensa à Kobee. Bientôt des équipes cynophiles allaient débarquer. Leurs chiens allaient sentir la piste de Kobee. Mais, où se trouvait la petite, des ours rôdaient.

Doug gratta ses favoris. Comment lui, qui était enseignant, avait-il pu laisser sa fille partir ainsi ? Il avait vraiment perdu les pédales. Sa femme, cette randonnée au Montana et tout un tas de choses l'avaient rendu complètement fou. Il aurait voulu que le cauchemar se termine. Il avait mal à la main. La douleur l'élançait. Il tenait la hache quand… Comment en était-il arrivé là ? Malgré les problèmes de sa femme, ils avaient été heureux. Emily, c'était la femme de sa vie. Elle était tout pour lui. Il l'avait toujours su, dès la seconde où il avait posé les yeux sur elle.

Ça s'était passé au camp d'entraînement de Pendleton, dans le sud de la Californie. Doug était sergent au sein des troupes prêtes à être déployées dans le Pacifique en cas de conflit. Emily effectuait un reportage pour le compte du magazine *Newsweek*. Elle était descendue de San Francisco avec toute une meute de confrères pour faire des photos du quotidien des marines. Au début, Doug ne l'avait même pas remarquée. Pour lui, elle n'était qu'une parmi d'autres qu'il faudrait chaperonner, informer sur le sens de la mission, présenter aux hommes et autoriser à tout visiter, y compris les quartiers privés des soldats. Doug le dur à cuire ponctuait chaque étape de la visite par « Des questions ? » C'était demandé sur un mode bourru, qu'il fallait traduire par : « Si vous avez le malheur d'en poser une, de question, vous allez vite comprendre la signification de l'expression *passer pour un con.* » Le message avait été fort bien compris et, jusqu'à la mi-journée, personne, dans la bande de journalistes, ne s'était autorisé à lever la main. Et puis Emily avait osé :

— Dites-moi, sergent…

— Oui, m'dame, je vous écoute.

— Pourquoi un grand garçon comme vous, couvert de gloire et débordant de virilité, a-t-il un exemplaire de *L'Aviron qui nous mène* dans son armoire personnelle ?

Doug en était resté stupéfait, et Emily, d'un clic, avait su immortaliser son expression. Puis elle avait baissé sa caméra, dévoilant le plus invitant, le plus charmant des sourires que le sergent avait jamais vus. À cet instant même, Doug avait compris que cette femme l'avait envoûté.

Le lendemain soir, elle avait accepté d'aller faire une promenade sur la plage en sa compagnie. Le regard braqué vers l'océan, Doug lui avait dit son intention de quitter l'armée pour devenir enseignant. Il étudiait d'ailleurs la littérature anglaise par correspondance. L'exemplaire illustré de *L'Aviron qui nous mène*, qu'Emily avait vu dans son placard, faisait partie de la liste des ouvrages au programme, à côté d'œuvres classiques comme *Crime et Châtiment* ou l'*Odyssée* d'Homère. La chance étant de son côté, Doug venait d'être accepté à l'université Golden State de San Francisco.

— Il faut absolument que je vous montre mon studio, lui avait dit Emily en haussant les sourcils. Faites-moi signe, soldat, quand vous serez à San Francisco.

L'invitation n'était pas tombée dans l'oreille d'un sourd.

Doug et Emily s'étaient mariés quelques années plus tard. Entre eux deux, le courant passait bien, mais Emily conservait une part d'ombre et ne se départait jamais d'une certaine mélancolie. Si on lui proposait d'en parler, la jeune femme se fermait comme une huître. Alors Doug avait fini par en prendre son parti. La vie leur souriait. Il avait trouvé un poste d'enseignant dans un collège et de son côté Emily avait toujours du travail. Puis Paige était arrivée. Très jolie, la petite avait hérité de sa mère cet œil auquel rien n'échappait. Ce n'était que récemment qu'Emily s'était de plus en plus mise en retrait de la vie.

Doug observa les effets des premiers rayons du soleil sur les Rocheuses.

Pour lui, les problèmes d'Emily trouvaient leur origine dans son enfance au Montana et s'expliquaient par la mort de ses parents. Mais la jeune femme ne voulait ou ne pouvait pas en parler. Même à lui. Elle gardait jalousement les secrets liés à son passé. Malgré toute l'attention dont il l'avait entourée, Doug n'avait jamais pu apprendre quoi que ce soit sur les affres de l'enfance de sa femme. Seul point positif, Emily consultait une psy dont la fréquentation semblait donner des résultats. Doug attendait beaucoup de cette randonnée au Montana, car elle devait aider Emily à dénouer bien des nœuds. Emily et lui faisaient bloc.

Il s'était souvent dit que, si ce qui tourmentait Emily avait été quelque chose de vivant, il l'aurait tué de ses propres mains. Mais comment s'y prend-on pour tuer des fantômes ? Son impuissance le rongeait de l'intérieur. Bien qu'ils aient fait le déplacement depuis la Californie dans ce seul but, dès leur arrivée au Montana, Emily l'avait exaspéré par son absence de volonté et son incapacité à lui révéler la source de ses angoisses. Emily n'avait cessé de freiner des quatre fers… jusqu'à l'autre nuit, lorsqu'un verrou avait sauté et qu'elle lui avait révélé qu'elle avait eu une sœur. Après, elle s'était à nouveau claquemurée dans le mutisme. Et lui, dès le lendemain, au lieu de faire preuve de compréhension et d'encourager son premier pas, il n'avait rien trouvé de mieux que de se quereller avec elle. Histoire d'être seule pour réfléchir, Emily avait décidé de remonter le sentier qu'ils avaient suivi jusqu'à leur campement. Ce qui avait énervé Doug encore plus. Qu'avait-il donc fait ? Il avait pris sa hache, fendu du bois comme un fou et reporté son énervement sur sa fille, alors qu'il en voulait à la mère. Paige voulait discuter avec son père, rien de plus. Mais Doug s'était mis à hurler. Jusqu'à ce qu'il se blesse. La gamine avait pris peur et s'était enfuie dans les bois. *Quand je pense que je lui ai demandé de me foutre la paix alors que j'avais une hache à la main !* Il lui avait vraiment demandé de disparaître. Et la petite l'avait pris au mot. *Comment ai-je pu me comporter d'une manière aussi stupide et aussi cruelle ? Bon Dieu, Paige, si tu savais comme je suis désolé.*

Il se passa la main sur le visage. Doug avait le sentiment que son cœur allait exploser et se réduire en miettes. Il entendit un hélico approcher. Puis il sentit une odeur de café et quelqu'un lui en proposa une tasse. Ce quelqu'un, c'était Pike Thornton.

— Merci, dit Doug qui but une lampée réparatrice.

Sa tasse à hauteur d'yeux, Thornton l'observait.

— Ça doit être l'hélico du FBI.

Doug regarda Thornton et n'apprécia pas du tout la manière impassible dont le garde le jaugeait.

— Doug, proposa Thornton alors que le vrombissement du rotor enflait dans leurs oreilles, s'il y a quoi que ce soit dont vous souhaiteriez nous parler, je dis bien « quoi que ce soit », je pense que ce serait le moment.

9

Rooster Cogburn, à la fois borgne et shérif, plissa son œil (le bon) et gueula à travers la plaine à l'adresse de ce hors-la-loi de Ned Pepper et de sa bande :

— J'ai dans l'idée de te descendre d'une seconde à l'autre. Ou de te voir à Fort Smith te balancer au bout d'une corde, selon ce que décidera le juge Parker. Dis-moi, Ned, tu préfères quoi ?

Pepper calcula ses chances. Avec ses acolytes, ils jouaient à trois contre un. Il répondit en souriant :

— Je te trouve bien prétentieux pour un gros plein de soupe qui n'a qu'un œil.

D'une pichenette sur la télécommande, l'agente spéciale Tracy Bowman effectua un arrêt sur image. Elle se tourna vers Mark, son fils de neuf ans, qui était vautré sur le canapé, une main plongée dans le sac presque vide de pop-corn.

Cent dollars pour un shérif demeurait son film préféré avec John Wayne, et l'affrontement entre Rooster et Pepper sa séquence favorite. La réplique suivante, leur préférée, était devenue comme une espèce de rituel. Le père de Mark avait coutume d'arrêter le film à ce moment-là, pour que son fils et lui la disent en chœur. Depuis la mort de son mari, quelques années plus tôt, Tracy avait repris le flambeau de cette tradition familiale.

Mark écarquilla les yeux pour répondre au défi que Pepper avait lancé à Rooster. Mère et fils firent chorus pour s'exclamer :

— Dégaine donc, fils de chienne !

Puis, sur l'écran, Rooster répéta la phrase tout en commençant à faire feu sur Pepper et sa bande. Tracy sourit. Elle aimait ces soirées paisibles passées à regarder un film dans le salon aux lampes tamisées de sa modeste maison située près de Lolo, dans le Montana. De voir la lumière de l'écran se réfléchir sur le visage de Mark réchauffa le cœur de Tracy. Il ressemblait tellement à Carl, son père. Les mois qui avaient suivi sa brusque disparition avaient été minés par l'angoisse. Tracy rêvait de Carl et le cherchait partout. La nuit, elle se réveillait pour constater qu'elle était seule. Puis elle avait appris à vivre sans lui. Au fil des mois les vêtements de Carl s'étaient peu à peu trouvés remisés à l'extrémité du garde-robe. C'est fou comme Carl lui manquait. Certains jours, elle enfilait une de ses anciennes chemises. Elle aimait en sentir le parfum et avait l'impression que Carl l'enveloppait de ses bras.

Cent dollars pour un shérif, c'était le film préféré de son défunt mari.

Il avait monté une société de remorquage à Missoula. Tracy et Carl, deux cœurs solitaires et réservés, s'étaient connus il y avait fort longtemps sur les lieux d'un carambolage au nord de Milltown. À cette époque, Tracy faisait ses premières armes au sein de la police de la route. Ils s'étaient dit oui dans la minuscule chapelle de la vallée du sud de la ville et avaient fait construire leur maison sur un lopin de terre au bord de la rivière Bitterroot. Puis Mark était né.

Quelques années plus tard, apprenant que le FBI cherchait à recruter des agents dans la région, Carl avait pressé Tracy de poser sa candidature. « Tu n'as pas à rougir de tes capacités, Trace, tu les vaux tous ! » Elle avait réussi les épreuves et obtenu des notes remarquables lors de sa formation. La chance avait voulu qu'elle soit nommée à l'agence de Missoula, dans West Front Street. Parfois, à midi, Carl passait chercher Tracy à son bureau et ils dînaient ensemble avant d'aller se balader au bord de la rivière.

Au début, mutée au service des fraudes, Tracy avait enquêté sur des cas de corruption dans les contrats fédéraux avant de s'occuper des crimes en matière d'environnement au sein d'une équipe pluridisciplinaire.

Fourmi parmi une multitude d'agents, Tracy avait très modestement collaboré à certaines grosses affaires, comme l'arrestation d'Unabomber[2] près de Lincoln ou le baroud d'honneur des Freemen[3] du côté de Jordan. Des agents du FBI venus de tous les États-Unis avaient travaillé sur ces dossiers retentissants. C'est lors de l'opération militaire de Jordan que Tracy avait surpris une conversation la concernant. Deux collègues venues d'autres États s'étaient moquées d'elle dans son dos.

Après sa grossesse, incapable de retrouver son poids santé, Tracy se trouvait avec une quinzaine de kilos de trop pour son mètre soixante-dix. La surcharge pondérale avait toujours été un combat de chaque instant. Si elle avait fait mine de ne pas entendre les remarques désobligeantes de ses collègues, elle en avait été néanmoins blessée. Mais elle avait essayé de ne plus y penser, car elle se savait en pleine possession de ses moyens physiques et intellectuels et dévouée à sa tâche.

Mais quelqu'un avait dû faire remonter l'information en haut lieu car, peu de temps après les arrestations sans violence des Freemen, on avait recommencé à la

---

[2] Unabomber, alias Ted Kaczynski, terroriste américain, mathématicien, militant écologiste, fit l'objet de la chasse à l'homme la plus coûteuse de l'histoire du FBI. Il purge une peine de détention à perpétuité.

[3] Se définissant comme « chrétiens et patriotes », lourdement armés, niant le pouvoir fédéral de Washington, retranchés sur leurs terres de Jordan, au Montana, les membres de ce groupement entretinrent un long bras de fer avec le FBI en décembre 1996.

harceler au sujet de son poids et, pour finir, on l'avait mutée à un travail de bureaucrate. Tracy s'occupait des fraudes sur Internet et dépendait du quartier général du FBI.

On lui avait fait miroiter que son poste était promis à un bel avenir dans le domaine de la collecte de renseignements, mais il n'avait jamais vraiment évolué dans ce sens. Tracy Bowman était devenue un simple pion que les autres agents de la région sollicitaient quand ils avaient besoin de données Internet. Elle s'était vite désintéressée de cette tâche. Certains jours, ayant si peu de travail, elle bayait aux corneilles en mâchant des bâtons de carotte et de céleri tout en rêvant d'enquêtes criminelles sur le terrain.

Un soir d'hiver, alors qu'une tempête de neige sévissait, Carl répondit à un appel. Un bus transportant une équipe de basket-ball féminin du Wyoming était tombé en panne sur l'autoroute 90, à l'ouest de Garrison. Personne ne voulait aller les dépanner. À ce moment-là, Carl venait de quitter Drummond et rentrait chez lui. Il s'était dérouté pour se porter au secours des filles. Peu de temps après son arrivée sur les lieux, un dix-huit roues chargé de jouets de Noël destinés aux supermarchés de Spokane s'était mis en portefeuille avant de frapper le bus de l'équipe de basket. Carl et l'une des joueuses avaient été tués sur le coup.

Ce soir-là, la vie de Tracy Bowman avait changé de façon radicale. Au début, elle avait pensé ne jamais s'en remettre, mais elle s'était accrochée. Elle l'avait fait pour Mark. La mère et le fils avaient souffert et s'étaient épaulés. Au cours des mois ayant suivi la mort de Carl, Mark avait souvent dit à sa mère : « Tu sais, maman, c'est pas grave si t'as envie de pleurer un petit peu aujourd'hui. »

Après la mort de son mari, sans jamais vraiment y renoncer, changer de poste au sein du FBI était devenu le cadet des soucis de Tracy. Avec le temps elle avait fini par perdre quelques kilos mais restait encore un peu enveloppée. *Au diable les kilos!* s'était-elle dit. *Après tout, je suis en pleine forme et je peux donner le meilleur de moi-même.*

Elle avait récemment repris espoir avec une nouvelle formation professionnelle. À Quantico, en Virginie, au cours de sa formation intitulée Crimes avec violence et Criminels exceptionnels, on avait remarqué que Tracy appartenait au tout petit pourcentage de personnes dotées de rares facultés d'analyse. Le programme couvrait aussi bien les fugitifs en cavale, l'exploitation sexuelle des mineurs, les enlèvements que les tentatives d'assassinat contre le Président. Grâce à ce nouveau cursus, Tracy espérait pouvoir obtenir une mutation dans une brigade des Crimes avec violence dans une des villes où il y avait souvent des ouvertures de postes, à savoir Los Angeles, Chicago ou Dallas.

Juste avant la mort de Carl, on avait découvert que Mark souffrait d'une maladie pulmonaire rarissime. Dans les grosses villes comme Chicago ou L.A. existaient des services médicaux spécialisés dans le traitement de la pathologie de Mark. Tracy se serait sentie rassurée de travailler à proximité d'un de ces hôpitaux.

Les médicaments avaient aidé le garçon à retrouver sa capacité pulmonaire et à neuf ans il menait une vie normale. Il adorait l'école et l'informatique, et surtout les dinosaures. Sa mère et lui s'étaient rendus au Colorado, au Montana et en Alberta pour visiter des sites de fouilles de dinosaures. Sous la responsabilité maternelle, car on n'est jamais trop prudent avec Internet, Mark avait même créé son propre site web consacré aux reptiles de l'ère secondaire.

Tracy espérait obtenir incessamment une réponse à sa demande de mutation dans une grosse agglomération. Elle était née et avait grandi à Miles, dans le Montana, et ses sentiments étaient partagés quant à l'idée de quitter sa région d'origine. Les problèmes d'assurances étaient réglés depuis longtemps. Elle avait vendu la société de remorquage de son défunt mari et disposait donc d'un modeste capital pour repartir d'un bon pied. Alors qu'elle plongeait la main dans le sac de pop-corn, un œil sur John Wayne dans toute sa superbe, les rênes de son cheval serrées entre les dents et faisant feu sur l'ennemi, elle se dit que Mark et elle avaient grand besoin de tourner une nouvelle page de leur vie.

Le téléphone sonna. Tracy décrocha.

— Tracy Bowman ? C'est Roger Cole, à Billings.

Elle se redressa. Cole était le représentant du FBI pour le Montana.

— Il nous arrive une affaire sur laquelle vous allez collaborer. En fait, c'est Washington qui a proposé votre nom.

Tracy fit travailler ses méninges en se demandant de quoi il pouvait bien retourner.

— On a une grosse affaire sur les bras. Une fillette d'une dizaine d'années, originaire de la Californie, a disparu dans le parc des Glaciers. Mais il se pourrait bien que cette simple disparition cache autre chose. En haut lieu, les politiques ouvrent les parapluies. On va créer une escouade spéciale. Vous allez travailler avec des gardes des parcs nationaux, les flics du comté et la police de San Francisco, qui dépêche quelqu'un. C'est nous qui pilotons l'enquête depuis Salt Lake City. D'après votre dossier, Bowman, avant d'entrer au FBI, vous avez travaillé dans la police de la route et été garde, l'été, dans le parc des Glaciers, c'est exact ?

— Affirmatif. Mais dites-moi, monsieur, il y a quelque chose que je ne comprends pas. Ici, au Montana, je ne suis que la personne-ressource en matière d'Internet…

— Vous étiez. À partir de maintenant, mettez-vous dans la tête que vous avez provisoirement obtenu votre mutation à Los Angeles. Je suis désolé, Bowman, mais les félicitations, c'est pas mon fort.

— Je ne comprends toujours pas…

— Écoutez-moi. Les imbroglios des politiques, c'est pas ma tasse de thé, OK ? Ce que je vais vous dire sous le sceau de la confidence, s'ils l'apprenaient en haut lieu, ils enverraient quelqu'un pour me couper les couilles. Suis-je clair ?

— Tout à fait.

— Alors voilà. À Quantico, comme à Los Angeles, ils ont été impressionnés par vos récents résultats obtenus lors de votre dernière formation. Le patron en Virginie a dit que vous étiez, je cite mes notes : « dotée d'un incroyable instinct et d'un talent naturel pour la dissection ». Dans votre groupe, vous avez épaté tout le monde. Je vous informe que vous avez décroché un poste à Los Angeles, mais vous n'êtes pas censée être au courant. Au quartier général, ils veulent voir comment vous allez vous comporter dans cette enquête de disparition. Ils vous ont choisie parce que vous faites partie du haut du panier. Nos agents de Kalispell et de Browning ne sont pas dans une forme olympique en ce moment. Ils sont en congé, malades ou déjà en mission. Vous êtes l'agent le plus disponible dans la région. Vous saisissez le topo ?

— Oui, mais je n'arrive pas à croire que… Je voulais le poste à Los Angeles à cause de Mark, mais… Et vous dites que je ne suis pas censée être au courant ?

— Au courant de quoi, Bowman ?

— Bon, ça va, j'ai compris.

— Bienvenue dans le club police et politique, Bowman. L'affaire qui nous occupe va vraisemblablement faire du bruit. On va la contrôler de A à Z. Notre hiérarchie n'a pas envie de courir le moindre risque de débordement magistral, non seulement pour nous, mais aussi pour d'autres agences. Le compte à rebours commence dès maintenant.

John Wayne était coincé sous son cheval. Tracy le regarda qui cherchait à attraper son arme alors que Pepper s'approchait pour achever le shérif.

— Dites-moi, monsieur, demanda Tracy, je ne m'explique pas le débarquement d'une telle armada pour une simple disparition d'enfant en forêt. Avec tout le respect que je vous dois, n'est-ce pas un peu beaucoup ? Les gardes devraient être capables de gérer l'affaire.

— Je suis sûr que vous êtes au courant de l'histoire qui s'est passée il n'y a pas longtemps dans le parc Yellowstone ?

— En effet.

— Personne n'a envie d'assister à un nouveau fiasco. Ce sont les gardes du parc des Glaciers qui nous ont alertés. L'un des parents serait soupçonné d'homicide avec circonstances atténuantes.

— Quel genre de circonstances ?

— On aura bientôt d'autres précisions, et d'autres policiers vont arriver. Vous connaîtrez les développements.

Kim Darby était tombé dans un puits. Il était à présent face à face avec un serpent à sonnette en colère.

— Bowman, vous allez faire équipe avec l'agent Frank Zander. Il travaille au QG à la section des Crimes avec violence.

— J'en ai entendu parler.

— Je vous mets en garde. Zander a la réputation de pouvoir monter un dossier d'accusation contre n'importe qui à propos de n'importe quoi en un temps record. Il a porté de sérieux coups à quelques gros bonnets du crime organisé, à des terroristes, des kidnappeurs et des tueurs en série.

— Et c'est contre ça que vous voulez me mettre en garde ?

— C'est un loup solitaire. Pas du genre à travailler en binôme. C'est un chieur patenté, mais totalement dépourvu de personnalité. D'ailleurs sa femme vient de le quitter.

Tracy se crispa. *Sa femme l'a quitté pourquoi ?* se demanda-t-elle. *Parce que c'est un chieur ou parce qu'il n'a pas de personnalité ?*

— Y a-t-il autre chose que je devrais savoir sur lui ? fit-elle à voix haute.

— À l'heure à laquelle on se parle, Zander est dans l'avion. Il assurera la coordination avec Salt Lake City et les gardes. Vous l'assisterez. Préparez-vous à partir pour les montagnes. La dernière fois que vous êtes allée dans le parc des Glaciers, ça remonte à quand ?

— À deux ans, je crois, répondit Tracy en déglutissant.

Carl et elle avaient l'habitude d'aller dans le parc en compagnie de Mark.

— Zander va arriver à Kalispell. C'est là que vous irez le cueillir. Vous partirez aussitôt pour West Glacier. Essayez de dormir un peu. Un hélico vous déposera au poste de commandement dès le lever du jour. On espère que la petite escouade spéciale sera réunie et établira un plan de match avant de se mettre immédiatement au boulot. Compris ? On va vous envoyer des gens de Great Falls, Helena, Billings, Cœur d'Alene et tout un régiment montera de Seattle et de Salt Lake. C'est Lloyd Turner qui supervisera le dispositif. Il va falloir agir rapidement, chacun a gros à y gagner.

— Oui, monsieur.

— Bonne chance, Tracy.

Tracy raccrocha et se prit la tête entre les mains.

Que venait-il de se passer ?

Elle réfléchit à cent à l'heure. Elle venait donc d'obtenir le poste dont elle rêvait, à la fois pour Mark et pour sa propre sérénité. À une condition cependant : qu'elle ne commette pas d'impair dans ce dossier de disparition, car sinon c'en était fini de sa mutation. Et elle allait devoir collaborer avec un type auréolé de sa réputation de dangerosité. Mais après tout, n'avait-elle pas tout fait pour quitter ce bureau où elle se sentait prisonnière comme un poisson dans son bocal pour aller travailler aux Crimes avec violence ?

Tracy écarta ses doigts pour voir Kim Darby dire adieu à Rooster Cogburn, dont le cheval s'était cabré quand il avait salué en levant son chapeau.

— Passe donc dire bonjour au vieux gros plein de soupe de temps en temps, dit Rooster avant que sa monture franchisse la clôture et fonce vers les montagnes à travers la prairie enneigée.

Mark s'était endormi.

Tracy appela son amie Roberta Cara, qui avait gardé Mark pendant ses quelques semaines de formation en Virginie. Roberta vivait avec J.T., son époux d'avocat, et leurs sept enfants, dans un immense ranch au sud de Missoula. C'est J.T. qui s'était occupé de la succession et des affaires de Carl à la mort de ce dernier.

— Pas de problème pour Mark, Tracy. Je vais envoyer une ou deux de mes filles. Elles vont dormir chez toi et le ramèneront ici demain matin.

Tracy réveilla son fils avec précaution pour le prévenir que des filles de Roberta arrivaient pour s'occuper de lui parce qu'elle avait une urgence professionnelle et devait s'absenter quelques jours.

— T'oublieras pas de m'appeler, hein, maman ? Comme quand t'étais à Quantico, fit le garçon en embrassant sa mère.

— Je t'appellerai tous les jours, shérif. Je te le promets.

Shérif, c'était le petit nom qu'elle lui avait donné.

Le sourire aux lèvres, Mark se rendormit. Tracy le porta à son lit et lui laissa un mot : « Je t'aime et tu vas me manquer. » Puis elle prépara les bagages. D'abord ceux de son fils, et ensuite les siens. Elle terminait quand les filles arrivèrent. Elle leur rappela quels médicaments Mark devait prendre et à quelle heure, puis elle écrivit ces consignes pour Roberta, lui laissant aussi son numéro de cellulaire et ceux des bureaux du FBI à Salt Lake City. Elle chargea son sac dans son Chevy Blazer et prit la direction de l'autoroute 93.

Il lui faudrait un peu plus d'une heure pour atteindre Kalispell. Bizarrement, sans qu'elle puisse l'expliquer, au moment de partir, elle pensa soudain à Isaiah Hood, qui serait bientôt exécuté à Deer Lodge. Pourquoi penser à ce tueur ? Peut-être parce qu'on avait parlé de lui récemment dans le *Missoulian*. Hood avait formulé une demande de grâce auprès de la Cour suprême, demande dans laquelle il clamait son innocence. Ce qu'il n'avait jamais fait auparavant. Tracy chercha à chasser Hood de son esprit en se concentrant sur l'affaire qui l'attendait. Son portable était-il bien branché ? Elle s'en assurait quand il sonna. Elle eut un bref instant de surprise avant de répondre.

— Bowman, j'écoute.

— Qui êtes-vous ? Répondez ! fit une voix mâle et bourrue.

— Tracy Bowman, agent du FBI. Et vous, qui êtes-vous ?

— Frank Zander. C'est vous l'agent du Montana chargé de faire équipe avec moi ?

La liaison était mauvaise.

— Oui, c'est moi.

— Où êtes-vous ?

— En route vers Kalispell. On doit se retrouver à l'aéroport. Vous appelez d'où ?

— De l'avion. Sur un téléphone spécial. Je vais faire halte à Salt Lake avant de reprendre aussitôt une correspondance pour le Montana. Je serai là dans deux heures environ. Dites-moi, pouvez-vous trouver un télécopieur sécurisé ? J'ai un rapport que j'aimerais vous envoyer tout de suite.

En conduisant, Tracy réfléchit à toute vitesse et répondit par l'affirmative.

— Donnez-moi le numéro, alors, fit Zander d'un ton condescendant.

Tracy énonça le numéro.

— Vous êtes certaine que ce numéro est sécurisé ? J'ai des doutes.

— Il l'est.

— Bon, OK, la télécopie démarrera dès la fin de notre conversation.

— Très bien.

— Bowman, connaissez-vous Pike Thornton ? C'est un garde du parc des Glaciers.

— Pas vraiment. Mais j'en ai entendu parler.

— Et l'inspecteur Sydowski, de la police de San Francisco, ça vous dit quelque chose ?

— Rien du tout.

— Que savez-vous de l'affaire qui nous occupe et de la suspicion d'homicide ?

— Ce qu'on m'en a dit.

— Vous travaillez où exactement, Bowman ? Au service des liaisons Internet, c'est ça ?

Il donnait l'impression de s'adresser à une extraterrestre.

— Jamais entendu parler de ce service, continua-t-il. Et c'est votre première enquête, vous confirmez ?

— Oui.

— Vous êtes bien certaine de travailler à cette enquête ? On n'aurait pas appelé la mauvaise personne à tout hasard ?

— Je suis la bonne personne.

— Alors le numéro de télécopie que vous m'avez donné a intérêt à être sécurisé. Je ne tolérerai pas la moindre faille en matière de sécurité. C'est bien clair ?

Il s'était écoulé moins de deux minutes depuis le début de leur conversation et Tracy ne supportait déjà plus Zander. Elle était peut-être fébrile et novice en la matière, mais elle n'était pas idiote.

— Agent Zander, demanda-t-elle, l'avion dans lequel vous voyagez, est-ce un avion du FBI ou un vol commercial ?

— Commercial, pourquoi ?

— Vous êtes seul à bord ?

— Non.

— Moi, je suis seule au volant de mon Blazer sur une autoroute de montagne. Le seul risque que je cours, c'est d'écraser un lapin, tandis que vous, vous êtes en train de parler d'une enquête en cours dans un lieu public. Jetez donc un œil autour de vous aux passagers qui font mine de ne rien comprendre aux phrases que vous hurlez dans le téléphone. C'est ça, maintenant, la procédure que suivent les gros bonnets de Washington ?

Un silence assourdissant se fit sur la ligne.

Aïe ! se dit Tracy. *Je viens sûrement de me tirer une balle dans le pied.* Elle passa en revue les grosses affaires récentes auxquelles Zander avait sûrement collaboré, pendant qu'elle, de son côté, avait pour seul souci de savoir où brancher sa souris d'ordinateur. Elle prit soudain conscience de son manque de maturité, de sa surcharge pondérale et de l'image qu'elle avait d'elle-même. *Ça y est. Je suis déjà grillée.*

— La télécopie est en train de passer. Je vous rappelle au cours de l'heure qui vient, dit Zander pour mettre un terme à la communication.

Aussitôt, Tracy composa un numéro sur son téléphone et jeta un œil à la pendule du tableau de bord. Il lui restait vingt minutes avant la fermeture.

— Station-service Turly, Don à l'appareil.

— Don, c'est Tracy. Rends-moi un service. Mets du papier dans ton fax et allume-le. Y a un truc pour moi qui va arriver. Ce sont des documents tout ce qu'il y a de moins intéressants concernant l'état de santé de Mark. Ça vient d'un ami du FBI. Quelqu'un de sa famille souffre du même truc. Je passerai chercher la télécopie dans cinq minutes et j'en profiterai pour faire le plein.

— D'accord, Trace, pas de problème.

Pendant que Don faisait le plein et vérifiait les niveaux du Blazer, Tracy parcourut les neuf pages de la télécopie. Son estomac se serra. Les gardes n'avaient pas menti. L'affaire se présentait mal à en croire les notes et le résumé d'une ancienne plainte déposée à San Francisco. La blessure du père et l'attitude pour le moins évasive des parents faisaient craindre le pire concernant la fillette disparue. Tracy consulta sa montre et calcula le laps de temps depuis la disparition de la petite.

Elle reprit le volant et s'enfonça dans la nuit en direction des Rocheuses. C'est à ce moment-là qu'elle comprit dans quel genre de drame elle avait mis les pieds. Il lui faudrait faire extrêmement attention. Le père et la mère se débattaient avec leurs peurs au sujet de leur enfant disparue pendant que les agents du FBI suspectaient l'un ou l'autre, voire les deux, d'avoir tué la gamine.

10

Grâce à une icône de son ordinateur portable, l'agent spécial Frank Zander vérifia que sa télécopie avait bien été envoyée. Puis il débrancha l'appareil du système de communication radio de l'avion. Après s'être réinstallé dans son siège, il jeta un œil discret à ses voisins immédiats. Les rares passagers étaient disséminés. Zander était le seul occupant de sa rangée ; l'idéal pour pouvoir allonger les jambes. Tout de même, cette Tracy Bowman avait raison. Il se sentait coupable de n'avoir pas respecté les mesures de sécurité.

Mais au fait, c'était qui, cette Tracy Bowman ? D'où sortait-elle au juste ? De la cellule Internet du bureau de Missoula ? On l'avait choisie parce qu'elle avait brillé lors d'une récente formation et habitait le Montana ? Était-ce suffisant pour en faire son *alter ego* dans l'enquête qui démarrait ? Si ses supérieurs pensaient qu'il aurait le temps de s'occuper d'une débutante, ils se mettaient le doigt dans l'œil. Mais après tout, cette femme était peut-être efficace. À moins qu'elle n'ait bénéficié d'un piston. Zander secoua la tête. Personne ne lui parlait comme elle venait de le faire. De toute façon, il n'avait pas besoin de femme dans sa vie, pas plus de celle-là que d'une autre !

Il referma son ordinateur, le posa sur le siège voisin, éteignit la lumière au-dessus de sa tête et contempla la nuit par le hublot. Ayant déjà assimilé tout ce qui avait été écrit sur la disparition de Paige, il échafauda un plan d'attaque. Avant de se poser au Montana, il passerait à nouveau tout en revue et affinerait sa stratégie. À présent, il ne lui restait qu'une chose à faire : essayer de dormir. Il aperçut les lumières des villes, trente-cinq mille pieds plus bas. Il lui arrivait de se demander s'il ne passait pas sa vie en avion. Il avait enquêté dans quarante-neuf États, le Montana serait le cinquantième. *Quel palmarès ! Certains collectionnent les montres ou les jolis stylos*, se dit-il, *moi, ce sont les États et les convocations des juges des affaires matrimoniales.*

Sa première femme s'appelait Denise. Elle travaillait comme infirmière à l'hôpital George-Washington. S'ils étaient de jeunes amants sans cesse en manque l'un de l'autre, ils étaient totalement incompatibles en tant que mari et femme. Au bout de trois ans, la séparation s'était passée comme le reste : avec passion, vaisselle brisée, cris, larmes, portes qui claquent et coups de fil à l'avocat. Aux dernières nouvelles, Denise avait déménagé à Londres, où elle avait épousé un médecin qui lui avait donné une fille.

La deuxième madame Zander, Meredith, avait mis un terme à leur union de la façon la plus posée qui soit : par un simple courriel. Bien tourné. Sans la moindre faute de syntaxe ou de grammaire. Et aussi tranchant et efficace qu'un bistouri de chirurgien. Bref, quelque chose qui lui ressemblait. Frank s'était amusé à imaginer l'agenda de sa femme ce jour-là : « réunion du Conseil à la Maison-Blanche, réserver 1) séance de spa, 2) voyage à New York et 3) une chambre au Ritz pour partie de jambes en l'air avec avocat du procureur, prévenir mari que tout est terminé, penser à passer chercher robe pour soirée de gala au Lincoln Center. » Ils étaient restés six ans ensemble, avant qu'elle ne tape les mots suivants : « À compter de ce jour, j'entame la procédure de divorce. » Les expressions comme « À compter de ce jour » reflétaient parfaitement le langage des bureaucrates étroits d'esprit (et du reste...) de Washington. « À compter de ce jour... » *Bien joué, Meredith!* Vers la fin, quand elle avait pris les rendez-vous chez l'avocat, elle n'était pas venue. À deux reprises, Frank s'était retrouvé seul à faire le pied de grue dans la salle d'attente, à feuilleter un ancien numéro de *People Magazine*. Tout en regardant le Potomac qui coulait plus bas, il s'était dit qu'elle avait fait exprès de ne pas venir, histoire de l'humilier, histoire de lui montrer métaphoriquement son majeur tendu.

Il se rappela le jour où il avait reçu le courriel mettant fin à leur union. Il avait brièvement écrit à Meredith: « Je sais que tu baises avec Pearson. »

Elle avait répondu: « Cool ! »

Elle adorait ce qu'il détestait: le pouvoir, la politique, les soirées, la flagornerie et le travail par Internet. Voilà ce qui la faisait vraiment planer. Alors que Frank n'était qu'un flic fédéral qui ne rêvait que d'une chose: fuir la Beltway, cette zone qui cerne la Maison-Blanche et où vivent les principaux décideurs du pays. Il se voyait habiter un endroit peuplé de « vrais gens », comme on dit, qui vous regardent dans les yeux et pensent ce qu'ils vous disent, de gens comme on en trouve au Montana ou en Idaho, des États où l'on se méfie du pouvoir fédéral comme de la peste. Frank se disait en souriant qu'il s'y sentirait comme un poisson dans l'eau. Mais, pour l'instant, il louait un très modeste bungalow à College Park, près de l'université, dans une impasse ombragée d'une forêt. Dieu merci, il n'avait pas d'enfants. Il prit conscience de ses quarante-trois ans et s'en trouva tout déconfit.

Ces vingt dernières années, le seul mariage qui avait tenu le coup avait été celui qui l'unissait à son boulot. Campant obstinément en première ligne, il s'était bâti une réputation de foutu flic qui ne lâchait jamais une affaire; bref, il était devenu l'un des meilleurs du FBI. Au sein des équipes les plus talentueuses, il avait travaillé sur les gros dossiers, comme les attentats d'Oklahoma City, de Lockerbie ou du World Trade Center. Peu d'affaires lui passaient sous le nez, car en plus il faisait fréquemment partie des unités qui collaboraient avec d'autres corps de police à la résolution d'enquêtes sensibles. Il devait ses compétences au fait que, très tôt, il était parvenu à élucider des crimes dont les victimes étaient des enfants, tels des enlèvements effectués par les parents eux-mêmes, des cas d'exploitation sexuelle ou d'abus très particuliers. Prenant ces affaires à cœur, il volait au secours des victimes. À ses yeux, qu'on soit mort ou vif, on était virtuellement suspect, jusqu'à ce que Frank prenne la vérité au collet et présente un dossier d'inculpation.

Chaque fois que son nom émergeait du lot (ce qui était toujours le cas), et chaque fois que des agents du Bureau se retrouvaient autour d'une bière, il y avait un novice pour demander: « L'un de vous a-t-il jamais fait équipe avec Zander? Qu'est-ce qu'il lui est arrivé dans le passé? On m'a dit que ce gars-là manquait d'humanité et que c'était un vrai détecteur de coupables qui ignorait l'échec. Il est né comme ça ou il a été bricolé de toutes pièces dans un labo souterrain de l'immeuble Hoover[4]? » Généralement, les agents aguerris, ceux qui connaissaient la réponse, changeaient un petit quelque chose à la légende qui circulait à travers tout le pays d'un clan tribal du FBI à un autre.

En début de carrière, on avait affecté Francis Miller Zander en Géorgie, où il travaillait en appui aux flics locaux. Un jour, une jeune coiffeuse, mère de deux garçons, qui vivait dans un parc de maisons mobiles, avait signalé la disparition de son fils aîné. Elle soupçonnait son ancien mari, un type peu fréquentable, d'avoir fait le coup avec l'aide d'un de ses copains connu en détention, et d'avoir emmené l'enfant en Floride,

[4] Bâtiment du siège du FBI à Washington.

violant ainsi son droit de garde parental. La version de la mère semblait tenir la route, car le mari avait fait de la prison et des témoins disaient l'avoir vu se quereller avec son ex. Et c'est cette version que les policiers locaux et l'agent principal du FBI chargé de l'affaire avaient retenue. Ils avaient donc baissé leur garde et concentré leurs efforts sur les renseignements fournis par la mère. Tant et si bien que le mari s'était retrouvé avec le FBI et la police de la Floride sur les reins.

Cependant, dès le départ de l'enquête, Zander avait eu une mauvaise impression de la mère, en raison de la présence de bouteilles de whisky vides dans la poubelle et d'une véritable pharmacie dans le placard de la salle de bain. Cerise sur le gâteau, sous le siège de la voiture de la suspecte, il avait trouvé un ticket tout froissé de péage d'autoroute de Floride, daté du jour où la mère avait signalé la disparition de son fils. Mais Zander n'était qu'un novice. Il n'allait pas apprendre leur métier aux fins limiers du coin, des vieux de la vieille, qui connaissaient l'ancien mari, un type qui ne supportait pas les flics, même en peinture. L'ex-conjoint avait même dit qu'il ferait « n'importe quoi pour se venger de cette salope qui l'avait envoyé au trou ».

On retrouva le corps du petit garçon dans un marécage de la Floride, non loin de l'immeuble où habitait l'ancien détenu. Quelques jours plus tard, alors que toutes les forces de police concentraient leurs efforts sur le père, la mère s'évanouissait dans la nature en emmenant son fils cadet âgé de quatre ans.

On devait retrouver la mère et son enfant dans une camionnette stationnée sur une aire de repos de l'autoroute I-75, entre Lexington et Cincinnati. La mère avait étouffé le petit en le coiffant d'un sac de plastique avant de s'offrir une surdose avec le produit de six prescriptions médicales différentes.

Au cours des quatorze mois ayant suivi ce drame, incapables de supporter qu'un gamin ait été assassiné sous leur nez, la totalité des flics ayant travaillé sur l'affaire avaient démissionné de la police. Le responsable du FBI s'était donné la mort en se tuant, seul, au volant de sa voiture. Les flics savent s'y prendre pour que leur famille touche l'assurance-vie. Zander avait lui aussi failli démissionner. Il ne se pardonnait pas d'avoir un temps pris ce que disait la mère pour argent comptant. Pourquoi n'avait-il pas su taper du poing sur la table quand il le fallait pour exprimer ses doutes et demander qu'on s'intéresse de plus près à la mère ?

À dater de ce jour, il se promit de toujours vider son sac et de dire ce qu'il aurait sur le cœur. Il prit la décision de ne jamais s'excuser et de suivre son instinct, même si quelqu'un devait en pâtir. Il se jura de ne jamais perdre de vue que tout le monde a quelque chose à cacher, que personne ne dit d'emblée la vérité, et de ne jamais oublier pourquoi il raisonnait de cette manière. Pour ne pas oublier, justement, Zander se rendait chaque année, ou peu s'en faut, dans un minuscule cimetière situé à l'écart d'une modeste ville de Géorgie. Pour se recueillir sur une tombe ombragée d'un pêcher.

Deux bonnes raisons s'y trouvaient enterrées.

L'avion commença sa descente vers Salt Lake City. Zander alluma son ordinateur portable et ouvrit le dossier concernant la famille Baker. Cette fois, il passa les photos en revue, les dernières, les plus récentes, celles qu'Emily avait fournies aux gardes.

Il dévisagea la fillette. Sur la photo, elle avait le soleil dans les yeux et serrait son beagle contre elle. Elle souriait de toutes ses dents aux majestueuses Rocheuses qui se découpaient sur l'azur du ciel. La gamine, une bien jolie petite Californienne, s'appelait Paige Baker et avait hérité des yeux de sa mère.

La mère, justement, trente-cinq ans, photographe de métier, était très jolie et semblait avoir de l'énergie à revendre. D'un doigt, Zander masqua le sourire de la jeune femme et se concentra sur le regard. Les yeux d'Emily trahissaient, sur un fond de tristesse, quelque chose de mal digéré.

Quoi que ce soit, Emily, il va falloir me cracher le morceau, se dit Frank.

Puis le flic croisa le regard figé de Doug Baker, un ancien sergent du corps des marines reconverti prof de collège et entraîneur de football. Il dégageait une impression d'autorité et de maîtrise de soi.

Alors, Doug, aurais-tu soudain perdu les pédales ? Comment t'es-tu blessé à la main ? Que s'est-il passé avant que ta fille s'évanouisse dans la nature ?

Depuis combien de temps la petite avait-elle disparu ? Zander chercha la réponse dans son dossier et, d'après ses calculs, on en était à trente et une heures. Il programma une calculatrice sur sa montre suisse, qui l'informerait à chaque instant de la durée écoulée depuis la disparition de Paige. Le temps pressait. Il allait devoir accélérer les choses, avec une main de fer dans un gant de velours. Il referma son ordinateur. Il ne tarderait pas à apprendre la vérité sur les parents, sur la moindre de leurs angoisses, leur moindre battement cardiaque et leurs secrets les mieux gardés. Car si les Baker lui cachaient quelque chose, il le trouverait.

Jusqu'à ce jour, aucun secret ne lui avait résisté.

11

Le soleil déclinait quand, comme le lui avait ordonné le représentant de la police de la route du Montana, Reed stationna sa Ford Taurus de location à l'entrée ouest du parc des Glaciers.

— Vous travaillez pour quel journal ?

— Le *San Francisco Star*.

Le policier l'orienta vers l'endroit où les gardes avaient installé le centre de commandement des opérations déjà transformé en fourmilière. Il y avait des gens qui s'activaient, un camion d'une chaîne de télé de Spokane, un autre de Great Falls, tous deux dotés d'une antenne parabolique sur le toit. Un garde expliquait quelque chose à une équipe de tournage en distribuant des instructions. Il s'agissait d'un communiqué de presse actualisé sur les recherches entreprises pour retrouver Paige Baker et d'un avis des autorités fédérales interdisant l'espace aérien au-dessus de la piste de la Dent-du-Grizzly. Ni caméraman ni photographe ne serait autorisé à survoler la zone. Ce serait trop dangereux. La nouvelle mit les représentants des médias de mauvais poil, car ils projetaient déjà de se rendre en groupe sur les lieux des recherches.

— Nous réglerons ça demain matin, dit un garde aux gens des télés. On discutera de l'interdiction avec le directeur du parc et le commandant en chef de l'opération.

Ce soir, et jusqu'à nouvel ordre, l'accès au site serait interdit à la presse. Les journalistes étaient cependant autorisés à se rendre au départ de la piste, situé à environ une heure et demie de voiture, en empruntant la Going-to-the-Sun Road, puis l'autoroute Icefields. Mais toutes les informations seraient coordonnées par le centre communautaire.

— Où sont les parents ? demanda un membre d'une équipe de télé. Vous pourriez les faire descendre ici maintenant ?

— Ils sont au poste de commandement des recherches. C'est loin sur la piste et uniquement accessible par hélicoptère. Je ne vous raconte pas d'histoires. Mais nous allons étudier votre demande.

Conscient que son compte à rebours personnel avait commencé, Reed avait besoin de données plus fiables. Il déambula ici et là au milieu des divers bâtiments. À l'arrière de l'un d'eux, il tomba sur un jeune garde qui s'entretenait avec quelqu'un par radio. Reed demeura à distance respectable jusqu'à ce que le jeune gars ait terminé. Puis il s'approcha.

C'était un type dans la vingtaine, taillé comme un joueur de ligne défensive d'équipe universitaire de football. Il avait le cheveu blond et ras et un visage rougeaud hâlé par le grand air. D'après ce que Reed avait pu surprendre de sa conversation, le jeune gars avait été l'un des tout premiers secouristes à arriver au campement des Baker. Il en était redescendu pour rassembler cartes et walkies-talkies et devait repartir au petit matin afin de reprendre sa mission. Constatant la fatigue du garçon, Reed en profita pour entamer la conversation.

— Excusez-moi, dit-il, je suis ici parce que j'attends quelqu'un.

— Vous attendez qui ? Je peux peut-être vous aider…

Reed l'interrompit et demanda :

— On raconte que là-haut les parents vivent des heures difficiles, c'est vrai ?

— Ouais, fit le garde en hochant la tête. Ils sont pas mal secoués. La petite a disparu hier après-midi. Son chien s'était enfui. Paraît qu'elle voulait le rattraper. La pluie de la nuit dernière a effacé les traces de la gamine. Maintenant, ça fait plus de vingt-quatre heures qu'on est sans nouvelles. N'empêche qu'il y a un truc que je ne comprends pas : pourquoi ses parents l'ont emmenée là-haut, vous pouvez me dire ? C'est un coin réservé aux randonneurs confirmés, pas aux débutants !

— Si je vous suis bien, l'affaire se présente mal.

— C'est le moins qu'on puisse dire. À ces altitudes, la température descend très bas. Il ne faudrait pas être surpris si on a de la neige. Sans parler des ours qui rôdent dans le coin pour se nourrir. Vous voulez mon avis ? La petite, si on ne trouve pas une trace d'elle rapidement, n'importe quelle sorte de trace, ce n'est pas une gamine qu'on va chercher mais un cadavre.

— Y a qui pour vous donner un coup de main ?

— Des types du FBI. Mais tout le monde se demande ce qu'ils fichent là…

Le jeune garde s'interrompit, avant d'ajouter :

— Vous faites partie de quel organisme déjà ? Vous êtes des SER, c'est bien ça ? Moi, je suis un saisonnier. L'année dernière, j'ai travaillé au parc Yellowstone. Et là, y a quelques semaines, sur la piste de la Dent-du-Grizzly, j'ai suivi une formation de sauveteur…

— Ronnie ! appela quelqu'un dans le dos du garde qui pointa son doigt sur Reed.

— Dites donc, à tout hasard, vous seriez pas journaliste ?

Puis il cria :

— J'arrive !

Avant de se retourner vers Reed pour lui dire :

— Vous faites bien partie des SER, n'est-ce pas ?

Reed lui répondit d'un vague signe de la main avant d'aller voir ce qui se passait du côté des camions des chaînes de télé. Il tomba sur un des gardes. Face à une caméra, pris dans un halo de lumière crue, un minuscule micro accroché à sa chemise, un écouteur dans l'oreille gauche, il faisait le point sur l'état des recherches de la petite Paige. Il ne fit pas allusion à ce que Reed venait d'apprendre de la bouche du jeune secouriste. Alors que l'interviewé concluait son intervention, Reed entendit un membre de l'équipe de tournage dire qu'à CNN, question informations sur le sujet, ils n'avaient pas grand-chose à se mettre sous la dent. Après l'interview, en compagnie de confrères qui venaient d'arriver, Reed alla lui aussi poser quelques questions au garde.

L'affaire semblait décoller à la verticale. Plus tard, Reed rédigea un article à partir de ses notes prises pendant qu'il interviewait le garde passé à la télé et de ce que lui avait révélé le jeune secouriste.

Il testa son téléphone portable en appelant la rédaction du *Star*. Il était temps, l'heure de tombée allait sonner. Ce fut Alyce Buchanan, une ancienne rédactrice, qui prit son article en note. Pendant qu'il dictait, Tom l'entendit pianoter à toute vitesse sur son clavier. Quand il eut terminé, Alyce lui dit :

— On dirait qu'il faut s'attendre au pire pour la petite fille de San Francisco.

— Ouais, la situation est très sérieuse.

— Ton article paraîtra sûrement en une avec le papier de Molly. Elle est au téléphone en ce moment. Elle m'a dit de te rappeler de consulter tes courriels demain matin. Elle a du nouveau pour toi. Tu trouveras tout ça à ton réveil.

— Reçu cinq sur cinq. Merci, Alyce.

Reed prit la direction de Kalispell. Il avait réservé une chambre au Sunshine Motel, situé à quelque distance de la ville. Malgré l'heure tardive, il s'installa au bar où il avala des *nachos* avec une bière tout en regardant le match des Mariners sur un écran géant. Il eut une pensée pour sa femme. Il mesura sa chance de les avoir, elle et Zach. Il s'interrogea. Comment les choses se seraient-elles passées s'il avait cédé aux avances de Molly ? Il repoussa son assiette vide et prit son portable pour souhaiter bonne nuit à sa famille. Puis il appela les gardes sans détacher son regard de l'écran.

— Poste de commandement des recherches, Wilcox à l'appareil.

— Tom Reed, du *San Francisco Star*. Vous avez du neuf concernant les recherches ?

— Non. Elles ont cessé pour la nuit. Elles reprendront dès le lever du jour avec plus de monde.

Une fois confortablement installé dans son lit, Tom pensa à la petite Paige, perdue là-haut dans les montagnes, avec, pour lui tenir compagnie, la nuit, le froid et son chien, ainsi que la peur pour toute nourriture. Tom en tressaillit sous ses couvertures.

Une chose, bien pire encore, retint son attention : *cette blessure que le père avait à la main.*

Tom essaya d'imaginer la vision d'horreur qu'avait eue la petite au tout dernier moment, sachant que son père allait… Tom repensa à sa récente descente aux enfers, à l'époque où il buvait, à ce jour où il avait piqué une crise et à la terreur qu'il avait lue dans le regard de son propre fils. À cette époque, Reed avait totalement perdu pied. Il enquêtait sur le meurtre d'une fillette de deux ans dont le cadavre avait été retrouvé dans un sac poubelle dans le parc Golden Gate. Bon Dieu, quelle sale histoire !

Il revit le visage de Paige Baker, tout sourire, avec les montagnes en arrière-plan. Ce visage, comme ceux des autres enfants sur lesquels il avait enquêté, allait-il aussi le hanter ? Que s'était-il vraiment passé dans la montagne ? Sydowski le lui dirait peut-être. À condition qu'il mette la main dessus.

JOUR 3

12

Le jour se levait sur West Glacier. L'hélico du FBI tournait au ralenti. Le pilote fit signe à Zander et à Bowman de monter à bord.

Ils vidèrent leur reste de café par terre, jetèrent les gobelets de carton dans la poubelle et, courbés en deux, fouettés par les courants d'air du rotor, ils s'avancèrent vers l'appareil. Zander boucla sa ceinture dans le siège à côté du pilote, qui décolla sans tarder.

La disparition de Paige Baker remontait à trente-huit heures.

— On devrait être au poste de commandement des recherches de la piste de la Dent-du-Grizzly dans vingt-cinq minutes. Je vous préviens, à cause de cette chaîne de montagnes et des violents courants ascendants, ça risque de brasser un peu.

Zander acquiesça d'un signe de tête.

L'hélico s'élevait au-dessus des Rocheuses quand Bowman observa Zander. Avec le soleil levant en pleine face, ses lunettes de pilote sur le nez, et malgré sa froideur, l'homme offrait l'image typique du séducteur américain. Plus que froid, il avait un aspect glacial, et semblait obnubilé par une seule et unique chose : sa mission.

Tracy l'avait constaté dès l'instant où elle l'avait rencontré et pendant tout le trajet pour se rendre à leur motel de Kalispell. Zander portait une veste sport et n'avait pas de cravate. De constitution robuste, il devait peser dans les quatre-vingt-cinq kilos pour un mètre quatre-vingt-cinq. Cheveux noirs, la mâchoire carrée, l'œil bleu foncé sous de profondes arcades, le sourire ne faisait pas partie de ses attributs. Dès qu'elle l'avait vu, en repensant à la façon dont elle s'était moquée de lui au téléphone, elle s'était sentie gênée. Alors qu'ils arrivaient au motel, Zander, muet comme une carpe, avait cessé de fixer la nuit et consulté le cadran lumineux de sa montre. Bowman avait aperçu trois camions de chaînes de télé, avec antenne parabolique déployée, dans le parking. Elle avait pris la mesure de l'affaire, qui enflait d'heure en heure. Était-elle prête à participer à ce genre d'enquête ? Elle aurait voulu appeler Mark, mais il était trop tard. Elle avait pris quelques profondes inspirations et s'était contrainte à se calmer.

Elle aussi avait pensé à la petite Paige, seule et perdue dans la montagne. Était-elle seulement encore en vie ?

Ce matin-là, sur la route qui les conduisait du motel à l'héliport, Zander, très sûr de lui, d'une manière aseptisée, scolaire, presque didactique et autoritaire, informa Bowman de leurs objectifs.

— Tout est confidentiel. C'est notre enquête, à nous, le FBI, et j'en suis le référent. Officiellement, nous venons en appui au service des parcs nationaux dans un cas de disparition de personne. Officieusement, nous enquêtons sur une suspicion de faux témoignage. Seuls les enquêteurs véritablement concernés en seront informés, c'est-à-dire ceux du service des parcs nationaux et notre collègue de la police de San Francisco. Ça fera peu de monde à aviser. Notre mission consiste à éliminer tout faux témoignage dans l'affaire qui nous occupe et à établir la base d'une mise en accusation. Nous ne sommes pas ici pour faire ami-ami avec les parents. Dans ce genre d'enquête, nous n'avons pas le droit à l'erreur. Il est donc urgent que vous vous mettiez au travail dès que possible. Il va falloir jouer de prudence, anticiper les coups, savoir quand attaquer et quand se replier. C'est bien compris ?

— Qu'attendez-vous de moi exactement ?

— De faire ce que je vous dirai de faire.

— Les parents ne risquent-ils pas de se montrer soupçonneux dès le début ?

— Ne perdez jamais de vue que nous sommes ici pour passer en revue tous les scénarios possibles. Pour le bien de leur enfant. Il faudra insister sur le fait que tout doit demeurer confidentiel, également pour le bien de l'enfant.

Vingt-deux minutes après le décollage, le poste de commandement des recherches apparut et l'hélico approcha de la paroi rocheuse. Zander scruta les petites tentes des Baker et la douzaine de personnes qui, sur le surplomb, se préparaient à braver le souffle du rotor. Les agents du FBI furent accueillis par Pike Thornton, le policier des gardes, et Brady Brook, le garde du secteur chargé des accidents, qui les emmenèrent à l'écart en attendant que le pilote coupe la turbine de son appareil. Chacun avait bien conscience que le temps était compté. On insista sur le fait que les gardes s'occupaient de la partie secours et le FBI de tout le reste.

— En ce qui concerne les recherches, on met les bouchées doubles, dit Brook. Moins d'une heure après que le père eut signalé la disparition de la petite, deux équipes étaient déjà à pied d'œuvre. Elles ont cherché hier pendant six heures et couvert une grande portion de territoire.

— Elles ont trouvé quelque chose ? Vêtements, emballages de bonbons, excréments humains ou je ne sais quoi ? demanda Zander.

Brook secoua la tête.

— Nous allons intensifier les recherches. On attend des renforts qui vont se mettre en route dès que possible.

On va vous installer un centre de commandement au quartier général du parc. Vos collègues de Salt Lake City coordonnent votre action au sein de l'opération. L'accès est interdit à toute la piste de la Dent-du-Grizzly, les médias vont devoir rester au centre. L'affaire a fait boule de neige depuis que les agences de presse ont eu vent de l'alerte. Les médias insistent pour être briefés et avoir accès à la zone des recherches.

— On va trouver une solution, fit Zander en hochant la tête. J'attends de votre chef qu'il nomme un responsable des relations avec la presse. Je suis persuadé que vous avez informé vos employés que le FBI se contente de donner un coup de main dans une affaire de recherche de personne disparue dans un parc fédéral, et qu'il leur est strictement interdit de communiquer avec les médias, n'est-ce pas ?

— Oui, c'est fait, affirma Brook.

— Dans quelques heures, nos renforts en hommes et en matériel vont arriver. Tout le monde sera ou devra être transporté au poste de commandement, expliqua Zander qui s'assura que le reste des gens présents, y compris les parents, distants d'une quarantaine de mètres, ne pouvaient entendre ce qu'il disait. Pike, ajouta-t-il, on a lu les infos que vous nous avez transmises. Quelle est votre opinion concernant les parents ?

— À mon avis, ils ne nous ont pas tout dit. Le père demeure évasif. Et puis il a cette sale blessure à la main. Y a un truc qui cloche.

— Et au sujet de la mè… voulut demander Tracy.

Mais Zander leva la main, comme si sa collègue avait dix ans et qu'elle ne pourrait parler que lorsque ce serait son tour ; ce qui ne l'empêcha pas de reprendre la question à son compte.

— Et que pensez-vous de la mère, Pike ? fit-il.

— Elle reste difficile à cerner. Comme son mari, elle donne l'impression de ne pas tout dire. Elle prétend qu'elle était à l'écart du campement quand sa fille a disparu, qu'elle s'était éloignée en suivant le sentier boisé qui mène à la corniche, à environ une centaine de mètres, au motif qu'elle avait besoin d'être seule pour profiter du paysage. Ce qui pourrait bien être la vérité.

— Mais… dit Zander.

Thornton et Brook échangèrent un bref regard.

— Au beau milieu de la nuit dernière, la mère a eu une crise d'angoisse. Elle s'est mise à crier des choses en direction de la montagne. Comme si elle voulait rester en contact avec sa fille. Cependant, les quelques mots qu'on a pu comprendre restent sujets à caution.

— C'est-à-dire ? demanda Zander.

Thornton sortit son calepin pour restituer les paroles exactes d'Emily.

— Elle a dit : « Tu ne peux pas faire ça… Oh mon Dieu, tout est de ma faute. »

Un instant, chacun réfléchit aux propos qui venaient d'être rapportés. Bowman eut comme un frisson et se répéta les paroles d'Emily en tenant compte du contexte. Zander, lui, resta impassible.

— Le père nous a dit qu'avant-hier, sur le sentier, ils ont croisé une autre famille. Un père, une mère et leur garçon d'une dizaine d'années. Il a dit qu'ils lui avaient paru bizarres.

— Bizarres comment ?

— Il n'a pas précisé.

— Est-ce que vous recherchez des témoins, des gens qui étaient dans les parages au moment de la disparition ?

— On est en train d'éplucher les autorisations, confirma Thornton. Il en faut une pour passer la nuit dans le parc, c'est obligatoire. Il faut laisser un nom, une adresse, le numéro de sa voiture et les coordonnées d'une personne à prévenir en cas d'urgence. C'est la routine.

Zander opina du chef.

— Concernant la version du père, demanda Thornton, vous en savez un peu plus ?

— On a quelque chose, en effet, mais qui demande à être travaillé. On aura besoin de l'aide de la police de San Francisco. Leur gars… comment s'appelle-t-il, déjà ? Sydowski, c'est ça ? Il est arrivé ?

— Oui, il est arrivé cette nuit. Il va vous retrouver au centre de commandement, précisa Brook.

— Excellent, fit Zander. Bon ! Il est temps que Bowman et moi allions dire un petit bonjour à papa et maman Baker. Si ça ne vous dérange pas, nous préférerions être seuls.

Alors qu'ils approchaient du campement des Baker, les deux agents du FBI ne virent pas Emily. Doug, qui les attendait, repéra le sigle FBI sur la veste de Zander.

Frank tendit la main en disant :

— Doug Baker ?

— C'est moi.

— Frank Zander. FBI.

Zander ignora totalement sa collègue, qui se présenta elle-même.

Doug les dévisagea. Il était à bout de forces, tendu, avec une barbe de deux jours.

— Les gardes nous ont prévenus de votre arrivée, dit-il. Mais nous ne nous expliquons pas votre présence ici. Notre fille est perdue quelque part dans la montagne. Elle est peut-être blessée. Je ne vois pas bien en quoi le FBI pourrait nous être utile. Ce dont nous avons besoin, c'est de plus de secouristes, de plus de gens pour rechercher Paige, pas de policiers. Et au fait, pourquoi le FBI ?

— Doug, répondit Zander, des renforts arrivent. Une énorme opération de recherches se met en place. Bientôt, ici, ça va grouiller de gens qui n'auront qu'un seul but : retrouver votre fille.

— Mais c'est maintenant qu'on a besoin d'eux. On a déjà perdu trop de temps, répliqua Doug en passant la main sur ses yeux rougis. Vous avez conscience qu'une gamine est perdue dans cette immensité ?

Zander regarda la main blessée de Baker.

— Vous n'avez pas répondu à ma question, ajouta Doug. Qu'est-ce qui explique la présence du FBI ?

— Les parcs fédéraux relèvent de notre juridiction. Dès qu'une affaire est jugée sérieuse, notamment lorsque des enfants sont impliqués, nous y participons. Et la disparition de votre fille rentre dans cette catégorie d'affaire sérieuse. Nous nous assurons la collaboration d'un tas d'autres agences pour être certains que tout soit effectué dans les règles.

— Comme quoi ?

— Comme de nous assurer que nous avons bien envisagé toutes les hypothèses.

— Mais quelles hypothèses ? Notre fille s'est éloignée en cherchant vraisemblablement à rattraper Kobee, son chien, et c'est tout.

— C'est pourquoi, Doug, nous allons avoir besoin de votre collaboration.

Bowman trouva que Zander restait aimable, mais se dit qu'un début de conversation entre gens de bonne compagnie pouvait évoluer vers tout autre chose.

— Que voulez-vous dire ? demanda Baker.

— Ici, au campement, ou en chemin pour monter jusqu'ici, auriez-vous remarqué quoi que ce soit de bizarre ou d'étrange ?

— Mais quel serait le rapport avec ce qui se passe ? Je vous répète que Paige s'est éloignée et s'est égarée.

— Doug, je vous en prie. Avez-vous remarqué quelque chose ?

Baker réfléchit.

— Rien, à part le fait que nous avons croisé une autre famille. Ça devait être le premier jour. On était fatigués, alors on s'est arrêtés à midi pour manger. Ces gens-là sont arrivés et nous ont littéralement espionnés ! J'ai déjà raconté tout ça aux gardes. Après, eux et nous sommes partis dans des directions différentes. Je vous vois prendre des notes. Vous pensez que ça pourrait être important ?

— Allez savoir. Nous ne devons négliger aucune piste, répéta Zander.

— Vous n'imaginez tout de même pas qu'ils ont pu… que quelqu'un aurait…

— Doug, c'est notre boulot d'éliminer le plus vite possible tous les autres scénarios. Les recherches demeurent la priorité, et elles le resteront. N'empêche que nous examinerons les autres hypothèses.

On entendit un bruit de fermeture éclair dans l'une des tentes bleues de la famille Baker. Emily apparut. Les yeux rougis, les cheveux en bataille, vêtue d'une chemise de coton et d'un jean. Elle aussi paraissait tendue et à bout de forces. Elle faillit perdre l'équilibre en approchant de son mari et des agents du FBI. Tracy la rattrapa en disant :

— Ça va aller ?

Doug présenta sa femme aux deux policiers, lui expliquant la raison de leur présence. Emily s'efforça de bien saisir ce qu'il disait. Une main sur la bouche, elle secoua la tête et resta là, les yeux brillants, alors que Zander lui demandait si elle n'avait rien remarqué d'anormal avant d'arriver au parc et entre son arrivée et la disparition de sa fille.

— Non, rien, répondit-elle.

Zander observa sa réaction et ce que révélait la manière dont elle se tenait au moment où son mari expliquait comment les photos de Paige et les détails de sa disparition circulaient à grande échelle par les agences de presse et celles de police.

— Selon vous, dit Emily, il se pourrait que Paige ne se soit pas simplement égarée ? Vous pensez que dans le parc quelqu'un aurait pu l'enlever ? Mais c'est affreux…

Doug eut un geste de réconfort à l'égard de sa femme.

— Emily, répondit Zander, rien ne nous autorise à le dire dans l'état actuel des choses. Mais ce parc est immense et nous tenons à ne négliger aucune hypothèse. C'est pourquoi nous allons avoir besoin de vous. Pour être sûrs de ne rien oublier. Soyez certains que nous allons mettre en branle tous les moyens nécessaires pour vous ramener votre fille saine et sauve. C'est le moins que vous êtes en droit d'attendre, n'est-ce pas ? Mais nous avons absolument besoin de votre collaboration.

— Comment peut-on vous aider ? demanda Emily en reniflant.

— Nous aimerions que vous nous accompagniez en hélico au centre de commandement des gardes. L'endroit serait plus approprié qu'ici. Comme je vous l'ai dit, une escouade spéciale, composée de gens de différentes agences, a été mise en place. Chacun a son domaine d'intervention, mais pour être encore plus efficaces le plus rapidement possible, nous avons besoin de prendre un peu de temps pour que vous nous apportiez des renseignements supplémentaires. Pour ce faire, au lieu de demander à tout le monde de monter ici, la manière la plus rationnelle est que vous descendiez au centre de commandement.

— Mais si Paige revient ? Si on la retrouve pendant que nous sommes partis ? Elle va avoir besoin de nous, dit Emily. Notre place est ici.

— C'est vrai, répondit Zander, l'un de vous deux devrait rester ici. Alors on va vous faire descendre l'un après l'autre.

Emily hocha la tête.

Doug l'imita, mais on le sentait mal à l'aise au fond de lui-même.

« … vous faire descendre l'un après l'autre… »

Doug ne goûtait guère la proposition. Comme s'il sentait qu'il se passait quelque chose d'autre, comme si Zander et Bowman lui cachaient des informations relatives à la disparition de Paige. Il eut beau les regarder dans les yeux, il n'y décela rien de particulier.

Peut-être se faisait-il des idées. Peut-être ne lui dissimulaient-ils rien. Il était totalement épuisé, ravagé par l'angoisse. Quand on n'a pas dormi, comment peut-on réfléchir normalement ? Bien que quelque chose le rongeât, il se félicitait de la présence du FBI. Il repensa à cette autre famille croisée en chemin. Ces gens-là avaient eu un curieux comportement. Ils étaient restés à les observer pendant qu'Emily et lui se disputaient.

« … ce parc est immense… »

Et si on les avait épiés ? Et si l'on avait kidnappé sa fille ? C'était ça ? Le FBI soupçonnait-il un enlèvement ?

Bon Dieu…

Il se passa les mains sur la figure sans s'apercevoir qu'Emily lui parlait, et alors que les pales du rotor de l'hélico commençaient à cisailler l'air.

— Je vais partir avec Frank et Tracy, l'informa Emily.

Elle l'embrassa sur la joue. Il la regarda se retourner pour le saluer de la main avant qu'elle ne se courbe en deux pour monter à bord de l'hélicoptère dont la turbine fonctionnait au ralenti. Puis le bruit et le vent enflèrent et l'appareil décolla avant de disparaître.

… de disparaître comme Paige…

Doug s'assit, la tête entre les mains. Totalement abattu, il regarda les montagnes et leur demanda qu'elles lui rendent son enfant.

13

Le téléphone tressaillit. Reed avait demandé qu'on le réveillât à cinq heures et quart. Il leva et reposa aussitôt le combiné. Pour Tom, en raison du décalage horaire, il n'était que quatre heures et quart. Il se trouvait bien dans son lit douillet, quoiqu'un peu perdu. Il chercha Ann de la main, mais ne trouva que le néant, ce qui contraignit son esprit embrumé à prendre conscience de la réalité.

Montana. Disparition de fillette. Article. Heure limite de tombée du journal. Café. Manger. Travail. Se lever.

C'est au radar qu'il traversa la chambre pour aller brancher la cafetière. Puis il gagna la salle de bain et commença à jouer du rasoir électrique sur ses joues. *Là où le ciel ne connaît pas de limites,* dit la devise du Montana. Il n'y était pas revenu depuis le coup de force des Freemen, à Jordan, pendant que le FBI procédait à l'arrestation d'Unabomber à Lincoln. Le parfum du café envahit la chambre. Tom en but une lampée avant de sauter sous la douche, où l'eau tiède lui refit une santé. Il se dit qu'il commençait peut-être à se faire un peu vieux pour ce genre d'expédition, alors qu'il avait tout juste trente-quatre ans. Il se moqua de lui-même pendant que le ruissellement finissait de le remettre d'aplomb. Ouais, c'est sûr, il n'était plus qu'un vieux de la vieille. Parfois, il se demandait si sa vie ne se résumait pas à des trajets en avion, à des dates de tombée du journal, à des hôtels où il se sentait bien seul et à s'excuser de ses absences auprès de sa femme.

Tout en finissant de se sécher, il jeta un œil à l'heure affichée sur la cafetière. Déjà six heures moins cinq. Pour les lève-tôt, le restaurant du motel Sunshine commençait à servir le déjeuner à six heures. Tom se resservit du café tout en s'habillant. Puis il alluma la télé, zappa d'une chaîne locale à l'autre et brancha la radio pour écouter les toutes dernières nouvelles sur l'affaire de disparition de la petite Paige. Pour lui, l'aspect théâtral du drame aurait pu en rester là.

Toutes les chaînes faisaient leur une avec les opérations de recherches de la jeune Baker. Sous le titre DISPARUE EN MONTAGNE, apparaissait le visage de la fillette. Une journaliste, micro en main, parlait en direct depuis le centre de commandement. En fait, il y avait eu peu de développements depuis la veille au soir. La journaliste annonça la liste des agences impliquées dans les recherches. Elle cita le FBI, parce que le parc relevait de l'administration fédérale, et la collaboration, de l'autre côté de la frontière, de la Gendarmerie royale du Canada ainsi que des fonctionnaires du parc Waterton. « Plus de vingt-quatre heures après que l'alerte a été donnée, les recherches se poursuivent », dit la femme qui ne mentionna pas la participation de la police de San Francisco. *Peut-être qu'Harry Lance a encore fait beaucoup de bruit pour rien et que Sydowski n'est pas ici*, se dit Tom en prenant son ordinateur avant de se rendre au restaurant.

Il acheta plusieurs journaux, tels que le *Daily Interlake*, le *Great Falls Tribune* et *USA Today*, puis trouva une place où s'installer. Une serveuse aussi accueillante qu'une porte de prison vint prendre sa commande : une omelette western, avec des pommes de terre sautées, des toasts de pain blanc et du lait. Dans les pages intérieures du *USA Today*, il trouva une photo de Paige de la taille d'un timbre-poste et un résumé de l'affaire. La disparition de la fillette faisait en revanche la une des journaux locaux, avec portrait agrandi de la petite Baker, photo des gardes prenant place à bord d'un hélico avec leur matériel et la carte du parc des Glaciers avec localisation de la zone des recherches en lisière de la frontière. Il n'apprit quasiment rien de neuf concernant l'affaire elle-même, sauf une chose. Au beau milieu d'un article de l'*Interlake*, une phrase retint son attention : « Un des cadres du parc a annoncé qu'on allait procéder au contrôle des autorisations de camper afin de rechercher d'éventuels témoins. » *Mais de quels témoins peut-il s'agir ?* se demanda Tom Reed. *Des témoins de quoi ? Bof, c'est sûrement la procédure habituelle en pareil cas*. Il continua à siroter son café, l'air dubitatif.

Il déplia son portable et, pendant que l'appareil s'allumait, Tom continua à boire son café tout en parcourant l'article de l'*Interlake* sous le gros titre concernant Isaiah Hood, le criminel dont l'exécution était imminente. Hood clamait à présent son innocence et espérait une ultime grâce de la part de la Cour suprême des États-Unis. Après toutes ces années passées dans le couloir de la mort, voilà qu'il disait n'avoir rien fait. Reed secoua la tête. Nombreux étaient les condamnés à mort à agir de la sorte à l'approche du trépas.

Mais pour certains, on a réussi à prouver qu'ils étaient innocents.

Vingt ans plus tôt, dans le parc national des Glaciers, Hood avait tué la petite Rachel Ross. Son recours en grâce reposait à la fois sur le manque de fiabilité d'un témoignage et sur une preuve indirecte, autant d'arguments que les cours précédentes avaient boudés. *Ce qui n'a rien de bien extraordinaire*, se disait Reed à l'instant où son ordinateur bipa pour signaler qu'il était prêt.

Tom raccorda son cellulaire à son portable et pianota le code pour avoir accès aux ordinateurs de son journal à San Francisco. La serveuse lui apporta son déjeuner et Reed mangea, bercé par la douce symphonie des signaux sonores du téléphone et de l'ordinateur. Il se connecta sur la une de la première édition matinale du *San Francisco Star*. Il trouva son article sous le bandeau et le gros titre qui disait: DISPARITION DANS LES ROCHEUSES D'UNE FILLETTE ORIGINAIRE DE SAN FRANCISCO. Les articles, illustrés d'une carte du parc des Glaciers, portaient la signature de Tom Reed et de Molly Wilson.

À la une, on avait aussi ajouté une photo couleur de Paige Baker avec son beagle blotti contre elle. Le texte, assez long, et qui ne faisait pas dans la mièvrerie, rapportait les propos défaitistes des gardes. Attendu les conditions météo et la topographie de l'endroit, ils ne donnaient pas cher de la petite. Reed chassa de son esprit des images insupportables de la fillette en train de grelotter dans la montagne.

L'article, qui se poursuivait à la page 3, en occupait toute la partie supérieure. Y étaient associés des photos des secouristes et des parents Baker, ainsi qu'un graphique situant le Montana sur la carte du pays, le parc et la région où se déroulaient les recherches. Il était mentionné qu'Emily était une photographe à la pige, et que Doug Baker enseignait dans un collège, où son autre activité d'entraîneur de l'équipe de football en faisait quelqu'un estimé de tous. L'inquiétude était de mise chez leurs amis de San Francisco. Certains envisageaient de partir au Montana pour participer bénévolement aux recherches. On ne trouvait rien de négatif quant à l'histoire du couple Baker et pas un mot sur les soupçons des policiers.

Reed avala quelques bouchées de pommes de terre sautées et d'omelette, puis consulta sa boîte électronique, où il trouva une note de Molly écrite en style télégraphique.

Tom. Croisé Turgeon à l'escouade des Homicides. Elle confirme officieusement que la police de SF procède aux vérifications d'usage concernant les Baker. Sydowski est bien au Montana pour aider le FBI et les gardes (nous sommes les seuls jusqu'à présent à détenir l'info.) Emily Baker a grandi au Montana. Est-ce pour ça qu'elle y était retournée ??? Ses oncle et tante, Huck et Willa Meyers, habitent SF mais sont actuellement en vacances itinérantes (en motorisé) dans l'Est. La tante en saurait long sur la famille. Va falloir que je la trouve. De ton côté, vois ce que tu peux apprendre de Sydowski. À bientôt, cow-boy. Molly 415-555-7199.

Reed termina son déjeuner à toute allure, convaincu que cette histoire de disparition cachait quelque chose d'inquiétant, ce qui pouvait expliquer pourquoi les gardes cherchaient « d'éventuels témoins » de quoi que ce soit en relation avec l'affaire. Il réfléchit à la situation et revint d'un clic à la photo de la petite Paige. Son regard balaya sa table encombrée et tomba sur une ancienne photo, au grain très gros, de Rachel Ross, la fillette assassinée bien des années plus tôt dans le parc des Glaciers. Curieusement, Rachel et Paige se ressemblaient. Il mit cela sur le fait qu'à cet âge toutes les petites filles ont un air de famille. Quelques tables plus loin, Reed surprit un confrère qui, tout en parlant haut et fort dans son cellulaire, adressait de grands gestes à l'homme invisible. Le type, en colère, ne supportait pas d'avoir été affecté à cette histoire de disparition par le bureau de Chicago de son agence de presse, alors qu'elle relevait de celui de Denver. Reed ramassa ses affaires, paya et sortit en se disant que Paige Baker était portée disparue depuis quarante-deux heures.

Sur la route du retour vers le parc, il doubla deux camions d'équipes de télévision, le premier de Salt Lake City et le second de Seattle. La ronde des hélicos se poursuivait au-dessus de sa tête quand il atteignit le centre de commandement. Au cours de la nuit, d'autres camions étaient venus grossir l'armada d'antennes paraboliques, de camionnettes et de voitures de journalistes agglutinées autour du bâtiment.

Reed trouva à se garer et apprit qu'une conférence de presse aurait lieu au cours de la journée. Il passa en revue les véhicules et les gens présents. Il y avait beaucoup de voitures et de camionnettes des autorités fédérales. Toujours plus nombreux, des officiels de tout poil allaient et venaient au milieu des gens des médias qui s'époumonaient dans leur téléphone pour couvrir les voix de leurs collègues, les bruits des diesels au ralenti, des vérins hydrauliques de commandes des antennes paraboliques et des antennes. Dans tout ce remue-ménage, Reed repéra un visage familier. Seul, adossé à une voiture, les lunettes à double foyer sur le nez, le type feuilletait les documents attachés sur la planchette qu'il tenait à la main.

— S'cusez-moi, inspecteur, fit Reed en l'abordant, San Francisco, c'est par où ?

Sydowski écarquilla légèrement les yeux en reconnaissant le journaliste et répondit :

— Quand je pense que jusqu'à maintenant je me disais que ça allait être une belle journée…

— Très content de vous revoir, Walter. Ça fait combien de temps qu'on ne s'est pas vus ?

— Pas assez longtemps à mon goût. Allez, fous-moi le camp.

Reed s'avança et se planta nez à nez avec l'inspecteur, qui jeta un regard circulaire pour s'assurer qu'on ne les regardait pas.

— Walt, je ne vous lâcherai que lorsque vous m'aurez résumé ce que je devrais savoir.

— C'est pas Dieu possible… Aurais-tu déjà oublié, *voychick*, ce que je t'ai appris ? Tu ne devrais pas être chez toi, auprès des tiens ? remarqua Sydowski avant de remettre le nez dans ses papiers.

— Walter, dit Reed sur le ton de la confidence, vous pouvez m'expliquer ce que fout ici le meilleur flic de l'escouade des Homicides de San Francisco ?

Sydowski regarda vers les sommets, cligna des yeux et se rappela comment ça s'était terminé la dernière fois que Reed lui avait fait ce genre de numéro de charme.

— C'est pas tes oignons, Reed.

— Entre nous, Walt, qu'est-ce que cache cette banale disparition d'enfant en pleine montagne ?

Les deux hommes perçurent un bruit sourd dans le lointain. Un hélico de retour du poste de commandement des recherches approchait.

— Je dois te laisser, Reed, j'ai à faire, lâcha l'inspecteur.

14

En survolant l'Eagle's Nest, qui était bondé de convives, l'hélico fit tinter les couverts posés sur les tables. Le restaurant de bois rond se trouvait au milieu du parc des Glaciers. Dans la salle à manger, l'odeur de bacon se mêlait au brouhaha des conversations. Les gens, penchés au-dessus de leur mug de café, discutaient de ce qui se déroulait à l'extérieur.

— Qu'est-ce qui se passe, pa ? demanda le jeune Joey Ropa en regardant par la fenêtre.

— À la caisse, des gens m'ont dit qu'on organisait des recherches. Quelqu'un est porté disparu, répondit Lori, la mère de Joey.

Bobby, son mari, ne perdait pas une miette de l'activité extérieure. Deux camionnettes de gardes du parc et un véhicule tout-terrain de la police de la route entraient dans le stationnement. La serveuse se présenta à leur table pour prendre les commandes.

— Alors comme ça vous êtes de Brooklyn ? J'adore votre accent, dit-elle.

— Vous êtes au courant de ce qui se passe ? demanda Bobby.

— Sûrement une opération de sauvetage en montagne ou quelque chose comme ça. Je vais vous apporter le journal.

La serveuse remporta les menus et, quand elle fut partie, Lori demanda:

— Pourquoi tu l'embêtes comme ça, Bobby ? On est en vacances.

Lori sortit des cartes postales de son sac et les étala sur la table.

Les mains jointes en position verticale, Bobby grommela une réponse qui faisait allusion à ce qui s'était passé deux jours plus tôt sur le sentier de la Dent-du-Grizzly. Oh ! C'était deux fois rien, et il se dit qu'il ferait mieux de ne plus y penser. À quoi bon ruminer ça ? Il jeta un regard circulaire sur la superbe salle du restaurant, ses parquets et meubles de cèdre de style campagnard. Ça sentait bon la forêt et le bacon. Bobby adorait ça.

Ce voyage avait une double signification. Il s'agissait à la fois de fêter son avancement professionnel et celui de Lori, qui venait de prendre du galon dans l'administration portuaire de New York. Ils envisageaient même de déménager à Glen Ridge ou d'acheter un chalet. Bobby se dit qu'il ferait mieux de penser à ça plutôt qu'à ce qui était arrivé l'autre jour au cours de leur randonnée. Il ne dit pas grand-chose quand la serveuse apporta les commandes, se contentant d'observer le parking et l'activité grandissante des gardes.

— Qu'as-tu, Bobby ? lui demanda sa femme. Qu'est-ce qui te tracasse ?

— J'aurais dû en parler.

— Tu aurais dû parler de quoi ?

— De l'autre jour.

— De quel autre jour ? Je ne comprends rien à ce que tu racontes.

— Mais si, tu sais bien, ce qui s'est passé avec cette famille qu'on a croisée sur le sentier de la Dent-du-Grizzly ?

— Tu pourrais pas oublier ça ? Tu es en vacances, pas au travail.

— Quelque chose clochait chez ces gens-là.

Un autre hélico survola le restaurant.

— J'aurais dû en parler.

— Arrête avec ça, Bobby ! Tu t'énerves parce que tu as manqué une occasion de te battre avec ce type ou de l'envoyer balader ?

— Non, tu n'y es pas du tout, Lori.

— Ben c'est quoi alors ?

— Mais regarde autour de toi. Le ballet d'hélicoptères. Les recherches. Tout ça.

Il quitta la table et s'approcha d'un garde qui se trouvait près de la caisse.

— Excusez-moi, lui dit-il. J'ai cru comprendre que vous participez à des recherches ?

— En effet, m'sieur, répondit le jeune garde d'un ton amical. Une petite fille d'une dizaine d'années a quitté son campement et s'est égarée dans la nature.

— C'est arrivé sur quel sentier ?

— Sur celui de la Dent-du-Grizzly. Y a de sacrés à-pics dans ce coin près de la frontière.

— Quel hasard ! Nous y étions il y a deux jours. La disparition a été signalée quand ?

— Hier après-midi. Je crois que le père a mis les bouchées doubles pour descendre donner l'alerte. Je vous prie de m'excuser, on m'attend.

Bobby regagna sa table ;

— Qu'est-ce qui est arrivé, pa ? C'est la petite fille qu'on a vue l'autre jour ?

— Ça se pourrait bien, dit Bobby en regardant son fils avec tendresse.

Un autre hélico, à moins que ce soit à nouveau le même, passa en vrombissant au-dessus de leurs têtes.

— Dis, papa, tu peux rien faire ? T'es policier tout de même ?

Bobby venait juste d'être nommé enquêteur de première catégorie à la police de New York. Au sein de son escouade, on le respectait, parce qu'il avait l'œil, et le bon, et qu'aucun détail ne lui échappait. C'était du moins ce que ses collègues disaient autour de quelques bières après le service, chez Popeye, le bar de Flatbush Avenue. Et Bobby était là, le visage caché dans ses mains, clignant des yeux, plongé dans sa réflexion. Avait-il manqué de jugeote ? Il savait ce qui le tracassait. Ça n'avait rien à voir avec le fait qu'ils étaient tombés sur un couple en train de se disputer en public. Des incidents de ce genre, on en voit tous les jours dans des endroits où la foule devient un facteur de stress, comme les magasins, les restos ou les supermarchés. Mais là, c'était en pleine nature.

C'est cela qui était profondément dérangeant.

— Tu te sentirais peut-être mieux si tu en parlais à quelqu'un ? finit par dire Lori.

— Tenez ! dit la serveuse en posant un exemplaire du *Daily Interlake* près de l'assiette de Bobby. C'est l'exemplaire du chef. Vous reprendrez du café ?

Bobby se retrouva face au joli visage de Paige Baker. Il lut l'article et, quand il eut terminé, il jeta un œil par la fenêtre, à la recherche du véhicule de patrouille de la police de la route du Montana. Mais la voiture avait disparu.

— Que se passe-t-il, Bobby ? demanda Lori.

— Termine ton assiette. Dépêche-toi. Faut absolument que je parle au responsable de l'enquête.

Il héla la serveuse pour lui demander :

— Excusez-moi, mademoiselle, vous auriez un annuaire téléphonique du parc ?

15

La bâtisse, à la structure de couleur verte, de belle dimension, datait de 1923. Elle avait autrefois abrité une école avant d'être reconvertie en salle communautaire. Aujourd'hui, ombragée par des pins de Murray, elle faisait partie des bâtiments fédéraux du quartier général du parc des Glaciers.

Par le passé, elle avait eu des fonctions sociales, servi aux pompiers pour des exercices de sauvetage, puis des entreprises l'avaient utilisée pour des réunions de travail. C'était là que le centre de commandement des opérations de recherches de Paige Baker avait pris ses quartiers.

Les murs de bois de l'immense salle de réunion étaient tapissés de gigantesques cartes détaillées du parc, elles-mêmes constellées de punaises de couleur. De grandes tables débordaient de chargeurs de walkies-talkies, de téléphones nouvellement installés, de télécopieurs, de photocopieurs, d'ordinateurs, d'écrans de télé et de magnétoscopes.

Arrivé peu après l'aube, l'inspecteur Sydowski vit débarquer les représentants des autorités locales, fédérales et de celles du Montana. Il rencontra des agents du FBI qui le conduisirent vers le coin réservé à l'enquête criminelle, un coin qui passait quasiment inaperçu au milieu du débordement d'activités. Connue uniquement d'une poignée d'initiés, l'escouade spéciale nouvellement constituée et coordonnée par le FBI n'avait qu'une mission : s'assurer que la disparition de la petite Paige Baker n'était pas d'origine criminelle.

Pour conserver la confidentialité des opérations, on avait choisi une pièce qui servait de remise. Sydowski n'avait pas eu le temps de s'asseoir à la table où devait se tenir la première réunion d'équipe que la porte s'ouvrit.

— Inspecteur Sydowski, lui dit à voix basse un jeune gars du FBI, vous avez un appel. Vous pouvez le prendre ici. On m'a dit que l'agent Zander sera là d'une seconde à l'autre pour organiser une réunion avec tous les membres de l'escouade. Lui-même et l'agent Bowman sont en route depuis le poste de commandement des gardes.

L'inspecteur le remercia et s'empara du combiné. Autour de la table, il remarqua la présence d'un nombre important de flics de son âge, des vieux de la vieille à la mine impassible, tous en jean et chemise décontractée. Sydowski les salua d'un hochement de tête.

— Bonjour, Walt, c'est Linda. Je sors d'une nuit blanche, mais j'ai du neuf.

Sydowski s'assit pour prendre des notes.

— Avant toute chose, Walt, vous disposez d'un télécopieur ?

Walt en vit un et le jeune gars du FBI lui en donna le numéro. Linda en prit note et poursuivit :

— Emily Baker est photographe professionnelle. Elle possède son propre studio. Elle n'a jamais eu affaire à la police, même pas pour une infraction au code de la route. On sait peu de choses sur sa famille, sinon qu'elle a une tante qui vit à San Francisco, mais qui est actuellement en vacances avec son mari dans l'est du Canada. Les Feds ont pris contact avec la GRC, qui a mis les noms de l'oncle et de la tante sur la liste des touristes à alerter de toute urgence.

— J'espère que tu arriveras à les contacter avant les journalistes. Quoi de neuf au sujet de l'appel téléphonique du voisin des Baker ?

— J'ai récupéré l'enregistrement auprès du répartiteur et retranscrit la communication. Je vais vous faxer tout ça avec le résumé d'intervention des patrouilleurs qui se sont rendus sur place. Concernant Doug Baker, comme pour sa femme : casier vierge. C'est un ancien marine. Il a quitté l'armée avec les honneurs et il est devenu enseignant. Il entraîne l'équipe de football de Beecher Lowe dans Richmond. C'est quelqu'un de très estimé.

— C'est tout pour aujourd'hui ?

— Hier soir, j'ai parlé à l'un des collègues enseignants de Doug. Baker lui aurait confié que dans son couple les relations étaient tendues. Il n'en a pas dit davantage, sauf que sa femme consultait une psy et que la famille *devait à tout prix* entreprendre un voyage au Montana.

— Pourquoi « à tout prix » ?

— Le type n'a pas su me dire.

— Ou n'a rien voulu te dire. La psy, tu as ses coordonnées ?

En entendant le mot « psy », un des flics présents autour de la table leva soudain le nez de son dossier, comme si Walt avait trouvé la clé de l'énigme de l'enquête en cours.

— Pas encore, répondit Linda.

— Retourne cuisiner le copain prof de Baker, conseilla Sydowski. Essaie aussi de savoir si Paige parlait de sa famille à ses copains, ce genre de chose. Ce serait bien si on avait un portrait plus pointu de la personnalité de la petite. Le temps joue contre nous.

— Je travaille nuit et jour sur tous ces éléments, Walt... Hé ! C'est quoi ce bruit ?

Un hélicoptère passa en vrombissant à la verticale de l'ancienne école, donnant l'impression qu'il allait s'y écraser.

— Je crois que mon briefing va commencer, Linda. Je vais emporter tes infos à la réunion. On se rappelle plus tard.

L'atterrissage de l'hélico rendait les discussions impossibles. Un type grisonnant tendit sa carte à Sydowski :

« Lloyd Turner, agent spécial du FBI, responsable du district de Salt Lake City. »

Autant dire que c'était le grand manitou de l'opération. D'autres collaborateurs de Turner donnèrent leur carte à l'inspecteur. Puis la responsable du parc, Elsie Temple, arriva, accompagnée de Nora Lam, la conseillère juridique du ministère de la Justice, ainsi que d'autres personnalités officielles.

Le vacarme du rotor de l'hélico se calma et, en moins de vingt minutes, d'autres personnes firent leur entrée sous la conduite de l'agent Frank Zander, que suivaient sa collègue Tracy Bowman et Pike Thornton, l'officier de police du parc des Glaciers.

Zander, dossier en main, arborait son insigne du FBI. Il ferma la porte et prit stratégiquement place en bout de table.

— Je m'appelle Frank Zander. Je suis l'agent chargé de l'enquête. Hier, vers quinze heures, Doug Baker a prévenu les gardes du parc que sa fille de dix ans, prénommée Paige, avait disparu sur le sentier de la Dent-du-Grizzly vingt-quatre heures plus tôt. Les Baker participaient à une randonnée dans la région dite de la Main-du-Diable. Selon nos estimations, la fillette est portée disparue depuis quarante-trois heures. Nous n'avons pas de temps à perdre. Avant d'aller plus loin, je vais faire un tour de table, histoire de savoir si chacun a des raisons d'être ici.

On fit rapidement les présentations. Satisfait, Zander insista sur la confidentialité de la finalité du travail de l'escouade spéciale.

— Notre but est de déjouer toute entourloupe et de créer les bases d'une inculpation, expliqua-t-il.

— Pourquoi ? demanda Elsie Temple, visiblement irritée. Ne serions-nous pas en train de mettre la charrue avant les bœufs ? Ne pourrait-on pas laisser les recherches se poursuivre normalement ? Je n'aime guère cette approche du problème. À mes yeux, les faits sont très circonstanciés.

— Et moi, madame Temple, attendu les faits, j'ai le sentiment que nous agissons de manière responsable.

— En quoi les faits vous autorisent-ils à dire cela ?

Zander lui répondit :

— Doug Baker a une sale blessure à la main gauche. Il dit s'être coupé en taillant du bois avec une hache, hache qui n'a pu être retrouvée jusqu'à présent. Aussi bien son épouse que lui-même se montrent très évasifs quant à l'état d'esprit émotionnel de leur fille avant qu'elle s'évanouisse dans la nature avec son chien. Le père et la mère disent qu'ils ne l'ont pas vue. Quelques jours avant de venir ici, la police de San Francisco a été appelée au domicile des Baker par un voisin qui prétend avoir été témoin d'une violente altercation au sein du couple. À l'arrivée de la police, madame Baker a dit qu'il s'agissait d'un malentendu. Hier soir, tard, près du poste de commandement, Emily Baker s'est mise à crier : « Tu ne l'auras pas. Oh mon Dieu ! Tout est de ma faute ! » Nous commençons à peine à rassembler des renseignements concernant les parents.

— Je réitère mes propos, fit madame Temple. À ce stade, je trouve prématuré d'élaborer des hypothèses mettant en cause les parents Baker. Pour le moment, nous avons affaire à une simple disparition d'enfant.

— Pardonnez-moi, madame, intervint Sydowski en compulsant ses dernières notes, mais les choses avancent. Cela demande confirmation, mais hier soir l'inspectrice Linda Turgeon, de l'escouade des Homicides de San Francisco, a appris que Doug Baker a récemment confié à un ami qu'il existait des tensions dans son couple. En outre, Emily Baker consulte une psychologue et, apparemment, la famille Baker devait *à tout prix* entreprendre ce voyage au Montana, pour des raisons qui demeurent inconnues.

Temple pesa le pour et le contre de l'intervention de Sydowski et Turner ajouta :

— Madame, compte tenu de ce qui vient d'être dit, il serait suicidaire de notre part de ne pas agir dans les plus brefs délais et de ne pas nous intéresser de manière confidentielle au passé de la famille ainsi qu'aux circonstances de la disparition de la fillette, afin de déterminer si, oui ou non, ce tragique événement n'est pas entaché d'intention criminelle.

Temple se cacha le visage dans les mains et lâcha :

— Ce que je viens d'entendre me glace les sangs.

— Peut-être s'est-il produit un accident que les Baker essaient maintenant de dissimuler, suggéra Zander.

— Il est aussi possible que la petite se soit éloignée du campement et égarée, comme le disent ses parents, ajouta Bowman.

Zander balaya l'intérêt de ce qu'elle venait de dire en consultant sa montre.

— Le temps travaille contre nous. Les conditions météo pourraient détruire les indices d'une éventuelle scène de crime ou toute autre preuve matérielle susceptible de confirmer ou d'infirmer la thèse des parents. Nous ne pouvons écarter aucune hypothèse.

— L'équipe de techniciens de scènes de crime sera là d'une seconde à l'autre, intervint Turner.

Zander hocha la tête.

— Bowman, allez chercher Emily Baker. Nous allons l'entendre sans tarder. Pour qu'elle nous fournisse plus de détails. Après nous entendrons son mari. Nous aurons besoin très prochainement d'un polygraphe.

Zander nota la réaction de Nora Lam, la représentante du ministère de la Justice, qui dit :

— Ce qui signifie que vous allez très rapidement devoir leur lire leurs droits.

— Ça va de soi.

On apporta un message qui fut aussitôt transmis à Zander. Un certain monsieur Ropa patientait au téléphone. Il avait des informations concernant l'affaire Paige Baker.

— Je vais le prendre ici, dit Zander. Allô ? Vous disposez de renseignements ?

— Affirmatif. Ma famille et moi-même avons croisé les Baker sur le sentier de la Dent-du-Grizzly la veille de la disparition de la petite.

— Comment vous appelez-vous ?

— Ropa. R-O-P-A. Bobby Ropa.

— Et qu'avez-vous remarqué ?

— Les Baker se disputaient. C'était très violent. On a eu le sentiment que la famille se déchirait, qu'ils étaient à deux doigts de la séparation. C'était pas beau à voir.

Zander farfouilla immédiatement dans le petit tas d'autorisations délivrées aux visiteurs du parc et trouva celle des Ropa. Ils habitaient Brooklyn. L'accent de Bobby le confirmait.

— D'où êtes-vous, monsieur Ropa ? demanda-t-il.

— De New York. On est en vacances. Le mieux, c'est que je vienne faire une déposition. Vous êtes au centre de commandement des opérations ?

— Oui.

— Nous sommes dans le nord du parc. Nous allons nous rendre aussi vite que possible.

— Appeler, c'était la meilleure chose à faire, dit Bobby à Lori après avoir houspillé tout le monde pour qu'ils montent à bord du Ford Explorer de location et avoir pris la direction du centre de commandement.

En tant que flic new-yorkais, il savait toute l'importance que peut prendre le plus misérable des témoignages dans une histoire alambiquée.

— Joey, essaie de te rappeler tout ce que tu as vu, entendu et ressenti quand on a croisé la famille de la petite fille avant-hier.

Un Hercule C-130 vrombit au-dessus de leurs têtes.

— Comment pourrait-on oublier ce qu'on a vu, pa ? répondit le gamin.

Lori remarqua une contraction des muscles de la mâchoire de son mari, comme chaque fois qu'une enquête titillait Bobby. Elle comprit qu'il avait repris le boulot, que leurs vacances s'étaient terminées dès l'instant où ils avaient été témoins de la scène de ménage de cette famille croisée en randonnée. Après, la presse s'en était mêlée et les recherches avaient commencé. De tout son cœur, Lori espérait que Bobby faisait fausse route, mais elle savait aussi que c'était un bon flic. Elle s'inquiétait pour Joey. Qu'arriverait-il si l'affaire prenait une sale tournure et qu'on lui demande de témoigner ou d'identifier quelqu'un parmi un groupe d'individus ? Ce n'était pas toujours drôle d'être mariée à un flic new-yorkais. Elle tenta de penser à autre chose.

Ils délaissèrent l'autoroute Icefields pour suivre les soixante-dix kilomètres du ruban d'asphalte de la Going-to-the-Sun Road. Le coupant en deux moitiés, elle serpentait d'est en ouest de l'immense parc. Telles des montagnes russes, elle longeait les lacs de montagne, crevait les nuages, s'enroulait autour des sommets escarpés et se cramponnait aux parois abruptes, jusqu'à vous soulever le cœur.

Tout le long du chemin, Lori remarqua que Bobby ne cessait de mettre la main devant sa bouche et de se gratter le menton.

— Ne me dis pas que tu penses encore à cette famille…

— J'aurais dû intervenir, dire quelque chose, répondit-il en frappant le volant du poing. J'aurais dû lui sauter à la gueule. Si ça tourne mal, je ne me le pardonnerai ja…

— Attention !

Il freina juste à temps pour éviter la collision avec un autre véhicule qui, lui, roulait lentement. Lori préféra garder le silence et Bobby prit une profonde inspiration.

16

Zander entra dans le bureau destiné aux interrogatoires et posa sur la table la planchette où se trouvaient ses notes.

— De votre côté, vous êtes prêts ? demanda-t-il en haussant la voix. Si vous l'êtes, frappez deux coups contre la cloison.

De l'autre côté du mur, quelqu'un frappa à deux reprises.

Le FBI venait de cacher un puissant mais minuscule micro dans l'éclairage plafonnier et une caméra près d'un poster mural du parc.

Aux entrevues avec les Baker, ne devaient être présents que Zander, Bowman, Sydowski et Thornton, les autres devant se contenter des images et du son dans la pièce voisine. Avant de prendre congé, Nora Lam entraîna Zander hors de portée du micro pour mettre l'agent du FBI en garde.

— Vous savez que vous ne pouvez rien faire sans leur lire leurs droits ?

— Et vous, vous savez que je n'obtiendrai rien d'eux si je le fais ?

— Vous jouez avec le feu, agent Zander. Car pour l'instant aucune accusation ne pèse sur les parents Baker.

— Madame Lam, si je ne m'entretiens pas avec Emily Baker, on ne saura jamais s'il y aura un jour une affaire Baker.

— Je voulais juste vous avertir que vous marchez sur des œufs.

— Ça fait partie de mon boulot.

Bowman arriva, accompagnée d'Emily, qui s'était attaché les cheveux en une queue de cheval bien serrée. Elle s'était débarbouillée, histoire de se donner meilleure mine, mais ses cernes et ses reniflements trahissaient son état d'anxiété. On l'invita à s'asseoir à la table.

— Vous connaissez tout le monde autour de cette table, Emily, à l'exception de Walt Sydowski, de la police de San Francisco.

— Bonjour, madame Baker, fit l'inspecteur en tendant sa grosse pogne, qu'Emily serra en esquissant un signe de tête.

Zander s'assit face à Emily, Bowman sur sa gauche, Sydowski à bonne distance, en bout de table, et Thornton à l'autre extrémité. Tous avaient devant eux un dossier et de quoi prendre des notes.

— Si vous le souhaitez, nous avons du jus de fruits, du thé, du café, des fruits, proposa Zander.

— Non merci.

Les quatre policiers avaient la mine grave. Emily sembla reconnaître Sydowski, sans pouvoir dire où elle l'avait vu. Mais qu'est-ce qu'un flic de San Francisco fabriquait ici ? Elle se sentait si fatiguée, si perdue.

— Je ne vous apprendrai rien en vous disant que tous les moyens sont mis en œuvre pour retrouver votre fille, commença Zander. Et comme nous vous l'avons dit, nous quatre faisons partie d'une escouade spéciale dont le but est de s'assurer que nous n'allons pas seulement fouiller partout mais aussi considérer toutes les hypothèses qui contribueraient à retrouver Paige.

Emily hocha la tête.

— Nous voudrions connaître très exactement les conditions de sa disparition. Nous avons peut-être omis quelque chose. Acceptez-vous de nous aider en faisant appel à tous vos souvenirs ?

— Évidemment, répondit Emily d'une toute petite voix.

— Que s'est-il passé ce matin-là ?

— Nous avions décidé de rester au camp. J'ai remonté le sentier pour aller au bord de la falaise. Paige cueillait des fleurs, Doug coupait du bois. Après, il avait l'intention de lire. C'est ce qu'il m'a dit.

— Qu'êtes-vous allée faire au bord de la falaise ?

— Je voulais réfléchir, prendre quelques photos.

— Vous y êtes donc allée seule ?

— Oui.

— Vous ne vous êtes éloignée que d'une centaine de mètres, c'est bien cela ?

Emily hocha à nouveau la tête.

— D'où vous étiez, pouviez-vous voir ou entendre ce qui se passait près de vos tentes ? Pouviez-vous entendre Paige et son père discuter ? ou entendre le chien aboyer ?

— Non. La forêt faisait écran. J'étais trop loin.

— Combien de temps vous êtes-vous absentée du camp ?

— Je ne sais plus. Trois ou quatre heures.

— Pendant ces trois ou quatre heures, avez-vous rencontré quelqu'un d'autre ? des randonneurs, par exemple ?

Emily secoua la tête.

— Quand vous avez quitté le camp, dans quel état d'esprit était votre fille ?

Emily considéra ses mains posées sur la table.

— Elle a dû avoir peur, fit-elle en reniflant. Oh mon Dieu…

— Ça va aller, Emily, la réconforta Tracy Bowman en posant une main sur l'épaule de la jeune femme.

— La veille, en marchant, Doug et moi on s'est disputés. Comme ça arrive dans tous les couples. La dispute portait sur le temps qu'on allait rester dans le parc. On n'était pas encore remis des préparatifs et du voyage en avion. On était tendus. Paige a pris notre dispute très au sérieux. Elle a cru qu'on allait divorcer.

— Et c'est le cas ?

— Pas du tout, fit Emily qui renifla à nouveau.

Bowman lui tendit un mouchoir en papier.

Zander croisa le regard des autres policiers.

— Si Paige était stressée, pourquoi n'êtes-vous pas restée avec elle ?

— Moi aussi j'étais stressée, répondit Emily en larmes. J'avais besoin d'être seule. J'en voulais à Doug.

Puis elle ajouta à faible voix :

— Je m'en voulais aussi.

— Avant et pendant ce voyage, y avait-il des tensions au sein de votre couple ?

Emily confirma d'un hochement de tête.

— Pourriez-vous nous en parler ?

— Comme je vous l'ai dit, et comme des dizaines de milliers de gens, nous payons le contrecoup du métro-boulot-dodo. J'ai mon travail, Doug a le sien. On a hésité quant à la destination de nos vacances. Doug aurait aimé aller à Paris. Moi, je préférais venir à la montagne, partir loin de tout pour recharger mes batteries personnelles et prendre des photos. Paige était de l'avis de son père, elle aurait voulu aller à Paris. Elle n'avait jamais fait de randonnée. C'est la première fois pour elle. Je me suis dit que ce serait bien pour Paige de voir autre chose que la ville. On a opté pour la montagne à la toute dernière minute. On s'est littéralement rués ici. Mais la randonnée a vite tourné au cauchemar avec cette dispute. À cause d'elle, on a fait du mal à Paige.

— Que voulez-vous dire ?

Emily porta le poing devant sa bouche et ferma les yeux.

— Je crois que Paige nous en a beaucoup voulu. Elle aussi s'est éloignée pour être seule, sans se soucier du danger. Puis elle s'est perdue. Vraiment perdue. Oh mon Dieu… C'est de ma faute. Tout ça, c'est de ma faute ! fit Emily en plongeant son visage entre ses mains.

— Ça va aller, répéta Tracy alors qu'un hélico passait en vrombissant au-dessus de leurs têtes.

Zander remarqua que Sydowski et Thornton prenaient des notes. Quand le vacarme s'apaisa, il poursuivit en demandant :

— Vous êtes photographe professionnelle, c'est bien cela ?

— Oui, j'ai un studio. Je travaille à la pige. J'ai beaucoup de travail.

— Et votre mari est enseignant ?

— Oui, il est prof de littérature à Beecher Lowe. Il est aussi entraîneur de l'équipe de football.

— Quand vous êtes partie pour être seule, dans quel état d'esprit était votre mari ?

— Il était à cran. Il en voulait à la terre entière, et surtout à moi.

— Juste pour cette histoire de dispute ?

Emily hocha la tête.

— Et vous pensez que Paige est partie à cause de cette dispute ?

— Oui.

— C'est la première fois qu'elle part comme ça ?

— Non.

— Cela signifie-t-il qu'il y a eu d'autres moments de tension au sein de votre couple dans les semaines précédant votre voyage ?

Emily prit tout son temps pour répondre. Zander répéta sa question. Emily hocha alors la tête.

— Vous n'avez pas de problèmes de travail, d'argent ou de couple ?

Emily répondit par la négative en secouant la tête.

— Doug ou vous-même, êtes-vous suivis par un médecin ? Prenez-vous des médicaments ?

— Non, répondit Emily d'un ton qui laissait entrevoir qu'elle commençait à juger les questions de Zander insidieuses.

— Pas de suivi psychiatrique ?

— Non. Quand j'ai des problèmes personnels, j'en parle avec mes amis.

— Dites-moi, Emily, dans le parc, avez-vous croisé des gens qui se seraient montrés inhabituellement aimables avec votre fille ou vous-même ?

— Non.

— Paige sait-elle se servir d'Internet ?

— Oui. Elle échange avec ses copines. Elles parlent de mode, de cinéma ou de musique.

— Est-il imaginable qu'elle ait pu prévoir une rencontre secrète dans le parc avec un ou une amie rencontrés sur Internet ?

— Ça me paraît difficilement concevable. Nous disposons du contrôle parental et surveillons ce qu'elle fait sur la toile.

— Depuis votre arrivée ici, vous souvenez-vous d'un incident quelconque, d'une altercation avec qui que ce soit qui aurait pu vous suivre jusqu'ici pour préparer un mauvais coup ?

Emily fit non de la tête.

— À San Francisco, y aurait-il quelqu'un qui pourrait vouloir du mal à votre famille ou s'en prendre à Paige ?

— Non. Franchement, je ne vois pas. Je... Vous pensez qu'elle aurait pu être enlevée ? Vous savez quelque chose à ce sujet ? Oh mon Dieu...

— Nous ne savons rien, nous n'avons pas la moindre preuve qui nous laisserait croire que quelqu'un s'en est pris à Paige. J'essaie seulement de comprendre, Emily, de mieux cerner les circonstances qui ont précédé le moment sa disparition.

— J'ai peur. Je ne sais plus où j'en suis. Tout ce qui arrive est de ma faute, ça crève les yeux, non ?

Zander garda le silence.

— Mais enfin, poursuivit Emily, quelle sorte de mère faut-il être pour laisser sa fille partir seule en montagne ?

Les propos d'Emily flottèrent dans l'air quelques instants avant que Zander demande :

— Emily, que vous a dit Doug concernant l'état d'esprit de Paige avant qu'elle ne disparaisse ?

La jeune femme fixa la table, comme si cela l'aidait à réfléchir, et répondit :

— Il a cru qu'elle allait me rejoindre.

— Pourquoi a-t-il pensé ça ?

— Parce que Paige était choquée.

— Comment ça… « choquée » ?

— À cause de notre dispute. Et puis aussi à cause du fait qu'il s'était blessé à la main en fendant du bois.

— Vous étiez là quand il s'est blessé ?

— Non. Quand je suis partie, Paige cueillait des fleurs ou jouait avec Kobee dans sa tente, je ne sais plus exactement. J'étais énervée.

— Doug était-il déjà blessé ? L'avez-vous vu se blesser ?

— Je viens de vous répondre, fit Emily en secouant la tête.

— Pensez-vous que d'autres randonneurs aient pu venir dans votre campement après votre départ ?

— Je n'ai vu ni entendu personne.

— Quand vous êtes revenue à votre campement, comment ça s'est passé ? Comment vous êtes-vous aperçue de la disparition de Paige ? Que vous a alors dit votre mari ? Comment avez-vous réagi ?

— Je me souviens. J'étais à mi-chemin quand j'ai eu un sale pressentiment.

— Comment cela s'est-il manifesté ?

— J'ai eu un frisson. Je me suis arrêtée. Je n'ai rien vu, rien entendu. C'était juste un pressentiment, le genre de chose que ressentent les mères, avoua-t-elle en sanglotant. Quand je suis arrivée, Doug était en train de lire. J'ai demandé où était Paige. C'est là qu'il m'a dit qu'il croyait qu'elle était avec moi. Puis il est parti à sa recherche en remontant le sentier d'où je venais.

— Vous a-t-il raconté ce qui s'était passé ?

— Seulement ce que je viens de vous dire.

— Était-il blessé à la main à ce moment-là ?

— À mon retour, il l'était.

— Vous a-t-il expliqué comment il s'était fait ça ?

— Il a dit que c'était en fendant du petit bois, je vous l'ai déjà dit et répété.

— Donc, selon vous, Doug serait la dernière personne à avoir vu Paige ?

Un lourd silence plomba le bureau. Ce fut comme si la pièce elle-même retenait son souffle. Emily porta les poings à sa bouche. Les yeux brillants, elle fixait le néant. Puis elle hocha la tête.

— Emily, votre famille et vous-même, pourquoi êtes-vous venues si précipitamment au Montana ? Qu'est-ce qui vous y a poussées ?

Elle se cacha le visage dans les mains et se mit à pleurer.

« Regarde bien ce que j'vais faire. »

Zander se pencha en avant.

— Emily, si vous pensez à quelque chose dont nous devrions être informés, ce serait bien que vous nous le disiez maintenant.

La jeune femme leva les yeux vers Zander.

Alors que le vacarme d'un rotor d'hélico grossissait au loin, l'agent du FBI eut le sentiment d'avoir devant lui une femme qui se débattait au sein d'un univers glauque. Emily offrait l'image de l'incarnation de la souffrance. Elle était considérée comme suspecte dans la disparition de son propre enfant. Les regards des quatre enquêteurs étaient braqués sur elle. À l'extérieur le bruit enflait.

Zander consulta sa montre. Le temps leur filait entre les doigts à une vitesse folle.

17

Dès la fin de l'interrogatoire d'Emily Baker, Zander, profitant de quelques instants de solitude, prit Tracy Bowman à part.

— À ce stade, l'attitude d'Emily est problématique, dit-il. On la sent prête à s'ouvrir, il ne manque qu'un petit coup de pouce.

Une garde du parc avait emmené Emily se reposer dans un endroit encore inoccupé. Zander réfléchit un moment et dit en plongeant ses yeux bleus dans ceux de Tracy Bowman :

— Avant de la raccompagner au poste de commandement, j'aimerais que vous commenciez à vous rapprocher d'Emily, que vous cherchiez à gagner sa confiance, bref, à avoir une relation de femme à femme. Vous n'avez pas droit à l'erreur, car vous n'aurez pas d'autre occasion de le faire.

Bowman avala sa salive. Elle commençait à mesurer le poids et les enjeux de sa tâche. Par la fenêtre, elle aperçut les camions des chaînes de télé. À l'intérieur de la salle des opérations, les écrans auxquels on avait coupé le son diffusaient les reportages en direct. Quelques heures plus tôt, tranquillement installée à son bureau, Tracy composait encore avec son clavier, des formulaires et les petites frustrations du quotidien. Ce qui se passait ici était énorme. Tout allait très vite. De fait, elle n'avait pas droit à l'erreur.

— Vous avez bien compris, Bowman ? Pouvez-vous vous en charger ou dois-je demander à quelqu'un d'autre ?

Quel con, ce Zander ! On le considère peut-être comme une légende dans son milieu, peut-être était-il capable de me faire douter de moi-même, mais il n'empêche que c'est un sacré con.

— Dites-moi, Zander, répondit Tracy, vous qui êtes un expert de la « relation femme à femme », quel conseil pourriez-vous bien me donner pour que je ne me plante pas ?

— Il paraît évident qu'Emily vous a à la bonne, Bowman. Faites-la parler, dit-il en consultant à nouveau sa montre. Vous avez une heure, peut-être moins. Ensuite on fera venir le père.

— Que cherche-t-on au juste ?

— La vérité, Bowman.

Emily revint. D'un signe de tête elle remercia le garde et décocha un pâle sourire à Tracy, qui l'escorta à travers le chaos du centre de commandement.

Emily avait les traits crispés et les yeux brillants. Le drame que vivait sa fille lui était tombé dessus avec la force d'un marteau-pilon. Elle regarda la photo de Paige qui apparaissait sur les écrans des télés qui diffusaient les premiers bulletins de nouvelles matinales. Puis ce furent une photo d'elle-même, le portrait de Doug… Le pays tout entier suivait l'événement.

— Par ici, Emily.

Bowman la conduisit à l'extérieur et la fit monter à l'arrière d'une camionnette du FBI immatriculée dans l'Utah. Il n'y avait personne dans le véhicule, rien que des manuels, des cartes, des emballages vides de hamburgers et des journaux. Ce n'était pas l'idéal, mais au moins les deux femmes seraient tranquilles.

Emily était en larmes, comme liquéfiée.

— Dans combien de temps vais-je remonter au campement ? demanda-t-elle. J'aimerais bien y être... dans le cas où on retrouverait Paige.

Bowman lui répondit que ça prendrait environ une heure. Les recherches battaient leur plein et il fallait ce temps avant qu'un hélico puisse la remonter et fasse descendre son mari.

— On a trouvé quelque chose ? s'enquit Emily.

— Pour autant que je sache, rien pour le moment.

— Qu'est-ce que vous pensez de moi ? demanda la jeune femme en sanglotant et en battant des paupières. Que je suis une mauvaise mère ?

— Quand il arrive un coup dur, toutes les mères pensent qu'elles sont de mauvaises mères.

— Mais je crois que Zander et les autres ont une piètre image de moi, dit Emily.

— Pourquoi dites-vous ça ?

— Parce que ma fille a disparu.

— Je crois qu'ils veulent seulement tout savoir de ce qui s'est passé, de manière à pouvoir retrouver Paige.

— J'ai tout raconté à Zander. Mais il ne m'a pas cru. Je l'ai vu dans ses yeux et compris au ton de sa voix.

Emily regarda Bowman. Devait-elle lui faire confiance ou s'en méfier ?

— Vous avez des enfants, Tracy ?

— Un fils, Mark. Il a neuf ans.

— Est-ce qu'il vous est déjà arrivé un coup dur comme ce que je suis en train de vivre ?

Le soir où Carl reçut cet appel, Tracy était au lit. Elle roula vers la place de son mari. Puis on frappa de violents coups à la porte. Tracy tomba sur Barry Tully, le policier de la patrouille routière. Il était là, le chapeau à la main. Il n'arrivait pas à trouver les mots. De toute façon, c'eût été inutile, Tracy avait compris...

— Mon mari est mort il y a quelques années.

— Je suis désolée. Il est mort de maladie ?

— Non. Dans un accident. Sur l'autoroute.

Emily fixa la cime des arbres.

— Alors vous savez ce que ça fait de se retrouver propulsée dans un tourbillon surréaliste où plus rien n'a de sens, où tout fait tellement mal que vous n'avez plus qu'une envie: celle de tout arrêter pour revenir en arrière à des jours meilleurs.

Bowman comprit la perche affective qu'Emily lui tendait. Elles parlaient de femme à femme, de mère à mère. Tracy s'encouragea néanmoins à rester sur ses gardes.

— Oui, Emily, je sais tout ça. J'ai vécu des drames dans ma vie. Mais comme la plupart des gens.

— Je sais bien que Zander et les autres essaient de savoir si j'ai quelque chose à voir avec la disparition de Paige.

— C'est un peu plus compliqué que ça.

— Ah bon?

— Nous ess... commença Tracy avant de se reprendre. Ils essaient seulement de savoir ce qui s'est vraiment passé au moment de la disparition de Paige.

— Comment ça, « vraiment passé »? Vous pensez que je mens?

— Mais non, Emily. Je veux parler des faits, des détails... Je me suis mal exprimée, je suis désolée.

— Et vous? Que pensez-vous? Que j'ai quelque chose à voir dans la disparition de ma fille? Je veux que *vous* me répondiez franchement et me laissiez *vous* juger.

Bowman sonda le fond de son cœur. Il n'existait pas le moindre indice prouvant qu'Emily avait commis quoi que ce soit d'illégal. Elle s'était juste disputée, et cette altercation avec son mari avait eu pour conséquence de voir sa fille fuguer et s'égarer dans les Rocheuses. Cependant, au fond d'elle-même, Tracy Bowman sentait qu'Emily cachait quelque chose de dérangeant.

— Vous n'avez rien commis d'illégal, dit l'agent du FBI.

— Merci, répondit Emily qui porta les poings à sa bouche.

N'ai-je pas commis une bêtise en lui disant cela? se demanda aussitôt Bowman avant d'ajouter:

— Cependant, je reste persuadée que Doug et vous pataugez, ou avez pataugé, dans quelque chose de très perturbant. Et vous pensez que ce quelque chose est lié à la disparition de Paige.

Emily garda longtemps le silence avant de demander:

— Vous croyez qu'on va la retrouver?

— Je prie pour cela.

Bowman avait le cœur qui battait la chamade. Elle en oubliait ce qui l'entourait: sa mission, les montagnes et tout le reste. Elle était écartelée. À qui avait-elle affaire? Emily était-elle si manipulatrice et rusée qu'elle avait joué avec elle comme avec une marionnette ou n'était-elle que l'innocente victime de circonstances dramatiques?

— J'ai cru comprendre, reprit Bowman, que vous avez grandi ici, au Montana?

— Oui. Mais ça remonte à longtemps.

— Pourquoi êtes-vous revenue?

— Pour enterrer quelque chose qui appartient au passé.

En entendant cela, Tracy eut la chair de poule.

— Vous accepteriez de m'en parler? dit-elle.

— Non, je ne peux pas, fit Emily en secouant la tête comme si le chagrin venait de l'envahir. Pas plus à vous qu'à personne d'autre, ajouta-t-elle d'une voix faiblarde. Je… Je… commença-t-elle en sanglotant.

Bowman s'efforça de comprendre ce qu'Emily murmurait.

— Je dois retrouver ma fille. Je ne veux pas à nouveau revivre tout ça. Je n'y survivrai pas.

Puis sa voix redevint plus forte et Emily ajouta en levant les yeux vers les cimes des montagnes:

— Mon Dieu, je vous en prie, dites-moi où elle est.

18

Paige ouvrit un œil. Elle tremblait et mourait de faim.

Il faisait froid et humide dans son abri de fortune. Elle se dit qu'aller au soleil lui ferait du bien et qu'elle devrait essayer de retrouver son chemin. Mais n'était-ce pas dangereux ? La petite était terrorisée.

Cette *chose*, qui l'avait pourchassée la veille au soir, rôdait-elle encore dans les parages ?

Elle avait vraiment peur, mais la raison lui demandait d'arrêter de trembler comme une feuille.

Et Kobee ? Où est-il passé ?

Elle tendit le cou pour regarder dans toutes les directions. Paige avait mal partout, des petites plaies, des coupures et des égratignures la piquaient sur tout le corps. Elle avait la gorge râpeuse. Elle toussa, ce qui lui fit mal.

Elle jeta des cailloux dans plusieurs directions dans l'espoir de faire réagir la *chose* qui était peut-être tapie à l'attendre.

Mais rien ne se produisit. Alors Paige continua à jeter des cailloux, mais un peu plus loin.

Il lui fallait rentrer au campement, sinon ça allait lui chauffer les fesses. *Si ça se trouve,* se dit-elle, *papa et maman vont être tellement en rogne qu'ils sont capables de s'en aller sans m'attendre. Non! C'est impossible! Au secours! Je vous en prie, à l'aide!*

Pourquoi fallait-il que ses parents se déchirent de la sorte ? Ils allaient divorcer. C'était évident. Ils l'avaient emmenée avec eux en voyage pour lui dire qu'ils ne s'aimaient plus, qu'elle allait devoir choisir avec lequel vivre avant de le dire à un juge ou quelque chose dans ce goût-là.

À l'école, des enfants de divorcés lui avaient raconté comment ça se passe.

Elle pria pour que ça n'arrive pas.

Papa, maman, vous vous aimez toujours, n'est-ce pas ?

Paige devait rentrer au camp, elle devait aider ses parents à rester ensemble.

Elle sortit lentement de sa cachette et, de la main, protégea ses yeux du soleil matinal. Après avoir considéré la pente, Paige décida d'une direction à suivre. Marcher la réchauffa et fit qu'elle se sentit un petit peu mieux. Elle avançait sans savoir où ça la mènerait. Elle entra dans une forêt qui lui sembla sympathique, où la progression était facile.

La faim continuait à la tenailler.

Elle pensa à un cheeseburger accompagné de frites et d'un milk-shake. Elle rêva à des tacos, au frigo de la maison, à un sandwich au jambon et au fromage, à un yaourt, à des fruits, à du jus d'orange avec des petits glaçons. Elle pensa aux spaghettis à la sauce aux champignons que sa mère servait avec du pain à l'ail. Et puis aussi à sa tarte maison.

San Francisco lui manquait, tout comme son quartier situé à deux pas du parc du Golden Gate. Elle pensa à sa chambre, à son lit douillet en hauteur, à ses livres, à son ordinateur et à son poster de Leonardo DiCaprio, puis à cette immense et jolie photo que sa mère avait prise d'elle et de Kobee sur la plage.

À propos, où Kobee pouvait-il être ?

Elle se mit à l'appeler :

— Kobeeee !

Quel idiot, ce chien!

La fillette finit par s'asseoir sur un rocher de forme aplatie que réchauffait le soleil. Elle avait si faim.

Elle se dit qu'elle haïssait ces immensités de montagnes et de forêts, qu'elle haïssait cet endroit. C'était pas beau. Ça faisait peur. La nuit dernière, quelque chose lui avait couru après, quelque chose d'effrayant, auquel elle ne voulait même plus penser.

Un jour, Paige avait entendu sa mère parler à quelqu'un au téléphone. Elle disait que son monstre « vivait dans la montagne. » À présent, Paige savait que les monstres n'existaient pas que dans les contes de fées. La veille au soir, l'un d'eux avait failli lui être fatal. Reverrait-elle un jour sa maison? Elle n'avait pas la moindre idée d'où elle allait. Ses pieds la faisaient atrocement souffrir.

Sans parler de la faim qui la tenaillait.

Elle déglutit et fouilla dans son sac, où elle trouva deux barres de muesli, une pomme et une bouteille d'eau.

Bien qu'elle mourût de faim, Paige se lécha les babines et ne s'autorisa à manger que le fruit, et le plus lentement possible, savourant chaque morceau, suçant le jus, avalant même la peau, ne laissant que le trognon et pas le moindre petit bout sur les pépins, qu'elle envisagea aussi d'engloutir.

Quand elle eut terminé, la faim était encore présente. Elle prit les deux barres. Il y en avait une aux bleuets et l'autre aux fraises. Elle resta assise à les regarder, avec l'envie folle de les dévorer.

OK, mais après? Que va-t-il me rester?

Elle fondit en larmes.

Maman. Papa. Venez me chercher. Je vous en prie. Je veux rentrer à la maison.

Elle sanglota, convaincue que ses parents et le monde entier l'avaient abandonnée, craignant de ne jamais revoir son père, sa mère et ses copains. Au début, elle ne prêta pas attention au bruit d'abord lointain et familier qui grossit peu à peu, jusqu'à ce qu'elle perçoive quelque chose. C'était une espèce de cliquetis, qui se transforma en halètement.

La fillette cligna des yeux.

Kobee ? C'est Kobee ?

Et soudain, surgissant de nulle part, le chien se retrouva sur les genoux de sa maîtresse.

— Mon Kobee !

Le chien lécha le visage de la petite, qui le serra contre elle pour l'embrasser.

— Méchant chien que j'adore ! Ne me laisse plus jamais, compris ?

Une main de chaque côté de la tête de l'animal, elle le regarda droit dans les yeux et lui dit :

— À présent, va falloir me montrer le chemin du retour, OK ?

Mais qu'avait-il donc ? Ses yeux n'étaient pas normaux. Ils retenaient l'image de la terreur. Kobee tremblait. Paige s'aperçut qu'elle avait les mains toutes gluantes et rouges. C'était du sang. Kobee saignait. Paige sentit son cœur battre à tout rompre.

— Qu'est-ce qui t'est arrivé ?

Elle avala sa salive. Le flanc du chien avait été lacéré. Comme avec une pointe de couteau finement aiguisé. La peau était à vif, déchirée.

Et ça, c'est quoi ?

Paige avait entendu comme des froissements et des reniflements.

Ça venait dans sa direction, ça se frayait un chemin dans la forêt. Des branches craquaient. Leur bruit couvrit celui plus lointain de l'hélicoptère de l'équipe de recherches.

— Mon Dieu !

Paige prit son chien dans ses bras et déguerpit à toute vitesse pour sauver sa peau.

19

Dans la pièce réservée aux membres de l'escouade spéciale, alors que les détectives attendaient l'arrivée de Doug Baker, Walt Sydowski donna son avis sur la façon pour le moins musclée dont Zander avait conduit l'entretien d'Emily avant de laisser à Tracy Bowman le soin de recoller les morceaux.

— J'en conviens, Frank, vous avez su appuyer là où il fallait, mais…

— Mais quoi ?

— Pour faire levier, il faut un bon point d'appui. Et pour le moment, à part des circonstances quelque peu troublantes, nous n'avons rien à nous mettre sous la dent. Il arrive que les choses soient différentes de ce dont elles ont l'air. Il nous faut du concret, de l'irréfutable. La blessure du père ou mettre la main sur la fameuse hache pourraient constituer un point de départ.

S'il y avait quelque chose que Zander ne supportait pas, c'était la remise en cause *a posteriori* de sa méthode. Fixant Sydowski dans les yeux, il était à deux doigts de le rembarrer sans ménagement quand il choisit de ne pas répondre.

— En ce qui me concerne, dit Elsie Temple, la responsable du parc, en regardant au-dessus de ses demi-lunes, je n'approuve pas votre façon de procéder. Pourquoi mêler les parents à la disparition ? Ça sert à rien. Vous devriez au moins attendre d'avoir un indice matériel.

— Dites-moi, madame Temple, lui balança Zander, combien d'enquêtes criminelles avez-vous dirigées pour vous autoriser à avoir une opinion ?

Temple piqua un fard. Zander continua :

— On a vu ce que ça a donné dans le parc de Yellowstone, quand on a attendu de trébucher sur les preuves pour commencer à agir.

— Agent Zander, il semble juste que…

— Madame Temple, un menteur est capable de répéter son mensonge de mille façons différentes. Plus vous prenez vos distances avec le crime, plus vous donnez du grain à moudre aux suspects, qui deviennent de plus en plus forts. Il semble qu'Emily ait déjà menti au sujet de la tension au sein de son couple avant le départ de San Francisco et sur son suivi par une psy, si le renseignement se vérifie. Il y a aussi le coup de fil du voisin à la police et la blessure que Doug se serait faite avec une hache devenue introuvable. La vérité émerge rarement dès le début. Si vous recueillez les dépositions tout en cherchant avec détermination des preuves matérielles qui contredisent la relation des faits de la famille, alors *là* vous marquez des points.

— Et si vous faites fausse route ?

— C'est le prix à payer. Et au vu des pistes possibles qui s'offrent à nous, je le paierai bien volontiers, dit Zander. Si nous faisons fausse route, eh bien, fort heureusement, les Baker retrouveront leur fille saine et sauve. Mais dans le cas contraire, si Paige a été blessée et si nous nous y prenons de telle manière que nous n'identifions pas le coupable, je vous laisse imaginer les dégâts. Je doute que ce soit le genre de truc qu'on pourra lire sur les jolis dépliants qui vantent les mérites de votre charmant parc !

Temple en resta bouche bée avant de pouvoir demander :

— Mais comment faites-vous pour vous accepter, agent Zander ?

L'intéressé ne répondit pas. Il préféra prendre l'appel l'informant que monsieur Ropa était arrivé.

Bobby Ropa portait un t-shirt aux couleurs de l'équipe des Giants de New York et un jean délavé. Il devait avoir dans les trente-cinq ans et semblait en excellente condition physique. Après s'être présenté aux enquêteurs, la première chose qu'il fit fut de leur montrer son insigne de flic new-yorkais.

Zander le pria de s'asseoir. D'une manière très professionnelle, il lui demanda d'observer la plus grande confidentialité et fit son boulot.

— Vous vous intéressez au père ? dit Ropa, pressé de se rendre utile.

— Nous rencontrons tout le monde, tout nous intéresse.

— Vous devriez vous intéresser au père de plus près.

— Dites-nous ce que vous savez, demanda Zander.

Ropa décrivit le moment où sa famille et lui-même venaient de quitter la Dent-du-Grizzly et longeaient une partie sinueuse du sentier, quand ils avaient très distinctement entendu de forts éclats de voix.

— C'était ces gens, les Baker, que j'ai reconnus à la télé. Ils avaient fait halte dans une clairière, pour manger, mais ils s'engueulaient.

Ropa expliqua le contraste entre le coin, qui aurait dû être calme et paisible, et tout ce qu'ils purent surprendre de la dispute avant de découvrir les Baker.

— Ce que j'ai remarqué en premier, ç'a été la petite fille, Paige. Elle était visiblement perturbée par ce qui se passait. Elle a dit qu'elle se doutait pourquoi ses parents l'avaient emmenée en randonnée en montagne. Son père lui a répondu : « Eh bien, dis-le-nous ! » La petite croyait que ses parents étaient en train de divorcer à cause des problèmes de sa mère, et qu'elle-même devrait choisir avec quel parent aller vivre. La mère a eu beau dire que c'était faux, la petite a fondu en larmes. Alors la mère a ajouté que la situation était compliquée. Le sentier décrivait une courbe et on est tombés nez à nez avec les Baker au moment où le père laissait exploser sa colère. C'était impressionnant. Et c'est allé très vite. Il a demandé à sa femme qu'elle leur explique, à sa fille et à lui-même, ce qui ne tournait pas rond chez elle. C'est là que sa femme s'est mise à geindre et que Baker lui a crié dessus en hurlant qu'il était à bout et ne supportait plus ces apparences trompeuses et ces faux airs de famille heureuse. Il a tout mis sur le dos de sa femme. Nous, on est restés abasourdis. On se serait cru dans une pièce de théâtre de rue. La femme de Baker est devenue hystérique. Elle a reproché à son mari de penser qu'elle était folle à lier, qu'elle les avait fait venir au Montana pour une raison inexpliquée. La petite s'y est mise à son tour et a menacé de fuguer dans la montagne à cause de ses parents. Sa mère lui a demandé de « ne jamais répéter une chose pareille. » C'est à ce moment-là que j'ai décidé d'intervenir. J'ai dit : « Tout va bien ici ? » Baker s'est calmé d'un coup, comme par enchantement. Il a cherché à blaguer en expliquant que c'était leur premier jour et qu'ils étaient un peu sur les nerfs, rien de grave. J'ai vu une hachette qui pendait sur le côté de son sac à dos. Je leur ai demandé s'ils avaient un aérosol contre les ours parce que la veille on avait vu une femelle grizzly avec ses petits dans une prairie au bord d'une rivière. Puis j'ai remarqué qu'ils cachaient un chien dans un de leurs sacs. C'est illégal, les animaux domestiques, dans le parc. Baker a expliqué que ce chien faisait partie de la famille, qu'ils ne pouvaient pas s'en séparer, même pour quelques jours. Pour ma femme, notre fils et moi, il était temps de partir. On avait assisté à une scène bien étrange. On n'a plus entendu parler des Baker jusqu'à ce que les médias nous apprennent que le père avait signalé la disparition de la petite. La veille de cette disparition, on a assisté au règlement de comptes familial, je ne sais pas trop quoi en penser. J'ignore ce que vous savez d'autre, mais si vous voulez mon avis, cette histoire ne sent pas très bon.

Aucun des enquêteurs présents ne prit la parole avant un certain temps, celui de digérer les informations pour le moins dérangeantes du témoignage de Robert L. Ropa, détective senior au commissariat de la 67e Rue à Brooklyn.

20

Depuis le poste de commandement des opérations installé près de son campement, Doug Baker balaya du regard les forêts alentour. Il avait l'estomac vide mais vrillé par l'angoisse.

Les radios diffusaient aussi bien les bulletins de nouvelles que les instructions entre les avions et les hélicoptères qui tournoyaient dans le ciel. Les équipes de secouristes fouillaient en altitude, alors qu'une armée de gardes et d'agents du FBI continuait d'arriver pour leur prêter main-forte.

Jusqu'à présent, on n'avait pas trouvé le moindre signe de vie de Paige.

Doug avait le sentiment que sa peur avait pris la forme d'un lourd fardeau éreintant à porter. Combien de temps Paige tiendrait-elle le coup ? Emily était avec les agents du FBI. Depuis l'arrivée de la police, il ne contrôlait plus rien et ne supportait ni le fait que les flics leur interdisaient de participer aux recherches, ni la manière dont ils les épiaient et les empêchaient de rester seuls.

« On va vous entendre séparément… »

Cette phrase en disait long. Doug était persuadé que le FBI était au courant de quelque chose. Suspectait-on un crime ou quelque chose d'autre ? Ils avaient croisé cette autre famille. Le FBI était-il au courant de la présence d'individus sur le sentier? Que savait-il exactement? Doug était convaincu qu'il lui fallait passer à l'action. Mais pour faire quoi? Il était supposé attendre ici jusqu'au retour de sa femme. Après on viendrait le chercher. Mais sa patience était à bout. Il devait agir.

— Pardonnez-moi, dit-il au premier agent du FBI qu'il trouva. Vous pourriez essayer de savoir si ma femme est toujours au centre de commandement ou sur le chemin du retour?

L'agent fit une demande par radio.

— Elle est toujours là-bas, monsieur. Mais on m'a dit qu'on pouvait vous y emmener dès maintenant.

Le type montra un hélico dont le pilote prenait place dans le cockpit et s'apprêtait à lancer le rotor.

La turbine se mit à avoir des ratés alors que l'appareil approchait du centre de commandement. Tout comme Emily avant lui, Doug resta stupéfait de découvrir les équipes des chaînes de télé, les camions avec les antennes paraboliques déployées, la débauche de moyens mis en place pour retrouver sa fille. L'hélico était à une cinquantaine de pieds du sol quand Doug aperçut le nombre de caméras de télé massées derrière des rubans jaunes et braquées sur le point d'atterrissage. C'est à ce moment-là que le jeune agent du FBI lui ordonna de ne pas répondre aux sollicitations des journalistes.

— Et pourquoi ça? s'étonna Doug, qui supportait de moins en moins bien qu'on lui dise quoi faire.

— Dès qu'on en saura davantage, il faudra d'abord qu'on se coordonne avec les autres agences, de manière à tous être sur la même longueur d'onde.

Doug eut du mal à avaler sa salive. Jusqu'à présent, les fameuses *agences* avaient été au-dessous de tout et incapables de susciter une once d'espoir. *C'est à nous de prendre les choses en main*, se dit Doug. Quand son hélico toucha le sol, il chercha sa femme du regard.

Emily, elle, avait repéré son mari alors que son appareil volait encore.

— Doug est là, dit-elle en quittant soudain la camionnette où elle était en compagnie de Bowman.

— Non, Emily ! Je vous en prie ! Attendez ici ! cria Bowman en s'adressant à la porte qui claqua derrière Emily.

Et merde !

Emily se rua vers l'hélicoptère. Doug en descendit et marcha plié en deux jusqu'à ne plus souffrir des bourrasques créées par le rotor. Il prit tendrement sa femme dans ses bras sous l'œil d'une bonne trentaine de caméras. Les objectifs se rapprochèrent pour témoigner de leur peur et de leur fatigue. On filma la beauté angoissée d'Emily et le regard éperdu de Doug qui conservait sa prestance. L'image de ce couple idéal, représentatif de la classe moyenne et pris dans le tourbillon du malheur, allait marquer une nation accaparée par le drame d'une gamine qui risquait sa vie au sein d'un des paradis naturels du pays.

— Doug ! Emily ! Dites-nous quelques mots ! leur crièrent les journalistes pour couvrir le vacarme de l'hélico qui repartait déjà.

Bowman et le jeune agent du FBI tiraient les Baker par la manche.

— Par ici, Doug, je vous en prie, fit Bowman. On vous attend à l'intérieur.

Mais Doug ignora Bowman et chercha à croiser le regard brillant de sa femme.

— Tu sais, Emily, je crois qu'on devrait s'adresser à la presse.

— Mais je sais pas quoi dire, répondit Emily.

— Laissons parler notre cœur. Allons-y !

— Monsieur, permettez-moi de vous avertir que… fit le jeune agent du FBI avant d'être interrompu.

— Doug, dit Bowman, ce serait mieux de commencer par vous entretenir avec les représentants des autorités.

Bowman, qui voulait éviter tout différend avec Baker devant la presse, comprit cependant que sa démarche resterait vaine. Doug passa un bras protecteur autour des épaules de sa femme et s'approcha des rubans jaunes qui les séparaient des médias. L'hélico était loin. Le calme revenu, les journalistes se mirent à murmurer dans leurs téléphones portables pour informer les salles de rédaction du pays tout entier.

— Arrange-toi pour avoir le direct ! On a les parents à l'image ! Ouais, c'est leur toute première déclaration !

Bowman fonça vers la salle réservée aux enquêteurs. Elle prévint Zander et les autres de la situation alors qu'ils mettaient un terme à leur entretien avec Ropa.

— Dites, Bowman, vous avez essayé d'empêcher ça ? demanda Zander.

— Oui, mais Doug n'a rien voulu savoir.

Zander zappa d'une chaîne d'informations à une autre, jusqu'à en trouver une avec l'inscription DERNIÈRE NOUVELLE, puis on vit Doug et Emily en train de s'embrasser, debout face à une forêt de micros tendus à moins d'un mètre.

— Pourquoi n'arrêtez-vous pas ça ? demanda Ropa.

— C'est trop tard maintenant, répondit Zander.

Il décrocha le téléphone le plus proche et donna l'ordre qu'on enregistre l'événement.

— Et je ne suis pas certain qu'on le veuille, dit-il, face à l'écran, comme s'il regardait un joueur d'échecs avancer une pièce.

Différentes questions jaillirent en même temps. Doug répondit à celles qu'il put saisir.

— Pouvez-vous nous dire dans quel état d'esprit vous êtes à ce stade des recherches ?

— Nous sommes arrivés ici en famille, nous en repartirons en famille. Nous ne rentrerons pas sans elle.

— Paige est-elle sujette aux fugues ?

— Ça ne lui est jamais arrivé, répondit Doug.

— A-t-elle une quelconque expérience de survie en milieu hostile ?

— Non, aucune, dit Emily. C'était sa toute première randonnée.

— Il a plu après sa première nuit passée dans la montagne. La météo annonce que la nuit prochaine la température pourrait descendre, et ça fera plus de quarante heures, peut-être même quarante-huit, que Paige est seule dans l'une des régions les plus hostiles du pays. Doug, que vous disent les autorités quant à ses chances de survie ?

— Que sa situation est grave. Nous sommes bien conscients que pour notre fille il s'agit d'une question de vie ou de mort. C'est pourquoi nous prions. Nous n'abandonnerons pas l'espoir.

— Emily est une enfant intelligente, poursuivit Emily. Et puis elle est avec son chien, Kobee, elle a aussi…

— De quelle race est le chien, madame ?

— C'est un beagle. On nous a dit qu'il pouvait être d'un grand réconfort psychologique pour Paige et qu'il pourrait aussi lui tenir chaud. Elle a un chandail, à manger…

La voix d'Emily perdit de sa vigueur quand elle ajouta :

— Paige est dans nos cœurs et dans nos prières…

— Monsieur Baker, d'après certaines sources, votre fille utilisait Internet. Le FBI vous a-t-il fait part de soupçons d'un scénario d'enlèvement qui pourrait conduire à une enquête ici ?

— Oui, nous avons examiné cette possibilité et nous comprenons que le FBI s'intéresse à toutes les hypothèses, mais pour l'instant la piste la plus sérieuse demeure le fait que Paige s'est éloignée du campement avant de s'égarer. Nous vous remercions. C'est tout ce que nous pouvons…

Est-ce vraiment ce que tu penses, Doug ? Pourquoi n'agites-tu pas ta main blessée devant les caméras ? pensa Zander avec sa froideur coutumière.

— Monsieur, monsieur, en deux mots, que s'est-il passé ? demanda Tom Reed.

— Comme je l'ai dit, nous campions dans un coin perdu de la Dent-du-Grizzly quand Paige s'est éloignée de notre campement...

— Pouvez-vous nous en dire un peu plus ? insista Reed.

J'adore ce gars-là, se dit Zander. *Vas-y, Doug, dis-nous-en un peu plus.*

— Nous avons une réunion avec les autorités, merci...

Les Baker se retournèrent, mais un dernier journaliste les arrêta. Il s'agissait d'une femme âgée qui travaillait pour un quotidien local.

— Monsieur et madame Baker, avez-vous d'autres enfants ?

— Non, répondit Emily en larmes et le visage décomposé. Nous n'avons qu'elle au monde.

Doug réconforta sa femme d'un geste et ils s'éloignèrent vers le centre de commandement des opérations.

Près d'un Américain sur cinq avait été témoin de l'interview.

Zander éteignit la télé.

Ropa allait sortir quand il annonça à Zander et aux autres enquêteurs :

— Écoutez-moi bien : le gars, là, sur l'écran, il se comporte d'une tout autre manière que ce à quoi nous avons assisté quand nous les avons rencontrés, sa femme et lui, la veille de la disparition de leur fille. C'est bien simple, j'ai l'impression que je viens de voir quelqu'un d'autre.

Ropa déposa la carte d'un motel sur la table et ajouta :

— Appelez-moi s'il y a besoin. Nous serons à cette adresse encore quelques jours.

Zander le remercia et attendit que la porte soit refermée avant de sonder les réactions de ses collègues.

— Alors, Walt ? Quelle lecture faites-vous de la conférence de presse ? D'après vous, que mijote Doug Baker ?

— À ce stade, c'est difficile à dire. Il se pourrait bien qu'il soit blanc comme neige.

— Et vous, Pike, vous en pensez quoi ?

— J'ai trouvé curieux qu'il veuille d'abord s'adresser à la presse avant de nous rencontrer. C'est comme s'il prenait les devants de quelque chose.

Zander opina du chef.

— Emily s'est-elle un peu confiée à vous, Bowman ?

Tracy hésita. Face à elle, sur l'écran, elle avait le joli visage d'Emily que la douleur défigurait. Que devait-elle révéler de sa conversation avec Emily ? Choisir lui fendait le cœur.

— Je vous écoute, Bowman, insista Zander d'un ton qui devait rappeler à Tracy qu'elle travaillait pour le FBI et participait activement à une enquête. Emily s'est-elle confiée à vous quand vous étiez seule avec elle ?

— Elle a dit être venue ici pour enterrer des choses du passé.

Ses collègues s'interrogèrent du regard.

— À quel passé faisait-elle référence ? demanda Zander. Elle n'en a pas dit davantage ?

— Non, lâcha Bowman.

— Bon, qu'a-t-on exactement sur son passé ? Walt, la police de San Francisco ne devait-elle pas retrouver sa tante ? Il nous faut des réponses. Et rapidement. De quel passé parle-t-elle ?

— J'ai le profond sentiment qu'elle aimerait se confier à moi, ajouta Bowman.

— Reprenez l'hélico avec elle. Essayez de la faire parler.

Zander commanda à sa collègue de noter chaque chose que lui confierait Emily.

L'escouade spéciale disposait de quelques minutes avant d'interroger Doug Baker. Zander jeta un œil à sa montre. Depuis combien de temps la petite Paige avait-elle disparu ? Combien de temps lui restait-il à vivre ? Si tant est qu'il lui en restât.

— Et vous, Frank, quelle analyse faites-vous de la conférence de presse ? demanda Sydowski.

— Je vois cela comme une ruse, comme un geste calculé, dans l'hypothèse où les Baker auraient commis un crime.

— Comment cela ?

— Si les Baker sont coupables, Doug est conscient de leur talon d'Achille. Peut-être parce qu'Emily nous a parlé. Alors il a pris les devants, comme vous dites, en choisissant de se livrer en pâture à la presse dans le but de décider de l'image qu'il souhaite que le pays ait de son couple et d'engranger une énorme masse d'opinions favorables au sein de la population. Cette stratégie est pour eux d'une importance capitale, parce que si d'aventure nous mettions les Baker en accusation, nous serions déjà relégués dans la catégorie des forces du mal. Nous savons tous que, bien souvent, un procès ne se gagne pas dans le prétoire sur la base de preuves, mais dans les médias sur la perception que les gens ont de l'affaire.

— Alors que proposez-vous ?

— Nous allons continuer à retourner chaque pierre de ces montagnes et donner aux Baker toute la longueur de corde qu'ils désirent. S'ils sont innocents, cette corde ne servira à rien. Mais dans le cas contraire, elle les étranglera de plus en plus.

21

À cinq kilomètres de Deer Lodge, au milieu de la prairie balayée par le vent, telle la forteresse d'un obscur royaume se détachant sur les cimes enneigées des chaînes Beaverhead et Bitterroot, se dresse le pénitencier de l'État du Montana. Cette prison symbolise le sas entre la condamnation et la promesse du paradis. C'est du moins ce que pensait David Cohen en longeant la route de Lake Conley au volant de sa Dodge Neon de location. Alors qu'il se garait dans le stationnement réservé aux visiteurs, face à l'entrée principale, il regarda un véhicule de patrouille chargé de la surveillance des lieux.

De toutes ses forces, Cohen appelait la Cour suprême des États-Unis à rendre sa décision concernant Isaiah Hood, son client. Hood se trouvait au-delà du grillage distant de quelques centaines de mètres. C'était là, dans le couloir de la mort, qu'il attendait son exécution prévue dans les soixante-douze heures… à moins que Cohen ne parvienne à sauver sa peau.

Le jeune avocat de Chicago contempla les montagnes. Puis son regard glissa vers les miradors et les deux rangées de clôture de six mètres de haut que séparaient et chapeautaient des chevaux de frise. Pour Isaiah, ces clôtures ne voulaient pas dire grand-chose.

Ce matin, Cohen exprimerait des demandes de mesure de clémence dans l'hypothèse d'une réponse négative, qu'il savait inévitable. Dans son attaché-case, tout contre ses documents de la cour, se trouvait un dossier qui ne contenait qu'une page: celle des dernières volontés de son client.

— Bonjour, maître Cohen.

Les gardiens de l'entrée le connaissaient, comme ils connaissaient la plupart des conseils des détenus du couloir de la mort. Les avocats étaient tous soumis au rituel des procédures de sécurité. Après l'inspection de leurs effets, ils devaient franchir un portique détecteur de métaux. Puis, dans le cliquetis des clés et les bruits métalliques des ouvertures et des fermetures de portes de cinq cents kilos, on les escortait au-delà des murs lugubres du quartier de haute sécurité.

— Bonjour, David, je vais vous accompagner, proposa un des gardiens les plus anciens et les plus sûrs de lui.

Il retrouva Cohen après que ce dernier eut franchi le labyrinthe de sécurité de la porte principale et pénétré dans la cour intérieure de la prison. Cette cour était équipée de grands mâts reliés entre eux par des câbles destinés à prévenir les évasions par hélicoptère.

Tout en marchant, les deux hommes discutèrent de la pluie et du beau temps. L'allée qu'ils empruntèrent longeait un no man's land recouvert de gravier et bordé de clôtures équipées de rouleaux de barbelés et de détecteurs de présence jusqu'à hauteur de hanche. Ils arrivèrent au quartier des condamnés à mort, une petite prison de blocs de ciment à l'intérieur même de la prison et située à l'écart des autres bâtiments réservés aux détenus de droit commun. Le couloir de la mort ressemblait à un bunker bas de plafond, que certains avocats avaient baptisé le « mausolée ».

À l'intérieur, Cohen fut accueilli par des gardiens au visage grave. Ils lui firent franchir de nouvelles portes d'acier pour atteindre la petite pièce réservée aux visiteurs. Cet espace était meublé d'une table et de chaises de bois ainsi que d'une télé dont on avait coupé le son. Les gardiens la laissaient allumée dans le but de calmer les détenus. Une fois seul, et dans l'attente de son client, Cohen ouvrit son attaché-case, feuilleta les documents de la cour et étudia celui dans lequel Hood avait consigné ses ultimes volontés. « À l'issue de la crémation, les cendres seront dispersées dans les monts Livingston. » Cette tâche incomberait à l'avocat, après qu'il aurait assisté à l'exécution de son client. Cohen se passa une main sur le visage tout en regrettant d'être devenu avocat. Il jeta un œil vers la télé muette qui diffusait les derniers reportages sur les recherches de la petite fille égarée dans le parc national des Glaciers. Un instant, Cohen se demanda si on allait la retrouver.

Assis au pied de son lit, Hood fixait son immense poster en couleurs des Rocheuses. Parfois, il se disait qu'il pourrait entrer dedans, sentir l'air vivifiant des sommets et entendre le murmure des ruisseaux aux eaux cristallines. Plus la date de son exécution se rapprochait, plus il tombait dans des espèces de transes. Il restait comme statufié, parfois plusieurs jours d'affilée. Il levait les bras et sombrait dans une autre vie. Il pénétrait à l'intérieur de l'affiche pour se préparer à recevoir le message qui, selon lui, le sauverait.

Ces scènes inquiétantes hantaient ses gardiens jusque dans leur vie privée. Ils les revivaient dans les tout derniers instants conscients précédant le sommeil.

Les médecins qui avaient examiné Hood à son arrivée dans le couloir de la mort avaient conclu qu'il possédait une ouïe, une vue et un odorat anormalement aiguisés. Il avait en outre une « compréhension de l'esprit humain » d'une rare intensité. Plus simplement, l'un des docteurs avait écrit : « Le patient dispose d'une intuition presque animale. » Mais le plus important était que, pour les psychiatres, Hood était un psychopathe atteint d'une pathologie associée à un désordre neurologique et psychologique à tendance destructrice. Il souffrait aussi de crises cardiaques dues au stress, lesquelles, si elles n'étaient pas surveillées, pourraient engendrer un arrêt cardiaque. Les médecins attribuaient ces problèmes aux violents passages à tabac que Hood avait subis de la part de son père.

Brutus Hood, le père d'Isaiah, était un homme violent et amer. Dans une scierie, près de Shelby, il avait eu les deux mains sectionnées au niveau des poignets. Pendant des années, les collègues qui l'avaient secouru au moment de l'accident avaient raconté au bar du village que « on aurait dit que quelqu'un avait déversé des seaux de peinture rouge un peu partout ». Le père d'Isaiah avait dû apprendre à vivre avec un crochet à l'extrémité de chaque bras. Il avait pris l'habitude de passer sa rage en frappant sa femme quotidiennement, jusqu'à ce jour où elle avait « chuté d'une montagne ».

« Elle souffrait de dépression. Sa moins-que-rien de fille est encore enceinte des œuvres d'un fier-à-bras qui habite à Browning. Et elle va s'en débarrasser, du bébé. De la façon qu'on aurait dû faire avec toi. Parce que dis-toi que t'es qu'un parasite. »

Voilà ce qu'avait hurlé le vieux Hood le jour où on avait retrouvé sa femme. Il s'était soûlé au whisky et, de rage, il avait frappé son fils à la tête, à la figure et sur les avant-bras alors qu'Isaiah essayait d'esquiver les coups des redoutables crochets métalliques. Bien qu'enceinte, la sœur d'Isaiah avait tenté de protéger son frère.

— Arrête ! C'est pas de sa faute !

— C'est jamais de sa faute, à cette engeance ! Pourtant votre mère s'est suicidée à cause de vous deux ! Vous le savez bien !

Isaiah avait gardé les traces des coups plus longtemps que sa sœur qui, peu de temps après l'enterrement de la mère, avait pris un bus pour Seattle. Pour ne jamais revenir.

Des clés heurtèrent la porte d'acier de Hood.

— Ton avocat est arrivé, Isaiah. Allons-y.

Hood, vêtu de la combinaison orange des prisonniers, se leva et glissa les mains à travers une ouverture pratiquée dans la grille de sa cellule, de manière à ce qu'on lui passe des menottes en acier trempé.

— Recule, s'il te plaît.

La lourde porte s'ouvrit sur deux colosses, l'un tenant une chaîne qu'il passa autour de la ceinture d'Isaiah. Il en attacha une extrémité aux menottes, de sorte que Hood, mains levées devant lui, donna l'impression de marcher en priant pendant qu'on l'escortait vers le parloir où l'attendait Cohen.

Après le départ de sa sœur, Isaiah était resté seul avec son père dans leur maison faite de bric et de broc. Aucun autre voisin vivant en lisière du parc des Glaciers ne se trouvait aussi loin que les Hood de toute autre habitation. Ils vivaient de la pitié des gens et de la pension d'invalide du père. Isaiah s'était élevé tout seul, passant le plus clair de son temps libre dans les montagnes, errant des jours entiers dans le parc, explorant d'anciens sentiers oubliés, vivant de chasse et de pêche. À l'issue de son secondaire, il était devenu guide dans l'arrière-pays, et assurément l'un des meilleurs, puisqu'il connaissait chaque pouce carré de cette région, à ses yeux semblable à un sanctuaire. Elle était devenue sa maison, l'endroit où il s'était refait une santé et où il n'avait pas à payer pour les péchés paternels.

Puis arriva le jour où il rencontra les deux fillettes et commit son propre péché.

Cela remontait si loin. Le temps avait réduit ses années de bonheur dans la montagne à un vague souvenir d'enfance, un souvenir que Hood, devenu un homme mûr, avait désespérément tenté de retrouver. *N'ai-je pas rêvé ? Y a-t-il vraiment eu une époque où j'étais libre comme l'air ?*

Il venait juste d'avoir dix-neuf ans au moment du drame. Et il en avait un de plus lors de sa condamnation. Depuis, encagé dans une oubliette de pierre et d'acier de deux mètres quarante sur un mètre vingt, il avait expié son péché chaque minute de ces vingt-deux dernières années.

Ces derniers mois, Isaiah a senti la rage de son père l'envahir, courir sous sa peau et bouillonner de plus en plus. Il a payé toute sa vie. Et dans quelques jours, l'État du Montana va exiger son solde de tout compte.

On va lui prendre l'once de vie qui lui reste.

Bien sûr, ça ne va pas arriver.

Hood le sait. C'est ce qu'il a retenu de ses visites à l'intérieur de son poster.

Il a été destinataire d'un message qui lui a appris qu'il n'allait *pas* mourir en prison.

Cohen a admis le fait que la requête de Hood devant la Cour suprême n'avait qu'une chance sur un million d'aboutir à une issue favorable. Depuis qu'ils ont accepté le dossier, Lane Porter, la seconde avocate de son client, et lui-même l'ont épluché sans relâche. Lane a l'expérience des affaires de détenus du couloir de la mort. Elle a été retenue à Chicago, car elle devrait accoucher de son second enfant la semaine suivante. Elle n'a toujours pas digéré que certaines pièces de la première instruction aient été détruites longtemps auparavant lors de l'incendie du bâtiment d'Helena où elles étaient archivées. Se voulant rassurants, les fonctionnaires de l'État ont dit aux avocats qu'ils avaient, à la suite du sinistre, reconstitué un dossier complet à partir de copies de pièces entreposées dans un autre local. Cependant, ils ont aussi ajouté qu'ils ne pouvaient pas jurer qu'il ne manquait pas quelque document.

C'est ce qui a rendu l'étude de ce dossier encore plus délicate. Après consultation des collègues de leur redoutable cabinet d'avocats situé dans la Sears Tower, Cohen et Porter en sont arrivés à la conclusion que les chances d'obtenir une réponse positive à l'appel étaient minimes. La plupart des avocats étant opposés à la peine capitale, le cabinet avait défendu de nombreuses affaires perdues d'avance en prenant tous les frais à sa charge. Au bout du compte, et au dire de ses avocats, son dossier présentant un doute raisonnable, Hood avait plaidé non coupable. Mais il avait perdu. Aujourd'hui, l'argument soutenant sa requête en appel reposait non seulement sur le fait que Hood avait été condamné en première instance sur une preuve circonstanciée et bénéficié de défenseurs inefficaces, mais aussi sur le fait qu'il clamait son innocence. L'heure était grave. On en appelait aux droits constitutionnels du condamné, malgré l'absence de tout nouvel indice susceptible d'étayer un appel qui permettrait d'obtenir la clémence de la Cour. Si Cohen et Porter avaient bâti un solide dossier faisant état de violations du Huitième Amendement[5] et rappelé d'autres faits qui étayaient la requête de leur client, Cohen savait qu'Isaiah Hood serait bientôt un homme mort.

Des cliquettements de chaînes et de clés annoncèrent l'arrivée de Hood. Les gardiens le remirent à Cohen, qui avança une chaise à son client. Une fois seuls, l'avocat demanda à Isaiah comment il allait.

Des mèches blanches parsemaient les cheveux du détenu. Quant à son visage ridé, crevassé, couturé de cicatrices, percé de deux petits yeux noirs, on eût dit qu'un glacier l'avait laminé. La pâleur du teint était due à l'absence de contact avec la lumière naturelle.

---

[5] Le Huitième Amendement dit: « Il ne pourra être exigé de caution disproportionnée, ni imposé d'amendes excessives, ni infligé de peines cruelles ou inhabituelles. »

Le regard du prisonnier chercha celui de l'avocat.

— On a du neuf concernant le dossier ? demanda Hood.

— Désolé. Aucune réponse pour le moment.

Ses entraves cliquetèrent quand Isaiah posa les mains à plat sur la table.

— Lane a accouché ?

— Non, pas encore, répondit Cohen en ouvrant un dossier. J'aimerais qu'on revoie certains points. Aujourd'hui, je me suis entretenu avec le bureau du gouverneur et le cabinet du procureur général à Helena. Les deux recommandent d'attendre la réponse de la Cour suprême, mais ils n'ont pas fermé la porte…

Pendant que Cohen commençait à résumer les points forts de leur requête devant la plus haute instance (Hood en connaissait la plupart par cœur), le détenu fut distrait par le bulletin de nouvelles que diffusait la télé. Bien que le son fût coupé, les images parlaient d'elles-mêmes et relataient cette disparition de fillette dans le parc des Glaciers, dont les gardiens avaient discuté.

— … que la condamnation du Demandeur repose sur des aveux constitutionnellement irrecevables et sur le témoignage devant la Cour d'un seul et unique témoin âgé de treize ans… lors du procès les défenseurs n'ont pas contre-interrogé les témoins à la barre… d'une preuve circonstanciée et de circonstances atténuantes…

Hood pouvait suivre la trace de qui il voulait dans le parc des Glaciers. Ce jour-là, le dernier où il s'y rend, il fait beau et chaud. Avant qu'elles n'arrivent à l'endroit où il se trouve, il entend les fillettes et sent l'odeur de leurs vêtements fraîchement lavés. La scène se passe en lisière d'une forêt, près d'un ravin escarpé du nord du parc, pas très loin d'un ancien sentier abandonné qu'empruntaient les trappeurs à la fin du XIXe *siècle. Les fillettes s'amusent à chasser les papillons.*

Il est là.

Elles s'arrêtent net et ont du mal à avaler leur salive. Stupéfaites, elles rient nerveusement.

— Salut, leur dit-il.

La plus vieille des fillettes regarde par-dessus son épaule, comme si elle savait qu'elle et sa sœur auraient intérêt à faire demi-tour, car le danger est palpable. Mais elles restent figées.

— On joue ? leur propose-t-il.

La cadette rigole.

L'aînée l'a reconnu. Il lit à livre ouvert dans son regard : « Tu es l'une de ces crapules de Hood. Laisse-nous tranquilles. » *La manière dont elle le regarde lui fend le cœur. Jamais les gens de la ville ne sauront le mal qu'ils ont pu lui faire. À dix-neuf ans, il n'a jamais eu le moindre ami.*

— On n'a pas le droit de jouer avec toi. On ferait mieux de rentrer.

— Dis pas ça. Ça me fait mal. Je vous en prie, restez. On joue à un petit jeu ?

— D'accord, répond la plus jeune.

— Regarde bien ce que j'vais faire.

— Qu'est-ce que tu vas faire ? demande la petite qui a envie de jouer.

Hood, qui n'a jamais eu d'amis de toute sa vie, vient de s'en faire deux d'un coup.

CNN termina la diffusion d'un reportage en direct de la conférence de presse des parents de la fillette égarée dans la montagne. Sur l'écran on vit apparaître un encadré avec le visage de la petite. Elle avait dix ans et s'appelait Paige Baker. La mère, morte d'angoisse, vint parler de la disparition de son enfant face à une forêt de micros.

Hood la reconnut. *C'était elle.*

Il fixa l'écran avec une telle intensité que les jointures de ses doigts en blanchirent. Ses mains serrèrent la table avec une telle force que le bois craqua et que les chaînes cliquetèrent.

— Les droits du Demandeur ont été bafoués en vertu de ces articles de la Constitution de l'État du Montana et de l'Amendement suivant de la Constitution des États-Unis d'Amérique, parce que... Que se passe-t-il ? Ça va, Isaiah ?

Hood se mit à trembler de la tête aux pieds.

Cohen frappa à la porte et appela :

— Gardien !

Mais le cerveau du détenu avait déjà glissé vers un état de transe paisible.

Ce visage. La plus vieille. La petite.

Le message était clair à présent.

Isaiah ne mourrait pas en prison.

22

Après la conférence de presse, des agents du FBI, dont Bowman, encerclèrent le couple Baker près du centre de commandement des opérations.

— Ça va, vous deux ? demanda Tracy en posant la main sur l'épaule d'Emily. Doug, on va vous accompagner auprès de l'agent Zander et d'autres personnes. Emily et moi allons prendre l'hélicoptère qui arrive pour regagner le campement.

Doug s'empressa de serrer sa femme dans ses bras. Son regard inquiet sembla chercher quelque chose d'indéfinissable dans celui d'Emily. Il n'avait pas eu le loisir de parler à sa femme après qu'elle avait eu son entretien avec la police. S'agissait-il d'une coïncidence ? Il sentit qu'il se passait quelque chose, quelque chose d'enfoui profondément, quelque chose qui cumulait ses craintes et sa culpabilité d'avoir crié sur Paige avant qu'elle ne disparaisse.

Du geste, Bowman fit comprendre qu'il était temps d'y aller.

Emily attira le visage de Doug vers elle et lui murmura « Prends soin de toi » à l'oreille avant de l'embrasser sur la joue.

Doug se détacha de sa femme et se figea.

À moins de trois mètres, à la porte du centre de commandement, Bobby Ropa les observait, Emily et lui, d'un air glacial teinté de mépris.

Doug en eut la chair de poule. Il se sentit encore plus gêné que la fois où ce con avait déboulé sur le sentier avec sa famille alors que les Baker étaient en pleine scène de ménage. La manière avec laquelle ces gens étaient restés à les espionner avant de manifester leur présence avait eu quelque chose de singulier. Et à présent le type le regardait dédaigneusement, à un point tel que ça en devenait dérangeant. *Et si ce gars avait quelque chose à voir avec la disparition de notre fille ?* se demanda Doug qui serra les mâchoires. *Si ce con a fait le moindre mal à mon enfant*… Doug jura devant Dieu qu'il… devrait aller voir le type pour lui demander ce qu'il faisait ici.

— Papa, je viens juste de compter les nouveaux camions. Devine combien y en a.

Le fils du type, qui avait sensiblement l'âge de Paige, apparut aux côtés de son père. Remarquant que son père et Doug s'observaient en chiens de faïence, le garçon marqua un temps d'arrêt et détourna le regard, comme s'il était détenteur d'un secret trop lourd à porter. La police avait-elle interrogé sa famille ? Mais que se passait-il ? Le père prit son fils par la main et s'éloigna.

— Doug, si vous voulez bien me suivre, fit Zander qui avait été témoin de la scène entre Ropa et Doug.

Une fois dans la pièce réservée à l'escouade spéciale, Doug souffla un peu. Il se frotta la joue et accepta une tasse de café.

— Vous connaissez tout le monde, Doug, à l'exception de l'inspecteur Walt Sydowski, de la police de San Francisco, dit Zander en posant un mug de porcelaine face à Doug.

— Comment ça, « de San Francisco » ? s'étonna Doug. On peut savoir ce que vous faites ici, monsieur ?

Ce fut Zander qui répondit :

— Ça fait partie des procédures habituelles d'appui aux recherches matérielles. Nous enquêtons sur toutes les facettes de la vie de Paige, d'où la présence du FBI et de la police de San Francisco. On ne peut écarter l'hypothèse, peu probable, d'un enlèvement prémédité de votre fille par quelqu'un qui vous aurait suivis depuis la Californie.

— Mais puisqu'on vous a dit que Paige s'était simplement égarée...

— C'est vrai.

Doug se passa la main dans les cheveux. *Et cet autre type*, pensa-t-il.

— Bon Dieu, vous ne pensez tout de même pas que la disparition cache autre chose ?

Zander regarda Doug et répondit :

— Espérons que non. Pendant que les recherches se poursuivent, nous tentons d'éliminer le plus rapidement possible toutes les hypothèses sordides, de manière à travailler immédiatement sur du solide.

— Dites, c'était qui ce gars qui vient de sortir ? Vous savez qu'il était sur le sentier la veille du jour où Paige a disparu ? Vous lui avez parlé ?

— À l'instant. Vous le connaissez ? Vous l'aviez vu avant de venir au Montana ?

— Non, fit Doug en secouant la tête. On ne l'a croisé que sur le sentier. Que vous a-t-il dit ?

— Que sa famille et lui sont tombés sur vous et votre femme en pleine discussion.

— Et quoi d'autre ?

— Doug, pourriez-vous nous dire ce qui s'est passé avant que Paige disparaisse ? Ça pourrait nous aider à avoir une vue globale des choses. Pouvez-vous remonter au moment où vous avez décidé de venir en vacances ici ? Après, nous parlerons d'Emily.

Doug rassembla ses idées.

— Ça fait des années qu'Emily ne parvient pas à faire le deuil de ses parents. Elle a grandi ici. Elle a été témoin de la mort de son père. Il est tombé de cheval et il est mort piétiné. Sa mère a déménagé à San Francisco avant de l'abandonner à des membres de sa famille et de finir ses jours dans un asile pour sans-abri. Tout a commencé vers l'âge qu'a Paige aujourd'hui. C'est ce qui a ravivé les souvenirs qu'Emily ne parvient pas à surmonter. En fait, elle a toujours refusé d'en parler et de s'en ouvrir vraiment à moi.

— Cela constituait-il une source de conflit au sein de votre couple ?

— Oui, tout particulièrement ces dernières années, quand Paige se rapprochait de l'âge fatidique. Nous nous sommes souvent disputés, Emily et moi. D'abord en tête-à-tête, puis ouvertement en présence de Paige.

Doug cessa de se cramponner au mug de café qu'il tenait à deux mains tout en le fixant du regard.

— J'ai honte d'avouer, poursuivit-il, qu'il y a quelques jours une dispute a été si violente, vocalement parlant, qu'un voisin s'est senti obligé de prévenir la police. Une patrouille est venue chez nous. Les policiers nous ont calmés.

Zander et Sydowski échangèrent un rapide regard.

— Alors pourquoi êtes-vous venus ici ?

— Emily n'avait jamais remis les pieds au Montana depuis qu'elle en est partie avec sa mère. Il y a un an, sur mon insistance, elle a accepté de consulter une psy. Nous avons appris qu'elle vivait douloureusement une espèce de crise consécutive à un deuil. Sa psychologue lui a dit que la meilleure façon de digérer son passé serait de retourner au Montana pour le regarder en face et laisser ses fantômes au placard. C'est pour elle qu'on est venus ici.

— Et comment ça s'est passé ?

— Pas trop bien. Paige ne voulait pas venir. Alors, pour la décider, j'ai accepté d'emmener Kobee, tout en sachant que les chiens sont interdits dans l'arrière-pays, mais ce beagle est comme un frère pour notre fille.

Doug secoua la tête, les yeux brillants de larmes.

— Emily a vécu des moments difficiles avec les fantômes de son passé. Quand j'ai essayé d'en parler avec elle, elle s'est fermée comme une tombe. Nous nous sommes disputés. Je me suis dit qu'il fallait en passer par là si elle voulait tout expulser et expérimenter un genre de thérapie primale en montagne. Nous pensions être seuls au monde jusqu'à ce qu'on s'aperçoive que la famille de ce type nous observait depuis un temps anormalement long. Paige a réussi à se convaincre qu'Emily et moi étions en plein divorce, et ça lui brisait le cœur.

— Ça s'est passé la veille de sa disparition, c'est bien ça ?

— Oui. Notre dispute s'est répercutée jusqu'au lendemain, où on a tous eu besoin d'espace. Emily est partie seule vers une falaise. Paige et Kobee étaient dans leur tente. Et puis Paige en est sortie et a commencé à... à...

Des larmes perlèrent dans les yeux de Doug qui se repassait le film des dernières images de sa fille. Il se gratta le menton, comme s'il cherchait l'énergie nécessaire pour révéler ce qui s'était passé.

Remarquant que Doug se servait de sa main droite, Zander dit :

— Doug, ce serait mieux si vous nous racontiez, ça pourrait aider à y voir plus clair.

Doug avala sa salive.

— J'étais en rogne après Emily et tous ses foutus problèmes. Alors, pour me changer les idées, j'ai décidé de fendre du bois. Paige voulait seulement me parler. Elle s'est pointée au moment où je coupais une bûche et où j'en avais après la terre entière. Je lui ai gueulé dessus en lui demandant de disparaître de ma vue et d'aller retrouver sa mère sur le sentier de la falaise. Paige savait comment s'y rendre, parce que la veille nous y étions tous allés quand Emily avait voulu faire des photos de famille. C'était à peine à soixante-dix mètres.

— Et qu'est-il arrivé ?

— Elle a refusé de déguerpir. Ça m'a énervé. C'est là que je me suis coupé avec ma hache et que je me suis mis à saigner comme un bœuf. Ça semblait plus impressionnant que ça ne l'était en réalité.

— Et comment va votre main aujourd'hui ? demanda Zander.

— Ça va. Comme je viens de le dire, c'est moins grave que ça en a l'air.

— Vous l'avez enveloppée ?

— Oui, fit Doug en agitant la main blessée. J'ai déchiré mon t-shirt.

— Ça vous ennuierait de nous montrer votre blessure ?

Doug regarda les enquêteurs et dit :

— Je vous ai dit que c'était pas grave.

— J'insiste. S'il vous plaît...

Il retira la bande de tissu pour dévoiler une coupure ensanglantée qui prenait naissance à la jointure de son index droit et se poursuivait sur plusieurs centimètres jusqu'au centre de la paume.

Zander tendit la main pour prendre celle de Doug.

— C'est douloureux ? Vous ne voulez pas qu'un médecin y jette un œil ? Vous pourriez vous être abîmé un tendon ou avoir besoin de points de suture.

— Non, non, ça va aller, je vous assure.

— Vous pourriez refaire le geste pour nous montrer comment c'est arrivé ?

Doug réfléchit à ce qu'on lui demandait tout en remettant sa bande.

Il leva la main droite comme s'il tenait une hache et garda la gauche tendue.

— Je tenais la bûche de la main gauche quand la droite, qui tenait la hache, s'est abattue et m'a entaillé. Comme ça.

Doug mima un geste rapide et ample, comme lorsqu'on fend du bois armé d'une hache. Cette image frappa les imaginations et s'attarda dans les esprits, comme le flash intense d'un photographe de scènes de crime sur le lieu d'un homicide. Un silence plomba la pièce... jusqu'à ce que Zander demande :

— Et ensuite, Doug, qu'avez-vous fait ?

— Je me suis mis à crier sur la petite, encore plus fort que je l'ai jamais fait sur un joueur de football. Je lui ai fait très peur. Je saignais et je hurlais en même temps. Je lui ai dit de déguerpir avec son chien. J'étais tellement en rogne. Mais c'était pas après elle. Je l'ai chassée du campement. Je m'en veux, si vous saviez comme je m'en veux.

— Pourquoi n'avez-vous pas cherché à la rattraper ?

— J'étais hors de moi, incapable de raisonner calmement. J'ai pansé ma blessure en me disant que Paige serait mieux en compagnie de sa mère. Deux ou trois heures se sont écoulées, pendant lesquelles je croyais Paige avec Emily, mais quand ma femme est revenue au camp elle était seule. Emily croyait que Paige était avec moi. C'est à ce moment-là qu'on a compris ce qui s'était passé. On est partis en courant vers le sentier, chacun dans une direction. On a cherché Paige et Kobee jusqu'à la nuit tombée, en les appelant. Le lendemain matin, un peu avant l'aube, je suis parti chercher de l'aide par mes propres moyens.

Doug posa sa tempe dans le creux de sa main droite et fixa la table devant lui.

Dans la pièce, personne n'osa prendre la parole.

Doug soupira, submergé par la peur et la fatigue. Ses larmes s'écrasèrent sur la table, sa main gauche lâcha la tasse de café et la bande glissa, dévoilant son horrible blessure.

Zander, Sydowski et Thornton évaluèrent ce dont ils venaient d'être témoins. Avaient-ils affaire à un père irresponsable, laminé par l'angoisse d'une tragédie, ou à l'habile mise en scène d'un tueur de sang-froid ?

Des agents du FBI avaient fouillé le campement des Baker de fond en comble… sans trouver trace de la hache de Doug.

23

L'inspectrice Linda Turgeon patientait à son bureau dans la salle 450 de l'escouade des Homicides du commissariat de San Francisco. *Où sont-ils ?*

Alors qu'elle lisait le *Chronicle* avec attention, avant de passer au *Star* qui titrait à sa une : UNE FILLETTE ORIGINAIRE DE SAN FRANCISCO DISPARUE DANS LES ROCHEUSES, Linda pouvait presque entendre le bruit de la trotteuse du compte à rebours de la vie de Paige Baker. *Est-elle encore en vie ?* Turgeon dévisagea les parents de Paige sur les photos qui accompagnaient l'article de la première page. *L'HORRIBLE TRAGÉDIE CACHE-T-ELLE PIRE ENCORE ?*

Comme ses collègues reporters locaux totalement focalisés sur l'affaire, Molly Wilson passait son temps à fouiller pour trouver des informations. Et dans cette discipline, c'était l'une des meilleures chercheuses. Le *Star* leur devait, à Tom Reed et à elle-même, une bonne partie de ses pages. Un jour ou l'autre, on connaîtrait le fin mot de cette histoire. Linda Turgeon et la presse tiraient des fils, qui eux-mêmes les menaient à d'autres fils qui les rapprochaient de la vérité.

La hiérarchie policière de Linda et le FBI exigeaient sans cesse de plus en plus d'informations en temps réel, des informations desquelles on n'était pas encore en possession, afin de les communiquer aux équipes sur place au Montana. L'hystérie bureaucratique atteignait des sommets.

Turgeon attendait Jones et Pace, les deux policiers de Richmond qui avaient reçu l'appel demandant d'intervenir chez les Baker. Et Linda commençait à s'énerver, car ses deux collègues étaient en retard.

En feuilletant le calepin où elle consignait ses rendez-vous et les noms des gens à contacter, Turgeon se sentit soulagée. Son patron, le lieutenant Leo Gonzales, avait appelé des renforts pour l'aider dans ce dossier écrasant. *Que font Jones et Pace ?* Turgeon trouva un instant de réconfort quand elle sentit le parfum de la douzaine de roses crème et pêche que son petit ami lui avait fait livrer. Pour la remercier de lui avoir accordé un rendez-vous au cours duquel ils avaient renoué. Turgeon avait souri en découvrant que sur la carte d'accompagnement il était écrit : « À L'AVENIR ET À SES CHOIX. »

Mais revenons à nos moutons, inspectrice, se dit Turgeon en pensant à son travail.

Elle relut tout ce qu'elle avait sur le coup de fil sollicitant une intervention chez les Baker, aussi bien la retranscription de l'enregistrement que les données de l'ordinateur du répartiteur de la police. Ce qui lui manquait, c'était la copie du rapport que les patrouilleurs avaient consigné dans le journal de bord de leur service, ainsi que leur témoignage.

Linda n'arrivait pas à repousser l'idée que quelque chose clochait dans la vie de Doug et d'Emily Baker. Elle avait hâte de pouvoir s'entretenir avec Willa Meyers. Avec un peu de chance, la tante d'Emily pourrait lui en apprendre davantage sur l'information révélée par Kurt Sikes.

Le prof d'histoire d'allure sportive de l'établissement secondaire Beecher Lowe, où Doug enseignait et entraînait l'équipe de football, se faisait un sang d'encre pour les Baker. Il avait fortement sollicité Turgeon pour qu'elle intervienne afin que les élèves et les sportifs de son école participent aux recherches dans le Montana, avec force démonstration de fierté et ambiance « Allez, les gars, on y va ! » Mais la policière avait su refroidir les ardeurs de Sikes, qui par ailleurs lui avait appris quelque chose d'intéressant.

— Il n'y a pas si longtemps, Doug m'a dit qu'Emily le rendait complètement fou.

— Comment ça ?

— Ben… répondit Sikes qui opta pour le ton de la confidence, Doug m'a dit que sa femme voyait une psy pour de vieilles histoires qu'elle n'arrivait pas à surmonter, ce qui créait des tensions au sein du couple parce qu'Emily refusait d'en parler.

— Et ces « vieilles histoires », c'est quoi ?

— Je ne l'ai jamais su. Doug n'a abordé ce sujet qu'une seule fois. Nous étions chez moi en train de prendre un verre en regardant une partie de football à la télé. Il avait l'air perdu dans ses pensées, presque hanté par ce problème dont il n'a plus jamais parlé. Il faut dire que, de mon côté, je ne lui en ai plus parlé. Et maintenant voilà que Paige a disparu. Bon sang, il faut absolument la retrouver. Je n'ose pas imaginer la peine de Doug et d'Emily.

Turgeon referma son calepin et se mordit la lèvre inférieure. Retourner voir Sikes ne serait pas une mauvaise idée.

— Inspectrice Turgeon ?

Une femme et un homme en uniforme, Jones et Pace, se présentèrent à elle. Linda prit son dossier et dit :

— Allons dans la pièce réservée aux interrogatoires. Vous voulez un café ?

Les deux flics secouèrent la tête. L'un comme l'autre avaient le visage fermé. Linda, qui avait brièvement consulté leurs états de service, n'aurait pas dû être surprise de leur attitude. Pace, avec onze ans d'ancienneté dans la police et une musculature de culturiste, devait courber l'échine pour passer sous une porte. Il valait mieux l'avoir pour ami et éviter de lui marcher sur les pieds.

Sa collègue Jones arpentait les trottoirs de la ville depuis seize ans. Son cynisme s'exprimait dans les rides tendues qu'elle avait autour des yeux, dans ses mèches de cheveux gris et par sa ceinture noire de karaté.

C'étaient des durs à cuire de la police. À eux deux, ils totalisaient quatre plaintes de citoyens, aucune n'ayant abouti, et quatorze citations pour avoir empêché des gens de se suicider, fait échouer le hold-up d'un fourgon blindé, sauvé un nouveau-né dans une maison en flammes et désarmé un preneur d'otage. Comme la plupart des flics de rue, qui doivent décider de la vie ou de la mort en un dixième de seconde, mais endurer les critiques de leurs actes pendant des années, ils vivaient mal le fait qu'on ait pensé à eux à retardement. Camper sur la défensive était pour eux comme une seconde nature.

Le cuir de leurs lourds ceinturons bardés de divers accessoires craqua et, quand ils tirèrent les chaises de sous la table pour s'asseoir, leur gilet pare-balles en Kevlar déforma leur chemise d'uniforme.

Pace forma deux cercles avec ses index pour demander à Turgeon si elle allait enregistrer la conversation.

— Non, répondit l'inspectrice, ce n'est pas enregistré.

— On est en retard parce qu'on a parlé avec notre délégué syndical.

— Je ne comprends pas, dit l'inspectrice.

— C'est juste au cas où vous décideriez de nous chercher des poux dans la tête, expliqua Pace, dans l'hypothèse où nous aurions fait quelque chose de travers lors de notre intervention.

— Mais enfin… s'étonna Turgeon.

— Nous regardons la télé, nous lisons les journaux. Nous pensons que vous avez quelque chose sur la famille qui est au Montana et que vous nous avez fait venir ici pour couvrir vos arrières.

— Vous faites totalement fausse route.

Un ange passa, puis Pace dit enfin :

— Prouvez-nous le contraire.

— Nous n'avons rien sur cette famille, fit l'inspectrice. Nous passons tous les paramètres en revue. Au Montana, ils ont besoin du moindre détail dont vous pourriez vous souvenir concernant l'enquête. Et c'est tout.

— Vous montez un dossier d'accusation contre les parents ? demanda Jones.

— Non, je travaille sur le dossier. J'élimine des hypothèses.

— Cet appel remonte à la semaine passée. Je m'en souviens à peine, dit Pace en croisant ses énormes bras.

Turgeon leur glissa les maigres infos dont elle disposait.

— Essayez de rafraîchir vos souvenirs et sortez vos calepins, parce que je sais que vous les avez apportés. Pourriez-vous vous dépêcher ? Je vous en prie.

Quelques minutes s'écoulèrent avant que Pace commence à hocher la tête en faisant la moue avec sa lèvre inférieure.

— Tout est là-dedans. Y a rien à ajouter.

— Non, tout n'est pas *là-dedans*, répondit Turgeon. Tous les deux, vous avez passé une demi-heure sur cette affaire. Fouillez dans vos notes.

Pace résuma l'affaire en feuilletant son calepin.

Un voisin, du genre vieux bougon, avait hurlé dans le téléphone qu'il suspectait des actes de violence chez les Baker. Il témoignait avoir vu, à l'intérieur de la maison, Doug lever une batte de baseball sur quelqu'un. La patrouille avait répondu qu'elle se rendait sur les lieux. Reçus aimablement, les officiers n'avaient remarqué aucune trace de violence. Ils avaient d'abord éloigné Paige dans sa chambre, au cas où il y aurait eu du grabuge. À part le fait de pleurer, l'enfant semblait bien aller. Puis Pace avait pris Doug à l'écart pendant que Jones se chargeait d'Emily. Chacun des parents paraissait lucide. Aucune trace d'arme, mis à part une batte dans le garage. Pas de drogue ni d'alcool. Pas plus que de violence. Le ton était monté à cause de l'humeur de la femme et de son refus de bien vouloir s'ouvrir de ses sentiments à son mari. Il y avait eu des éclats de voix et une assiette brisée. La fille des époux Baker l'avait confirmé : la batte de baseball n'avait pas servi. Il n'y avait eu aucune charge de retenue, ni de rapport de fait à propos d'une histoire qui n'en valait pas la peine.

— Ça a été un non-événement, fit Pace en refermant son calepin.

— OK, ça, c'est la version claire et nette de la police, dit Turgeon. Mais vous souvenez-vous d'un détail, de quelque chose qui vous turlupinerait ou que vous ne pourriez vraiment définir ?

Pace secoua la tête.

— Et vous, Jones ?

La femme réfléchit tout en regardant ses notes.

— Qui de vous deux a éloigné la fillette ? demanda Turgeon.

— C'est moi, répondit Jones.

— Rien ne vous a choquée ?

— C'est peut-être pas grand-chose, mais je me souviens que la petite m'a dit qu'elle était terrorisée quand ses parents se disputaient.

— Parce qu'elle a dit qu'ils se disputaient souvent ?

— Non, pas souvent, d'après la petite.

— Mais quelque chose l'effrayait. L'effrayait comment ?

— Elle pensait que ses parents allaient divorcer à cause des problèmes de sa mère, expliqua Jones. Je n'ai pas insisté. La gamine s'était mise à sangloter en nous voyant débarquer chez elle. Ce n'était pas le genre de maison où on a l'habitude d'aller. L'instant était chargé d'émotion. Sur le moment, je n'ai pas pensé que le sujet du divorce revêtait un caractère extraordinaire.

— Mais… ?

Pace et Jones échangèrent un rapide regard. Chaque mot qu'ils allaient lâcher pouvait avoir de l'importance, ce qui justifiait leur rencontre préalable avec leur délégué syndical.

— La petite fille a dit que son père se mettait en rogne après sa mère parce qu'elle ne voulait pas lui parler de ses problèmes.

— De quels problèmes s'agit-il ?

— La gamine a dit que sa mère entendait des voix.

— Qu'elle entendait des voix ?

— Et que ça avait un rapport avec des gens morts il y a longtemps.

— Et c'est tout ? insista Turgeon.

— Des gens qui étaient morts au Montana. Ses parents devaient aller là-bas pour que les choses s'arrangent.

Turgeon ne posa pas d'autre question. Elle était bien trop occupée à prendre des notes.

24

Dans le milieu de la matinée, un appareil du ministère des Forêts s'était posé sur la plate-forme improvisée du poste de commandement, près du campement des Baker, presque au bout de la piste de la Dent-du-Grizzly.

Emily Baker et l'agent Tracy Bowman furent accueillies par Brady Brook, le chef des opérations. Les nouvelles n'étaient guère encourageantes.

— Toujours rien, madame, fit Brook en secouant la tête d'un air triste.

Par respect pour la mère, certains gardes essayèrent de détourner le regard et d'autres de s'occuper, de manière à permettre à Emily de digérer ce qu'elle venait d'apprendre.

Emily hocha la tête, sécha ses larmes avec un kleenex tirebouchonné, puis regagna son poste de vigie solitaire au bord de la falaise qui dominait la forêt.

Le bruit des moteurs des avions de recherches et les chuintements des walkies-talkies lui apportèrent un réconfort semblable au brouhaha d'un chœur répétant dans une église.

— Tenez, Emily, buvez un peu de ça.

Bowman lui avait apporté de la soupe aux nouilles dans une tasse métallique.

— C'est presque du bouillon. Je vous en prie, il faut vous forcer un peu.

Emily leva les mains pour prendre la tasse encore chaude.

— Merci, Tracy.

Sans quitter la forêt des yeux, Emily avala une lampée de potage. Elle le trouva bon.

Bowman prit place à ses côtés, avec une tasse identique à la main.

— Dites-moi, Tracy, vous pourriez me parler de votre mari ?

Bowman se souvint de la recommandation de Zander, qui lui avait demandé de gagner la confiance d'Emily.

— Si vous voulez, répondit-elle.

L'image de Carl, un homme élégant qui respirait la gentillesse, apparut dans son esprit.

— C'était un solitaire, poursuivit-elle. Il avait grandi près de Butte. Puis il s'était engagé dans le génie et avait participé à la campagne Tempête du Désert. Il en parlait rarement, sauf pour dire que le Koweït ressemblait au Montana… mais sans les montagnes et les prairies. Après l'armée, il avait démarré sa compagnie de remorquage. On s'est connus en pleine tempête de neige, pas très loin de Missoula. À l'époque, je travaillais dans la police de la route. C'était avant que l'académie du FBI retienne ma candidature. Cette première fois, on a seulement parlé et plaisanté toute la soirée. C'était un type foncièrement gentil. De mon côté, ç'a été le coup de foudre. On s'est mariés l'année suivante et un an plus tard j'ai accouché de Mark. Carl rêvait de développer sa compagnie dans tout l'État. Ce qu'il aimait, c'était conduire et aller au secours de gens en panne. Il n'était pas originaire du Montana pour rien, son âme était comme le ciel d'ici : sans limites. Et le Montana le lui rendait bien.

— Parlez-moi de votre fils, demanda Emily d'un ton amical.

— C'est tout le portrait de son père. Quand je le regarde, c'est les yeux de Carl que je vois. Et il a la même voix. Il a aussi hérité de la gentillesse de son père. Ils s'entendaient bien tous les deux.

— Ça doit vous réconforter.

— Ouais, on peut dire ça.

— Ça vous arrive d'imaginer ce qui se passerait si vous le perdiez ? Ce que je veux dire, c'est que… comme vous avez perdu Carl… Excusez-moi, fit Emily en pleurnichant. Ça ne me regarde pas.

— Ne vous excusez pas. Bien sûr que j'y pense. Mark souffre d'une maladie pulmonaire congénitale. Parfois il a de la misère à respirer. Il n'en mourra pas mais devra composer avec.

— Je suppose que vous connaissez la fragilité de la vie qui est si… provisoire.

— Ouais.

— Vous croyez qu'un jour je vais revoir ma fille ?

Du regard, Bowman balaya les forêts et les chaînes de montagnes qui s'étendaient jusqu'à l'infini, puis elle dit :

— Je n'en sais rien.

— Votre honnêteté me touche.

Bowman se rappela qu'elle travaillait au FBI et qu'elle secondait son supérieur dans une enquête. Les paroles de Zander firent écho dans sa mémoire, avec en fond sonore le vacarme des hélicos qui survolaient la vallée.

Tout ce dont elle a besoin, c'est un petit coup de pouce. Dis-moi quand.

— Vous avez passé votre enfance ici, Emily. Comment c'était ?

— C'était le paradis. Nous habitions près de Buckhorn Creek, une maison à chevrons, que mon grand-père avait construite de ses mains.

— C'est pas loin d'ici.

— Non. J'avais un cheval. Mon père travaillait dans un parc d'engraissement de bétail. Ce sont mes parents qui m'ont offert mon premier appareil photo et c'est ici que j'ai commencé à étudier la photo, dans les anciens *Life* que mon père conservait.

— Pourquoi avez-vous quitté la région ?

Emily regarda les montagnes, comme si elle espérait y trouver la réponse à la question de Tracy.

Regarde bien ce que j'vais faire.

Bowman se dit qu'il valait mieux laisser Emily prendre son temps. Une bonne minute s'écoula et Emily répondit :

— Mon père a été tué dans un accident. Après, ma mère et moi avons déménagé à San Francisco.

— Votre père, c'est arrivé comment ?

— On avait un ranch, il est tombé de cheval. Et le cheval a rué. Ça s'est passé sous mes yeux.

— Oh mon Dieu ! Je suis désolée.

— J'avais quinze ans. C'est arrivé parce que mon père ne pensait pas à ce qu'il faisait. Il était en colère contre moi.

— Qu'aviez-vous donc fait pour justifier une telle colère ?

— Une rumeur courait que j'avais menti à propos de quelque chose. De quelque chose d'important.

— Et c'était quoi, cette chose importante ?

— Je ne peux pas vous le dire.

— Et vous aviez réellement menti ?

— Non. Mais aujourd'hui, les choses deviennent si incontrôlables… C'est comme si…

Regarde bien ce que j'vais faire.

— Non, pas ça ! ajouta Emily.

Elle jeta sa tasse de métal dans le vide. On entendit l'objet tomber dans un bruit de ferraille, renforçant l'écho du « Non, pas ça ! » d'Emily. La jeune femme plongea le visage entre ses mains et se mit à sangloter.

Bowman la prit par les épaules.

— Je vous en prie, Emily, il faut absolument tout me dire.

— Ça recommence. Ça recommence. C'est pas possible. Je ne peux pas laisser faire ça. Mon Dieu ! Je vous en prie. Paige !

Bowman eut de la misère à maîtriser Emily dont le corps à bout de forces se tordait de douleur. On se précipita pour porter secours à la jeune femme alors que le vacarme d'un hélicoptère du FBI en approche étouffait l'écho de ses cris. Les membres de l'équipe du poste de commandement opérationnel durent retenir les cartes que le souffle du rotor faisait envoler pendant que Bowman berçait Emily dans ses bras.

Mais quel foutu secret cache cette famille ?

25

À San Francisco, dans les jours ayant précédé la disparition de Paige Baker au cœur des Rocheuses, Sheila Walton avait eu de la difficulté à trouver le sommeil.

La raison ? Un coup de fil d'Henrietta Umara, la principale du collège Beecher Lowe, qui lui avait proposé un rendez-vous. Juste avant les vacances d'été, Cammi, la fille de Walton, âgée de quatorze ans, avait confié quelque chose qui avait alerté Umara.

— Elle prétend qu'un de ses professeurs l'a… dit la principale en cherchant le mot juste… l'a giflée.

— Il l'a frappée ? De qui s'agit-il ? Comment est-ce arrivé ?

Dans le bureau d'Umara, n'en croyant pas ses oreilles, Walton se figea en essayant de digérer ce qu'elle venait d'entendre.

— Cammi ne vous en a pas parlé, madame Walton ?

Walton secoua la tête, les larmes aux yeux.

— Absolument pas. Je n'arrive pas à comprendre pourquoi elle ne m'en a rien dit. A-t-elle précisé dans quelles circonstances c'est arrivé ? Et quand ?

Umara lui tendit un mouchoir en papier.

— Elle est restée évasive et n'a fourni aucun détail. Elle n'a pas voulu livrer le nom de l'enseignant… jusqu'à ce matin. C'est elle qui m'a appelée.

— Cammi vous a appelée ?

— Il peut s'agir d'un malentendu, d'une mauvaise interprétation des choses. Ou ça peut aussi être très grave. Elle prétend qu'il s'est passé quelque chose il y a quelques jours. Je participais à une conférence à Sacramento. Je n'ai pas pu vous appeler. Cammi m'a dit que l'incident a eu lieu cinq jours avant les vacances.

— Mais que s'est-il passé ?

— « Mon prof m'a giflée. » Ce sont les mots qu'elle a employés.

— Giflée ? répéta Walton en retenant ses larmes. Cet enseignant, comment s'appelle-t-il ? L'a-t-on renvoyé ? Je veux tout savoir.

— En premier lieu, je vais m'entretenir avec le professeur.

— Vous voulez dire que vous allez lui parler avant que je porte plainte ?

— Madame Walton, je sais que c'est difficile pour vous, mais nous allons un peu vite en besogne.

— Vous ne voulez pas que je porte plainte ?

— Non.

— Comment ça… non ?

— Pas encore tout du moins.

— Je fais quoi alors ? Vous me demandez de venir et…

— Je vous en prie. Je voudrais que vous essayiez d'en apprendre davantage de la part de Cammi sur ce prétendu incident. Pour le moment, je ne dispose que de sa version.

Walton balaya le bureau du regard. On y trouvait la bannière étoilée, des diplômes encadrés, une photo de la principale avec la Première Dame et des plaques commémorant certaines réalisations de l'école. Maintenant elle s'expliquait pourquoi ces derniers temps sa fille avait semblé si triste et si renfermée.

Pourquoi n'en as-tu pas d'abord parlé à maman ?

— Qu'allons-nous faire, madame Umara ?

— Avancer pas à pas. Je vais m'entretenir avec le professeur. Il n'est pas encore au courant. Personne ne l'est d'ailleurs. Tout ceci est très confidentiel. Je vous le répète, Cammi est restée évasive. J'espère que vous allez pouvoir clarifier ce qu'elle laisse supposer. Bien que l'école soit fermée, je dois m'assurer de la sécurité des autres élèves. Je vous en prie, appelez-moi le plus vite possible.

— Comptez sur moi.

Après avoir raccompagné Walton à sa voiture, Umara regagna son bureau et remit le nez dans le dossier qui se trouvait sur sa table de travail. Elle le feuilleta à nouveau et lâcha un soupir. La réputation et le travail de Doug Baker avaient toujours été exemplaires. C'était quelqu'un de brillant.

Que se passe-t-il, Doug ? Tu t'es mis à boire ? à te droguer ? Il y a des tensions dans ton couple ? Tu as besoin de vacances ? Pourquoi ne m'en as-tu pas parlé le premier ? J'espère que tu écoutes tes messages sur ton répondeur. Doug, je vais devoir agir selon les règles. Pas de passe-droit. Umara sortit la photo d'identité de son professeur et le regarda droit dans les yeux. *Non, pas toi. Moi qui croyais te connaître... Mais si c'est vrai... Cammi Walton, tu te rends compte ?* La fille de Sheila Walton, la nouvelle associée du cabinet d'avocats Pitman Rosser & Cook, des spécialistes du droit criminel. Sheila Walton, la directrice de la police de San Francisco, dont certains prétendent qu'elle pourrait devenir sénatrice ou être la prochaine à s'asseoir dans le fauteuil de maire.

Des jours durant, dans leur maison plantée au sommet d'une colline à cheval sur Richmond et Presidio, Walton se bagarra pour qu'enfin sa fille accepte de parler de l'incident.

— C'est Doug Baker, mon prof de littérature anglaise. Je sais pas pourquoi, mais il ne peut pas me voir en peinture. Il s'est énervé après moi et m'a simplement giflée. Je ne veux plus parler de cette histoire.

— À part madame Umara et moi, à qui d'autre en as-tu parlé ?

— À personne.

— Même pas à tes amies ? Même pas à Lilly ou à Beth ? Ne mens pas.

— J'en ai parlé à personne.

Assise à l'autre extrémité du sofa, Cammi gardait ses distances par rapport à sa mère. Les genoux ramenés sous le menton, elle prit la télécommande et zappa d'une chaîne de vidéoclips de musique à une autre. Face aux larmes qui dévalaient les joues de sa fille, Walton se sentait totalement démunie.

Cet enseignant, elle l'avait rencontré à l'école lors d'un quelconque événement. Ils avaient parlé de football et de politique municipale. Elle gardait le souvenir d'un bel homme viril, qui avait une fille et une très jolie femme.

Toute cette histoire ne tenait pas debout.

— Cammi, dis-moi exactement ce qui s'est passé. Je veux tout savoir.

Les larmes continuaient à enfler dans les yeux de la jeune fille.

— C'est arrivé après le cours. Je suis allée lui poser une question au sujet de *Sa Majesté des mouches*. C'est là qu'il m'a poussée contre le mur. Il est entré dans une colère noire. J'étais terrorisée. Il m'a dit que j'étais une idiote, incapable de comprendre le livre. Il a dit que les gens qui ont des problèmes feraient mieux d'en parler plutôt que de tout garder pour eux-mêmes. Puis il m'a giflée en me disant d'arrêter d'être stupide.

Walton n'en revenait pas.

Cette histoire ne tenait pas debout. Imaginer une telle faute, imaginer cet homme en train de maltraiter sa fille revenait à vivre un cauchemar. Walton tendit la main pour décrocher le téléphone et appeler ce type. *Non, pas maintenant*. Tout cela n'avait aucun sens.

Était-ce plus compliqué que ça en avait l'air ? Fallait-il y voir une conséquence de son divorce d'avec Greg ? Une séparation qui maintenant remontait à trois ans ? Devrait-elle d'ailleurs informer son ex-mari qui habitait à Santa Monica ? Elle savait trop bien ce qu'il lui répondrait sur son cellulaire : « Mais enfin, Sheila, pourquoi ne t'occupes-tu pas de Cammi ? Que peut-il y avoir de plus important pour toi que ta propre fille ? »

Cet abruti allait se remarier le mois prochain. Cammi avait pris la nouvelle du bon côté.

Walton parviendrait peut-être à trouver une solution au problème sans appeler Greg. Cependant, depuis un an, Cammi s'était engagée sur la voie de la provocation, faisant feu de tout bois : de sa tenue vestimentaire à ses amis, en passant par l'heure à laquelle elle devait rentrer les soirs de sortie, le maquillage ou encore cette licorne qu'elle menaçait de se faire tatouer sur la cheville. Sans parler de ses résultats scolaires qui s'étaient fortement dégradés.

Une nuit, alors qu'elle regardait sa fille endormie, Walton s'était émerveillée de la façon dont Cammi se métamorphosait sous ses yeux. Elle était passée de la couche au piercing. Elle n'était plus une enfant, mais déjà une jeune femme au caractère bien trempé dans un corps de quatorze ans. La mère avait caressé les cheveux de sa fille avant de l'embrasser sur le front.

Elle appela la principale de l'école chez elle afin de l'informer qu'elle avait besoin de temps supplémentaire pour que sa fille lui donne plus de détails sur ce qui s'était passé.

Plus tard, un matin, Walton toucha le fond du tonneau. Comme d'habitude, Lupe, sa femme de ménage, avait posé l'édition du jour du *San Francisco Star* près de la cafetière en céramique, sur la table du coin de la pièce donnant sur les majestueux arbres qui ombrageaient la cour en arrière.

L'article et les photos sur les recherches de Paige, la fille de Doug Baker, lui firent dire en elle-même : *Mais qu'est-ce que c'est que ça ?* Walton dévora l'article avant même de prendre son café.

— Cammi ! appela-t-elle.

La mère et la fille lurent et relurent l'article du *Star*. Cammi n'arrêtait pas de répéter : « Oh mon Dieu ! La pauvre petite. » Les craintes de Walton prirent une tout autre tournure quand elle découvrit les photos de Paige Baker dans le journal. Puis elle regarda Cammi et scruta le portrait de Doug Baker.

Walton demanda à sa bonne d'aller lui acheter tous les journaux. Tout en zappant d'une chaîne d'infos à une autre, Cammi et Walton lurent chaque récit de l'affaire dans la presse. Cammi, face à la télé, avait la main devant la bouche, tandis que sa mère, en voyant le ballet des hélicoptères, les visages tendus des journalistes dépêchés dans le parc des Glaciers, avait du mal à y voir clair. Pendant qu'elle observait la réaction de sa fille devant l'événement, son instinct d'avocat d'assises, de directrice chevronnée de la police et de mère célibataire rongée par la culpabilité, tout cela lui retourna l'estomac. Cammi, l'air inquiet, se tourna vers elle pour lui demander :

— D'après toi, maman, qu'est-ce qui s'est passé ?

Walton chercha une réponse dans ce que diffusait la télé, se concentrant comme lorsqu'elle se penchait sur les rapports confidentiels de la police.

— Je crois qu'avant tout je vais peut-être en parler à quelqu'un, ma chérie.

— Comment ça, « en parler à quelqu'un » ?

— Laisse-moi d'abord passer quelques appels.

Walton gagna son bureau et s'assit à sa table de travail. Elle frissonna et se tint la tête pour rassembler ses idées. Quelques instants plus tard, c'est d'une main tremblante qu'elle composa le premier numéro : celui du cellulaire du chef du service de police de San Francisco.

26

Brady Brook avait un ennemi : le temps.

Il vivait chaque seconde qui passait, chaque minute de chaque heure comme une défaite.

Malgré ses efforts et ceux des secouristes et des équipes cynophiles, on n'avait toujours pas trouvé la moindre trace de Paige Baker et de son beagle.

Un instant, on avait cru possible le recours à un hélicoptère équipé d'un système de détection de chaleur à infrarouge, mais on avait dû abandonner l'idée. La région recelait trop de dangers pour espérer y faire voler un appareil de nuit. Paige avait disparu en terrain hostile depuis plus d'une cinquantaine d'heures. Si on ne la retrouvait pas d'ici deux jours, trois au grand maximum, ça deviendrait dramatique. Brook s'inquiétait déjà de l'instant pénible où il devrait affronter les regards d'Emily et de Doug Baker pour leur annoncer la mort de leur enfant.

À moins de se retrouver devant pire encore…

Brook leva les yeux des cartes posées sur la table pour regarder les Baker, recroquevillés dans un coin du camp, minuscules silhouettes se détachant sur l'immensité des montagnes en arrière-plan, accrochées l'une à l'autre sous l'œil des agents du FBI.

Brook se demanda s'il n'avait pas affaire à un couple d'assassins de sang-froid.

Tout dépendait de ce que ses subalternes allaient trouver. Il se concentra à nouveau sur les recherches, parlant d'une voix calme dans son walkie-talkie, étudiant les cartes et les courbes de terrain sur les écrans des ordinateurs portables.

Il repassa tout en revue, des zones où Paige, attendu sa taille et sa vitesse de progression, s'était le plus probablement égarée, aux conditions climatiques, en passant par les vêtements que portait la fillette, ses réserves de nourriture et son inexpérience. Il délimita de nouveaux secteurs et en chercha d'autres. Il disposait du meilleur personnel qui soit, des gens qui connaissaient chaque surplomb, chaque zone de rochers instables. Ils avaient reçu des renforts de secouristes d'États voisins, de volontaires des comtés alentour et de membres de la tribu des Blackfeet. Tous avaient l'expérience de l'arrière-pays et effectuaient des recherches dans des zones éloignées. De l'autre côté de la frontière, secondés par des hélicoptères et des avions, la Gendarmerie royale du Canada et les gardiens du parc Waterton exploraient la portion de territoire qui longeait le sentier de la Dent-du-Grizzly.

Malgré cela, les obstacles s'accumulaient. La pluie de la première nuit avait lavé les traces et ruiné le travail des équipes cynophiles. Comme Paige se trouvait dans une zone fréquentée par les ours, la présence de son chien revenait à se balader avec une cloche pour signaler que le repas était servi. Il y avait quelque chose de perturbant dans le fait qu'on n'avait toujours pas trouvé le moindre signe de présence de la petite. Un peu plus tôt, le superintendant du parc et les responsables de la planification des opérations de recherches s'étaient rendus sur place en hélico pour un briefing ; de ne rien avoir trouvé les laissait perplexes. Tous en convenaient : normalement, à ce stade des recherches, on aurait dû avoir découvert une empreinte de pas ou un papier de bonbon, *quelque chose* quoi !

Père de deux filles de sept et neuf ans, Brook, qui était très croyant et pratiquant, avait le sentiment de rechercher l'un de ses propres enfants. Il n'aurait jamais cru que cette histoire l'atteindrait à ce point sur un plan émotionnel. Depuis six ans à la tête des gardes du district du parc des Glaciers, il avait été responsable de nombreuses opérations de recherches de grande envergure. Il savait que chacune d'elles avait sa spécificité. Dans le cas présent, Paige pouvait très bien se cacher. Et survivre. Mais peut-être avait-elle fait une chute et gisait-elle, blessée, au fond d'un ravin. Peut-être avait-elle glissé dans une rivière, où elle s'était noyée, avant que le courant n'emporte son cadavre. On ne pouvait exclure l'attaque d'un ours ou l'enlèvement par un inconnu. Il jeta un œil en direction des Baker et se demanda s'il ne fallait pas s'attendre à *pire*.

Il retira ses lunettes à monture métallique et se passa la main sur le visage. Il se souvint de la première réaction des Baker à certaines questions concernant l'attitude de Paige. Ils étaient restés si évasifs, si peu loquaces et tellement sur leurs gardes.

Il se souvint également d'une partie du plan de recherches qui méritait réflexion, celle qui conseillait, dans la plupart des grosses affaires de disparition, de considérer le volet criminel, même si l'on était à des années-lumière d'une telle hypothèse. Brook reçut un appel sur sa radio personnelle posée sur la table des cartes. La communication était défectueuse, avec beaucoup de parasites. La voix, hachée, qui venait de loin, fut perturbée par le passage d'un hélico avant de redevenir audible.

Tim Holloway était l'un des meilleurs éléments des groupes de secouristes du parc. Grâce à une parfaite condition physique, son corps longiligne de surfeur musclé en faisait un crapahuteur d'exception. Pour plaisanter, les autres gardes disaient de lui : « À part un aigle, on ne voit pas bien qui pourrait couvrir plus de terrain qu'Holloway. »

Un an plus tôt, en compagnie d'amis anglais et néo-zélandais, Holloway avait gravi l'Everest et atteint le sommet. Enfant, à Santa Ana, en Californie, où il avait grandi, il rêvait déjà d'accomplir cet exploit. C'est donc très logiquement que Brook l'avait choisi pour patrouiller les dangereux contreforts de la partie la plus éloignée du sentier de la Dent-du-Grizzly.

Depuis qu'il était parti, Holloway n'avait rien trouvé, ce qui le désolait. Sa détermination étant intacte, il s'était fait violence et avait progressé rapidement tout en scrutant chaque pouce des contreforts de la piste. Si on devait trouver quelque chose, ce serait lui qui le trouverait. Il avait longé un étroit surplomb situé à une vingtaine de mètres en aval du sentier, à deux kilomètres environ au sud du campement des Baker, quand il l'aperçut. Holloway lâcha un grognement en se frayant un passage vers un bosquet d'épinettes.

— Bingo, mon homme ! dit-il.

Sur une déclivité très marquée en dessous du sentier, un petit t-shirt rose était prisonnier des branches. Il avait l'air si incongru, si effrayant dans un tel endroit, qu'on aurait dit l'offrande d'une peuplade primitive. Un grizzly était-il capable de faire ça ? Le vêtement semblait taché de sang. Holloway avala sa salive et prit son walkie-talkie.

Une demi-heure plus tard, les agents de l'identification judiciaire du FBI sécurisaient le périmètre et prenaient des photos de l'endroit depuis le bas et le haut de la piste. Ils y ajoutèrent des clichés pris de l'hélicoptère en position stationnaire et d'autres depuis un avion à une plus haute altitude, sans oublier de filmer le déroulement de leur intervention.

— Je vous le répète, dit Holloway aux gens du FBI, personne n'y a touché depuis que je l'ai découvert.

Les agents, en combinaison bleue, les mains protégées de gants de chirurgien, passèrent la zone au peigne fin, prirent de nouvelles photos et filmèrent le t-shirt de près avant de le détacher de l'arbre. L'un des techniciens sortit un kit de bandelettes à tests. Il en trempa une dans une fiole d'eau distillée et toucha la tache de sang avec. La bandelette vira au vert foncé, ce qui confirma qu'on avait bien affaire à du sang. On déposa ensuite le t-shirt dans un sac, qu'on scella, avant de prendre les ultimes clichés.

L'un des agents, une petite mallette à la main, demanda à Holloway de s'asseoir.

— Retirez vos bottes et donnez-les-moi. J'ai besoin de prendre leur empreinte.

— Bien sûr, dit Holloway en commençant à délacer ses chaussures. Vous savez, le t-shirt a très bien pu être déposé là par un ours ou je ne sais quel animal.

— Il pourrait aussi avoir été jeté depuis le sentier, comme si quelqu'un avait voulu s'en débarrasser à la hâte.

Holloway, d'un coup d'œil, estima la hauteur et l'angle. Le gars du FBI devait avoir une solide théorie sur le sujet.

Un hélico descendit le t-shirt au centre de commandement. C'est dans la grosse camionnette laboratoire blanche du FBI qu'on soumit le vêtement à un réactif et qu'on examina ses fibres tachées au microscope. Il s'agissait bien de sang humain. Aux fins d'analyses supplémentaires, on prit aussitôt les dispositions nécessaires pour envoyer le vêtement au labo de la police criminelle du comté de King à Seattle.

Afin de respecter la procédure en matière de suivi des preuves, l'un des agents qui avaient contribué à la récupération du t-shirt fut dépêché à l'aéroport de Kalispell. Le FBI et le ministère de la Justice retardèrent le départ d'un DC-9 de la compagnie Northwest à destination de Seattle afin que l'agent puisse le prendre, avec le vêtement dans son attaché-case.

Dans le bureau de l'escouade spéciale au centre de commandement, l'agent Frank Zander et les autres enquêteurs visionnèrent en silence l'enregistrement vidéo montrant les lieux où le t-shirt avait été découvert. Le vêtement, couvert d'horribles taches de sang, parut bien minuscule quand l'un des techniciens le montra à la caméra. Zander regarda la scène avec froideur.

Après, les agents présents autour de la table examinèrent sur grand écran la photo digitale du t-shirt qu'ils avaient transférée dans leur ordinateur. Ils sélectionnèrent une image grandeur réelle du vêtement maculé de sang séché, firent un arrêt sur image, divisèrent l'écran et cliquèrent sur la souris jusqu'à ce que les visages de Doug, Emily, Paige et le chien Kobee apparaissent. Ces images, c'étaient celles qu'Emily avait prises au début de leur séjour dans le parc.

Devant un paysage à couper le souffle, les Baker, tout sourire, affichaient leur bonheur, celui de la famille américaine type.

Les agents s'arrêtèrent sur une photo du père avec sa fille. Doug avait la main sur l'épaule de la petite. Tous les deux souriaient. Paige portait un t-shirt rose. Les agents saisirent les deux clichés et les ramenèrent à la même échelle. D'un côté on avait Paige, souriante et heureuse de vivre, avec son t-shirt rose, et de l'autre le vêtement trouvé dans les arbres. Taché de sang.

Zander plongea son regard d'abord dans celui de Doug, puis dans celui de Paige.

Dans la plupart des affaires de crimes d'enfants, le coupable est l'un des parents ou celui qui a la garde de l'enfant. C'est ce qu'on appelle la règle du plus proche et du plus aimant. Zander savait cela. Dans les affaires de crimes passionnels commis dans des moments d'intense colère avec l'aide d'un couteau ou d'un instrument muni d'une lame, il est habituel de voir l'attaquant se taillader ou se blesser volontairement. Zander savait aussi cela. En revanche, ce qu'il ignorait, le regard vrillé sur ceux de Paige, de Doug et d'Emily, c'était la vérité au sujet de cette famille. Il s'était passé quelque chose et il allait le découvrir.

— J'aimerais que les Baker redescendent ici, je veux les faire passer au détecteur.

Lloyd Turner, l'agent spécial responsable de la division de Salt Lake City du FBI, hocha la tête et dit :

— L'appareil est déjà en route, Frank.

Le bruit d'un stylo frappant sur un bloc-notes fit tourner les têtes de Zander et des autres vers Nora Lam, la conseillère juridique du ministère de la Justice.

— Vous avez l'intention de faire passer les parents au détecteur de mensonges tout en sachant que ça n'a aucune valeur légale ?

— Je sais parfaitement que ça n'a aucune valeur, lui répondit Zander.

— Vous ne craignez pas de franchir la limite de la légalité ? Selon le moment et la manière dont vous procédez, si vous lisez leurs droits aux parents, vous pourriez franchir la limite. Avez-vous conscience de ce qui est en jeu ?

Zander se retourna vers la photo de Paige.

Lui revinrent en mémoire le parfum des magnolias et des pêches, la latérite boueuse d'un chemin de campagne de Géorgie, et les tombes de deux petits garçons. De ces deux enfants, il avait failli à en sauver un.

— Je sais ce qui est en jeu, dit-il. Là-dessus, vous pouvez me faire confiance.

27

Dans la salle de rédaction du *San Francisco Star*, on entendait cliqueter les bracelets de Molly Wilson qui tapait sur son clavier d'ordinateur.

Elle avait travaillé plusieurs heures sur l'affaire au cours de la journée et, bien qu'elle ait arpenté le quartier où ils habitaient, elle n'avait rien appris de neuf sur les Baker. Quant à Huck et Willa Meyers, l'oncle et la tante d'Emily, ils étaient effectivement en voyage. C'est bien connu, de nos jours, les vieux ne restent plus à la maison dans leur fauteuil berçant.

Cependant, Wilson misait sur un tuyau reçu d'une jeune fille du quartier, qui gardait Paige à l'occasion quand Doug et Emily sortaient. Elle lui avait donné l'adresse des Meyers à Lake Merced. Wilson s'y était rendue, avait frappé aux portes des voisins et appris que Huck et Willa étaient membres du club Wander the World, l'association de passionnés de roulottes et de motorisés. Une fois rentrée au journal, Wilson avait consulté le site web de l'association où un service de messagerie permettait de contacter tous les terrains de camping affiliés. Elle avait d'urgence adressé un message avant de se remettre au travail sur la disparition de Paige.

Wilson devait s'occuper de diverses entrevues. Concernant l'affaire Baker, certains lecteurs avaient réagi par téléphone. Des médiums avaient proposé leur aide.

Des groupes de croyants s'apprêtaient à prier. Rien de bien méchant, la routine, quoi. Des élèves et des joueurs de l'équipe de football de Beecher Lowe, là où enseignait Doug Baker, envisageaient de se rendre au Montana pour collaborer aux recherches. *Pas mal*, se dit Wilson. *En faisant vibrer la corde sensible, ils pourraient...*

À cet instant, son œil fut attiré par ce que diffusait la chaîne CNBC sur l'un des écrans géants de la salle de rédaction. Les Baker allaient s'exprimer en direct depuis le parc national des Glaciers, au Montana. Wilson prit aussitôt son magnéto Sony à cassette et son calepin. Elle s'approcha de l'écran pour hausser le volume. Déjà, d'autres collègues s'étaient agglutinés devant le poste.

— ... Nous ne rentrerons pas sans elle...

Reed devra tenir compte de ça, écrivit Molly, qui s'intéressa à Doug et à Emily tout en s'interrogeant sur le travail en sous-main de la police.

— ... l'heure est grave. Nous sommes bien conscients que pour notre fille il s'agit d'une question de vie ou de mort. C'est pourquoi nous prions...

Wilson trouva Doug Baker plutôt bel homme et Emily d'une grande beauté. Paige était une jolie gamine. Si le FBI révélait un volet criminel dans cette affaire, nul doute que celle-ci enflammerait le pays tout entier...

— Nous comprenons que le FBI s'intéresse à toutes les hypothèses, mais pour l'instant la piste la plus probable demeure le fait que Paige s'est éloignée du campement avant de s'égarer.

Probable.

Voilà le mot-clé !

— Molly ! Téléphone ! cria quelqu'un.

— Prends le message ! répondit Molly.

Emily en larmes. L'image d'une mère déchirée.

— On n'a qu'elle au monde...

— C'est Huck Meyer, Molly. Il appelle du Canada. Paraît que c'est urgent.

— J'arrive !

Wilson fonça à son bureau dans le cliquetis de ses bracelets. Elle brancha le magnéto sur le téléphone et prit la communication.

— Bonjour. Je m'appelle Huck Meyer. On a reçu un message nous demandant de rappeler de toute urgence Molly Wilson au *San Francisco Star*.

— Oui, c'est moi, répondit Molly, soulagée de constater que le voyant rouge du magnétophone clignotait.

Elle ouvrit son calepin à une page neuve et demanda :

— Monsieur Meyer, vous connaissez Emily Baker ?

— Pardon ?

— Emily Baker ? Vous la connaissez ?

— Oui, bien sûr, c'est ma nièce, la fille de la sœur de ma femme, Willa. En quoi puis-je vous être utile ? Willa est près de moi. Vous avez précisé que c'était urgent. Il est arrivé quelque chose ?

Il avait une bonne voix douce, qui inspirait confiance. Mais Wilson, en journaliste expérimentée, préféra la jouer fine.

— À vrai dire je ne sais pas trop. Pour le moment on essaie d'en savoir plus.

Molly s'exprima à toute vitesse de manière à déjouer la méfiance de Meyer et à entrer dans ses bonnes grâces.

— Vous êtes au courant qu'Emily a travaillé pour le *Star* ? poursuivit-elle.

— Bien sûr. Elle est photographe. Et loin d'être la plus mauvaise !

— Voilà, j'essaie d'en savoir plus, sur elle, sur l'histoire de sa famille.

— L'avez-vous appelée ? Ils habitent Richmond, ils sont dans l'annuaire.

— Il est impossible de la joindre. Je pensais que vous saviez qu'ils n'étaient pas à San Francisco.

— Je l'ignorais. On a quitté la Californie il y a des semaines. On n'était pas joignables.

Huck semblait très étonné et hésitant. Ces silences au bout du fil dérangeaient Molly. *Visiblement,* se dit-elle, *les Meyer ignorent ce qui est arrivé à Paige.*

— J'essaie seulement d'en apprendre davantage sur l'histoire de sa famille. Elle a travaillé pour nous et j'ai cru comprendre qu'elle avait grandi au Montana. Mon collègue est originaire de là-bas. C'est au Montana qu'elle a appris la photo ? Peut-être pourrais-je m'entretenir avec Willa ?

— Il est arrivé quelque chose ? répéta Huck.

Molly répondit à sa question par une autre :

— Willa saurait-elle me dire combien de temps Emily a vécu au Montana ?

— Un moment s'il vous plaît.

Une main étouffa le combiné. Molly colla l'oreille au sien et perçut quelques bribes :

— C'est pour le journal... Ils sont pas à San Francisco...

Puis Willa prit l'appareil.

— Bonjour, c'est Willa Meyer.

Molly présenta ses excuses pour le dérangement et, en quelques phrases bien senties, entraîna Willa dans une banale conversation.

— En effet, c'est une excellente photographe, fit Willa, enthousiaste, qui a travaillé pour *Newsweek* et *People*. C'est comme ça qu'elle a rencontré Doug.

— Au magazine *People* ?

— Non, quand elle travaillait pour *Newsweek*. Doug était dans les marines, à Camp Pendleton. Emily est allée faire un reportage sur son unité ou quelque chose dans le genre. Ils sont tombés amoureux l'un de l'autre. Faut dire qu'il est tellement gentil.

Molly caressa Willa dans le sens du poil, allant jusqu'à prétendre qu'Emily faisait partie de la grande famille du *Star* depuis son reportage sur le Golden Gate réalisé à la pige pour le journal.

— Vous pourriez me parler de sa vie au Montana ?

— C'est pour votre journal ?

— Oui, nous faisons un papier sur Emily en relation avec d'autres événements d'actualité. On a besoin d'en savoir un peu plus sur son passé. Parlez-moi de son enfance et dites-moi comment elle a réussi à se faire un nom dans la photographie.

Molly « entendit » Willa réfléchir à l'autre bout de la ligne.

— J'ai juste besoin de quelques détails biographiques, ajouta Molly. Après, je vais devoir prendre congé.

Willa Meyer commença à parler de l'enfance d'Emily, comment son père l'avait initiée à la photo et les circonstances de sa mort. Willa précisa que cette disparition avait totalement anéanti la mère d'Emily, au point qu'elle avait quitté le Montana pour venir s'établir à San Francisco avec sa fille. Mais la mère, incapable de surmonter le deuil de son mari, s'était mise à boire, avant d'abandonner sa fille à sa sœur, et de mourir à son tour.

— Après un tel drame familial, comment Emily s'en est-elle sortie ? demanda Molly.

Willa hésita avant de répondre :

— Du temps où elle vivait au Montana, il est arrivé d'autres choses, mais il y a si longtemps… Emily n'était qu'une enfant.

— À quoi faites-vous allusion ? demanda Molly qui sentait que la tante d'Emily devenait de moins en moins loquace. Pardonnez-moi, Willa, mais je ne comprends pas. De quelle sorte de choses parlez-vous ?

— D'un bien triste événement lié à la mort d'un enfant. C'était il y a longtemps. Emily a été suivie par une psy. Je ne devrais pas…

La mort d'un enfant.

Molly en eut le souffle coupé.

— Vous pouvez m'expliquer dans quelles circonstances c'est arrivé ?

Silence. Molly entendit qu'à l'autre bout de la ligne ça discutait ferme dans le dos de Willa.

— De quoi parlez-vous, Willa ? D'une mort subite du nourrisson ? Vous dites que c'est arrivé au Montana il y a fort longtemps, c'est ça ?

Il y eut un long moment de silence.

— Willa ?

— Oui, c'est arrivé au Montana… Mais… je crois que je vous en ai assez dit.

Molly entendit le clic qui mit fin à la conversation et éteignit son magnétophone.

28

Le lieutenant Leo Gonzales, le chef de l'escouade des Homicides de la police de San Francisco, avait besoin d'un autre café. Il lisait un dossier reçu de bonne heure le matin même tout en déchirant l'enveloppe d'un cigare d'importation. Il en était là quand le téléphone sonna.

— Escouade des Homicides, Gonzales, j'écoute.

— C'est Web, Leo. Du neuf au sujet de la gamine disparue ?

— On a appris que la mère était suivie par une psy et qu'elle « entendait des voix ». Ce serait relié à des gens morts il y a longtemps. C'est en ces termes que l'enfant a parlé de ça à nos patrouilleurs qui se sont rendus chez les Baker il y a quelque temps.

— Autre chose ?

— On essaie toujours de joindre un parent du couple.

— Sheila Walton m'a appelé. Elle veut qu'on parle à sa fille. Apparemment, Doug Baker est le prof de littérature de sa fille.

— Ah oui ?

— La fille de Walton prétend que Baker a pété une coche et l'a giflée. C'était quelques jours avant qu'il parte au Montana.

— Nous parlons bien de la fille de Sheila Walton, la directrice de la police ?

— Oui, nous parlons de Camille Rebecca Walton. Quatorze ans. Occupe-toi de ça rapidement. Je te donne son numéro.

— Je m'en charge, chef.

Gonzales considéra son cigare, auquel la loi lui interdisait de goûter dans l'enceinte d'un bâtiment administratif. *Sheila Walton*. Pourquoi faut-il que la vie soit aussi compliquée ? Leo secoua la tête en grimaçant, puis il appela l'inspectrice Linda Turgeon sur une ligne intérieure.

Moins de trois quarts d'heure plus tard, Turgeon, accompagnée de l'inspectrice Melody Hicks, du service des affaires courantes, se présentait à la porte de la maison de Sheila Walton à Presidio Heights.

Lupe les introduisit au salon où Walton les retrouva. Avec sa camisole de soie crème sur une jupe sombre, de petites boucles d'oreilles en perles mettant ses cheveux d'un noir corbeau en valeur, l'élégante et séduisante maîtresse des lieux respirait l'autorité et l'intelligence.

Après de rapides présentations, Walton proposa du thé, mais les inspectrices demandèrent si elle n'aurait pas du café.

— Vous n'avez qu'à vous rendre dans mon bureau, dit Walton. Je vais chercher Cammi.

Le grand bureau sombre, aux murs tapissés de livres du sol au plafond, avait quelque chose de relaxant, avec dans les coins des fougères de Boston et, sur une étagère, un superbe vase chinois, datant probablement de la dynastie des Ming. Lupe posa le plateau avec le café et les gâteaux sur la table de travail. Les deux inspectrices se servirent elles-mêmes.

D'allure élancée, Cammi mesurait dans les un mètre soixante, avait les cheveux courts teints en rouge et un piercing dans l'oreille gauche. Elle portait un haut bleu pastel sur un pantalon capri. Turgeon remarqua que la jeune fille ne s'était pas maquillée et que ses yeux rougis témoignaient qu'elle avait pleuré.

— Assieds-toi ici, Cammi, lui demanda Hicks en lui montrant le large fauteuil de cuir assorti au sofa où Turgeon et elle avaient pris place. Je suis Melody Hicks et ma collègue s'appelle Linda Turgeon. Nous sommes de…

— De la police de San Francisco, je sais, maman m'a prévenue.

Hicks posa sa tasse de café sur une petite table et sortit son magnétophone.

— Nous devons enregistrer notre conversation, Cammi, c'est la règle.

— Ça me va.

— Bien.

Hicks posa son magnéto sur la table, près de Cammi. Elle annonça la date du jour, le lieu de l'enregistrement et qui était présent.

— Avant de commencer, Cammi, as-tu des questions ?

— J'ignore pourquoi ma mère vous a demandé de venir. Je ne sais pas ce qu'elle s'imagine. Ce qui s'est passé est sans importance. Vous, vous en pensez quoi ? Que c'est important ?

— C'est la question à laquelle nous allons tenter de répondre, fit Turgeon en souriant à la jeune fille.

— Cette histoire ne regarde pas la police. Je pense qu'il y a que mon père qui devrait en être informé.

Turgeon échangea un bref regard dubitatif avec sa collègue.

— Pourquoi ne nous racontes-tu pas ce qui s'est passé ?

— C'est arrivé après le cours. C'était la fin de l'année scolaire, je suis restée pour dire à monsieur Baker à quel point j'avais aimé *Sa Majesté des mouches*. Je lui ai dit que je pensais que c'était un bon livre. Il m'a répondu qu'il était d'accord.

— Tu étais seule avec lui ?

— Oui. On a parlé du roman, qui montre comment on peut perdre les pédales dans une situation d'isolement. C'est là qu'il a commencé à marmonner.

— À quel propos ?

— À propos de sa femme, je crois. Je n'ai pas vraiment bien compris. Alors je lui ai demandé si ça allait, et c'est là qu'il s'est mis en rogne, en me disant que je n'avais aucun droit de lui poser des questions sur sa vie privée. Et il m'a giflée.

— Tu peux nous montrer comment il s'y est pris ?

Cammi fit le geste de se mettre une claque.

— Tu as eu mal ?

— Sur le coup, ça a piqué.

— Où te trouvais-tu au cours de la conversation ?

— J'étais dos au mur, face à lui.

— Il était donc très près de toi ?

— Oui. J'ai eu peur. Il m'a traitée d'idiote et il m'a giflée. Je crois qu'il l'a regretté à la seconde même où c'est arrivé. Mais je suis partie en courant. Je ne savais pas quoi faire. Alors je suis allée voir la principale de l'école. Pour moi, cette histoire, c'est pas important. Vous en pensez quoi ? Vous allez dire à mon père que mon prof m'a giflée ?

— Tes parents sont séparés ?

Cammi hocha la tête.

— Ils ont divorcé il y a trois ans. Mon père écrit des scénarios à L.A. Il a une copine et ils vont se marier dans quelques semaines.

— Et tu en penses quoi, de ce mariage ? Tu vois ça d'un bon œil ?

La jeune fille haussa les épaules et dit :

— Oui. De toute façon, mon père, on le voit jamais.

— Et avec ta mère, ça se passe bien ?

— Sheila et moi, on s'entend bien, répondit Cammi qui se leva. Bon, on a terminé ?

Turgeon eut l'idée de demander :

— Dis-moi, Cammi, tu en penses quoi, de la disparition de la fille de Doug Baker dans les Rocheuses ?

— C'est affreux. Et vous, vous en pensez quoi ?

— La même chose que toi.

— Je n'aimerais pas qu'il ait des ennuis parce qu'il m'a giflée. Je crois qu'il a regretté son geste. J'aurais peut-être mieux fait de ne pas en parler.

— Pour le moment, ça va rester entre nous, d'accord ? fit Turgeon avec un sourire.

Avant de prendre congé, dans une discussion privée avec Sheila Walton, les deux détectives promirent de la tenir informée des développements de l'enquête.

— Je vous remercie, leur dit Walton en leur remettant à chacune une carte avec son numéro de cellulaire. J'aimerais bien crever l'abcès de cette histoire le plus vite possible.

Sur le chemin du retour, en repensant au témoignage de Cammi Walton, les deux femmes secouèrent la tête.

— À partir de maintenant, je n'ai pas une haute opinion de Doug Baker, loin s'en faut, dit Hicks.

Turgeon n'y comprenait trop rien. Soit Doug Baker représentait une espèce de bombe à retardement, soit la relation des faits par Cammi manquait de précision.

— D'un côté comme de l'autre, ça ne tient pas debout, dit Turgeon.

29

Après l'appel de Molly, Tom Reed jeta son cellulaire sur le siège passager où s'entassaient, pêle-mêle, cartes routières, journaux et emballages de nourriture.

Emily Baker suivait donc une psychothérapie pour une histoire de mort d'enfant.

Molly Wilson avait fait du bon boulot. À présent, c'était à lui d'exploiter judicieusement les infos de sa collègue.

L'ordinateur portable coincé entre son ventre et le volant, il reprit la narration de la vie des Baker. Tout en écrivant, il gardait un œil sur ce qui se passait du côté du centre de commandement.

L'activité reprenait. Des agents allaient et venaient entre le bâtiment et les 4 X 4 de location du FBI. La fréquence des atterrissages et des décollages des hélicos s'intensifiait. On frappa sur le toit de la voiture de Tom.

— Alors, Reed, tu comprends quelque chose, toi, à ce qui se passe ici ? fit un ami du *Philadelphia Inquiry* en se penchant à la vitre côté conducteur.

— Ça me dépasse.

— Paraît qu'ils ont trouvé quelque chose là-haut.

— Tu sais ce que c'est ?

— Non, rien ne filtre. Mais les gars du FBI s'agitent en tous sens comme s'ils voulaient continuer à mettre la pression.

— S'ils avaient retrouvé la gamine, on le saurait.

— Ouais. Je vais aller à la pêche aux infos. Salut, Reed.

Quelques minutes plus tard, le reporter du *Star* quitta sa voiture pour essayer d'obtenir un indice sur ce qui se tramait. Avec ses dizaines d'équipes de journalistes bien installées, que tenait parquées dans un endroit précis la police routière du Montana, la zone entourant le centre de commandement avait pris des allures de village médiatique virtuel. Chaises longues, lunettes de soleil, antennes paraboliques, téléphones cellulaires, etc., tout cela se fondait de l'autre côté du centre dans la foule de fonctionnaires et de véhicules de police, de l'administration du parc et des services d'urgence. Une espèce de fête foraine avait investi l'endroit de dimensions modestes et les routes avoisinantes.

Reed remarqua que le personnel des équipes sanitaires, aussi bien celui des ambulances que des hélicoptères, ne bougeait pas et restait calme. Reed se dit que si on avait retrouvé Paige, ces gars-là seraient sur le pied de guerre. Et si c'était le cadavre de la petite qu'on avait retrouvé ? Il continua à déambuler, jusqu'au point de contrôle routier où se trouvaient deux policiers de la route. L'un d'eux, équipé d'une planchette, était chargé de noter les mouvements de véhicules.

— Pardonnez-moi, leur dit Reed, mais pourriez-vous me dire où est garé le procureur du comté ? J'ai raté l'arrivée de sa voiture.

— Le procureur ? Mais il est pas là.

— On m'a dit qu'il venait juste d'arriver.

Celui qui avait la planchette feuilleta ses papiers et dit :

— Non, monsieur. Mais attendez une seconde.

L'officier fit un appel radio au sujet du procureur. Il reçut un flot de parasites qu'il sembla décoder, car il informa Reed.

— Je vous confirme, monsieur, que le procureur n'est pas là.

— Désolé de vous avoir dérangé, fit le journaliste, on m'aura mal renseigné.

Pas de procureur, pas d'infirmiers sur le pied de guerre, que pouvait-il bien se passer ? En regagnant sa voiture, Tom nota au loin, entre deux camionnettes, la présence de deux agents du FBI chargés de récolter les données aux fins de l'enquête. Ils parlaient dans leur walkie-talkie. Comme si de rien n'était, il alla se poster de l'autre bord d'une des camionnettes et tendit l'oreille. Il capta des bribes de la mauvaise transmission radio :

« Dès qu'ils ont fini de photographier la scène, ce sera envoyé par hélico à Kalispell. Ils ont retardé un vol commercial de la Northwest. Sorensen va l'emporter au labo à Seattle. »

Cette info, c'était du pain béni. Au sens figuré, Reed la mit dans sa poche et son mouchoir par-dessus.

Nul doute que la nouvelle allait bientôt éclater. Reed jeta un coup d'œil alentour à la recherche de Sydowski ou d'un autre agent du FBI qu'il connaîtrait, bref, de quelqu'un auquel il pourrait soutirer un tuyau. Mais il ne trouva personne.

De retour derrière son volant, il ferma les yeux pendant trois secondes. Ce qu'il venait d'apprendre pouvait se combiner à ce que Molly lui avait dit. Il considéra l'ensemble sous l'angle de vue de sa collègue.

Emily Baker était originaire du Montana. Elle suivait une psychothérapie liée à la mort d'un enfant.

Reed appela le bureau de l'Associated Press à Helena, où il avait ses entrées.

— AP, Larry Dancy, j'écoute.

— Hé ! Salut Dance, c'est Tom Reed.

— Comment va le vieux surfeur fatigué ?

— Un peu plus vieux qu'hier, mais toujours aussi insouciant. Et toi ?

— J'ai pas à me plaindre. On attend le troisième pour le mois prochain.

— Félicitations, papa !

— Merci. Alors, qu'est-ce que tu mijotes ? Tu es toujours la terreur de San Francisco ?

— Plus que jamais. Dis-moi, Dance, je suis au parc des Glaciers, je couvre l'histoire de la disparition de la petite fille et je me suis dit que je devrais appeler ce vieux Chester. Tu as un numéro où je pourrais le joindre rapidement ?

— 406-555-3312. Il habite un bel endroit à Wisdom. Il continue à travailler pour nous dans les grandes occasions.

— Merci.

Chester Murdon était cette légende vivante qui avait collaboré pendant quarante-deux ans avec l'agence de l'Associated Press du Montana. Pour l'avoir commentée abondamment, il connaissait l'histoire de l'État sur le bout des doigts. Espèce d'encyclopédie vivante du Montana, bibliothécaires ou universitaires de tout le pays le consultaient fréquemment. À la retraite depuis quelques années, il continuait cependant à écrire sa série d'ouvrages sur l'histoire de l'État. Reed se souvint de cet été passé comme jeune reporter au *Great Falls Tribune*. Les gens de presse au Montana parlaient alors des recherches que Chester effectuait pour *Une histoire criminelle sous le ciel sans limites*, qui résumerait chaque homicide commis depuis la création de l'État jusqu'à nos jours.

Si Emily Baker bénéficiait d'une thérapie à propos d'un enfant dont la disparition était attachée à un meurtre perpétré au Montana, Chester en avait forcément entendu parler. La sonnerie du téléphone retentit fort et clair. Puis une voix dit enfin :

— Allô ?

— Chester Murdon ?

— Lui-même. Que puis-je faire pour vous ?

30

Dans sa chambre du motel de Deer Lodge, à deux pas du restaurant Four Bs, sur la route Sam-Beck, David Cohen feuilleta la bible trouvée dans le tiroir de la table de chevet tout en regardant l'autoroute 90. Distante de quelques centaines de mètres, les poids lourds y passaient dans le gémissement de leur diesel et le chuintement des freins à air comprimé.

Une heure plus tôt, le secrétariat de la Cour suprême des États-Unis avait prévenu le jeune avocat de l'imminence d'une réponse à sa demande de grâce concernant Isaiah Hood. Pas le moindre indice, dans un sens ou dans un autre, n'avait filtré au cours de la conversation.

Acceptant les probabilités infinitésimales d'obtenir une réponse favorable, Cohen, qui n'en restait pas moins homme, ne pouvait s'empêcher d'espérer.

Le téléphone de la chambre sonna. C'était à nouveau le secrétariat de Washington DC, qui voulait une confirmation du numéro de télécopie de Cohen. La réponse allait arriver d'un instant à l'autre. L'avocat balaya la pièce du regard, de la télé au son coupé et branchée sur CNN aux deux lits doubles, dont l'un était défait et l'autre noyé sous un amoncellement de dossiers d'affaires en cours, de procès-verbaux et de journaux. Puis, comme s'il s'éveillait à la vie, le télécopieur portatif connecté à son cellulaire clignota et se mit à cliqueter en mode réception.

La machine vomit son document. Cohen en prit connaissance avant la fin de la transmission.

Touché de plein fouet par la réponse, il fut contraint de s'asseoir sur le lit en désordre, les feuilles à la main. *C'est fini. Je n'ai pas réussi à sauver la tête de mon client.*

La décision n'était pas argumentée. Elle ne l'était jamais. Cohen ferma les yeux. *Les cendres seront dispersées dans les monts Livingston.* Il rouvrit les yeux et regarda la penderie avec le costume sombre qu'il porterait pour assister à l'exécution de son client. Cohen pensa à la Faux, symbole de la mort, alors qu'un poids lourd solitaire pétaradait dans les montagnes. C'est sans les voir qu'il regarda les images des nouvelles à la télé. Il allait devoir informer Isaiah que tout était terminé, et qu'il allait mourir. Il en était désolé, vraiment désolé. Et quand tout serait fini, il rentrerait à Chicago par le premier avion pour essayer de tout oublier. Tiens, il irait à une partie de baseball. Dans les bars ou dans les soirées, ses amis le consoleraient en lui offrant des bières. Peut-être partirait-il en vacances, pourquoi pas aux Bermudes, dans l'espoir, à la manière de Ponce Pilate, de se laver les mains du sang qui les tachait.

Dans un moment, il affronterait le regard d'un homme pour lui dire qu'il n'avait pas réussi à le sauver. Après l'avoir regardé mourir, il emporterait ses cendres dans les Rocheuses à bord de sa voiture de location.

Le téléphone de la chambre sonna. Cohen savait qui l'appelait.

— C'est Lane, Dave. Je viens d'avoir la réponse. On aura tout tenté. On savait dans quoi on s'engageait et combien ce serait difficile…

— Lane, essaie de comprendre que je ne suis pas d'humeur à discuter.

Cohen raccrocha et donna un coup de poing sur ses dossiers qui s'éparpillèrent à travers la pièce. Puis, la tête entre les mains, il demeura quelques instants à écouter les camions. *Allez, ressaisis-toi !* C'est ce qu'il fit en ramassant ses papiers.

La plupart de ses documents concernaient le seul et unique témoin de l'affaire : une jeune fille de treize ans dont le témoignage avait scellé le sort de Hood. Cohen trouva des photos d'elle dans des pages jaunies du dossier, dont il avait presque oublié l'existence. C'étaient des photos en noir et blanc, comme celles qu'utilise la police. Peut-être avaient-elles été prises par les hommes du shérif du comté de Goliath lors du premier interrogatoire de la jeune fille. Cohen ignorait l'origine de ces clichés. La gamine était jolie. Son visage lui rappela quelqu'un.

Au moment où David abaissait la main qui tenait la photo, l'écran de télé, dont le son était toujours coupé, capta son attention. La chaîne diffusait un reportage sur la disparition de Paige Baker. Une photo couleur de la fillette apparut pendant des extraits de la conférence de presse de sa mère. En découvrant son visage, Cohen fit le lien entre le portrait de la petite et la photo qu'il tenait à la main.

Il en resta bouche bée.

Il farfouilla dans ses journaux à la recherche d'articles sur la disparition de la fillette, s'attardant sur des photos de presse pour les comparer à celles du dossier Hood.

C'est elle. Mais comment ai-je pu ne pas faire le rapprochement ? Emily Baker est le témoin de l'affaire Hood. C'est son témoignage qui a fait condamner Isaiah !

Cohen feuilleta les dossiers. Les noms ne correspondaient pas. Sa firme d'avocats avait loué les services de détectives privés pour essayer de retrouver ce témoin, mais en vain. La mère du témoin avait fait quitter le Montana à sa fille des années auparavant. Les détectives n'avaient pas trouvé trace de sa mort. Elle n'avait jamais été condamnée ou appartenu à l'armée. Peut-être avait-elle changé de nom, de date de naissance, de numéro de sécurité sociale ou officiellement menti sur la couleur de ses yeux et celle de ses cheveux, c'est-à-dire sur les éléments qui servent habituellement à identifier un individu. Mais pourquoi la mère et la fille en étaient-elles arrivées à de telles extrémités ?

Au début de l'affaire, Isaiah n'avait pas dit grand-chose pour se défendre. Cohen feuilleta les anciens procès-verbaux. Et voilà qu'à présent Hood clamait son innocence et disait qu'il n'était pour rien dans la mort de Rachel Ross, âgée de cinq ans.

Un exemplaire du *Missoulian* était déplié sur le lit. Sur une photo, Emily Baker regardait David droit dans les yeux, tout comme elle le fixait sur la photo en noir et blanc prise à l'époque de l'assassinat de Rachel. Il se replongea dans ses déclarations et dans la retranscription de son témoignage.

Vingt-deux ans plus tôt, ils étaient trois sur ce surplomb perdu dans la montagne.

Isaiah Hood était la lie de son patelin, la conséquence d'une situation dramatique. De la part des gens du village, il recevait moins de sympathie et de considération qu'un chien errant. La vérité du drame n'avait intéressé personne. Isaiah ? La culpabilité lui allait comme un gant, comme ses vieux vêtements usés. Son avocat commis d'office avait manqué à ses devoirs en ne remettant pas vraiment en cause la confession de l'unique témoin de treize ans produit par la cour.

Cohen en eut un frisson. Tout au long de l'instruction, il s'était pris à douter secrètement de l'innocence de son client, préférant croire que sa condamnation reposait sur des éléments qui violaient ses droits constitutionnels. Ils étaient assez nombreux pour faire traîner l'affaire d'année en année et d'appel en appel, dans ce qui était devenu l'équivalent judiciaire d'un faux espoir pour un homme mort.

Cependant, aujourd'hui, au vu des anciennes photos et de celles des récents articles de presse, sachant que la fille de dix ans d'Emily Baker avait disparu dans des circonstances similaires à celles de sa sœur, et dans la même région, bien des années plus tôt, considérant que le compte à rebours de l'exécution de son client avait commencé, pour la première fois David Cohen se dit que l'État du Montana était sur le point d'exécuter un innocent.

Le téléphone de sa chambre sonna à nouveau, lui rappelant que le bureau du Procureur général devait rappeler après réception de la copie de la décision de la Cour suprême.

— David ? C'est John Jackson à Helena, fit le conseiller juridique principal du Procureur général.

— Tu l'as reçue ?

— Comme tu le sais, le dossier peut à présent être soumis au Comité des grâces.

— C'est fait, John, j'ai déjà lancé la procédure.

— Comme je t'ai dit, aucun élément n'a retenu l'attention du gouverneur pour le décider à intervenir. Madame Porter et toi devez vous préparer à l'inévitable, à savoir que votre client sera exécuté à la date et à l'heure figurant sur son mandat. On va t'envoyer des choses à lire là-dessus. J'ai ton numéro de télécopieur. Nous allons immédiatement faire paraître un communiqué à ce sujet. Je suis désolé, David.

— Attends, John, dit Cohen d'une voix tremblotante tout en regardant le visage d'Emily Baker à la télé.

Était-il possible qu'elle ait tué sa sœur et maintenant sa fille ? *On ne peut pas exécuter Hood*. D'une façon ou d'une autre, il devait empêcher cette exécution.

31

Elle tient sa petite sœur par la main. Celle de Rachel, plus petite et plus douce que la sienne, exprime toute la confiance et la vulnérabilité d'une jeune enfant. Elle a le sentiment que cette main lui appartient pour toujours.

Les fillettes vivent dans un monde parfait. Elles descendent l'allée de leur maison de Buckhorn Creek. Leur père doit venir les chercher avec son pick-up. Une fois assise dans l'herbe, Rachel lève les yeux vers elle. Le soleil l'oblige à cligner des yeux.

— Je t'aime, Lee.

— Moi aussi, Sun Ray, je t'aime.

Sun Ray, Rayon de Soleil, c'est ainsi qu'Emily a surnommé sa sœur. Elle adorait la façon dont elle écorchait son nom, comme elle adorait tout ce qui concernait Rachel: son visage d'ange percé de petits yeux bleus et pétillants, ses dents d'une blancheur immaculée, ses taches de rousseur et ses cheveux fauves. Par les longues soirées d'hiver, Rachel l'autorisait à lui faire des tresses. Elles partageaient les histoires comme les poupées et pleuraient quand leur mère leur lisait *La Toile de Charlotte*.

Emily n'oubliera jamais ces effrayants orages d'été dont les coups de tonnerre martelaient les montagnes et ébranlaient la maison. Sous un ciel illuminé d'éclairs, on avait le sentiment que les Rocheuses allaient s'effondrer. Ces nuits-là, la porte de la chambre d'Emily s'ouvrait dans un grincement. Rachel apparaissait sur le seuil, le visage zébré d'éclairs, son nounours à la main.

— J'ai peur, Lee.

Emily levait la couverture, invitant sa petite sœur à la rejoindre dans son lit. Alors que Rachel se blottissait contre elle, Emily l'entourait d'un bras protecteur et s'imprégnait du doux parfum de ses cheveux et de sa chaleur. À deux, elles se sentaient en sécurité.

— J'ai plus peur, disait la petite.

L'orage s'éloignait et le murmure de la pluie allait les bercer. Emily aurait tant aimé l'écouter tomber, rester ainsi et arrêter le temps. Puis le monstre était apparu.

— *Regarde bien ce que j'vais faire.*

Elle est à l'église. Odeur de bougies, bois poli des bancs, parquet de chêne, parfum des fleurs. Elle s'avance vers le cercueil blanc toujours ouvert. Rachel y paraît encore plus fluette. Elle porte sa robe de coton ourlée de dentelle, celle que leur mère lui avait confectionnée pour aller à la messe. Mains jointes, doigts croisés. Son nounours est coincé sous son bras. Les manches longues dissimulent les ecchymoses.

— Elle a eu la nuque fracturée. La plupart des dégâts sont internes.

Les adjoints du shérif et quelques hommes du coin attendent derrière l'église. Ils discutent en se passant une petite bouteille.

Le visage de Rachel est intact. Elle a les yeux fermés. Lee tend le bras pour lui prendre la main. Tu es si froide, si glacée, mon Rayon de Soleil.

— J'ai plus peur.

La mort de Rachel a fait imploser la famille d'Emily. Son père a cessé de sourire et perdu toute joie de vivre. Sa mère passe des heures assise dans la chambre de Rachel, où on ne doit toucher à rien. Plongés dans leur chagrin, les parents se sont éloignés d'Emily quand elle en avait besoin.

Si rien n'a été verbalisé, dans leur angoisse ils tiennent Emily pour responsable de la mort de sa sœur. Jusqu'au tréfonds de l'âme, ils l'ont marquée au fer rouge de la responsabilité.

C'est de sa faute.

Puisqu'elle était là.

Une fois l'an, en été, dans l'arrière-pays du parc national des Glaciers, pendant quatre jours et quatre nuits, a lieu le séjour en camping du club de jeunes filles de Buckhorn Creek. Les parents déposent leur progéniture à la mairie. Lee et Rachel les embrassent.

— N'oublie pas de bien surveiller ta petite sœur.

— Promis.

On sort les sacs de couchage et les sacs à dos de la voiture. À l'intérieur du bus, les mains s'agitent pour dire au revoir. Les parents répondent. On ne les verra plus jamais sourire.

Le groupe s'enfonce dans le parc. Les montagnes, les arbres qui embaument et les ruisseaux d'eau limpide jouent avec le soleil. Lee se dit que le paradis ressemble sûrement à ça. Tout est parfaitement organisé. Rachel adore. Les filles cueillent des fleurs, font de l'artisanat, chantent des chansons autour du feu de camp, font rôtir des guimauves, se racontent des histoires de fantômes et comptent les étoiles. Vraiment, tout est parfait.

L'après-midi du troisième jour, on organise une chasse au trésor. Quand vient leur tour, Rachel plonge la main dans le chapeau d'une des monitrices et en ressort un bout de papier plié en quatre qui lui demande d'attraper deux papillons et de les mettre dans le pot de confiture vide.

— Tu vas m'aider ? demande-t-elle à sa grande sœur.

Rachel tient le pot. Lee la prend par la main et elles partent dans la prairie voisine.

— Ne vous éloignez pas trop, les filles, leur crie l'une des monitrices.

La prairie regorge de fleurs, dont des dents-de-chien. Des papillons, des blancs, des roses, des jaunes, volettent autour. Emily prend des photos de Rachel qui rit dans le soleil en chassant les insectes.

— Regarde ! Y en a un bleu !

Rachel trottine vers le sommet de la prairie que jouxte la lisière d'une forêt.

— Attends, Rachel !

Mais Rachel disparaît dans un bosquet d'épinettes.

Emily la suit et la rattrape quand elles arrivent à la falaise. Elles s'arrêtent pour reprendre leur souffle.

Le monstre est là. Il sourit.

De toutes ses forces, Emily chercha à confier à l'agent Tracy Bowman ce qu'elle n'avait jamais dit à personne, même pas à Doug.

Comment Paige a-t-elle pu disparaître dans le même abîme que Rachel ? Pour Emily, c'était insupportable. *Je vous en prie*. Elle fondit en larmes.

Quelqu'un la prit, la serra dans ses bras et dit :

— C'est normal de pleurer, Emily.

C'est Doug ? Mais non, ça ne peut pas être lui, puisqu'il est parti s'entretenir avec les équipes de chercheurs.

— Ça va aller, Emily, la réconforta Bowman. Dites-moi ce qui vous tourmente.

Emily ne pouvait s'arrêter de pleurer. *Doug*. Les mots ne parvenaient pas à sortir de sa bouche.

Comment peut-on commencer à dire *ma fille a disparu là où ma sœur est morte, et je suis responsable de sa mort ?* Comment peut-on se dire une chose pareille et continuer à vivre ?

Elle devrait en parler à Doug.

Mais avant d'en prendre conscience, Emily ne put contenir sa peine.

— Pourquoi faut-il que ça recommence ? pleura-t-elle.

— Qu'est-ce qui recommence, Emily ?

— J'étais là quand elle est morte.

— C'était quand ? Et qui est mort ?

— Ma sœur. Et voilà que ça recommence.

32

Reste concentrée, Dolores. Concentrée. Fidélité-Bravoure-Intégrité. Je ne peux pas laisser tomber l'équipe. Je dois retrouver la petite fille. Mais pour le moment, l'agent spécial Dolores Harding, du FBI, devait s'asseoir pour reprendre son souffle.

Dès l'aube, Orin Mills et elle-même avaient fouillé la portion du sentier de la Dent-du-Grizzly qui leur avait été confiée. Ils y étaient depuis presque quatorze heures.

— Par ici, Mills !

À une vingtaine de mètres de là, Orin leva son bâton de marche pour lui faire comprendre qu'il allait la rejoindre sur le surplomb ombragé d'un bosquet de pins.

Le soleil était haut. Lunettes de soleil sur le nez, Harding ressentit une douleur aux mollets et aux cuisses quand elle voulut attraper sa gourde tout en admirant les majestueuses montagnes. Vingt-neuf ans, marathonienne, elle n'était pas du style à s'écouter. Elle appartenait à la division de Salt Lake City de l'OCDP, le programme de lutte contre le crime organisé et le trafic de drogue. Elle avait guetté deux « cibles » qui devaient débarquer à l'aéroport international de Salt Lake City en provenance de Mexico via Los Angeles. Mais on ne les avait pas vues. Le tuyau était-il percé ? Les « cibles » avaient-elles été informées qu'elles étaient attendues ?

C'était quand, cette planque, déjà ? Il y avait quarante-huit heures, n'est-ce pas ? Harding était à bout de forces. Car après l'épisode de l'aéroport, elle s'était soudain retrouvée dans le parc national des Glaciers à faire équipe avec l'agent spécial Orin Mills, un traqueur de délinquants en col blanc, autrement dit un cérébral. Harding et Mills faisaient partie de la meute d'agents de l'Utah affectés aux recherches. Même pour des durs à cuire, ce n'était pas une mission pour enfants de chœur. Harding avait remarqué que certains agents, par ailleurs pères de famille, se questionnaient beaucoup sur cette mission, alors que les jeunes cons se réjouissaient gentiment à l'idée de toucher une prime d'astreinte.

De confession mormone, grand type débonnaire de cinquante-deux ans et trois fois grand-père, Mills s'exprimait d'une voix douce. Cette mission d'urgence lui tenait particulièrement à cœur. Harding, la fille de col-bleu qui avait quitté sa Pennsylvanie et ses usines délabrées pour étudier la criminologie à John Jay, à New York, et Mills, le pratiquant originaire de Provo, dans l'Utah, avaient fouillé le secteur 21 à trois reprises. Orin n'en pouvait plus, ça se lisait sur son visage quand il arriva près de Harding sur le surplomb. Il inspira profondément l'air qui fraîchissait dans le soleil couchant.

— Il ne nous reste plus beaucoup de temps pour continuer les recherches, Dolores. Tu imagines l'horreur que vit cette enfant ?

Tout en contemplant les montagnes et les vallées glaciaires, Harding culpabilisa, car elle venait de se plaindre en silence de ses courbatures et de l'inconfort. Entraînée, en bonne condition physique, portant jean, t-shirt, grosses chaussettes et gros souliers, elle était un agent confirmé du FBI. Elle disposait d'eau, de nourriture, d'un Glock semi-automatique de calibre .40, de répulsif pour éloigner les ours, d'un vaporisateur contre les insectes, d'une trousse de premiers secours et d'un walkie-talkie. Si quelques heures à arpenter un versant de montagne l'avaient fatiguée à ce point, on pouvait imaginer le calvaire d'une petite citadine apeurée et perdue. Harding en voulut aux montagnes. Elle voyait en elles un informateur refusant de divulguer une information pouvant avoir des conséquences fatales. *Allez! Rendez-la-nous ! À quoi pourrait-elle vous servir ? Rendez-la-nous, ça a déjà trop duré.*

Harding chercha sa carte écornée de la zone géographique, annotée et soigneusement pliée.

— Il nous reste un peu de temps, Orin. Y a-t-il des coins que tu voudrais refou… Et merde !

Harding venait d'échapper sa gourde, qui dégringola sur quelques mètres et s'arrêta dans une faille de taille modeste et profonde d'une soixantaine de centimètres. Elle descendit prudemment au bord du surplomb pour la récupérer. Quand elle tendit la main, un reflet métallique retint son attention. Harding éclaira la faille à l'aide de sa torche-stylo et retira ses lunettes de soleil. Son regard suivit le rayon lumineux et s'arrêta sur une hachette.

— Mills ! Y a quelque chose !

En scrutant l'objet, Harding eut la certitude d'avoir remarqué sur la lame un filet de sang séché qui descendait vers le manche. Elle en eut la chair de poule sur les bras.

— Ça n'annonce rien de bon, Mills. Reste où tu es et appelle l'équipe des techniciens de scènes de crime. Il faut qu'ils viennent tout de suite !

L'équipe demandée débarqua sur les lieux. On délimita un périmètre de sécurité à l'aide de rubans jaunes. Des walkies-talkies crachotèrent, des hélicoptères atterrirent à proximité ou restèrent en position stationnaire et l'on prit des photos. Harding reçut pour consigne de ne pas quitter la zone pour maintenir la chaîne de preuves.

Dolores eut la surprise de se retrouver avec Zander à ses côtés.

— C'est vous, Harding ? C'est vous qui avez fait la découverte ?

De près, il était encore mieux qu'en rêve.

— Oui, c'est moi. Un coup de chance insensé.

— Beau boulot.

Il s'agissait d'une hache de campeur de la marque Titan Striker, d'environ sept cents grammes, avec une lame en acier trempé et un manche incurvé de quarante centimètres gainé d'une poignée de caoutchouc. On la déposa dans un sac de plastique réservé aux preuves. Le jour se mourait quand Harding quitta la zone à bord d'un hélico, la hachette sur les genoux.

Zander, le regard sur les Rocheuses, se dit que la description de la hachette correspondait à celle fournie par le policier new-yorkais. Il faudrait en vérifier le numéro de série pour savoir où elle avait été achetée et obtenir copie du relevé de carte de crédit. Une hachette et un t-shirt maculés de sang, une dispute dans un lieu public, une autre à la maison, une mère suivie par une psy. Les pièces du puzzle se mettaient en place et le nœud coulant se refermait peu à peu. Zander serra les dents.

Il était temps de s'entretenir à nouveau avec Doug Baker.

Temps d'apprendre la vérité.

33

John Jackson, le responsable du service juridique du Procureur général du Montana à Helena, comprit qu'il se passait quelque chose à l'autre bout de la ligne.

— Tout va bien, David ?

En trois ans, depuis que David Cohen avait hérité du dossier Isaiah Hood, une certaine fraternité professionnelle s'était établie entre les deux hommes.

— Y a du nouveau, John.

— Comment ça, *du nouveau* ?

À Deer Lodge, au beau milieu de sa chambre de motel en désordre, Cohen se passa une main fébrile dans les cheveux.

— Du nouveau et du très grave, dont il va falloir s'occuper sans délai.

— David, le gouverneur ne lèvera pas le petit doigt. La condamnation va être…

— John, je crois que Hood n'a *rien* fait.

Jackson avait parfaitement conscience du coup de massue que reçoit l'avocat qui ne parvient pas à sauver la tête de son client. Il avait des amis avocats en Floride et au Texas. Peu de gens peuvent imaginer leur calvaire. D'ailleurs, l'un de ses amis s'était suicidé, et c'est à Jackson qu'avait incombé la tâche de faire le panégyrique du défunt.

— John, j'ai la certitude que l'État va exécuter un innocent.

Cohen avait le regard fiévreux fixé sur le bulletin de nouvelles télévisé.

— Mais David, la Cour a rejeté votre requête. Il n'y a aucune base juridique…

— Au diable la loi !

— David, tu as bu ou quoi ?

— Non, John. Retarde ton communiqué à la presse, laisse-moi du temps…

— Mais c'est impossible, je…

— John, je te jure que si le Montana va de l'avant dans ce dossier, il ne s'en relèvera pas. Tu auras ta place dans les livres d'Histoire pour avoir fait du Montana le paria juridique de tout le pays à tout jamais. Je te jure…

— David, je peux comprendre que tu traverses une période difficile…

Cohen renifla et consulta sa montre.

— Écoute-moi, écoute-moi bien, John. Tout ce que je demande, c'est deux heures, deux heures pour pouvoir parler à mon client. Ensuite, tu me laisseras voir le gouverneur, et je te garantis qu'il va à tout prix écouter ce que j'aurai à lui dire avant de faire procéder à l'exécution de Hood.

— Je ne sais si je…

— Bloque tout pendant deux heures. Bon sang, John, on est encore à quarante-huit heures de l'exécution. Je t'en prie, fais en sorte que rien ne filtre. Et surtout pas un mot à la presse.

Au bout du fil, Cohen entendit Jackson soupirer et sa chaise grincer.

— Je t'en prie, John, tu tiens la vie d'un homme entre tes mains.

Si Jackson se souciait de quelqu'un, c'était de David, pas de Hood, le tueur d'enfant. Sur tout le territoire du Montana, on n'aurait trouvé personne pour prendre sa défense, mis à part la poignée d'opposants à la peine de mort qui défilaient une bougie à la main. Jackson ne voyait pas ce que changeraient deux heures de plus ou de moins, l'État détenait toutes les clés du pouvoir. Il pouvait donc geler le communiqué de presse pendant deux heures sans grande difficulté, la plupart des gens étant absorbés par les recherches de cette petite fille dans le parc des Glaciers, cette affaire semblant avoir éclipsé celle de Hood.

— Je vais voir ce que je peux faire, dit John. Je te laisse deux heures.

◆

Bien que le soleil déclinât, Cohen y vit plus clair alors qu'il fonçait vers la prison sur la Conley Lake Road au volant de sa Neon. Pour atteindre le couloir de la mort, sous les regards de glace des gardiens, il se plia au rituel des formalités de sécurité, franchit les barrières de chevaux de frise équipés de lames de rasoir et les portes qui se refermaient avec un bruit métallique.

La réaction de Hood aux reportages télé sur les recherches de la fillette prenait maintenant tout son sens.

Il avait eu une attaque et rapidement récupéré, mais son système nerveux s'était mis en court-circuit, d'où la transe dans laquelle Hood était tombé en voyant Emily à la télévision.

Il l'avait reconnue sur-le-champ.

On introduisit Cohen dans le parloir réservé aux visiteurs du couloir de la mort. Le son de la télé était coupé.

— Pourriez-vous mettre une de ces chaînes d'infos permanentes et hausser le son, de manière à ce que nous puissions l'entendre ?

— Vous voulez regarder la télé ? s'étonna le gardien.

— Oui.

— Comme vous voudrez…

Le bruit métallique des entraves d'Isaiah couvrit celui du poste. Soudain, Cohen sentit qu'il perdait pied dans la peur et le doute. Qu'était-il en train de faire ? Non, il ne pouvait pas gripper la machine judiciaire. C'était contraire à l'éthique. Il devait affronter la vérité et admettre sa défaite.

« … les cendres seront dispersées… »

La poignée de la porte tourna. *Oh mon Dieu !* Cohen eut de la misère à déglutir.

Il se retrouva face à Hood enchaîné et vêtu de sa combinaison orange. Le détenu s'assit. Son regard se tourna vers la télé, puis il leva les yeux vers son avocat.

— La Cour suprême a rejeté mon recours en grâce, n'est-ce pas ?

Quand il plongea ses yeux dans ceux d'Isaiah, pour la première fois David eut le sentiment d'y voir l'âme d'un innocent. Les mots lui manquaient pour dire à Isaiah qu'il allait être légalement exécuté.

— Je… je suis désolé, Isaiah.

Hood posa les mains à plat sur la table.

— Je suppose que la décision n'est pas motivée, n'est-ce pas ? demanda Hood en tentant de sourire.

Puis il se leva, fit quelques pas et, dans un bruit de cliquetis, tendit ses mains menottées pour serrer celles de Cohen.

— Vous avez fait le maximum, David. Vous êtes un type bien. Merci.

Puis il retourna s'asseoir.

Cohen renifla et dit :

— Il nous reste une dernière carte à jouer.

— Vous parlez du Comité ? Ça marchera jamais.

— Non, je ne parle pas de ça, répondit l'avocat qui renifla à nouveau en ouvrant les fermoirs de son attaché-case pour sortir des dossiers. Je fais référence au fait que vous vous dites innocent.

Le regard de Hood devint de glace et sa voix presque blanche :

— Vous parlez de cette connerie ?

— Ce n'est pas une connerie.

Cohen ouvrit le dossier contenant la photo de la fillette dont le témoignage avait scellé la condamnation à mort d'Isaiah.

— C'est qui sur la photo ?

— C'est le témoin. La sœur de la morte.

— Je vois, répondit l'avocat qui désigna la télé. Et tout à l'heure, qui avez-vous vu au cours du reportage sur la disparition de la fillette ? Ils vont repasser le sujet.

Hood hésita. Cohen était-il devenu cinglé... ou entrevoyait-il son salut ?

— C'était elle, dit Hood. Elle a pas changé, juste un peu vieilli. Et maintenant, c'est sa fille qui a disparu dans la montagne.

— Exactement. Mais personne ne l'a reconnue, Isaiah. Elle a changé de nom. C'est tout de même curieux.

— La belle affaire... Vous savez, David, j'en sais presque autant que vous concernant la loi. Sa fille a disparu, et alors ?

— Écoutez-moi bien. Admettons-le, il n'y avait rien de neuf dans votre requête auprès de la Cour suprême, qui était une tentative pour créer un doute raisonnable, doute qui, à mon sens, aurait dû constituer un élément.

— Où voulez-vous en venir ?

— Vous m'avez dit que vous n'avez pas tué Rachel Ross. Elle n'a pas été assassinée et sa sœur est la seule et unique personne à connaître la vérité.

— C'est vrai.

Cohen s'éclaircit la voix, déglutit difficilement, puis dit à voix basse :

— Supposez que les médias fassent autant de bruit que les opérations de recherches de la petite avec le fait que votre déclaration d'innocence est directement liée à la disparition de Paige Baker, la fille de l'unique témoin de votre affaire ?

Hood resta un long moment le regard plongé dans celui de son jeune avocat de Chicago.

34

Le soleil déclinait quand Tom Reed mit le pied au plancher de sa voiture de location. Direction sud sur l'autoroute 93. Le risque était calculé, mais le journaliste jouait avec le temps.

À Wisdom, Chester Murdon avait la certitude que le nom d'Emily Baker lui rappelait quelque chose et que, dans ses archives personnelles, il trouverait vraisemblablement des documents susceptibles d'aider Tom Reed. Il avait promis de veiller pour l'attendre, quelle que soit l'heure. Il fallait voir dans ce geste la marque de politesse d'un journaliste envers un autre journaliste.

Avant de quitter le centre de commandement, Reed écrivit un article qui mentionnait la conférence de presse du couple Baker et évoquait des théories, des probabilités et le fait que « le FBI n'écarte pas la possibilité d'un acte criminel », la police ayant pour habitude de ne négliger aucune hypothèse tant qu'elle ne contrôle pas les tenants et aboutissants d'une enquête.

Reed, cellulaire à l'oreille, allait atteindre les cent trente kilomètres à l'heure quand Molly Wilson lui dit depuis la salle de rédaction du *San Francisco Star* :

— Le service va mettre ton gros titre en bandeau. De mon côté, je vais travailler sur mes infos. Tu penses qu'il est encore trop tôt pour mentionner qu'Emily Baker était suivie par une psy ? C'est pourtant énorme.

— Je mesure le risque, Molly. De son côté, Chester est confiant. Il va nous aider en nous fournissant plus d'informations. On va pouvoir combler les vides de l'histoire familiale, puis assembler tous les morceaux. Attends avant de parler de la psy.

— Le risque, Tom, c'est que le *Chronicle* décide d'en parler le premier. Ce que je veux dire, c'est que je ne suis peut-être pas la seule à avoir contacté la tante. Sans compter que quelqu'un a pu obtenir l'info par d'autres sources.

Reed longeait une rivière au fond d'une vallée. Il y avait peu de circulation, les motorisés et autres véhicules récréatifs s'étant arrêtés pour bivouaquer.

— Je fais confiance à ce que tu as trouvé, Molly, mais je veux juste en savoir un peu plus…

— Tom, je t'entends mal, tu peux répéter ?

— Je te disais que j'ai confiance dans ce que tu as trouvé, mais que j'aimerais mieux avoir tous les éléments de l'affaire. Il nous reste virtuellement vingt-quatre heures pour avancer sur le sujet. Et suppose qu'on retrouve la gamine saine et sauve, qu'on sorte cette histoire de psy et qu'on apprenne que ça n'a aucun rapport avec la disparition de l'enfant ?

Wilson comprit que Reed avait raison et qu'il était devenu plus prudent depuis le kidnapping de son propre fils. Il avait payé cher, et de sa personne, pour apprendre à garder ses distances avec l'information.

— Comme tu voudras, Tom. Ce sera notre petit secret. On va le garder sous le coude jusqu'à demain… à moins que quelqu'un d'autre ne nous botte le cul avec.

Reed transmit à Molly les numéros de téléphone des principaux responsables des gardes, du FBI et des autres personnages importants de l'affaire. Ainsi, si quelque chose de capital se produisait au cours de son absence du parc des Glaciers, Molly pourrait couvrir l'information depuis San Francisco. Mais ils étaient si près du bouclage de la dernière édition que le risque était minime.

Reed se dit qu'il lui faudrait un peu plus de trois heures pour arriver à Wisdom. Sur la dernière portion du trajet de trois cents bons kilomètres, l'autoroute 93 épousait le cours de la Bitterroot River. Dans cette région de Columbia Cascade, les paysages étaient grandioses. Tom regretta qu'il fît nuit. Récemment, des incendies avaient ravagé des centaines d'hectares de forêt, notamment près de Wisdom et du ranch de Murdon.

Après avoir longé la Bitterroot Valley et franchi le col du Lost Trail, Tom passa près de l'ancien champ de bataille de Big Hole. Si certains y voyaient l'endroit où, en 1877, l'armée américaine avait imposé la loi aux Nez-Percés, qui refusaient d'être contraints de vivre à l'étroit sur une réserve, d'autres y voyaient le lieu d'un génocide d'hommes, de femmes et d'enfants par les troupes des États-Unis. Reed hocha la tête. De quelque côté qu'on se place, cela n'enlevait rien au fait que de nombreux fantômes hantaient les lieux.

Et certains étaient liés à sa propre vie.

Car c'était ici, dans ce pays de ciel sans limites, qu'était née sa vocation de journaliste. Tom avait grandi à Great Falls, où son père travaillait pour le *Great Falls Tribune*. Chaque jour le père rapportait au fils un exemplaire du journal. Tom n'avait pas encore douze ans qu'il distribuait déjà le *Tribune* dans le quartier. C'est à partir de là que sa vie semblait être devenue un vague souvenir: collège, vacances d'été passées à travailler au *Billings Gazette*, diplôme de l'école de journalisme de l'Université du Missouri, boulot à l'Associated Press de San Francisco, mariage avec Ann, nouveau boulot au *San Francisco Star* et naissance de Zach. Durant toutes ces années, Tom était rarement revenu au Montana et n'avait pas souvent appelé chez lui, décevant par là même un père qui avait pris l'habitude de collectionner les articles du fils dans un album aux pages jaunies et écornées, et qui s'enorgueillissait de lire ses dépêches dans le *New York Times*.

Tom prit son cellulaire. Il devait réfléchir, puis appeler ses parents à Great Falls. Si le temps lui manquait pour leur rendre visite, il devait au moins leur dire qu'il était de passage au Montana. La sonnerie retentit six fois avant que le répondeur ne se déclenche. Tom reconnut la voix de son père :

— Vous êtes bien chez…

Tom raccrocha sans laisser de message. Il se passa la main sur les yeux. La fatigue se faisait sentir. Il se souvint que la dernière fois qu'il avait appelé chez lui, sa mère lui avait dit que son père et elle projetaient d'aller en Arizona rendre visite à sa tante. Il appela San Francisco et discuta avec Ann et Zach jusqu'à ce que la ligne soit interrompue.

Wisdom se trouvait à quelques kilomètres à l'est de Big Hole. Hormis deux restaurants sympas et un magasin général, il n'y avait pas grand-chose d'autre. Vers le nord de la ville, Chester possédait une dizaine d'acres dans une région d'élevage de chevaux pie qu'on appelait les *painted horses*. Tom hocha la tête en mesurant l'ironie du sort. D'une part, Murdon, féru d'histoire, vivait sur une dizaine d'acres, et d'autre part, tous ces Nez-Percés mouraient parce que Washington les avait dépouillés de leurs terres et avait essayé de les enfermer sur une réserve.

Reed bâilla, il était à bout de forces.

Toute sa vie, Murdon était resté célibataire. Il habitait une jolie maison qu'il partageait avec un labrador blond répondant au nom de Sonny. L'espace ne manquait pas. Murdon avait deux pièces consacrées au rangement de ses archives, qu'il était fier de montrer.

Reed roula jusqu'à la maison à faible allure. L'homme et son chien l'accueillirent sous le porche. Le labrador jappa.

— Couché, Sonny !

— Chester, vous m'avez l'air en pleine forme. Ça fait une éternité…

— Content de te revoir, Tom. Je peux t'offrir quelque chose ? Un sandwich ? Une bière ?

Murdon avait le teint rubicond, les cheveux coupés en brosse et un bouc impeccablement taillé. Il portait un jean sombre, une chemise en denim à la poche de poitrine hérissée de stylos. Pour un homme de son âge il était encore alerte. Il introduisit Reed dans son immense maison. La table de la salle à manger, de style western, était couverte de boîtes, de dossiers et d'enveloppes qui débordaient de papiers de toutes sortes. Murdon avait déjà travaillé plusieurs heures pour satisfaire la demande de Reed.

— La plus grande partie de ces documents est extraite de mon livre. J'ai les articles du *Montana Standard* et du *Missoulian* sur l'avancement des recherches concernant Paige Baker.

Reed en fut très impressionné.

— Selon tes informations, Emily Baker serait originaire d'ici et elle suivrait une psychothérapie liée à la mort d'un enfant, possiblement intervenue au Montana.

— C'est ça, Chester. J'aimerais savoir ce qui existe concernant cette mort. Je ne sais absolument rien à son sujet. Je me suis dit que vous pourriez peut-être trouver quelque chose.

Murdon chaussa ses lunettes et se pencha au-dessus des papiers étalés sur la table. En se basant sur l'âge d'Emily Baker, il avait entamé des recherches au sujet de cas de morts d'enfants dans tout l'État.

— Je suis désolé, Tom, mais je n'ai rien trouvé à son nom…

Soudain découragé, Reed se dit que Molly avait raison, qu'ils auraient dû se baser sur les renseignements dont ils disposaient déjà.

— *Mais*, poursuivit Murdon, comme je te l'ai dit au téléphone, cette Emily Baker m'avait un air de déjà-vu. Et la réponse, je l'avais sous le nez, dans les journaux qui parlent d'Isaiah Hood, ce type enfermé dans le couloir de la mort.

— Quoi ?

— C'est la sœur d'Emily que Hood a tuée il y a vingt-deux ans. J'en parle dans mon livre. Et dire que la vérité me crevait les yeux dans le journal !

Reed prit l'exemplaire du *Missoulian* et parcourut l'article sur Hood. Il se sentit à nouveau découragé. Chester souffrait-il de sénilité ?

— Mais Chester, les noms ne correspondent pas. La petite assassinée s'appelait Rachel Ross. Nous connaissons le nom de jeune fille d'Emily, et ce n'est pas Ross.

Murdon sourit.

— C'est normal. Elle a changé de nom il y a des années, après avoir quitté le Montana.

— Vous avez de la documentation là-dessus ?

— Si on veut.

Murdon tendit un vieux dossier à Reed, avec une lettre qu'il avait écrite à l'archiviste du Montana à l'époque où il effectuait des recherches pour son propre ouvrage.

— Tu vois, j'ai demandé de l'aide afin de pouvoir entrer en contact avec la sœur. La réponse est intéressante, n'est-ce pas ?

Reed prit connaissance du courrier d'une page. On y confirmait que des archives avaient été endommagées lors d'un incendie, il y avait bien longtemps, mais que, lors de la reconstitution du dossier de l'homicide de Rachel Ross, il était apparu qu'il y avait eu d'autres décès dans la famille Ross, dont certains membres avaient quitté l'État. « Nous ne pouvons rien affirmer. Cependant, en effectuant des recherches pour répondre à votre demande, nous sommes arrivés à la conclusion que la personne que vous cherchez à joindre a effectué un changement de nom, ce qui la rend pratiquement introuvable. »

— À présent, Tom, fit Murdon en tendant une loupe à Reed, regarde bien la photo de Paige Baker dans le journal de ce matin, celle de sa mère et enfin celle de

Rachel Ross, l'enfant que Hood a assassinée, dans son dossier de l'époque.

Reed scruta les visages. Effectivement, il existait une ressemblance entre Emily et Paige et une autre, frappante celle-là, avec Rachel, la petite assassinée. Il se souvint qu'au déjeuner il avait noté cette ressemblance.

— Tom, fit Murdon en tapotant les photos, Emily Baker est la sœur de Rachel Ross, j'en ai la conviction.

Reed continua à étudier les clichés, évaluant tout ce qu'on savait : Hood qui clamait son innocence, Emily qui suivait une thérapie liée à la mort d'un enfant, Paige qui avait disparu au même endroit où Rachel Ross avait été tuée et la blessure à la main de Doug. Il repensa aux soupçons de la police. *Les enquêteurs doivent savoir quelque chose.*

— Quelle histoire, Chester !

L'ancien journaliste hocha la tête. Il devina à quoi pensait Reed.

— Tu ne trouves pas, Tom, que ça s'annonce mal pour les Baker ?

35

Au milieu de l'incessant ballet des hélicos, des tonitruants Hercules C-130 qui sillonnaient le ciel, des radios qui crachotaient sans cesse des messages urgents et des nouveaux secouristes qui débarquaient en masse, Doug Baker était seul au poste de commandement.

Seul dans sa tour d'ivoire.

Debout, à l'extrémité du campement, il contemplait l'ombre qui recouvrait l'immense forêt alpine alors que le soleil sombrait derrière les sommets dentelés. Inatteignable, prisonnier de sa fatigue et de son sentiment de culpabilité, Doug n'avait plus rien à quoi se raccrocher, à part des souvenirs.

Un jour, il y avait longtemps de cela, Emily était allée passer un week-end à Sacramento pour son travail. À l'époque, Paige avait tout juste trois ans. Il faisait beau en ce dimanche matin, alors Doug avait emmené sa fille à la plage. Ils avaient toute la journée pour eux tout seuls. Paige avait joué dans le sable et cherché des coquillages, au milieu des cris des mouettes et du déferlement des rouleaux du Pacifique. Il se revoyait s'accroupir alors que la petite courait à toutes jambes à sa rencontre dans le soleil. Elle avait les yeux clairs et les joues rebondies quand elle se jetait dans ses bras et s'accrochait à son cou.

— *Je t'aime, papa.*

— *Moi aussi, ma chérie.*

Aurait-il encore l'occasion de la tenir dans ses bras ?

Doug regarda sa main blessée, puis les montagnes alentour.

Je te demande pardon, Paige.

Et Emily ? Il aurait dû être en train de la réconforter.

Ses tentatives pour obtenir un moment d'intimité avec sa femme avaient été vaines. Toute la journée, depuis son retour au campement après son entretien avec le FBI au centre de commandement, Emily et lui avaient été séparés. Deux jeunes agents du FBI se tenaient près de Doug. « Nous sommes là, monsieur, pour vous aider dans cette rude épreuve. » De son côté, Emily avait été inséparable de Bowman, la sympathique agente du FBI.

Doug n'avait pas eu l'occasion d'être seul avec Emily autrement que pour l'embrasser et la consoler en présence de tiers. Qu'avaient bien pu lui dire les flics du FBI au cours de sa rencontre avec eux ? L'enquête les avait-elle renseignés sur des inconnus ou sur *cette autre famille* dont le père avait fait une sale impression à Doug ? Il n'avait pas aimé ses regards glacés. Mais on ne leur avait rien dit. On leur avait juste montré des cartes avec les secteurs où s'effectuaient ou allaient se dérouler les recherches. Personne n'était au courant des différents aspects de l'enquête. « Nous ne savons rien, on ne nous a pas informés des derniers développements, monsieur. » Malgré cela, Doug sentait que quelque chose se mijotait derrière les lunettes noires et les mines impassibles qu'affichaient les agents en sa présence.

Il en était malade, jusqu'à avoir l'estomac noué.

Peut-être était-ce le souhait d'Emily de ne pas être à ses côtés ? Il comprenait qu'elle lui en veuille pour tout ce qui était arrivé. C'est lui qui avait chassé Paige hors du campement. Tout était de sa faute. Ça s'était produit à un instant critique de leur vie, juste au moment où Emily commençait à affronter ses problèmes. La révélation de l'existence d'une sœur constituait une avancée. Mais comment avait-il reçu la nouvelle ? En laissant exploser sa colère contre sa femme. Emily s'était bien comportée et il avait fallu qu'il sabote tout. Si seulement ils pouvaient se sortir de tout ça, peut-être pourraient-ils alors retrouver la sœur d'Emily et apprendre comment *elle* avait surmonté la mort de leurs parents. Et devenir une famille plus nombreuse. Et plus forte.

Emily sanglotait à nouveau. Cela le désolait de voir Bowman la consoler. Quand il voulut s'approcher de sa femme, Bowman lui indiqua de n'en rien faire.

— Le moment est mal choisi, Doug.

Cela lui brisa le cœur. Sa famille et sa vie se désintégraient et il n'y avait pas la moindre foutue chose qu'il puisse faire pour l'éviter. L'espoir s'amenuisait. Doug devait pourtant réagir. Il passa la main sur son visage mangé par une barbe rase. *Pars à sa recherche. C'est toi son père, non ? Elle s'est perdue à cause de toi. Alors pars la chercher*. Mais la région comportait une infinie de possibilités. Les hélicos de recherches disparurent comme des tiques au-dessus des grandes vallées glaciaires. Par où commencerait-il ?

Il sentit une puissante main se poser sur son épaule.

— Doug, on va encore avoir besoin de votre aide, lui dit l'agent Frank Zander en haussant la voix pour couvrir le bruit d'un rotor d'hélico au ralenti.

Des larmes de désespoir emplirent les yeux de Doug.

— Vous avez trouvé quelque chose ? demanda-t-il également en forçant la voix à cause de l'hélicoptère.

— On n'est pas sûrs.

— Pouvez-vous me dire ce que c'est ? Ce que je veux dire, c'est…

— Doug, pouvez-vous m'accompagner au centre de commandement de manière à ce qu'on puisse en parler ? Ça nous aiderait beaucoup.

Doug fouilla le visage de Zander dans l'espoir d'y déceler un indice, positif ou négatif. Mais il n'y trouva rien.

— Bien sûr, répondit-il. Emily doit venir aussi ?

Zander fit non de la tête.

— Je crois qu'il vaut mieux pour elle qu'elle reste avec l'agent Bowman. On ne devrait pas traîner, Doug, la nuit tombe.

Avant de rejoindre Doug à bord de l'hélico, Zander fit signe à Bowman. Il la prit à l'écart pour qu'elle l'informe de ce qu'elle avait appris. Elle avait passé la journée complète en compagnie d'Emily. Les deux agents tournèrent le dos à l'hélico, leurs vestes battant dans l'air fouetté par les pales. Le vacarme assurait la confidentialité de la conversation.

— Vous avez du nouveau ? demanda Zander à l'oreille de Bowman.

— D'une manière ou d'une autre, Emily était présente quand sa sœur est morte ici il y a des années, hurla Bowman dans l'oreille de Zander.

— Sa sœur ? Vous en savez plus ?

— Non. Elle demeure évasive. Elle est sous le coup de l'émotion et ne se livre que par bribes.

— C'est plus que ce que Doug nous a dit. Il prétend qu'Emily suit une thérapie liée à la mort de ses parents. Il n'a pas dit un mot concernant la sœur. Emily ne vous a pas donné plus de détails ?

— Non.

— Rien non plus sur la disparition de Paige ?

— Non. Seulement que Doug et elle se disputaient et traversaient une période difficile.

— Continuez à lui mettre la pression, Bowman.

Au cours du vol retour vers le centre de commandement, Zander se surprit à penser à Tracy Bowman et à la manière dont elle avait obtenu des renseignements.

Elle se débrouillait très bien. Il repensa à son sens de la repartie, à cette façon dont elle l'avait remis à sa place à cause de l'arrogance de ses propos concernant la confidentialité de son appel téléphonique passé en vol. Bien évidemment, il ne le reconnaîtrait jamais, mais c'était elle qui avait eu raison. Elle était une enquêtrice habile et avait tout d'une personne d'exception. Le regard perdu sur les montagnes, il se demanda si elle était mariée.

L'hélicoptère ne tarda pas à se poser. Zander accompagna Doug au centre de commandement, jusqu'à cette minuscule pièce où l'escouade spéciale avait pris ses quartiers.

Doug s'assit à la table et salua Pike Thornton et Walt Sydowski d'un hochement de tête. Chacun des policiers, y compris Zander, avait un dossier, un bloc et une planchette pour prendre des notes.

— Un café, Doug ? proposa Zander.

— Non. Vous avez retrouvé Paige ?

— Non.

— Kobee alors ?

— Non plus. Rien de ça.

— Mais qu'avez-vous trouvé ? Vous avez dit que vous pourriez avoir trouvé quelque chose.

— Nous allons y venir, Doug. Mais d'abord nous voudrions éclaircir quelques points. Pouvez-vous nous redire de façon précise comment vous vous êtes blessé à la main ?

Doug chercha à comprendre cette question. Fourbu, pas rasé, les yeux rougis par l'angoisse, il flirtait avec un état second dû à la privation de sommeil et de nourriture depuis quelques jours.

— Je vous demande pardon ?

— Votre main, Doug. Redites-nous s'il vous plaît comment vous vous êtes blessé.

— Je suis certain de vous l'avoir déjà dit. En fendant du bois.

— Et tout en vous disputant avec Paige ?

Doug avala sa salive. Son visage devint tout rouge.

— Oui.

— Avant d'aller plus loin, on ne pourra pas vous ramener en hélico avant demain matin. C'est trop dangereux de voler la nuit dans ces montagnes.

Doug garda le silence.

— Nous vous avons préparé une chambre.

Doug réfléchit un instant et demanda :

— M'arrêtez-vous pour un motif quelconque ?

— Qu'est-ce qui vous fait dire ça ?

Il ne répondit pas, ne parvenant pas à formuler une réponse.

— Vous n'êtes pas en état d'arrestation, précisa Zander. C'est juste que nous allons peut-être avoir besoin de temps. Emily est prévenue.

— Très bien. Vous disiez que vous vouliez avoir des précisions sur un point ?

— Que portait Paige quand vous vous êtes disputé avec elle ?

— Un jean et un t-shirt.

— Vous vous rappelez la couleur du t-shirt ?

— Rose, je crois.

Zander lui mit sous les yeux la photo qu'Emily avait prise des Baker dans les montagnes avec Paige en t-shirt rose.

— Est-ce celui-ci ?

— Peut-être. Pourquoi ?

— La hachette que vous aviez en main au moment de la dispute, n'était-ce pas une Titan Striker de sept cent cinquante grammes avec une lame en acier trempé et un manche de quarante centimètres doté d'une poignée antidérapante en caoutchouc ?

— Ça ressemble assez à ça, répondit Doug en haussant les épaules.

— Numéro de série 349975, achetée il y a quatre jours chez Big Ice Country Outfitters à Century, Montana ?

— Tout ça me paraît exact, mais où voulez-vous en venir ?

— Payée avec votre carte de crédit ?

— Oui.

Zander se pencha en avant et envahit l'espace intime de Doug.

— Où est cette hache ?

Doug eut le sentiment que son cœur s'arrêtait.

Trois détectives qui totalisaient soixante années d'expérience dans trois agences de police différentes fixaient Doug Baker de la pire des manières.

36

Les cinq membres du Comité des grâces et des libérations conditionnelles du Montana ne penchèrent pas en faveur d'une grâce concernant Isaiah Hood, mais le gouverneur Grayson Nye n'avait pas été associé à la décision. Dans moins d'une demi-heure, les yeux dans les yeux, David Cohen en appellerait à sa magnanimité.

Pour Hood, le gouverneur représentait l'ultime chance légale de rester en vie.

Après réception de la télécopie du Comité réuni nuitamment d'urgence, pour finalement rejeter le recours, Cohen, qui quittait Garrison pour prendre la direction de la capitale, avait appelé John Jackson, le responsable du service juridique du Procureur général.

— David, le gouverneur a pris note que le Comité ne recommande pas la clémence. Il prendra sa décision dans la matinée.

— J'ai besoin de le voir quinze petites minutes, John. Il est en ville, je serai là dans une heure.

Il y avait eu des parasites dans la communication entre les deux cellulaires.

— David, le gouverneur participe à une levée de fonds très collet monté, le moment est plutôt mal choisi pour…

— Mais merde ! Tu crois pas qu'il devrait se préoccuper davantage du type dont il tient la vie entre ses mains que de son verre de vin ? Je t'en supplie, donne-moi l'adresse, ça soulagera ta conscience.

Jackson lâcha un soupir et lui donna l'adresse.

— N'éteins pas ton téléphone, John, je t'appelle dès que je suis arrivé.

Cohen n'avait jamais rien attendu du Comité des grâces. Il allait donc jouer sa dernière carte. Le gouverneur mesurerait l'étendue des conséquences politiques de faire exécuter un innocent.

La soirée de gala se tenait dans un quartier huppé d'Helena, où l'on trouvait d'énormes demeures des styles victorien, roman ou Queen-Ann, construites à la fin du XIXe siècle par les millionnaires de l'industrie minière.

Cohen gara sa Neon de location le long du trottoir opposé à la demeure où se trouvait le gouverneur, puis il passa son coup de fil. Jackson se présenta au sommet des marches du perron. Il portait un smoking qui mettait en valeur son teint hâlé et ses cheveux argentés. Cohen était en polo Ralph Lauren et pantalon de toile.

— Par ici, lui dit Jackson en l'emmenant à l'étage vers un immense bureau privé.

Celui-ci était meublé d'une imposante table en acajou, ses fenêtres ainsi que les bibliothèques partaient du sol et montaient jusqu'au plafond.

— Je reviens tout de suite avec lui. Tu auras dix minutes.

— Merci, John.

Cohen prit place à la table, ses doigts tambourinant sur son attaché-case. Il connaissait d'une part parfaitement les accointances dont disposait le gouverneur à Washington et d'autre part ses ambitions concernant la présidence. Il se redressa quand il entendit prononcer son nom par la voix la plus célèbre de tout l'État.

— J'ai beaucoup entendu parler de vous, lui dit le gouverneur en lui donnant une poignée de main virile.

Un autre homme l'accompagnait.

— Naturellement, continua le gouverneur, je ne vous présente pas notre Procureur général, pas plus que John.

Le gouverneur s'assit à côté de Cohen.

— Monsieur, avez-vous décidé d'épouser la décision du Comité des grâces qui recommande de ne pas en accorder à Isaiah Hood ?

— Pas encore. J'y réfléchirai demain matin. J'ai cru comprendre que vous souhaitez me voir prendre en compte un grave et nouvel élément du dossier ?

— C'est exact.

— Est-ce un élément qui ne faisait pas partie du dossier que le Comité a étudié aujourd'hui ?

— Oui. Au plus profond de moi-même, je suis convaincu de l'innocence d'Isaiah Hood.

— Vous êtes un jeune avocat idéaliste. J'aime ça.

Cohen ouvrit les serrures de son attaché-case, d'où il sortit un dossier.

— Les choses sont simples, monsieur.

Il tendit au gouverneur toutes les photos pertinentes d'Emily Baker, de Rachel et les clichés des archives encore jamais rendus publics.

— N'est-ce pas la femme dont l'enfant est portée disparue dans le parc des Glaciers ? Et les autres, c'est qui ? Je ne suis pas certain de vous suivre, maître, dit le gouverneur en jetant un coup d'œil à Jackson et au Procureur général.

— Gouverneur Nye, dit Cohen, Isaiah Hood, qui clame son innocence, a été condamné à la peine capitale sur le seul et unique témoignage de cette enfant, qui a été le seul témoin de la mort de sa sœur, Rachel Ross. Aujourd'hui, l'enfant de cette *même* femme a disparu dans le *même* secteur, dans les *mêmes* circonstances.

Le gouverneur regarda les photos de plus près.

Comment était-il possible que ses collaborateurs n'aient pas été au courant de tout cela ?

C'était pourtant lui qui avait gentiment insisté auprès de Washington pour que le FBI fasse partie de l'enquête sur l'enfant, en raison des soupçons entourant sa disparition. Grayson Nye était déterminé à combattre l'immobilisme, comme le pratiquaient certains autres États, et à ne pas laisser pourrir les choses jusqu'à ce qu'elles deviennent un cancer susceptible de gangrener le système judiciaire américain dans son ensemble.

Mais ça n'expliquait pas pourquoi il ignorait la relation qui unissait Emily Baker et Hood. Il venait d'être pris de court par un avocat de Chicago qui portait une boucle d'oreille.

— Monsieur le gouverneur, je suis certain que vous mesurez les implications qu'aurait votre décision de faire procéder à l'exécution de mon client. À présent, vous voilà informé du fait qu'il y a vingt-deux ans cette femme (Cohen toucha la photo d'Emily Baker reproduite dans la presse) a plus que probablement été mêlée au meurtre de sa sœur, et qu'elle a peut-être récidivé avec sa fille. Je sais que les noms ne correspondent pas. J'ai cru comprendre qu'Emily Baker a changé le sien quand elle a quitté le Montana il y a des années, puis en a à nouveau changé quand elle a épousé Doug Baker. Je suis à la recherche de documentation qui confirmerait qu'Emily Baker s'appelait autrefois Natalie Ross. Pour autant que je sache, jusqu'à présent, aucun organe de presse n'a encore fait la relation, mais ce n'est qu'une question de temps. Ce ne serait tout de même pas un élément que votre cabinet aurait tu, monsieur ?

Le gouverneur plissa légèrement les yeux. S'il bouillonnait intérieurement, il s'arrangea pour donner le change en souriant de façon très professionnelle tout en considérant les preuves que Cohen avait étalées sur la table d'acajou poli. Puis il dit à l'avocat, les yeux dans les yeux :

— Maître, votre client a été condamné par la loi en vigueur au Montana et il a vu sa condamnation confirmée par la Cour suprême de l'État. Votre demande de grâce auprès de la plus haute instance juridique du pays a échoué. À la suite de votre requête, le Comité des grâces et des libérations conditionnelles du Montana n'a pas cru bon de recommander la clémence vis-à-vis de votre client. Beaucoup de personnes ont étudié ce dossier avant qu'il n'arrive sur mon bureau. Je ne peux ni intervenir ni saper les lois qui régissent cet État et ce pays. Comme vous le savez, je ne peux pas juger de nouveau, ma marge de manœuvre est limitée. L'affaire Paige Baker, cette petite fille originaire de Californie, est dramatique. Elle a disparu et tous les moyens sont mis en œuvre pour la retrouver. À ce stade, essayer de créer un lien ignoble entre une affaire quasiment terminée, à savoir celle de votre client condamné pour avoir tué une enfant de sang-froid, et le calvaire d'une famille dans le parc des Glaciers, c'est, au mieux, tiré par les cheveux et, au pire, moralement répugnant.

— Je suis désolé, monsieur, que vous considériez les choses sous cet angle. Ce n'est pas mon point de vue.

Le gouverneur se leva pour signifier à Cohen que l'entretien était terminé. Le jeune avocat sonda les regards des autres personnes présentes. Il serra la main que le gouverneur lui tendait et s'en alla. Jackson le raccompagna jusqu'au perron de l'entrée.

— Je n'espère qu'une chose, David. Après le pitoyable petit numéro que tu viens de faire, je souhaite que tu aies des relations haut placées.

Cohen s'arrêta et fit volte-face.

— Pourquoi dis-tu ça, John ?

— Parce que tu viens de serrer les couilles du gouverneur dans un étau. Et je peux t'assurer qu'il va te serrer les tiennes si fort, répondit Jackson avec un clin d'œil, qu'on va t'entendre gueuler jusqu'à Chicago.

En guise de réponse à cette critique, Cohen tapota des doigts son attaché-case et rigola en lui-même.

— Tu sembles oublier quelque chose de fondamental, John.

— Ah oui ? Et quoi donc ?

— Que mon client et moi-même sommes déjà foutus et que nous n'avons plus rien à perdre. Les choses sont écrites. En revanche, en ce qui concerne Grayson Nye, comment dire?... Te souviens-tu de la dernière fois où il a fait la une du *New York Times*?

Jackson prit un air renfrogné.

— Tu n'oseras pas.

Cohen se rapprocha de Jackson, jusqu'à pénétrer sa bulle d'intimité, et lui lança:

— Écoute-moi bien, John, quand ton boss va se mettre à gueuler, je peux t'assurer qu'on va l'entendre gueuler jusqu'à Washington!

Jackson retourna dans le bureau privé, où il trouva le gouverneur, énervé, en train de téléphoner. Le Procureur général leva une main pour signifier à Jackson de rester calme. Le gouverneur composa un numéro avant de renoncer à passer le coup de fil en raccrochant violemment le combiné.

— Eh merde! Pourquoi nous a-t-on caché le lien entre la mère et ce Hood?

Pendant ce temps, le Procureur général appelait sur son cellulaire pour réclamer une enquête de toute urgence.

— Monsieur, dit-il au gouverneur en éteignant son téléphone, on vient à l'instant de me communiquer la situation dans le parc des Glaciers. Il semblerait qu'ils ne soient pas près de retrouver la fillette.

— Quel bordel! lâcha Grayson Nye en secouant la tête.

— En ce qui concerne l'exécution, vous êtes légalement bordé de tous côtés. Cohen n'apporte aucune preuve suffisamment solide susceptible de justifier la clémence. La Cour suprême des États-Unis vous a donné le feu vert pour procéder à l'exécution.

— Et sur le plan politique?

Le Procureur général se racla la gorge.

— Si vous sursoyez à l'exécution de ce type, vous allez être perçu comme un mou dans la lutte contre le crime. Hood a été condamné pour avoir tué une enfant. Si vous sursoyez au motif que c'est lié à une tragédie qui se déroule dans le parc des Glaciers, vous risquez d'offenser l'État de Californie et d'être celui qui condamne une femme pétrie d'angoisse dans un moment terrible, et tout ça reposerait sur quoi ? Sur les élucubrations d'un avocat de Chicago.

— Je pourrais surseoir l'exécution d'un mois.

— Et pour quel motif? s'étonna le Procureur. Si vous faites ça, vous serez traité de faible et de type incapable de prendre une décision. Ça ne servira pas vos aspirations nationales, Grayson.

— Et si cette femme était coupable de violences sur sa fille ?

— Elle sera poursuivie. Et nous, nous aurons exécuté un innocent.

— La chose est jugée, vous ne pouvez pas refaire le procès de Hood. Cette femme devra avouer et produire des preuves irréfutables, ajouta le Procureur.

Le gouverneur eut une pensée pour ses proches.

Sa fille de dix-huit ans allait partir étudier à Yale. Le carillon de l'horloge de parquet du bureau commença à sonner. Le temps demeurait le facteur incontournable. L'exécution de Hood devait avoir lieu dans les quarante-huit heures. Le FBI venait de trouver un t-shirt ensanglanté et une hache également ensanglantée. La mère suivait une psychothérapie. Pour autant qu'on pût en être sûr, les enquêteurs, qui ignoraient la démarche de Cohen, n'avaient pas idée de la véritable identité de la mère. Au moins pas encore. Mon Dieu, faites qu'on retrouve cette fillette vivante.

— Je prendrai ma décision demain matin.

37

Après que Zander et Doug Baker eurent quitté le poste de commandement des gardes, l'agent spécial du FBI Tracy Bowman regarda les lumières clignotantes de l'hélicoptère rapetisser avant de se fondre dans le crépuscule.

Elle devait partir plus tard, par le dernier vol, juste avant la nuit.

Bowman observa les montagnes alentour. Comme la température fraîchissait, Tracy ferma son blouson et se mordit la lèvre. Elle fit le point sur l'enquête.

Quel malheur avait frappé cette famille ?

Emily avait essayé d'échapper à son tourment en se réfugiant dans la tente de sa fille. Un calme relatif s'était installé. D'un bout à l'autre de la piste de la Dent-du-Grizzly, les secouristes se préparaient à bivouaquer. On n'entendait plus rien, à part le faible crachotement des communications radio. Chacun des secouristes se livrait à des calculs sur la durée et les conditions entourant la disparition de Paige Baker, avant d'estimer ses chances de survie. On approchait de la soixantaine d'heures. L'espoir s'amenuisait.

On prévoyait de la neige et de la pluie pour une partie de la nuit.

Bowman éprouva soudain un sentiment de solitude. Elle n'avait pas parlé avec Mark depuis son départ précipité pour le parc. Elle ramassa un téléphone satellitaire, gagna la lisière du campement et appela chez elle, à Lolo. Ça faisait quoi ? Deux jours ? Non, un. Mais ça lui paraissait une éternité. Elle avait juste besoin d'entendre la voix de son fils.

Comme ça ne répondait pas chez elle, elle composa le numéro de son amie Roberta Cara.

— Roberta ? C'est Tracy. Je peux pas te parler longtemps. Comment ça se passe ?

— Bien. Mais tu as une drôle de voix.

— C'est à cause du téléphone satellitaire. Attends un peu avant de répondre. Je suis en montagne, dans le parc des Glaciers. Comment va Mark ?

Roberta compta quatre secondes dans sa tête et répondit :

— Il va bien. Il est ici. On a essayé de t'appeler sur ton cellulaire. Mark préfère rester chez moi avec les garçons. J'espère de tout mon cœur qu'on va retrouver cette petite fille. Attends, je te passe ton fils.

Il y eut des parasites, des bips, du brouhaha, la voix de Roberta qui expliquait à Mark le fonctionnement du téléphone par satellite, puis enfin Mark dit :

— Salut, maman. T'es vraiment en montagne ? C'est cool.

— Salut, shérif. Oui, je suis en montagne. Tu t'amuses bien ?

— Ouais. Je t'ai vue au bulletin de nouvelles à la télé. T'étais dans le fond, tu marchais avec des gens. T'en as encore pour longtemps ?

— C'est difficile à dire. Tu prends bien tes médicaments ?

— Ouais. Et Logan m'apprend à tailler du bois avec un canif.

— Fais bien attention avec ce couteau. Je vais rentrer dès que possible, mais là je dois te laisser. Je t'aime.

— Moi aussi, maman. J'espère que tu vas retrouver la petite fille.

Tracy ressentit une bouffée douce-amère de chagrin l'envahir. Assise, là, en montagne, à des kilomètres et des kilomètres de Mark, le téléphone au creux des mains, près de la tente où Emily sanglotait et que le vent faisait faseyer, Tracy s'estima heureuse.

Que s'était-il passé dans cette famille Baker ?

Tracy sentait Emily à deux doigts de se confier. Elle en apprenait un peu plus sur son passé et son enfance au Montana. Si seulement elle pouvait encore la faire parler, elle pourrait bientôt lever le voile sur la vérité de ce qui avait eu lieu ici. Plus le temps s'écoulait, plus la situation devenait critique.

Si sa mission était couronnée de succès, elle pourrait déménager à Los Angeles, où Mark bénéficierait d'une meilleure prise en charge médicale. Mais s'y prenait-elle bien ? S'occupait-elle d'Emily comme il le fallait ? Zander, toujours aussi froid et distant, s'était montré avare de consignes. « Continuez à lui mettre la pression, Bowman », avait-il dit. Mais pourquoi était-il aussi glacial ?

Elle avait surpris une conversation entre collègues à propos de Zander. D'après les ragots, Frank était soi-disant hanté par un fiasco qui s'était produit lors d'un crime d'enfant en Géorgie quelques années plus tôt. Puis, selon une femme, agent du FBI à Seattle, Zander avait grand besoin qu'on lui remonte le moral, car à Washington il vivait une séparation particulièrement horrible. Bowman se dit qu'il fallait peut-être mettre son attitude imbuvable sur le compte de ce divorce.

Arrête, Tracy. Qu'est-ce que tu fais ? C'est inapproprié. Tu n'as pas le droit.

Elle se fit la leçon à elle-même tout en observant la tente de Paige Baker battue par le vent. On aurait dit une espèce de linceul. Allait-on retrouver la petite ?

Elle avait quelques heures à perdre avant que l'hélico vienne la chercher. Épuisée, elle prévint un des agents assignés à la surveillance nocturne d'Emily Baker, avant de ramper sous la tente que les gardes lui avaient montée. Le vent la berça et elle s'endormit en rêvant à Mark, à la Californie et à Carl. Ils marchaient tous les trois au soleil, heureux… quand il y eut un hurlement…

On a crié ?

Tracy sortit tant bien que mal de sa tente.

Le monstre qui habitait Emily Baker était de retour.

38

La nuit tombait quand un souffle, sombre, avait emporté Emily.

Il l'avait capturée au poste de commandement et ramenée de force à l'époque où elle vivait à Buckhorn Creek… Jusqu'à ce jour.

Le jour du monstre.

Les papillons. Tantôt ils filent comme des flèches, tantôt ils volettent. Ils les guident, elle et sa petite sœur Rachel, à travers la forêt. Jusqu'au… *monstre.*

Il est là, au bord de la falaise, à les attendre.

— Salut, leur dit-il. Ça vous dirait de faire un jeu ?

Sentant le danger, elle serre encore plus fort la main de sa petite sœur Rachel.

— Non. Merci. On peut pas. Faut qu'on y aille.

Rachel rigole. Elle voudrait jouer.

Le monstre leur fait signe d'approcher.

— Approchez. Regardez bien, leur dit-il.

— Non. Il faudrait qu'on s'en retourne.

— C'est rien qu'un jeu.

Rachel retire la main de la sienne. Sa chaleur s'évanouit. Elle va vers lui.

— Rachel. Non. Fais pas ça.

Il se retourne, fait deux pas.

— Devine ce que je vais faire. Regarde bien.

Et il disparaît dans le vide, là, juste devant elles.

— Il s'est tué !

Rachel reste là, à rigoler. Elle ose un coup d'œil par-dessus le bord de la falaise. Sans cesser de rigoler ! *Comme tout cela est horriblement effrayant !*

À présent Paige a remplacé Rachel. Au même endroit.

Emily hurle… et hurle encore… jusqu'à ce que…

— Emily !

Des mains se posent sur ses épaules.

— Emily !

Bowman. L'agente du FBI. Dans sa tente. Qui la secoue.

— Ça va aller, Emily. Réveillez-vous, Emily !

Tracy sent le cœur d'Emily battre la chamade contre sa propre poitrine. À cause de la peur, la jeune femme a les mains moites et sanglote. Bowman la berce.

— Je crois que je deviens folle. Ça recommence. Je veux pas…

On a accouru, chacun fait part de son inquiétude en murmurant de l'autre côté de la toile de tente. Tout va bien. Bowman leur dit que ce n'était qu'un cauchemar.

— Je veux pas revivre tout ça… Si je perds ma petite, je…

— Chut ! Il faut vous reposer. Et en parler. Dites-moi tout, dites-moi ce que vous avez sur le cœur. Ça va aller, Emily. Le moment est venu de vous confier à quelqu'un. Chut ! Ça va aller. Allez-y.

Un jeu. Tout a commencé par un jeu. Un jeu avec un monstre.

Emily fournit un terrible effort pour parler. C'était si douloureux, si souffrant. Au cours des semaines, des mois et des années après la mort de Rachel, elle était tombée sous l'emprise d'une sale obsession, celle de comprendre ce qu'avait vécu sa sœur dans les ultimes instants de sa vie.

A-t-elle souffert ?

Ma Sun Ray, mon Rayon de Soleil.

La disparition de sa sœur avait tout anéanti. Alors que, de son côté, elle cherchait à comprendre pourquoi c'était arrivé, ses parents se muraient dans une prison de chagrin, l'abandonnant à un flot d'accusations.

— *Pourquoi n'es-tu pas intervenue pour la sauver ?*

La douleur ne guérira jamais. Environ un an après le procès, son père avait eu un entretien avec elle au sujet de la rumeur qui circulait à Buckhorn Creek.

— On raconte ici et là que tu as menti sur ce qui s'est passé ce jour-là.

Menti ? Jamais de la vie.

C'était dans le corral. Le père faisait travailler son cheval, un grand bai un peu capricieux.

— J'ai pas menti, papa.

— C'est pas ce qui me revient aux oreilles. Des gens racontent que *tu* as poussé ta sœur dans le vide.

Tu as poussé ta sœur.

Les propos de son père, c'est comme si on lui avait marqué l'âme au fer rouge.

— C'est pas vrai !

— T'es sûre ?

Le cheval s'était ébroué et avait fait des mouvements brusques. Le père lui avait intimé :

— Calme ! Calme !

Les propos de son père avaient été comme un coup de massue. Elle était tombée à genoux et avait dit :

— T'es mon père. Comment peux-tu dire des choses aussi horribles ?

— Mais *nom de Dieu* parce qu'un homme a été condamné à mort !

Venait-il de sacrer à cause d'elle ou à cause du cheval ?

Le bai avait commencé à ruer dangereusement, il avait désarçonné son cavalier et continué à botter. Son sabot avait frappé le père à la tempe, le tuant sur le coup, là, sous les yeux de sa fille. Ses accusations étaient restées en suspens, avant de s'envoler vers le sommet de la montagne avec la peur de la gamine.

— Papa !

La mère était sortie en courant de la maison et s'était jetée sur la terre meuble en criant :

— *Winston ! Winston ! Oh mon Dieu !*

Elle s'était tournée vers Emily et lui avait jeté un regard rempli d'épouvante, de douleur et de *rancune*.

Emily avait eu le sentiment que son père avait légué ses doutes à sa mère. Il était mort sans avoir su la vérité, alors que la mère, toujours en vie, et qui refusait de l'entendre, avait commencé à boire dès le soir des obsèques de Rachel.

Peu de temps après, la mère avait vendu le ranch, ce nid douillet aux pieds des Rocheuses, où avaient régné l'ordre et le bonheur. Elles avaient déménagé à Kansas City, où elles avaient changé d'identité.

Natalie Ross avait cessé d'exister, sauf sur une pierre tombale, vestige d'une vie heureuse, morte et enterrée au Montana.

La mère et sa fille s'installèrent dans un appartement situé au-dessus d'un magasin de chaussures, où il faisait une chaleur étouffante. La mère trouva un emploi de serveuse dans un petit resto à une demi-douzaine de rues d'une école et on ne reparla plus jamais du Montana. Parfois, la nuit, quand elle entendait le tintement d'un verre, Emily sortait en douce de son lit pour regarder sa mère qui, assise, là, dans l'obscurité, parlait à ses morts : sa fille et son mari.

Après environ un an à Kansas City, elles partirent pour Toronto, où elles changèrent à nouveau d'identité et où la mère se mit à boire de plus en plus. Puis ce fut Dallas et ensuite Miami. Elles tombèrent dans une routine de déménagements, ne restant dans une ville que le temps d'économiser de quoi s'acheter un ticket de bus pour gagner une autre destination.

Il y eut des nuits où elle entendit sa mère marmonner des propos incohérents qui parlaient de l'intention du procureur du comté de rouvrir le dossier.

Au bout du compte, elles posèrent leurs valises chez Willa, la sœur de sa mère, à San Francisco. Mais ça ne dura pas longtemps. Un matin, la mère avait disparu. Envolée. Environ un an plus tard, la tante d'Emily reçut un appel de Toronto. Sa sœur venait de mourir d'une attaque cardiaque dans un refuge pour femmes, tenant dans ses mains des photos de sa famille, du temps où ses filles étaient petites.

Willa fit rapatrier le corps. La cérémonie funéraire eut lieu à Buckhorn Creek, au Montana, où on enterra la mère à côté de son mari et de sa fille Rachel. Emily, elle, refusa d'assister aux obsèques. Elle resta à San Francisco, le regard perdu sur le Pacifique, obnubilée par le fait que ses parents étaient morts en la soupçonnant d'être responsable de la disparition de sa sœur.

Elle avait seize ans et se retrouvait orpheline.

Jamais personne ne sut ce qui s'était passé ce jour-là.

Personne. À l'exception du monstre.

— Vous pouvez tout me raconter, Emily, dit Bowman. Il faut vous confier à quelqu'un avant qu'il ne soit trop tard.

Emily, les yeux vides regardant la nuit, se fit violence pour remonter à ce jour où les papillons les avaient conduites jusqu'à la falaise.

Le monstre.

Il est juste là, à ne rien faire, avec son jean taché, ses bottes et ses chemises usées jusqu'à la trame enfilées les unes par-dessus les autres. Il est grand, avec des cheveux bruns aplatis sur le crâne. Ses petits yeux d'animal sont nichés à l'abri de profondes arcades sourcilières. Il a le visage tellement couturé de cicatrices qu'il donne l'impression de souffrir. Quand il sourit, on voit ses dents jaunies et irrégulières, qui n'ont jamais connu la moindre brosse.

Elle sait comment il s'appelle.

Il s'appelle Isaiah Hood.

En ville, les gamins parlent de lui comme d'un mythe, comme d'un esprit des montagnes Rocheuses, d'une espèce de fou. Son père a des crochets en guise de mains. Ils habitent une cabane dans la forêt près de la réserve blackfeet et de la frontière avec le Canada. On le voit rarement. Mais, au cours de la randonnée, autour des feux de camp, on a murmuré qu'il traînait dans le coin.

Et si on a deux sous de bon sens, on sait qu'on ne doit surtout pas s'en approcher.

En fait, à Buckhorn Creek, personne ne veut avoir quoi que ce soit à faire avec les Hood. On les regarde avec dédain et on les considère pour ce qu'ils sont, c'est-à-dire des êtres pitoyables.

Mais ce jour-là les papillons les guident, sa sœur et elle, jusqu'à lui. Elles s'arrêtent net en le voyant.

— Salut. Ça vous dit de faire un jeu ?

Elle accentue la pression sur la main de Rachel.

— Il faut qu'on y aille.

Rachel rigole. Elle a envie de jouer.

— Non, répond-il, approchez. Venez voir.

— Non, il faut qu'on s'en retourne.

Rachel va de l'avant et se rapproche de lui. Et du bord de la falaise.

— C'est rien qu'un jeu. Regarde bien ce que j'vais faire.

Il fait volte-face et saute dans le vide, là, sous leurs yeux.

— Oh non ! Il s'est tué !

Rachel regarde dans le vide. Elle rigole ! *Elle se retourne vers Natalie.*

— C'est rien qu'un jeu, Lee, viens voir, dit-elle en riant.

Il est assis, jambes croisées, sur un surplomb de la taille d'un grand lit et situé à quelques mètres à peine en deçà du bord de la falaise. Il sourit du bon tour qu'il vient de jouer à Natalie. Elle a vraiment cru qu'il avait sauté dans le vide.

— Ouais, très drôle. Faut qu'on s'en retourne. Il est temps qu'on rentre, Rachel.

— Non, dit-il en se levant. La petite, elle veut jouer. Allez, Rachel, à ton tour. J'vais t'attraper dans mes bras.

— D'accord.

Le rire de Rachel est devenu nerveux. Elle compte un, deux, trois, et saute depuis le bord de la falaise.

— Fais pas ça, Rachel !

Elle veut retenir sa petite sœur, mais ne se montre pas assez rapide. Rachel est déjà sur le surplomb, en train de glousser.

— Panique pas, dit-il. Je l'ai réceptionnée.

Ils sont assis sur le surplomb que le soleil réchauffe.

Natalie tend la main vers sa sœur.

— Allez, viens, Rachel. On n'est pas supposées jouer avec toi, Isaiah Hood.

Le sourire qu'affichait Hood s'efface soudainement. Son visage s'assombrit. Il plante ses petits yeux noirs fiévreux dans ceux de Natalie.

— Tu te crois supérieure, c'est ça ? Tu te crois mieux que mon père et moi ?

— Non, c'est pas ce que j'ai voulu dire, ment-elle.

— On sait bien que tous les gens du village se croient mieux que nous, les Hood.

— Allez viens, Rachel, faut qu'on y aille.

— Pas tout de suite, dit-il. Je vous dirai quand vous pourrez partir. Faisons encore une partie.

Il se lève avec une souplesse de félin. Il saisit Rachel par les poignets et lève les bras.

— Ouah ! fait-il en la décollant de terre.

Il est si grand, si fort. Il dévoile ses dents jaunies. Son visage constellé de cicatrices dessine une grimace. Rachel n'est qu'une marionnette suspendue à ses bras. Il peut en faire ce qu'il veut.

— Lee!

Natalie saute sur le surplomb.

— Lâche-la! T'as pas le droit de la prendre comme ça!

— Regarde bien ce que j'vais faire.

Il s'approche de l'abîme en tenant la petite dont les pieds touchent à peine le sol.

Ça l'amuse.

— Pour l'amour de Dieu, je t'en supplie, lâche Rachel. Je t'en prie, dit Natalie en pesant sur ses bras.

Geste inutile. Hood est bien trop costaud.

— Mon père dit souvent que vous vous croyez tous supérieurs, remarque-t-il, comme si vous étiez capables de marcher sur l'air.

— Lee! crie Rachel, épouvantée. Je t'en prie!

Il est à la limite du surplomb, au-dessus d'un à-pic de cent cinquante ou deux cents mètres.

— Regarde bien ce que j'vais faire.

Il tend peu à peu les bras. Lentement.

— Non! Lee!

Le visage barré d'un sourire idiot, il tient maintenant Rachel au-dessus du vide, alors qu'elle essaie désespérément d'atteindre le bord du surplomb avec la pointe des orteils. Haletante, le souffle coupé, la petite sanglote et supplie :

— Je t'en prie…

Le vent des Rocheuses qui s'enroule autour des chaînes de montagnes remonte le long de la paroi. L'abîme devient flou.

Natalie essaie d'attraper le poignet de sa sœur, mais elle n'a pas les bras assez longs.

— Lee! Je t'en supplie! Je t'en supplie!

— Regarde ce que j'vais faire. J'vais vérifier si elle est capable de marcher sur l'air!

— Non!

— Mais faut que tu m'aides, toi, la grande.

Soudain, Hood lâche un des poignets de Rachel.

— Allez, attrape ta petite sœur, dit-il en riant. Mais peut-être qu'elle sait marcher sur l'air…

Natalie fait tout ce qu'elle peut pour attraper la main libre de Rachel qui bat l'air dans tous les sens. Elle l'atteint juste au moment où elle sent que sa sœur lui échappe. À l'instant où Hood lâche la petite.

Pendant une fraction de seconde, Rachel semble comme en apesanteur au-dessus du vide.

Les regards des deux sœurs se croisent. Rachel est épouvantée, terrifiée. Elle a compris. *La peur tord son visage.*

— Sun Ray, non !

Les mains de Rachel effleurent à toute vitesse celles de sa grande sœur. Rachel relève la tête.

C'est la chute.

— NOOOOOOOOON !

Pendant qu'elle tombe à pic, son cri gagne le ciel.

— Oh mon Dieu ! Oh mon Dieu ! Oh mon Dieu !

Le souffle coupé, tous les sens anéantis par l'horreur, Natalie ne pense plus.

Hood, lui, rigole de bon cœur.

— On dirait bien qu'elle sait ni marcher sur l'air ni voler. Elle est pas mieux que tout le monde.

Il se tourne vers Natalie et lui dit en découvrant ses dents jaunies :

— Tu veux essayer, la grande ?

En larmes, le souffle coupé, Natalie prend ses jambes à son cou. Elle court, elle court pour fuir le monstre dont le rire la poursuit.

Elle voudrait renier sa vie, fuir les yeux de sa sœur en train de chuter dans l'abîme, oublier l'effleurement de sa petite main tachée des couleurs des fleurs de la montagne et de la poudre qui enduit les ailes des papillons, oublier cet ultime contact, ce dernier regard d'épouvante.

« Tu surveilleras bien ta petite sœur. »

— J'ai plus peur maintenant, Lee.

Nier entièrement sa vie.

Tomber en chute libre du sommet de l'horreur qui a anéanti sa famille, et à présent trouver quelque réconfort en la personne d'une agente du FBI qui enquête sur l'éventuel assassinat de sa fille.

39

Paige et Kobee grimpèrent tant bien que mal, défiant le danger des crêtes et des surplombs, ne redescendant dans la forêt que pour mieux remonter ou contourner une zone très accidentée.

Pour eux, c'était la seule façon de fuir cette chose qui les poursuivait, la seule tactique pour rester en vie. Paige continua à progresser aussi vite que possible une grande partie de la journée. Et sans jamais apercevoir la créature qui grognait. La fillette s'arrêta pour examiner la blessure de son chien. Était-ce la créature qui lui avait fait ça? Elle déchira un t-shirt qu'elle avait dans son sac à dos afin de panser Kobee. Elle entendit des hélicoptères qui volaient au loin. Il lui arriva de leur faire signe, mais aucun ne la repéra. La petite se força à avancer.

Mon Dieu, qu'est-ce que je peux avoir faim!

Et peur.

Je vous en prie, aidez-moi! Y a quelqu'un?

Quand elle fit halte pour manger une barre de céréales, les larmes lui vinrent sans qu'elle puisse arrêter de sangloter.

Mourir, ça fait mal?

Elle murmura:

— Maman, je t'en prie, viens m'aider.

Kobee vint lécher ses larmes salées. Elle partagea sa barre avec lui.

— T'inquiète pas, mon chien, je te laisserai pas tomber.

Elle se remit en marche, mais un peu plus tard, alors que le soleil commençait à décliner, la fatigue, le froid et la peur accentuèrent leur pression.

Faut pas que je m'arrête. Faut qu'on continue à monter encore plus haut. Peut-être que comme ça on me verra.

Elle se croyait plus en sécurité en altitude.

Cela lui donnait l'avantage de voir ce qu'il y avait devant, ce qu'elle allait rencontrer, ou si ce qu'il y avait derrière gagnait du terrain sur elle.

Le crépuscule approchait quand Paige se dit qu'il allait encore pleuvoir. Les nuages s'amoncelaient, le froid s'intensifiait. Elle commença à réfléchir, à chercher où se bâtir un abri sans cesser de grimper en terrain rocailleux.

Plus tôt au cours de la journée, à plusieurs reprises, Paige avait aperçu des daims ou des bouquetins. Voir ces animaux inoffensifs autour d'elle l'avait réconfortée.

Mais au fur et à mesure qu'elle escaladait les pentes abruptes de cette région reculée de la Main-du-Diable, la faune se raréfiait.

Je me demande où ils sont tous partis, se dit-elle.

Les quelques bêtes qu'elle aperçut semblaient descendre alors qu'elle montait.

Pourquoi ?

Finalement, malgré le peu de lumière qui subsistait, Paige choisit une zone au relief accidenté au sommet de hautes falaises à la végétation clairsemée. Les surplombs dominaient une profonde vallée distante de quelques centaines de mètres.

La fillette se lança dans la construction d'un appentis de fortune en posant des branches d'épinette contre le gros tronc d'un arbre abattu. Pour rendre le sol caillouteux moins dur, elle posa d'autres ramures par terre. Puis elle rampa dans l'abri et serra Kobee contre elle pour se tenir chaud et avoir quelque réconfort. Malgré cela, le froid et la faim la tenaillaient.

Elle fut hantée par l'image d'une énorme pizza au jambon, nappée de tonnes de fromage, de sauce épicée et d'ananas. La nuit tombait quand elle s'endormit.

Une grosse branche craqua.

Qu'est-ce que c'est que ça ?

Les sens pleinement en alerte, Paige sentit la peur accélérer ses pulsations cardiaques.

Une odeur nauséabonde de charogne lui emplit les narines.

La chose était revenue !

Kobee gémit faiblement.

— Chut !

Le scénario de la première nuit recommençait.

OhmonDieujetenprieaidemoi !

Elle entendit renifler, comme une espèce de reniflement guttural, suivi d'abord d'un bruit sourd, puis d'un bruit sec, et enfin de nouvelles branches brisées.

La créature se rapprochait. Paige entendit des bruits de pattes qui giflaient la roche, de griffes qui grattaient tout près d'elle. Ça haletait et ça grognait.

La chose la frôla dans la semi-obscurité.

Une masse énorme de fourrure puante maculée d'excréments.

C'était un ours. Un ours énorme. Il était si proche qu'elle aurait pu le toucher.

Paige, paralysée, se vit mourir.

Elle pria. Maman. Papa.

Une énorme patte balaya les branches, la fourrure l'effleura. La fillette ferma les yeux. Le deuxième coup de patte l'envoya valdinguer l'autre bord du surplomb. Elle roula comme une poupée de chiffon vers une crevasse béante.

Paige ouvrit la bouche pour hurler en entendant la bête charger et gronder. Les griffes lacérèrent la roche avec une force insoupçonnable, animale, venue du fond des âges, que rien n'aurait pu contrer.

Maman, papa, je vous en prie, sauvez-moi… Je vous en supplie, ne le laissez pas me faire du mal !

Jour 4

40

Le secteur de recherches 23 était constitué d'une vaste pente de pins Douglas parsemée de crevasses et de falaises rocheuses. C'est là, alors que l'aube pointait à peine, que l'excitation gagna Lola.

De sa queue, la femelle berger belge âgée de trois ans balayait l'intérieur de la petite tente de nylon vert. Elle voulait réveiller Todd Taylor, son jeune maître de seize ans son aîné. Haletante, la chienne fouillait du museau et léchait l'oreille du jeune homme. En vain. Car Taylor, qui était mort de fatigue, grogna et ramena le sac de couchage en duvet d'oie par-dessus sa tête. Mais c'était mal connaître Lola. Qui insista.

— Attends, ma belle. Encore cinq minutes.

Taylor attira le chien à l'intérieur du duvet et écouta le rythme cardiaque de l'animal. C'est quand il réalisa que le cœur de Lola battait la chamade que Taylor comprit qu'elle avait senti quelque chose.

— OK, OK. Allons-y doucement.

Il s'assit et frissonna dans l'air vif matinal. Il passa un sweatshirt à la hâte par-dessus son t-shirt, puis enfila son coupe-vent jaune fluo qui portait l'inscription: ÉQUIPE DE RECHERCHES ET DE SAUVETAGE, COMTÉ DE TALON, COLORADO. Le groupe auquel appartenait le garçon avait été l'un des tout premiers à venir d'un État voisin du Montana. Taylor avait terminé sa première année à l'Université de Boulder, où il suivait des études d'infirmier. Quant à Lola, de l'Atlantique au Pacifique, dans l'univers du sauvetage d'urgence, on la considérait comme l'un des meilleurs chiens de recherches.

— D'abord, café, grommela Taylor en se versant une tasse de sa thermos.

Boire à petites gorgées finit de lui éclaircir les idées. Il accusa le coup : il avait encore plu au cours de la nuit.

— Sapristi ! lâcha-t-il.

Le secteur attribué à son groupe était l'un des plus isolés de la partie occidentale de la zone de recherches. La veille, du lever au coucher du soleil, ils l'avaient passé au peigne fin à deux reprises. Taylor massa le cou de Lola. Le garçon ne cessait de s'émerveiller de la capacité des chiens à retrouver des gens ou à sentir leurs traces.

L'être humain exhale en permanence des flots d'odeurs qui se répandent dans l'air sous forme de nuages vaporeux. Ces odeurs proviennent des bactéries contenues dans les millions de cellules des cheveux, de la peau, du sang, de l'urine, de la sueur ou de la salive, cellules que le corps remplace en permanence à chaque seconde. Le processus produit une odeur humaine spécifique que des chiens entraînés, comme l'était Lola, peuvent détecter. Mais Taylor n'était pas sans savoir que le succès de la soi-disant probabilité de détection dépendait totalement d'un certain nombre de variables, telles que l'état physique de l'animal, la direction du vent, le moment de la journée, la qualité et la densité de l'air.

Le jeune homme se pressa d'enfiler son jean et ses bottes. Lola, qui avait flairé quelque chose, bondirait à coup sûr dès l'ouverture de la tente. Mais Taylor devait d'abord s'occuper de lui, et c'est seulement après qu'ils se mettraient en route.

— Lola, reste ici, ma belle ! lui intima-t-il. Assis !

Le chien jappa mais obéit. Les mouvements de sa queue trahirent son impatience alors que son maître rampait hors de la tente pour aller se soulager contre un arbre. De retour à l'intérieur, Taylor mit rapidement son petit sac sur son épaule, changea la batterie de son walkie-talkie, coinça entre ses dents un sandwich au beurre d'arachide et à la confiture de fraises, donna un biscuit pour chien à Lola et sortit de nouveau.

— Allez, ma belle, cherche !

Lola aboya et partit en tête, forçant Taylor à avancer au petit trot à travers la forêt qu'ils avaient fouillée plus tôt la veille. Taylor savait qu'ils se trouvaient à la lisière du périmètre de chasse d'un grizzly. Il vérifia plutôt deux fois qu'une qu'il avait bien emporté sa cloche et son vaporisateur anti-ours.

Un jour, au Colorado, alors qu'il participait aux recherches d'une femme égarée, il avait surpris une femelle grizzly. Par miracle, il avait réussi à faire marche arrière et s'en était tiré sans la moindre égratignure, ce qui ne l'avait pas empêché de trembler comme une feuille jusqu'au soir. Le lendemain, Lola et lui avaient trouvé la femme, ou plutôt ce qu'il en restait, car le grizzly l'avait démembrée. Il s'agissait d'une touriste allemande, mère d'une petite fille et d'un petit garçon. La nuit suivante, Taylor n'avait pu retenir ses larmes. Des gardes avaient traqué et tué l'animal.

Lola pressa le pas et conduisit son maître hors de la forêt, vers une falaise rocheuse.

— Ouah ! s'exclama le jeune homme en découvrant que l'extrémité de la falaise donnait sur un surprenant et inattendu à-pic de plusieurs centaines de mètres. C'est un cul-de-sac, ma belle, ajouta Taylor.

La chienne glapit. Haletante, campant sur ses positions, elle semblait dire : « C'est pourtant ici, Todd. J'ai trouvé quelque chose. » Puis elle se mit à renifler pendant que Taylor observait le superbe surplomb rocheux qui scintillait dans le soleil levant.

— Mais y a rien ici, ma belle.

Lola insista en jappant à nouveau, indiquant que ce qu'elle avait flairé se trouvait quelque part le long du bord accidenté de la falaise.

— Hé ! Fais attention !

D'un bout à l'autre, le surplomb était percé de crevasses. Si leur largeur n'excédait pas soixante centimètres, elles étaient profondes et allaient se perdre dans une inquiétante obscurité. Face à l'une de ces entailles du sol, Lola haletait toujours, la queue faisant l'essuie-glace. La crevasse courait sur environ six mètres entre le bord du précipice et la forêt, comme une blessure d'une trentaine de centimètres de large plongeant vers un abîme d'éternité.

Lola se tenait résolument devant un endroit de la crevasse. Elle se mit à aboyer. Taylor réalisa que le trou était assez large pour avaler un corps d'enfant. Il s'agenouilla et cria dans la fissure :

— Y a quelqu'un ?

Seul le silence lui répondit.

Pendant quelques minutes, à plat ventre sur le rocher, il appela et tendit l'oreille pour surprendre le moindre son. Toujours rien. Soudain, il resta pétrifié. Là, juste sous son nez, il y avait quelques fils de tissu, comme arrachés d'un t-shirt. Et juste à côté, tremblants dans l'air, il aperçut une poignée de cheveux, puis des gouttelettes de sang. Il prit son walkie-talkie.

À l'altitude où se situait le secteur 23, l'équipe de techniciens de scènes de crime du FBI eut mille misères à trouver un endroit sûr pour poser son hélicoptère, les vents ballottant l'appareil de droite et de gauche. L'hélico parvint cependant à se poser à deux cents mètres de l'endroit où Taylor avait fait sa découverte.

— Y a quelque chose, dit-il. Lola s'affole là-bas.

— Vous avez entendu du bruit, un son ? lui demanda un agent.

— Non, rien.

On braqua les faisceaux de puissantes torches vers le fond de la crevasse. On y fit descendre de longues perches d'aluminium pour sonder et chercher une éventuelle trace de vie. En vain.

Quelques minutes plus tard, d'autres experts arrivèrent sur les lieux.

Les gens du SER s'activèrent d'un côté de la crevasse dans le but de porter secours à une victime éventuelle, pendant que les techniciens du FBI étudiaient avec minutie les indices trouvés à la surface. À l'aide de pinces à épiler et d'une puissante loupe, un technicien affirma qu'il y avait toutes les chances que les cheveux soient ceux de Paige Baker. On tapota sur le rocher pour libérer quelques gouttes de sang. Des tests préliminaires réalisés sur place attestèrent qu'il s'agissait de sang humain, et que les fibres de tissu étaient de coton blanc. La nature des fils et leur couleur correspondaient à celles des chaussettes que portait Paige lors de sa disparition. On enregistra et photographia tous les indices avant de délimiter un périmètre de scène de crime fédéral.

— Alors ? Qu'a-t-on trouvé ? demanda Frank Zander à son arrivée.

William Horn, l'un des plus anciens membres de l'unité de techniciens, le briefa sur les découvertes faites au bord de la crevasse.

— Ça ne prédit rien de bon, ajouta Horn.

— La petite est là-dedans ?

— Difficile à dire pour le moment.

— Combien de temps pour en avoir le cœur net ?

— J'en sais rien. La gueule de la crevasse est trop étroite pour laisser passer un homme. On a demandé des caméras à fibre optique et des appareils de prise de son. Si ça se trouve, cette crevasse descend à plus de cent mètres. Allez savoir. Il nous faut une sacrée longueur de fibre optique pour la caméra. On est en train de sortir du lit des gars d'une compagnie de Californie spécialisée dans ce genre de matériel high-tech. Il va nous falloir du temps, Frank.

Zander hocha la tête.

— C'est ta scène de crime, Bill, et c'est mon enquête. Aucune personne ici présente n'est autorisée à redescendre, OK ? Toutes les communications radio passent par moi et moi seul. Nous n'informons que les gens concernés. Personne ne parle à personne de ce que nous avons trouvé jusqu'à ce que nous ayons la certitude de ce que c'est. Il est donc crucial que rien ne filtre.

Horn hocha la tête.

Avant de retourner au centre de commandement, Zander jeta un œil vers les techniciens aux mains gantées et vêtus de combinaisons équipées de capuches. Ils se détachaient dans la lumière de l'aube sur l'horizon de ciel et de montagnes. Ils travaillaient en silence autour de ce que Zander pensait être le tombeau de Paige Baker.

41

Des milliers de kilomètres à l'est de la crevasse du secteur 23 et du secret qu'entretenait le FBI, une policière de Toronto terminait sa patrouille de nuit dans le terrain de camping réservé aux roulottes et situé à proximité du parc provincial de Sandbanks.

Les eaux du lac Ontario léchaient les immenses plages sablonneuses quand la policière tomba sur un véhicule fortement recherché, immatriculé en Californie, et dont le numéro figurait sur sa planchette. Elle frappa à la porte du motorisé de neuf mètres de long et informa Willa Meyers qu'elle devait de toute urgence se mettre en rapport avec le service de police de San Francisco. « C'est pour raison familiale. »

La standardiste de la police de San Francisco reçut l'appel vers quatre heures du matin, heure du Pacifique. Elle laissa un message sur le téléavertisseur de l'inspectrice Linda Turgeon, qui dormait, mais reçut le message chez elle. Turgeon informa à son tour Willa de ce qui se passait au Montana.

— Oh mon Dieu ! Non, pas ça ! s'exclama-t-elle, horrifiée, avant d'expliquer qu'elle et son mari ignoraient que leur petite-nièce s'était perdue dans les Rocheuses.

— Nous évitons volontairement d'écouter les nouvelles en ce moment à cause de l'imminence de l'exécution d'Isaiah Hood, dit Willa avant de livrer à Linda le secret de l'histoire familiale de Lee. Nous aurions aimé qu'Emily, Doug et Paige nous accompagnent au Canada, mais la question était un peu délicate, car Lee suit une psychothérapie. Même Doug n'est pas au courant de tout. Notre souhait était que Lee se trouve à des années-lumière de l'affaire Hood au moment de l'exécution. Nous ignorions qu'ils étaient au Montana.

Willa apprit à Turgeon qu'une journaliste de San Francisco l'avait jointe récemment pour lui poser des questions sur le passé d'Emily. La tante avait cru que c'était à cause de l'exécution de Hood, pas de la disparition de Paige.

Turgeon réconforta Willa avant d'appeler Sydowski. Elle le joignit alors qu'il quittait sa chambre du Sky Forest Vista Inn, près de Kalispell. Il prit énormément de notes de ce que lui dit sa collègue.

L'inspecteur venait d'avaler sa troisième tasse de café et regardait le soleil se lever quand l'hélicoptère de Zander, de retour du secteur 23, se posa sur l'héliport situé à proximité du centre de commandement. Les deux hommes eurent une brève discussion près d'un bosquet d'épinettes derrière un dortoir réservé aux pompiers.

— Je crois qu'on a trouvé la petite, Walt.

— Vivante ?

— Non. À moins de trois kilomètres du campement des Baker, on a découvert du sang, des cheveux et des fragments de vêtement au bord d'une étroite mais profonde crevasse.

— Vous confirmez la présence du corps ?

— Non. Et ça va prendre des heures pour héliporter du matériel là-haut. Personne, je dis bien absolument personne, ne sait ce que nous avons trouvé.

— J'ai du neuf concernant Emily Baker, dit Sydowski. La police de San Francisco a contacté la tante d'Emily. Emily est bien la sœur de Rachel Ross, la gamine qui a été assassinée il y a vingt-deux ans dans le parc des Glaciers par Isaiah Hood, le type qu'on va exécuter.

Zander en resta bouche bée.

— Mais comment se fait-il qu'on n'ait pas su ça dès le début ? dit-il en secouant la tête. C'est arrivé dans la même région. Le FBI ou la police du Montana auraient dû être au courant.

— À ceci près qu'à l'époque Emily s'appelait Natalie Ross. Sa mère a changé de nom peu de temps après le drame. Comme vous le savez, Natalie Ross était le seul et unique témoin qui a vu Hood tuer sa sœur. Son témoignage a été capital dans la prise de décision de la sentence.

Sydowski briefa Zander sur le reste de l'affaire.

— Emily n'a jamais pu parler de son passé. Elle a commencé à suivre une thérapie quand la date d'exécution de Hood s'est profilée à l'horizon.

Zander fixa le soleil levant à travers les branches d'épinette.

— Ben merde alors ! Et qu'est-ce que vous comptez faire de ça, Walt ?

— Au cours de ma carrière, j'en ai entendu des vertes et des pas mûres, du genre « le diable m'a ordonné de le faire », « des voix m'ont dit », « mon chien m'a dit », etc. J'ai vu les gens les plus honnêtes du monde, les plus élégants, me regarder droit dans les yeux et me dire qu'ils avaient tué leur enfant en bas âge parce que Dieu leur avait dit que c'était l'Antéchrist. Mais…

— Mais quoi ? demanda Zander en fixant l'inspecteur.

— Dans l'affaire qui nous concerne, il y a un petit truc qui cloche.

— Je ne suis pas de cet avis, Walt. C'est juste une question de perception, une question de temps. Regardez ce que nous avons trouvé jusqu'à présent. La hache, le t-shirt, Doug qui est blessé à la main, son caractère emporté, le passé de sa femme, le corps de la petite. Je crois que nous les tenons au-delà du doute raisonnable.

— Non. Pas encore. Tout cela ne constitue que des preuves indirectes.

— Mais vous oubliez le passé de la mère, son histoire personnelle ?

— Je n'y vois qu'une explication de la bizarrerie du comportement des Baker.

— Et moi des preuves accablantes.

— Frank, vous n'avez pas le moindre début de commencement de lien entre ces faits. Rien qui soit matériel ou irréfutable.

— La petite est au fond de la crevasse.

— Et si elle y était tombée toute seule ?

Zander plissa les yeux.

— J'aurai le fin mot de l'histoire, Walt. Donnez-moi un peu de temps. Je vais demander qu'on procède à leur arrestation dès que possible.

— C'est votre enquête. La manière de la conduire vous appartient.

En moins de vingt minutes, toutes les infos furent transmises à Turner, le superviseur du FBI, et à Nora Lam, du ministère de la Justice, qui, immédiatement, hocha la tête avec gravité.

— Votre urgence, c'est quoi ? Pourquoi ne pas attendre les résultats de l'exploration de la crevasse ? Vous disposeriez ainsi d'une carte maîtresse.

— Nous avons déjà toutes les bonnes cartes en main, Nora, répondit Zander.

— Je suis d'accord avec Frank, intervint Turner. À ce stade de l'enquête, un détecteur de mensonges serait utile.

— Vous savez que pour ça il faut que Baker soit d'accord, qu'il coopère, et que vous devrez lui lire ses droits et l'aviser de sa possibilité de prendre un avocat ? remarqua Lam.

On escorta à nouveau Doug jusqu'à la salle réservée à l'escouade spéciale. On le pria de s'asseoir face aux enquêteurs. Il écouta Zander expliquer la situation.

— Doug, nous rencontrons un problème. Nous avons besoin de votre aide.

Zander mit l'accent sur les proportions que prenaient les recherches de Paige, avec « plus de monde, plus de moyens », mais, par ailleurs, le travail consistant à éliminer toutes les autres possibilités pouvant expliquer la disparition exigeait beaucoup d'efforts.

— Nous œuvrons pour obtenir les autorisations afin d'essayer de localiser et de rencontrer tous les gens qui se trouvaient dans la zone au moment où Paige a disparu.

— Et en quoi puis-je vous aider ?

— Eh bien voilà, Doug, expliqua Zander. Une enquête procède surtout par élimination. Nous souhaitons nous débarrasser rapidement de toutes les options de manière à concentrer nos efforts sur les plus plausibles.

— Je vois.

— La plus perturbante est celle de l'accident qui serait arrivé à Paige… à la suite d'une rencontre avec un animal ou un individu. Vous me suivez ?

Doug regarda ses mains. Il pensa à cette autre famille croisée sur le sentier, ce qui le mit mal à l'aise.

— Je… Je… Oui.

— Nous devons nous intéresser à tout le monde, c'est primordial.

— Oui.

— Et nous voudrions écarter votre nom.

Doug ne dit rien. Il savait que ce qui arrivait lui pendait au nez depuis longtemps.

— Doug, il y a votre blessure, la hache, le t-shirt de Paige…

Doug renifla. Des larmes emplirent ses yeux… Il savait.

— Vous comprenez où je veux en venir ?

Son cœur se mit à battre la chamade. Doug répondit par l'affirmative.

— Accepteriez-vous de subir un test de détecteur de mensonges ?

Doug avala sa salive.

— Ce n'est qu'un outil comme un autre, mais qui pourrait nous aider, aider tout le monde.

Avant de réaliser ce qu'on lui disait, Doug hocha la tête. Zander lui demanda de répondre à haute voix.

— Oui, j'accepte le détecteur de mensonges.

— Je vais donc d'abord devoir vous informer de certaines choses, car la loi l'exige.

— Quelles choses ?

— Vous avez le droit de garder le silence…

Bon Dieu ! Doug n'arrivait pas à le croire.

— Tout ce que vous direz pourra être retenu contre vous devant la cour.

Mais comment pouvait-on en arriver là… ?

— Vous avez le droit de consulter un avocat, lequel pourra vous assister au cours des interrogatoires.

J'ai crié sur Paige. J'ai crié sur ma fille avec une hache sanguinolente à la main. J'ai lu la peur dans son regard…

— Si vous n'en avez pas les moyens, un avocat vous sera désigné d'office. Si vous le souhaitez, il vous assistera avant chaque interrogatoire.

Mais pour l'amour de Dieu, je ne suis qu'un prof, un mari, un père. Il y a quelques jours à peine, nous étions comme n'importe quelle autre famille américaine, nous jouions des coudes à l'aéroport, nous partions en vacances.

— Avez-vous compris chacun des points que je viens de vous expliquer ?

Non, je ne comprends rien à tout ceci. Mon Dieu, aidez-moi… Aidez Paige…

— Maintenant que vous avez connaissance de vos droits, souhaitez-vous nous parler ?

Doug regarda Zander droit dans les yeux et répondit :

— Je désire consulter un avocat avant de subir le test du détecteur.

42

Il était cinq heures quatorze quand le téléphone sonna dans la chambre de David Cohen, au Deer Lodge Motel.

— J'aimerais m'entretenir avec David Cohen, l'avocat d'Isaiah Hood.

— C'est moi. Qui est à l'appareil ?

— Nick Sorder, de Capitol News Radio à Helena. Je vous appelle pour avoir votre sentiment au sujet des développements de l'affaire. Ce matin, le bureau du gouverneur a publié un communiqué. En fait, c'était hier soir si j'en crois l'heure de notre télécopie.

Un communiqué ? Quel communiqué ? David n'y comprenait rien.

— Et que dit ce communiqué ?

— Pour résumer, il dit que, compte tenu du refus de la Cour suprême des États-Unis d'accéder à l'appel de Hood et de la recommandation du Comité des grâces de ne pas faire preuve de clémence, le gouverneur n'accédera pas à votre demande de surseoir à l'exécution. Le bureau de l'Attorney général précise que la sentence, comme prévu, sera exécutoire demain.

Oh nom de Dieu !

— Comment réagissez-vous à cela, monsieur ?

David revit John Jackson lui dire avec un clin d'œil : « Parce que tu viens de serrer les couilles du gouverneur dans un étau. Et je peux t'assurer qu'il va te serrer les tiennes si fort qu'on va t'entendre gueuler jusqu'à Chicago. »

— Quel est votre sentiment, monsieur ?

— Je suis extrêmement déçu. Je ne ferai d'autres commentaires qu'après m'être entretenu avec mon client.

Sur ce, Cohen raccrocha et jeta le téléphone à terre dans un geste de colère.

« Demain, quand je prendrai ma décision, je tiendrai compte de votre avis. » *Son costume sombre attendait David. Il pensa aux cendres qu'il devrait disperser. Isaiah n'avait pas commis ce crime. Quoi qu'il se soit passé ce jour-là dans la montagne, ce n'était pas un meurtre. Emily Baker, ou je ne sais qui, sait ce qui s'est passé. Elle connaît la foutue vérité. D'une manière ou d'une autre, il va falloir qu'elle crache le morceau.*

En caleçon et t-shirt des Bulls de Chicago, David s'assit au pied du lit, les coudes plantés sur les genoux et la tête entre les mains. De fatigue, les larmes lui piquaient les yeux et il avait le ventre secoué de tremblements nerveux.

Réfléchis calmement. Ce n'est pas terminé. Pour se remettre il prit une douche chaude, d'une chiquenaude sur la télécommande il alluma la télé à une chaîne d'infos et passa un jean et une chemise propre. Il avala un café brûlant et mordilla un muffin acheté la veille au soir dans un relais routier en rentrant d'Helena.

— Condamné à la peine capitale il y a vingt-deux ans pour le meurtre d'une fillette de cinq ans, commis à Buckhorn Creek, Isaiah Hood sera, comme prévu, exécuté demain. Ce matin, dans un communiqué publié à Helena, le gouverneur a fait savoir qu'il ne s'immiscera pas…

Les bulletins de nouvelles le narguaient pendant que David compulsait ses dossiers.

— Dans le parc national des Glaciers, une nouvelle journée de recherches commence…

Un dossier bleu, un dossier rose. Un dossier de droit jurisprudentiel. Ce n'était pas ça. Le vert? Non plus. *Ah, le voilà, c'est le jaune*. Dedans il y avait les courriels, les télécopies, les cartes professionnelles et les contacts, gribouillés à la va-vite, des derniers journalistes à avoir fait des demandes d'entrevue avec Isaiah Hood. David feuilleta les pièces du dossier. Il avait refusé toute entrevue. Hood n'avait donc jamais accordé la moindre interview. Et à présent l'actualité s'était tournée vers la disparition de la fillette. *Tiens, la voilà, ma liste*. David s'était dressé une liste prioritaire de numéros de cellulaires d'une demi-douzaine de reporters de grands journaux. La plupart d'entre eux l'avaient appelé pour l'informer qu'ils étaient au Montana et travaillaient dans le parc des Glaciers sur la disparition de Paige Baker.

Le jeune avocat composa le numéro de Dianna K. Strauss, du bureau de Denver du *New York Times*. La ligne, occupée, émit un bruit bizarre. Peut-être une mauvaise connexion. Il essaya le *Washington Post*, avec le numéro de Philip Braddock. Il laissa sonner. Personne ne décrocha. Il tenta à nouveau sa chance avec Francis Lord du *Los Angeles Times*. Pas de signal. *Eh merde!* Il passa à Lawrence Dow, de *USA Today*, et tomba sur la boîte vocale. David devait absolument parler à quelqu'un. Et immédiatement! Tom Reed, du *San Francisco Star*. Il en avait entendu parler. C'était un as du journalisme, qui avait travaillé sur une grosse affaire en Californie. Il l'avait vu en parler sur CNN. Après tout, Emily Baker était de San Francisco. Ça pouvait coller. David composa le numéro de Reed. *Allez! Décroche!* Le temps lui parut une petite éternité avant que ça sonne.

Peu après que le soleil eut illuminé le ciel vers l'est, Tom Reed salua de la main Chester Murdon, resté sous le porche de sa maison en compagnie de Sonny le labrador. Sur fond de majestueux sommets enneigés, l'image de l'homme et de son chien dans l'air vif du jour naissant frôlait la perfection.

Merci, Chester, se dit Tom en tapotant les dossiers que Murdon lui avait donnés et qui tremblotaient sur le siège passager. Reed filait bon train à travers Wisdom avec la ferme intention de rencontrer le FBI au parc des Glaciers sans perdre une seconde. Grâce à Murdon, il disposait à présent d'un nouvel angle d'attaque. Demain, on exécuterait celui qui avait assassiné la sœur d'Emily Baker vingt-deux ans plus tôt dans les Rocheuses. Et pendant ce temps, les secouristes cherchaient à localiser Paige, la fille d'Emily, dans la même région. Quelle histoire incroyable ! Qui avait même un parfum de fantôme. Reed avait surpassé tous ses confrères. Même la presse du Montana n'avait pas établi le lien entre Emily et Hood. Et si la police l'avait fait, elle se gardait bien de le publiciser. Qui sait ? Cela cachait peut-être autre chose.

À l'approche de l'heure juste, Reed alluma la radio pour écouter les nouvelles et se tenir informé des tout derniers développements. Il se disait qu'il lui faudrait prévenir son journal et Molly quand une station AM de Bozeman envoya le jingle du journal.

— ... les titres de ce matin... Isaiah Hood sera exécuté demain comme prévu, a précisé le bureau du Procureur général du Montana. La Cour suprême des États-Unis a rejeté le dernier appel du condamné et le gouverneur ne surseoira pas à l'exécution. Le Comité des grâces et des libérations conditionnelles du Montana s'est réuni hier soir d'urgence. Il ne recommande pas l'intervention du gouverneur dans le dossier. Quatrième jour des recherches de grande envergure dans le parc des Glaciers. Paige Baker, dix ans, originaire de San Francisco, a échappé à la vigilance de ses parents alors que la famille campait dans une zone reculée et accidentée du sentier de la Dent-du-Grizzly. Ailleurs au pays, Dallas est sous le coup d'une vague de chaleur qui a fait trois victimes…

Son cellulaire sonna. Tom éteignit brusquement la radio et décrocha :

— Tom Reed, *San Francisco Star*.

— C'est David Cohen.

Cohen ? Cohen ? L'avocat de Hood.

— Oui, monsieur Cohen. Je viens juste d'écouter les derniers développements de votre affaire. Vous m'en voyez désolé.

— Arrêtez de mentir.

Reed avait seulement essayé de rester poli et professionnel.

— Venons-en au fait, ajouta Cohen. Il vous faut combien de temps pour venir au Deer Lodge ?

— Pourquoi ? Qu'est-ce qui se passe ?

— Je vous propose une entrevue avec Isaiah, aujourd'hui même à la prison.

— Exclusive, l'entrevue ?

— Absolument.

Reed sollicita le système ABS pour stopper sa voiture de location.

43

Maleena Crow arriva tôt à son étude d'avocat dans South Main, au centre de Kalispell. Elle devait recevoir un retour d'appel de Philadelphie. Elle se pencha sur un dossier tout en sirotant une tisane et en s'arrêtant pour consulter ses « associés », à savoir les poissons exotiques de l'aquarium qui produisait des bulles et ronronnait dans le coin de son bureau de brique rouge.

À vingt-neuf ans, la diplômée de l'Université de San Diego concrétisait son rêve d'avocat criminaliste. Elle s'était installée au sein de ce qu'elle avait décrit à ses amis de la faculté de droit comme étant les « Rocheuses mythiques ». Récemment, et coup sur coup, elle avait obtenu l'acquittement de ses clients dans deux affaires d'agression. Elle avait plaidé la légitime défense dans une histoire de coups de couteau et l'accident dans une autre de blessure par balle. Crow sourit à ses poissons. Ses « associés » semblaient heureux de leur sort et elle-même songeait sérieusement à réserver une place dans le train de luxe qui traversait les Rocheuses entre Vancouver et Banff… quand son téléphone sonna.

— Maleena ? Je suis si content de vous trouver au bout du fil. C'est le Registre des Lois. Nous venons à l'instant de recevoir un appel du bureau du Procureur du comté…

— Est-ce que je peux vous rappeler? J'attends un coup de téléphone.

— Rien qu'un mot à vous dire. Il faudrait que vous appeliez une certaine madame Nora Lam, du ministère de la Justice des États-Unis. C'est urgent.

— Le ministère de la Justice? Mais c'est à quel sujet?

— Quelqu'un, dans le parc des Glaciers, a besoin d'un avocat de toute urgence. Je crois que vous avez été commise d'office pour la région.

Dans le parc des Glaciers? Crow se tenait informée. Elle appela Lam, qui décrocha dès la première sonnerie de son cellulaire.

— Nora Lam, fit une voix très professionnelle et autoritaire.

De manière pertinente, Lam souligna la sévérité et la confidentialité de la situation de Doug Baker. Crow accepta de le représenter.

Elle changea sa tenue pour un jean, un t-shirt et un blazer, attrapa son Code pénal, son attaché-case et ses lunettes de soleil. Moins d'une demi-heure plus tard, un policier de la route du Montana lui indiquait de stationner sa toute nouvelle Volkswagen Jetta gris argent derrière l'armée de camions surmontés d'antennes paraboliques, le régiment de nouveaux techniciens et le contingent de journalistes grandissant sans cesse.

— La presse, c'est par ici, je vous prie.

— Euh… J'ai été commise d'office, fit l'avocate en tendant sa carte.

— Très bien, m'dame, répondit l'officier en prenant son walkie-talkie. Suivez-moi.

D'un bon pas, il conduisit Crow vers le centre communautaire et lui trouva une place au milieu de l'enchevêtrement de véhicules du FBI. L'avocate se retrouva rapidement dans une petite pièce lambrissée, face à Nora Lam, Frank Zander et Lloyd Turner.

— On a lu ses droits à Doug, expliqua Zander. Il est d'accord pour subir un test de détecteur de mensonges afin d'être lavé de tout soupçon dans la disparition de sa fille.

Crow sortit un bloc-notes et consigna l'heure, les identités et les responsabilités des personnes présentes.

— Est-il considéré comme suspect ? Avez-vous un dossier sur lui ? Pensez-vous l'accuser ?

Zander rafraîchit la mémoire de tout le monde en disant qu'à San Francisco un voisin de Doug avait appelé la police. Il fit état de la plainte de l'école et de la dispute en montagne, dont un policier new-yorkais en vacances avait été témoin.

— Ce ne sont que des preuves indirectes et par ouï-dire, commenta Crow. Continuez.

Zander parla de la hache et du t-shirt ensanglanté, de la blessure à la main et de l'opportunité que Doug et Emily avaient saisie quand ils avaient été séparés.

Crow prit bonne note et demanda :

— Avez-vous retrouvé la petite fille ou certaines parties de son corps ?

— Pas encore.

— Est-ce là-dessus que vous souhaitez l'interroger avec le détecteur de mensonges ?

— Et sans tarder, répondit Zander en hochant la tête.

— Et la mère dans tout ça ?

— Vous n'êtes pas son avocate, dit Zander. Vous n'en saurez pas davantage.

— Où est monsieur Baker ? J'aimerais m'entretenir avec lui.

Zander accompagna Crow jusqu'à la pièce lambrissée qui servait d'entrepôt. Près de la fenêtre, Doug regardait un hélico disparaître à l'horizon.

— Vous êtes Doug Baker ?

Doug se retourna.

— Maleena Crow, je suis votre avocate, j'ai été commise d'office.

— Asseyez-vous.

Crow posa son attaché-case sur la minuscule table et prit place sur l'une des chaises.

— On m'a dit qu'on vous avait lu vos droits. Vous les avez compris ?

— Oui.

— Pourquoi avez-vous fait appel à un avocat ?

— Vu les circonstances, je me suis dit que c'était ce qu'il y avait de mieux à faire.

— Vous êtes d'accord pour subir un test de détecteur de mensonges ?

— Oui, quoi qu'il m'en coûte.

— Doug, il faut que vous sachiez que, quoi qu'on ait pu vous dire, on cherche en fait à rassembler des preuves pour vous inculper.

— Je l'ai tout de suite compris. J'aurais fait la même chose… parce que je suis coupable.

— Non. Ce n'est pas à vous de le dire, c'est de la responsabilité d'un tribunal.

— Vous semblez ne pas comprendre.

— Doug, ils s'affairent à vous inculper de meurtre, et probablement votre femme aussi. Et pour cela, au Montana, on écope de la peine de mort. À l'heure actuelle, vous n'êtes coupable de rien.

— Non, Maleena, il ne faut pas voir les choses ainsi, répondit Doug. Je n'ai rien fait à Paige. Dieu merci. Je suis coupable d'avoir tout fait pour donner l'impression de lui avoir causé du mal, à cause de la façon dont je me suis comporté et de ma propre bêtise.

Il plaqua son dos au mur et se laissa glisser par terre. Les coudes sur les genoux, pendant une heure, il raconta tout depuis le début à Crow, qui prit des notes.

— Je suis responsable de la fuite de Paige, c'est indéniable. Ç'a été facile pour moi de mettre cette fugue sur le dos d'Emily. On s'est engueulés parce qu'elle ne voulait pas me parler de ses problèmes d'enfance, quand elle était encore au Montana.

— Et c'est quoi, ces problèmes ?…

— Elle n'a jamais fait le deuil de la mort de ses parents. C'est ce qui a anéanti toute sa famille. Depuis que je la connais, Emily a toujours refusé d'aborder le problème. On est venus ici pour qu'elle fasse le point avec les fantômes qui l'habitent. La veille au soir de la fugue de Paige, Emily m'a appris qu'elle avait une sœur. Si nous survivons à l'épreuve que nous traversons, j'espère que nous pourrons nous reconstruire une vie sur les ruines de sa famille.

— Doug, il est inutile que vous vous soumettiez à un test de détecteur de mensonges…

— Après qu'on s'est aperçus de la disparition de Paige, on a cherché notre fille, Emily et moi. C'était la nuit. On n'a rien trouvé. Emily s'est repliée sur elle-même et moi, dès l'aube, j'ai décidé d'aller chercher du secours. Tout au long du chemin, je n'ai pensé qu'à deux choses: mon rôle dans l'origine de toute cette affaire et la honte que j'éprouvais. Comment aurais-je pu ne pas y penser? J'avais le t-shirt de Paige autour de ma blessure. Alors je l'ai jeté. Et puis il y avait cette hache qui tapait sans arrêt contre mon sac à dos. Je l'ai jetée aussi.

— Doug, en quoi subir le test du détecteur de mensonges va-t-il vous aider? Si Paige a disparu, les sauveteurs vont la trouver.

Doug secoua la tête.

— Je prie pour qu'ils la retrouvent. Mais si elle ne revient pas, s'ils ne la retrouvent pas, si elle est déjà morte quelque part, là-haut, j'en suis responsable. C'est moi qui l'ai contrainte à fuir notre campement. Et je vais devoir vivre le reste de ma vie avec ça sur la conscience. Vous comprenez? Je veux subir ce test pour qu'ils sachent que je n'ai rien à cacher, que j'ai honte et qu'ils sachent exactement ce dont je suis coupable. Parce que si ma fille est morte, ma vie n'a plus aucune importance. Et les agents du FBI pourront me faire tout le mal dont ils sont capables, ce ne sera rien à côté de ce que j'endure déjà.

Crow accusa le choc des propos. Elle finit de prendre ses notes et se frotta le nez avec le dos de la main. Elle hocha la tête et dit :

— OK, Doug.

— Vous allez m'aider ?

— Oui.

44

Une heure environ après avoir reçu l'appel de David Cohen, Tom Reed arriva au Deer Lodge. Il se gara au milieu de l'enchevêtrement de pick-up, de Mack, de Peterbilt et autres Freightliner sur le parking du restaurant Four Bs. Il entra et repéra un type en jean et chemise bleu marine, un brun, dans la trentaine, l'air grave et intelligent derrière ses lunettes sans monture. Le gars était seul dans un coin, face à une multitude de dossiers et de documents qui semblaient avoir jailli de son attaché-case.

— Vous êtes David Cohen ?

L'intéressé leva les yeux de ses papiers et acquiesça.

— Vous devez être Tom Reed. Merci d'être venu.

Les deux hommes se serrèrent la main.

Une serveuse vint remplir à nouveau la tasse de Cohen et apporta un café à Tom, qui commanda un sandwich de pain blanc grillé, avec bacon, laitue, tomate et mayonnaise. Cohen alla droit au but.

— L'entrevue aura lieu dans une heure. J'ai prévenu l'administration pénitentiaire. Ils ont vérifié les infos vous concernant. Pas de problème. J'assisterai à l'entretien.

— Mais c'est quoi le *deal*, David ?

— Je sais que vous êtes au fait de l'affaire Emily Baker, la mère de la petite fille qui a disparu dans le parc des Glaciers.

— Évidemment.

— Emily est la sœur de la fillette que mon client, Isaiah Hood, est accusé d'avoir assassinée il y a vingt-deux ans.

— Je viens de l'apprendre. Un de mes amis, expert de l'histoire criminelle du Montana, a établi le lien en comparant les anciennes et les nouvelles photos.

— Je peux savoir pourquoi vous n'en avez pas parlé dans la presse ?

— J'en ai l'intention. Mais comme je l'ai dit, je viens tout juste d'apprendre ce lien entre Emily Baker et Isaiah. Ce qui arrive est fascinant.

— Et que savez-vous exactement ?

— Qu'Isaiah a tué Rachel, la sœur d'Emily, et que vingt-deux ans plus tard, alors qu'il est sur le point d'être exécuté, la fille d'Emily disparaît dans la même région isolée. On est en pleine tragédie antique, répondit Reed en sirotant son café.

— La justice s'est fourvoyée, affirma Cohen en jetant un œil par la fenêtre. Vous avez à peine égratigné la surface de l'affaire.

— Je sais qu'Emily s'appelait autrefois Natalie Ross et qu'elle a changé de nom ; ce qui explique que personne n'ait encore fait le rapprochement.

— Et pourquoi croyez-vous qu'elle a changé de nom ?

Reed haussa les épaules.

— En tant que journaliste, vous devriez creuser la question.

— Pas besoin.

— Ah bon ? Et pourquoi ?

— Parce que vous allez me le dire.

Cohen apprécia la franchise de Reed.

— On a changé son nom parce qu'*elle* a tué sa sœur. Isaiah n'a rien à voir avec cet assassinat, et pourtant l'État du Montana va l'exécuter.

Soudain, tout s'éclaircit dans l'esprit de Tom et se mit à avoir du sens. Comme la présence de Sydowski, ou encore la tante d'Emily disant à Molly Wilson que sa nièce suivait une psychothérapie à cause de la mort d'un enfant qui remontait à de nombreuses années.

— Vous avez la preuve qu'elle a tué sa sœur?

Cohen posa quelques feuilles de format légal face à Reed. Il s'agissait d'extraits de minutes d'un procès.

— Jetez donc un œil à ça.

C'était une partie du témoignage d'Emily sur ce qui s'était passé ce fameux jour. Les deux sœurs étaient en camping avec d'autres filles. Elles s'étaient éloignées du camp pour chasser des papillons, quand elles étaient tombées sur Isaiah Hood.

Q: Vous êtes-vous sentie menacée?
R: Oui.
Q: De quelle manière?
R: Il était plus grand que nous. Il faisait peur.
Q: Pourquoi ne vous êtes-vous pas enfuie?
R: J'ai essayé. J'ai dit qu'on ferait mieux de rentrer, mais…
Témoin: (sanglots)
La cour: Souhaitez-vous que nous fassions une courte pause?
Témoin: (De la tête, il répond négativement.)
Q: Il faut répondre à voix haute.
R: Non.
Q: Qu'est-ce qui vous a empêchée de fuir?
R: Elle m'a lâché la main et est allée vers lui, et puis…
Q: Prenez votre temps.
R: Et puis il l'a prise par la main et l'a emmenée au bord du surplomb. Je l'ai supplié de la lâcher et j'ai essayé de l'en empêcher. « Arrête, je t'en supplie. » Je me suis accrochée à ses bras, mais il était plus grand et plus fort. Il voulait pas arrêter. Il a dit: « Regarde bien ce que j'vais faire. On va voir si elle sait voler. » Et alors…

Témoin : (sanglots)

Q : Continuez.

R : Il l'a lâchée au-dessus du vide.

Témoin : (sanglots)

Reed remarqua une annotation manuscrite sur la photocopie de la minute du procès. « Chute de cent soixante mètres et mort due à traumatisme crânien associé à une multitude de lésions internes. Rupture de la nuque. Victime âgée de cinq ans. » Reed ne put s'empêcher de penser à Zach, son fils, puis il chassa l'image de son esprit. Le document offrait une explication très claire de la manière dont Hood avait tué la fillette, cohérente avec les documents d'époque que Chester Murdon avait exhumés à l'intention de Reed. Le journaliste redonna les papiers à l'avocat.

— Tout ceci ne prouve rien, David. Ces documents n'apportent aucun nouvel éclairage sur l'affaire, remarqua Reed en buvant quelques gorgées de café.

— Si vous le permettez, essayez de comprendre que mon client a été condamné sur ce seul et unique témoignage. Et que le témoin n'a pas véritablement subi de contre-interrogatoire.

— Et alors ? Ce genre d'argument revient comme une rengaine dans chaque affaire de condamnation à mort.

— Sauf que par la suite le témoin s'est rétracté.

— *Quoi ?*

— Son père est mort un an après le procès. La mère a vendu le ranch et a déménagé avec sa fille. Quand j'ai repris le dossier il y a quelques années, lorsque Hood a fait appel, nous avons loué les services d'un détective privé. Manque de chance, tout ce qu'il a appris, c'est que la mère d'Emily avait plusieurs fois changé de nom ainsi que sa fille. À un moment donné, on a même cru qu'elles s'étaient installées au Canada et en avaient pris la citoyenneté.

— Vous dites qu'elle s'est rétractée ?

— Après le procès, Emily a confié à une amie de Buckhorn qu'elle se sentait triste et coupable, et qu'elle ne savait plus où elle en était par rapport à la mort de sa sœur.

— Ce qui paraît bien naturel, puisqu'elle a assisté au drame, fit Reed en désignant les minutes du procès d'un signe de tête.

— C'est vrai, mais après la mort du père et avoir quitté la région, Emily a réitéré ses confidences dans des lettres postées de Kansas City et adressées à une amie au Montana. Elle y parle de sa culpabilité.

— Et ces lettres, vous les avez ?

Cohen fit non de la tête.

— Et l'amie, qu'est-elle devenue ?

— Elle est morte il y a cinq ans, en France, dans un accident de la route.

— Vous n'avez donc aucune preuve ? insista Reed alors que sa commande arrivait.

— Si, j'en ai une. Quand la petite fille a parlé pour la première fois à son père de ses conversations avec Emily, il n'y a pas prêté attention. Mais plus tard, quand il a vu les lettres qu'Emily avait écrites à sa fille, il a changé son fusil d'épaule et tranquillement informé le procureur du comté du contenu des lettres. Le procureur en a conservé des copies et les a résumées. À l'époque, le magistrat n'a pas vu dans ces documents matière à rouvrir le procès. Il a mis leur contenu sur le compte du choc subi par la jeune Emily, sur le traumatisme et le chagrin occasionnés par la mort de sa sœur, elle-même suivie par celle du père. Il a envisagé d'interroger Emily, mais l'administration n'a jamais retrouvé sa trace. Et les choses en sont restées là.

— Avez-vous pu vous entretenir avec le procureur du comté ? demanda Reed avant de mordre dans son sandwich.

— Il est mort l'hiver dernier. Cancer.

— Pas de lettres. Pas de témoin vivant pour en confirmer l'existence. Votre preuve, elle est où ?

— La semaine dernière, j'ai déposé une demande de recherches dans tous les services du ministère. Une pièce du dossier s'était faufilée entre les mailles du filet. Tenez, lisez ce qui est arrivé ce matin.

Cohen remit plusieurs feuilles à Reed. Il s'agissait d'une télécopie, datée du jour même, et envoyée par les archives de la bibliothèque juridique du Montana, à Helena. Les documents joints remontaient à une vingtaine d'années et portaient en en-tête la mention PROCUREUR DU COMTÉ DE GOLIATH. Reed les feuilleta et parcourut des bribes de citations des propos d'Emily :

« Je me sens coupable de sa mort. Elle m'a suppliée de la sauver. Je ne sais pas ce qui s'est passé. Elle m'a suppliée et elle a crié. Je la tenais par la main, mais je ne sais pas ce qui s'est passé. Je n'oublierai jamais son regard planté dans le mien au moment où elle est tombée. Mon Dieu, pardonnez-moi. »

Reed avala sa salive et regarda fixement Cohen, qui revenait de la caisse où il était allé régler l'addition.

— Allons-y, Tom, dit-il. Isaiah va vous raconter ce qui est réellement arrivé ce jour-là.

45

L'agent spécial Reese Larson, de la division de Manhattan, avait tout du rat de bibliothèque. Il portait des lunettes, s'exprimait à voix basse, avait le teint pâlichon, les cheveux blonds et courts d'un enfant. On l'aurait mieux imaginé en directeur de banque ou en maître de chant d'un chœur d'une bourgade du Midwest qu'en expert en détecteur de mensonges du FBI.

À cinquante et un ans il passait pour une espèce de sorcier des plus discrets. Au fil des ans, lors d'importantes enquêtes du Bureau, il avait su orienter des agents dans la bonne direction. Par ailleurs, il était grand maître au jeu d'échecs. Larson était arrivé par avion la veille au soir.

Il quitta sa chambre de motel à Kalispell, vêtu d'un costume léger, et se présenta au centre de commandement.

Il passa plusieurs heures en compagnie de Zander, Sydowski et puis Bowman, descendue du poste de commandement des opérations en hélico. Les enquêteurs ne cachèrent aucun des aspects du dossier à Larson qui, selon ses dires, devait se « préparer à examiner le sujet ».

Puis il s'entretint avec Doug Baker et son avocate, Maleena Crow, à qui il expliqua en quoi consistait la préparation au test.

— Comme vous le savez certainement, la plupart des tribunaux ne tiennent pas compte des résultats des tests de détecteurs de mensonges, fit Larson qui chassa une mouche de son visage tout en familiarisant Doug avec l'appareil.

Des capteurs devaient être connectés près du cœur et aux extrémités des doigts afin de mesurer électroniquement l'activité respiratoire, les réflexes galvaniques de la peau, la pression sanguine, celle du pouls, le souffle et la transpiration. Au fil des réponses, les résultats s'afficheraient sur un graphique.

— C'est moi qui poserai les questions et qui ferai l'analyse des résultats, dit Larson. Quand ce sera terminé, je fournirai aux enquêteurs l'une de ces trois réponses possibles : « Le sujet est digne de confiance, indigne de confiance ou les résultats sont peu concluants. »

On sentait que Larson avait débité ce discours préliminaire des milliers de fois.

— Je sais que vous serez très nerveux. J'en suis conscient et j'espère que vous le savez.

Larson sourit, dévoilant des dents de bambin. Il procéda à un entretien préliminaire, pendant lequel il prit des notes avec un superbe stylo-plume, puis il discuta des questions que Doug se posait.

Environ une heure plus tard, Larson fit asseoir Doug avec des précautions d'expert dans le plus confortable des fauteuils, puis il le relia à la machine. Larson souligna à quel point il aimait le modèle Factfinder de détecteur de mensonges.

Le test démarra simplement avec les questions d'usage. Zander, Sydowski, Thornton, Crow et Bowman étaient présents, mais assis en arrière de Doug. Larson s'appesantit sur certaines questions alors que l'aiguille traçait son graphique sur le papier.

— Pourquoi avez-vous accepté de vous soumettre à ce test, monsieur ?

— Pour que vous sachiez de quoi je suis coupable.

— Et de quoi êtes-vous coupable ?

— D'avoir contraint ma fille à fuir notre campement et à se perdre.

— Au cours de cette randonnée, vous en êtes-vous pris directement à elle ?

Que se passe-t-il ? Ce test semble ne jamais vouloir s'arrêter.

Bien que désirant rester concentré, Doug glissait vers un univers surréaliste. À peine quelques jours plus tôt, alors qu'ils roulaient vers le parc national des Glaciers, sa famille et lui accompagnaient de la voix les chansons rock que diffusait le lecteur CD de leur 4 X 4 de location. Ce devait être le voyage de la rémission, celui qui les unirait plus que jamais. Paige et lui allaient aider Emily à enterrer son passé. Qu'est-ce qui avait déraillé ? *Espèce de Dieu de merde, aide-moi. Qu'est-ce que je fous assis là dans ce fauteuil relié à un détecteur de mensonges, en compagnie d'agents du FBI convaincus que j'ai tué ma fille ? ma propre enfant ?* Il sentit une boule lui monter dans la gorge. Quelqu'un répétait son nom.

— Doug ?

— Au cours de cette randonnée, vous en êtes-vous pris directement à elle ?

— Non.

— Avez-vous servi dans le corps des marines ?

— Oui.

— Deviez-vous vous comporter comme un dur ?

— Oui.

Larson ne quittait pas le papier graphique des yeux.

— Enseignez-vous la littérature dans un collège ?

— Oui.

— Connaissez-vous Cammi Walton ?

— Oui.

— L'avez-vous physiquement touchée d'une manière ou d'une autre ?

— Oui.

— Votre geste était-il approprié ?

— Oui.

À l'aide de son stylo-plume, Larson griffonna de minuscules notes illisibles sur le papier graphique.

— L'avez-vous giflée ?

— *Pardon ?*

Sur le graphique l'aiguille frissonna.

Maleena Crow fixa Frank Zander du regard.

— L'avez-vous giflée, Doug ?

— Non.

Des larmes lui piquaient les yeux.

— Êtes-vous entraîneur d'une équipe de football de collège ?

— Oui.

Bon Dieu, il tournait sans arrêt autour du pot avec la même question.

— Vous arrive-t-il de hurler ?

— Oui.

— Perdez-vous parfois votre sang-froid ?

— Oui.

— Chez vous, vous est-il arrivé de menacer physiquement votre femme ou votre fille ?

— Non.

— Est-il arrivé que la police intervienne chez vous ?

— Oui.

— Quelqu'un avait-il prévenu les policiers qu'il y avait eu des violences ?

— Je n'en sais rien.

— Vous étiez-vous montré violent avant que la police intervienne chez vous ?

— Non.

— Au cours de votre récent voyage, avez-vous crié sur votre fille ?

— Oui.

— Vous êtes-vous montré violent ?

— J'ai crié.

— Vous êtes-vous montré physiquement violent ?

— Non.

— Un jour de colère, vous est-il arrivé de frapper quelqu'un ?

— Non.

Larson nota quelque chose.

— Vous êtes-vous blessé à la main en coupant du bois ?

— Oui.

— Avez-vous saigné ?

— Oui.

— Êtes-vous droitier ?

— Oui.

— Quand vous vous êtes blessé à la main en fendant du bois, votre fille était-elle présente ?

— Oui.

— Avez-vous fait du mal à votre fille avec votre hache ?

— Non.

— Votre femme était-elle présente ?

— Non.

Larson prit de nouvelles notes et marqua une pause.

— Qui a blessé votre fille ?

— J'ignore si elle est blessée.

— Pensez-vous que votre femme aurait pu faire du mal à votre fille ?

Doug ne répondit pas. Il revit Paige courir vers l'endroit où se trouvait sa mère… C'était la dernière image qu'il conservait de sa fille.

Je lui ai dit d'aller te rejoindre.

Cinq secondes s'écoulèrent. Les aiguilles continuaient à tracer le graphique. Dix secondes. Larson observa le graphique et répéta :

— Pensez-vous que votre femme aurait pu faire du mal à votre fille ?

— Non, elle aime sa fille.

— Savez-vous qui est Isaiah Hood ?

Quoi ? Doug parut très étonné.

— Oui, c'est le gars qui va être exécuté.

Les aiguilles balayèrent la feuille.

— Est-ce que votre femme a une sœur ?

— Oui.

— Saviez-vous que cette sœur est décédée ?

Quoi ? Mais de quoi parle-t-il ? Bon sang, mais c'est pas vrai !

Les aiguilles oscillèrent brusquement.

— Saviez-vous que la sœur de votre femme est décédée ?

— Non.

— Saviez-vous que votre femme était en compagnie d'Isaiah Hood quand sa sœur a été assassinée ?

Hein ? Les aiguilles s'affolèrent.

Doug était blanc de peur et de rage confondues. Il se leva et se débarrassa de l'instrumentation qui le reliait au détecteur de mensonges.

— Asseyez-vous, je vous prie ! lui intima Larson.

Doug se retourna vers Zander. Les autres policiers, sur la défensive, se levèrent à leur tour. Doug observa les armes de poing qu'ils portaient à la ceinture.

Ne bougeant pas, il se contenta de rester là, mais sentit le sol se dérober sous lui. Le cœur brisé, pas rasé, les cheveux en bataille, il semblait anéanti. Il avait tout du parfait suspect, du type qui vient de tuer sa fille à coups de hache.

46

À chaque entrevue réalisée dans un couloir de la mort, Tom Reed était intérieurement déchiré entre respect et dégoût.

De San Quentin, près de San Francisco, à la prison du quartier de Sainte-Catherine (un cauchemar du XVIIe siècle de la banlieue de Kingston, en Jamaïque), en passant par Ellis One, un ramassis d'assassins perdu au milieu des marécages infestés de serpents, et situé au nord-est de Huntsville, au Texas, il avait chaque fois dû affronter le même mélange d'émotions.

Le respect, parce qu'il croisait le regard d'une personne qui connaissait la date de sa propre mort, parfois seulement distante de quelques jours. À une occasion, un tueur de flic de Lufkin, au Texas, lui avait adressé une lettre datée du jour même de son exécution. Reed l'avait reçue quelques jours plus tard. En lisant les mots « merci, Tom, de vous être intéressé à mon triste sort », il avait cru entendre une voix d'outre-tombe. Reed avait accroché la lettre dans son cubicule du journal. Il ne fallait pas y voir un trophée, mais un élément personnel d'interrogation. Il lui était arrivé de vraiment apprécier quelques-uns des assassins qu'il avait interviewés.

Mais dans la plupart des cas, vu le dégoût qu'ils lui inspiraient, il pouvait balayer toute tendresse résiduelle en se disant tantôt « Bon débarras ! », tantôt « Alléluia ! »

Parce qu'il avait affaire à l'incarnation du mal, à des salauds avec une pierre à la place du cœur, à des types qui ignoraient le remords, à des dégénérés, des fous, des individus dangereux qu'on aurait dû retourner à l'usine pour y être reprogrammés.

Reed ne perdait jamais de vue la douleur, le chagrin et le mal causés à des innocents lors du passage sur terre de ces types-là. Des pierres tombales dans des cimetières, voilà tout ce qu'ils laisseraient derrière eux.

Isaiah Hood appartenait à cette catégorie de psychopathes au sang-froid, capables de balancer une fillette du sommet d'une montagne sous les yeux de sa sœur. Il méritait la mort.

C'est du moins ce que pensait encore Reed quelques instants plus tôt.

À présent, la culpabilité de Hood ne paraissait plus aussi évidente.

En chemin vers la prison d'État du Montana, le journaliste se dit que, au vu des circonstances de la mort de Rachel Ross, la requête de Cohen pour cause de doute raisonnable tenait la route. Les éléments du dossier tourbillonnaient dans son esprit. On n'avait que deux témoins du meurtre de la petite fille de cinq ans grandie au sein d'une respectable famille de ranchers dévots : sa sœur de treize ans et ce Hood, ce gamin, mentalement perturbé et élevé par un ermite, un monstre réputé pour sa brutalité.

Dans ses lettres, Emily admettait se « sentir coupable ». Sa mère, qui l'avait entraînée dans sa fuite, avait changé leurs identités. Sa tante avait dit à Molly qu'Emily suivait une psychothérapie à cause de la mort d'un enfant.

Pourquoi ?

Parce qu'elle est coupable et sait qu'un innocent va mourir ? Pourquoi est-elle venue dans ces montagnes, accompagnée de son mari, juste au moment de l'exécution de Hood ? Pourquoi sont-ils partis en randonnée là où la sœur d'Emily a trouvé la mort ? Reed sentit un frisson lui parcourir l'échine.

Il se dit qu'il ferait mieux d'appeler le journal. Il prit son téléphone cellulaire et composa le numéro direct de la ligne de Zeke Canter, le rédacteur en chef pour l'édition locale du *San Francisco Star*. Zeke décrocha dès la première sonnerie.

— Canter, j'écoute.

— C'est Reed.

— Content que tu te manifestes, Tom. Associated Press révèle ce matin que le FBI trouve des preuves et s'intéresse de plus en plus au père de la gamine. Dis-moi ce que tu sais. Attends. Quitte pas. Violet est ici. Je te mets le haut-parleur.

Reed se gara sur le bas-côté de la route. D'une manière précise et rapide, il informa ses patrons de ce qu'il avait découvert. L'un comme l'autre abondèrent dans son sens. On pouvait considérer le dossier sous n'importe quel angle, Cohen tenait un cas très convaincant de doute raisonnable. Pressentant que l'affaire allait prendre d'énormes proportions, les rédacteurs avaient dépêché Molly et un photographe du journal au Montana. Reed reprit la route. Il approchait de la bifurcation vers la prison.

— Vous vouliez que je fasse un papier sur Isaiah Hood, Violet ; on dirait bien que vous allez l'avoir.

Alors que la prison se découpait au loin avec les montagnes en arrière-plan, Canter intervint :

— Tom, on a le temps. Je veux que tu secondes Cohen dans ses fouilles des anciens documents du procureur du comté. Envoie-nous des copies. Peut-être que des schémas seraient plus parlants. Arrange-toi pour obtenir la réaction des agents du FBI au parc des Glaciers. Retrouve Molly au parc. Elle se tient à ta disposition. Elle pourrait appeler le gouverneur par exemple.

Reed stoppa sa voiture sur le parking de la prison, où l'attendait David Cohen.

Assis sur son lit, Isaiah Hood contemplait son poster des montagnes Rocheuses. Plus tôt dans la matinée, il s'était entretenu au téléphone avec son avocat. David l'avait informé à la fois du refus du gouverneur d'intervenir dans le dossier, des anciens documents du procureur du comté, qu'il venait tout juste de recevoir, et de l'entrevue avec le journaliste.

Hood se sentait fatigué, fatigué de continuer à payer pour des péchés qu'il n'avait pas commis. Bon Dieu ! Lui-même était un péché ambulant, une espèce d'erreur de la nature qui avait payé pour ça toute sa vie. Aujourd'hui, il fallait que ça serve à quelque chose. Il s'était acquitté de sa dette. De débiteur, il était devenu créancier. Il était temps qu'on le relâche, qu'on le renvoie là où il avait connu la liberté.

Dans ses montagnes !

Quel qu'en soit le prix à payer, il y retournerait.

Il ne pouvait en être autrement.

Dieu lui devait bien ça.

De toute façon, par la porte ou par la fenêtre, demain il aurait quitté les lieux.

Il faillit esquisser un sourire.

L'un des gardiens qui se trouvaient à la console centrale de la prison, où l'on pouvait observer l'activité des détenus sur les écrans de contrôle, fit remarquer à son collègue :

— Regarde : on dirait que Hood va encore entrer dans une de ses transes.

Les deux hommes braquèrent leur regard sur l'écran de la caméra 8, celle de la cellule du condamné. Assis sur son bat-flanc, immobile, les yeux fermés, Isaiah avait les bras tendus vers l'affiche des Rocheuses. Ses poings se serrèrent sur quelque chose d'invisible.

— C'est épeurant, non ? dit le plus jeune des deux gardiens.

Le plus vieux cligna des yeux et hocha la tête.

— Quand l'interview sera terminée, on va l'emmener dans la pièce où va avoir lieu l'exécution. À partir de là commencera le compte à rebours vers la mort. Et puis ce sera la fin.

— Et ça te gêne pas de savoir qu'il clame son innocence ?

— Non. Et tu aurais intérêt à faire comme moi.

Dans l'interphone une voix leur dit :

— L'avocat et le journaliste sont arrivés. Transférez Hood au parloir.

Dans la petite pièce réservée aux visiteurs du couloir de la mort, Reed et Cohen gardèrent le silence, le regard rivé sur la télé branchée sur une chaîne d'infos, dont on avait coupé le son. *Apparemment, il n'y a rien de vraiment neuf dans l'affaire de la disparition de Paige Baker*, se dit Reed qui tripotait machinalement son mini magnétophone. Ils entendirent le bruit de chaînes annonciateur de l'arrivée de Hood. La porte s'ouvrit et le condamné apparut, les fers aux pieds, dans sa combinaison orange et ses sandales de prisonnier.

— Vous avez vingt minutes, dit l'un des gardiens.

— On m'a assuré qu'on avait droit à une heure, objecta Cohen.

— Non, vingt minutes, parce qu'il faut le préparer.

Reed serra la main de Hood et, d'une pichenette, mit son magnéto en marche.

Hood s'assit. Ses chaînes raclèrent le dessus de la table en placage de noyer. Il planta son regard glacial dans celui de Reed.

— Isaiah, demanda le journaliste, êtes-vous innocent du meurtre de Rachel Ross ?

— Oui, répondit Hood en soutenant le regard de Reed.

— Qui l'a tuée ?

— Personne.

— Comment ça ? Personne ?

— C'était un accident.

— Un accident ?

Hood détourna les yeux vers son avocat et revint vers Reed.

— Ce jour-là, j'étais là à réfléchir à mes affaires quand les deux petites sont venues vers moi. Elles campaient avec des copines et chassaient des oiseaux ou des papillons. Elles sont sorties en courant de la forêt et je leur ai dit « Faites attention », mais elles se sont moquées de moi en disant qu'elles jouaient à un jeu. Et elles se sont mises à m'insulter.

— Qu'ont-elles dit ?

— Que j'étais une ordure, et qu'elles étaient pas supposées jouer avec moi. Faut savoir que ma famille et moi, on a toujours été la risée du comté. C'étaient des petites filles de ranchers, de banquiers ou de commerçants, bref, de gens bien comme il faut. Je leur ai dit de faire attention. Mais elles ont pas arrêté de jouer et la petite a glissé sur le surplomb en contrebas. Comme elle était tout étourdie, je suis descendu vers elle et c'est là que sa sœur s'est mise à hurler en me disant de m'éloigner, que c'était à elle de s'occuper de sa sœur. Moi, j'ai bien vu que la petite était étourdie, qu'elle s'approchait du vide en rampant et que ça faisait pas partie du jeu. Elle s'est approchée du bord, sa sœur l'a attrapée par la main, j'ai cherché à l'aider, mais c'était trop tard. Juste avant de basculer dans le vide, la petite s'est balancée pendant une fraction de seconde. Sa grande sœur la tenait pas assez bien par la main. Alors la petite est tombée en manquant d'entraîner la grande avec elle. Je l'ai retenue et elle est partie en courant et en hurlant. Tout ça, ça s'est passé en moins d'une minute.

— Pourquoi vous a-t-elle accusé si c'était un accident ?

— Parce qu'elle me haïssait ; comme toute la ville haïssait les Hood. Pas une seule seconde elle a cru que je pouvais lui venir en aide. Pour elle, j'étais une ordure.

— Pourquoi n'avez-vous pas raconté tout ça à la police et au procureur du comté ?

— Je l'ai fait. Mais ils m'ont pas cru. Ils m'ont empêché de dormir pendant presque quarante-huit heures. Jusqu'à ce que j'avoue. C'est ce qu'ils voulaient. Plus tard, mon avocat m'a dit que le juge allait me croire et annuler mes aveux, mais ça ne s'est pas passé comme ça.

Reed ne dit rien.

— Pourquoi ? supplia Hood, les yeux brillants.

Reed fouilla son regard.

— Je voudrais bien savoir pourquoi elle m'a envoyé en prison, se demanda Hood en fixant le mur. Les psys m'ont fait passer des tests. Ils auraient bien fait de lui en faire passer à elle aussi. C'est elle qui a des problèmes mentaux.

— Je n'arrive pas à comprendre pourquoi vous n'avez pas dit tout ça il y a vingt-deux ans.

— Mais vous êtes sourd ou quoi ? Je l'ai dit, tout ça. Mais on m'a pas cru. Ils m'ont forcé à avouer. Ils ont dit que c'était pas un accident. Ils m'ont demandé comment ma mère était morte des années plus tôt. Ils m'ont empêché de dormir. Ils m'ont gueulé dessus jusqu'à ce que je sache plus le vrai du faux, jusqu'au point où j'aurais avoué n'importe quoi. Et comme si ça suffisait pas, maintenant ils vont m'exécuter !

Dans le laps de temps qui leur était imparti, Reed revint sur la version de Hood. Cohen le laissa faire. Hood semblait avoir réponse à tout.

Un gardien se présenta.

— Désolé, mais c'est terminé. Maître, vous pouvez rester un peu avec votre client.

— Tom, fit David en tendant la main à Reed, on se revoit dans une heure ?

— Bien sûr, répondit Reed avant de se tourner vers le détenu pour le remercier.

Hood conserva le silence mais hocha la tête. Puis le gardien raccompagna Reed à travers la cour intérieure de la prison jusqu'à la porte principale. Avec ses cheveux argentés, c'était l'un des plus anciens gardiens du pénitencier. Il avait une bonne tête. Il devait en savoir des choses sur les détenus. Au cours du bref trajet entre le couloir de la mort et l'entrée principale de l'établissement, le gardien et le journaliste regardèrent les montagnes.

— Monsieur Reed, vous allez penser que je me mêle de ce qui ne me regarde pas, mais tant pis.

— Je vous écoute.

— Au point où il en est, le gars auquel vous venez de parler, il peut raconter tout ce qu'il veut en espérant que vous allez le croire.

Reed le savait bien. Tout comme il savait que, dans la poche revolver de son pantalon, se trouvait la copie d'une lettre de confession qu'Emily avait écrite au procureur du comté. Alors, que Hood mente ou dise la vérité n'avait pas grande importance.

Tom tenait une sacrée histoire.

47

Après le test du détecteur de mensonges, le FBI enferma Doug dans la pièce lambrissée d'érable, celle qui servait à stocker le matériel, et où il avait dormi la nuit précédente sur un lit de camp. Les agents s'y prirent de manière si adroite que ni les gardes ni les officiels participant aux opérations de recherches ne remarquèrent quoi que ce soit. Un agent resta sur une chaise devant la porte, à l'extérieur de la pièce transformée en cellule.

C'était un cauchemar, rien de tout cela n'était vrai, tôt ou tard Doug allait se réveiller, n'est-ce pas ?

N'empêche que Maleena Crow, son avocate désignée d'office, ne faisait pas partie du cauchemar. Ses propos aussi étaient bien réels, même si Doug avait le sentiment qu'ils arrivaient de très loin après avoir subi la tempête qui sonnait le tocsin dans ses oreilles.

— Pour être franche, Doug, ça se présente mal, mais…

Crow continua à parler, mais c'étaient les derniers instants du test du détecteur de mensonges qui revenaient sans cesse marteler l'esprit de Doug Baker.

La sœur d'Emily était morte.

Anéanti, il ne savait plus où il en était. Son monde et ses perceptions, tout était sens dessus dessous.

Si on ne le suspectait pas, suspecterait-on Emily ?

Elle était présente aux côtés d'Isaiah Hood quand sa petite sœur avait été tuée. *Pensez-vous que votre femme aurait pu faire du mal à votre fille ? Hein ? Mon Dieu, aidez-moi. Et Crow, qu'est-ce qu'elle raconte ? Quoi ?*

— Ils n'ont pas le droit de vous retenir en détention plus de soixante-douze heures sans vous inculper. Ils ne peuvent pas vous inculper sans preuves tangibles. Et ils n'ont rien à se mettre sous la dent.

Puis elle parla de quelque chose en relation avec le test de Larson avant qu'ils puissent passer à l'étape suivante.

— À moins, Doug, que vous me cachiez quelque chose… M'avez-vous tout dit ?

Hein ? Elle lui posait une question.

— Y a-t-il quelque chose que vous ne m'auriez pas dit ?

— Non…

Doug pose la question à Emily… Combien de fois la lui a-t-il posée ? Et depuis combien d'années ? Et chaque fois ça l'a mis en colère car elle a toujours refusé de lui parler de son passé… Le soir, la veille de la disparition de Paige, les larmes d'Emily luisent à la lumière des flammes du feu de camp. Elle tourne son joli visage empreint de tristesse vers les étoiles, comme si elle allait y trouver les mots qu'elle cherche. « Ma… ma sœur… » Puis elle s'arrête, laissant ses paroles en suspens.

— De quelle sœur parles-tu ? lui dit-il. Tu ne m'as jamais dit que tu avais une sœur ?

Oh bon Dieu !

— Pensez-vous que votre femme aurait pu causer du mal à votre fille ?

Non, mille fois non, c'est impossible.

Cherche un souvenir heureux. Notre lune de miel au Mexique. Dans une petite ville au bord de l'océan. En se couchant, le soleil offre un dernier baiser au Pacifique. La brise souffle dans les palmiers. On se croirait au paradis. Tout est parfait. Pour Doug, Emily est un rêve devenu réalité. Ils sont allongés sur le sable chaud de la plage privée. Elle l'embrasse sur la joue.

— Dis-moi, Doug, tu m'aimeras toujours, quoi qu'il arrive ?

— Quoi qu'il arrive.

— Et pour toujours ?

— Pour toujours.

— Pour le meilleur et pour le pire ?

— Pour le meilleur et pour le pire.

— Peu importe de quoi serait fait le pire ? demande-t-elle en souriant.

Elle est si belle.

— Même le pire que tu m'offriras, je l'aimerai.

Elle rit à gorge déployée, retire son bikini et se met sur lui, là, sur la plage. Plus tard, elle va l'entraîner dans la tiédeur des vagues. Il l'aimera, peu importe à quoi ressemblera le pire…

Même si elle a tué Paige ?

Savait-il vraiment tout au sujet de sa femme ? Pourquoi se poser la question s'il connaît la réponse ? C'est tout l'objet de cette randonnée en montagne, autrement dit ce qui a nourri l'enfer des dernières années.

Tout se mettait en place.

La manière dont elle se comportait.

La première nuit au Holiday Inn de Great Falls. Il l'a vue quitter le lit. Le radioréveil digital marquait trois heures quatre. Il l'a vue allumer la télé, couper le son, zapper avec la télécommande et s'arrêter sur une chaîne locale qui diffusait par télétexte les nouvelles du Montana. Il l'a vue s'imprégner de l'article sur l'exécution d'Isaiah Hood, s'envelopper dans une couverture trouvée dans un placard, tirer une chaise près de la fenêtre et contempler fixement les lumières clignotantes de la ville… en pleurant.

Doug n'avait prêté que peu d'attention à Isaiah Hood. À présent, il se souvenait de la réaction de sa femme quand, au restaurant du Holiday Inn, elle l'avait vu lire l'article du *Tribune*.

— Arrête de lire ça. On est en vacances !

Rachel Ross était la sœur d'Emily, qui elle-même s'appelait Natalie Ross, et c'était elle qui avait témoigné contre Hood. La tante d'Emily était dans la confidence. *Criss !* Willa était au courant de tout. Elle les avait même invités à les accompagner, elle et son mari, dans leur virée en motorisé, histoire de les éloigner *quand aurait lieu l'exécution d'Isaiah Hood*. Tous les morceaux du puzzle se mettaient en place. Willa voulait les entraîner loin du Montana, de manière à ruiner les efforts de Doug pour en apprendre davantage sur le passé de sa femme.

— Doug, quels que soient les problèmes qu'Emily doit régler, c'est à elle de vous en parler. Il n'y a qu'elle qui peut vous en parler.

Doug sentit son cœur battre la chamade. Il vit son horizon s'assombrir.

Dans le dernier article qu'il avait lu, Hood clamait son innocence. Paige avait sensiblement le même âge que la sœur d'Emily au moment du drame. C'était Emily qui avait insisté pour qu'ils partent en randonnée dans la région du parc des Glaciers. De colère, Doug avait expédié Paige rejoindre sa mère. Emily était-elle la dernière personne à avoir vu Paige ?

Pourquoi les secouristes n'avaient-ils pas retrouvé la moindre trace de Paige ?

Et de Kobee.

Rien.

Et Hood qui clamait son innocence.

Dis-moi, Doug, m'aimeras-tu ? Peu importe de quoi serait fait le pire ?

Doug sentit son cœur battre au rythme du bruit d'un hélico qui approchait.

Il enfouit son visage entre ses mains.

— Doug, dit Crow, y a-t-il quelque chose que vous ne m'auriez pas dit ?

Il leva un regard éperdu vers elle.

— Et Cammi Walton ? Vous vous rappelez ? Votre élève. Pourquoi vous a-t-on demandé si vous l'aviez frappée ? Cette question avait-elle un sens pour vous ? Me cachez-vous quelque chose ?

Cammi et son accusation. Tiens, il les avait oubliées, celles-là.

48

À la lisière du poste de commandement, à l'aide de ses puissantes jumelles, Brady Brook scrutait les crêtes et les surplombs.

Sa silhouette se découpant sur les montagnes environnantes, le responsable sur le site des opérations incarnait la sérénité. En professionnel aguerri, il faisait confiance aux stratégies imaginées pour localiser Paige Baker.

N'empêche que la peur et la colère le rongeaient de l'intérieur.

Il baissa ses jumelles, frotta ses yeux fatigués et chaussa à nouveau ses lunettes sans monture. Au cours de sa longue carrière de responsable d'opérations de recherches, il n'avait jamais connu ça.

Paige avait bien entamé son quatrième jour de perdition en terrain hostile. On en était à plus de soixante-douze heures. On avait eu droit à la pluie, au brouillard et à des températures proches du point de congélation. Pour la nuit suivante, la météo prévoyait de la neige. Avec ses à-pics vertigineux, la région était l'une des plus accidentées. Si l'on tenait compte de tous ces paramètres, Paige était entrée dans la zone où les chances de la retrouver vivante avoisinaient le zéro.

Devait-on la considérer comme morte ?

Pour autant qu'il le sache, on n'avait rien trouvé. Mais alors rien du tout. Pas le moindre papier de bonbon, le moindre vêtement ou objet, la moindre trace d'excréments, la moindre odeur, la moindre piste. Ni de la petite ni de son chien. Brook avait toujours dit que ses équipes ne rentraient jamais bredouilles. Si l'enfant se déplaçait, elle défiait ceux qui la cherchaient. Était-elle tombée dans une rivière ou dans un lac ? Avait-elle fait une chute dans un ravin ? Avait-elle rencontré un ours ou je ne sais quoi ? se demandait Brook.

À présent, le premier des paramètres à prendre en compte s'appelait FBI.

Ce matin, l'un des gardes, celui qui s'occupait de la partie informatique des recherches, avait utilisé un téléphone satellitaire pour se connecter à Internet. Il était tombé sur un bulletin de nouvelles qui disait que, si le FBI avait des soupçons d'intentions criminelles, Emily et Doug Baker n'étaient pas considérés comme suspects. Chaque fois que Brook essayait d'en savoir plus, il se heurtait à un mur de silence.

L'urgence ? C'est de continuer à chercher. Et c'est le seul mot d'ordre.

Il se murmurait cependant que le FBI avait trouvé une espèce de preuve à l'intérieur du périmètre des recherches, mais une chape de plomb entourait la nature de la découverte, et toute personne suspectée de fuite se serait vue accusée « d'entrave au bon déroulement de la justice ».

En prenant le contrôle des opérations d'un secteur et en renvoyant les équipes de secours sans la moindre explication, le FBI n'avait pas fait que des heureux. Comprenant la vive émotion de ses hommes, Brook leur avait demandé de conserver une attitude professionnelle et d'accomplir leur devoir. N'empêche qu'il était entré dans une colère noire en voyant des gars comme Holloway ou Taylor se faire virer du tableau de service comme des malpropres.

Étant donné qu'officiellement les recherches n'avaient pas abouti, Brook vivait très mal le fait de voir ses hommes laissés dans l'ignorance. N'étaient-ils qu'un gentil leurre qui cachait une véritable enquête pour homicide ? Le bulletin de nouvelles collait parfaitement avec l'absence de Doug Baker… et la manière dont le FBI gardait Emily à l'œil.

Bon sang ! Ne pouvait-on pas lui fournir des indications pour qu'il déploie ses hommes ? Il arrivait qu'au cours de recherches certains secouristes trouvent la mort ou soient blessés. Si ses hommes ne faisaient que de la figuration, ne pouvait-on pas lui demander de les rappeler ?

Brook reprit ses jumelles pour chercher à comprendre ce qui se passait aux abords d'une crête. Elle était trop éloignée, mais il semblait bien que le FBI s'affairait là-haut. Les hélicos effectuaient des rotations répétées vers cette zone hostile profondément crevassée.

Personne ne lui disait rien.

Brook secoua la tête et regarda en direction d'Emily Baker.

Saura-t-on un de ces foutus jours ce qui est arrivé à votre fille ?

Puis Brook détourna les yeux vers les ambulanciers qui jouaient aux échecs pour passer le temps. Soigneusement plié parmi tout leur matériel, et dissimulé à distance respectable, il y avait un de ces sacs dans lesquels on emballe les cadavres.

49

Le temps était couvert et l'après-midi tirait à sa fin quand Tom Reed retrouva le camp réservé aux médias dans le parc des Glaciers.

L'endroit était embouteillé de motorisés, de 4 X 4 et de bus d'équipes de presse. Reed se retrouva bloqué derrière un véhicule d'une filiale de FOX News de Minneapolis. Du geste, un policier de la route l'orienta vers l'un des points de contrôle.

— Vous devez aller vous mettre là-bas, lui dit le type en lui montrant un endroit distant d'une centaine de mètres de là où le journaliste s'était stationné la fois précédente.

Tout juste si on voyait la place.

— Jusque là-bas ? s'étonna Reed.

— Désolé, mais les journalistes arrêtent pas d'arriver.

— Comment ça se fait ? Il s'est passé quelque chose d'important ?

— Je ne saurais pas vous dire, m'sieur, répondit l'officier en touchant le bord de son chapeau et en tapotant la voiture de Tom. Je vous en prie, allez-y.

Après s'être garé, Tom joua des coudes dans la cohue. Il devait absolument aller au bureau du FBI pour voir comment les agents réagiraient par rapport à son info sur Emily Baker. Il disposait de quelques heures avant d'avoir à se mettre à écrire. La scène était dantesque. Les hélicoptères passaient et repassaient au-dessus des têtes, les équipes des chaînes de télé nationales et celles des grosses villes avaient monté des pavillons multicolores décorés de leur logo et de leur nom. Reed surprit un journaliste qui s'exprimait en japonais au téléphone. Un autre, cellulaire collé à l'oreille, et qui s'était présenté comme étant du *Toronto Star*, essayait d'obtenir des infos de la part de l'établissement scolaire de Doug Baker. Reed doubla deux techniciens de télévision qui parlaient en allemand alors que, tout près, une femme à l'accent britannique prononcé, avec micro et oreillette, s'adressait à une caméra. Dans le brouhaha de dizaines de conversations, c'était une débauche électronique d'antennes paraboliques, d'ordinateurs et de téléphones portables.

Reed nota une nouveauté : un podium qu'on venait d'installer, ce qui laissait supposer qu'il fallait s'attendre à des conférences de presse. Mais que se passait-il donc ? Quelqu'un d'autre lui aurait-il volé son scoop ? *Non, c'est impossible*, se dit-il pour se rassurer. Personne ne pouvait disposer des mêmes infos que lui concernant Emily. En passant devant un moniteur de chaîne de télé, il aperçut la photo d'Emily. L'affaire allait avoir l'effet d'une bombe quand le *San Francisco Star* publierait son histoire. Reed devait mettre la main sur l'agent du FBI qui pilotait l'enquête. Il approchait des rubans jaunes qui délimitaient le périmètre de sécurité du centre de commandement quand une voix claire et familière l'appela :

— Tom !

C'était Molly Wilson.

Elle approchait à grands pas, tout sourire sous ses lunettes Oakley. Les cheveux serrés en une mince queue de cheval, t-shirt bleu marine, pantalon cargo, bracelets, elle avait l'air en pleine forme.

Levi Kayle l'accompagnait. Bronzé, barbe de trois jours (très à la mode), lunettes Romeo, t-shirt Bruce

Springsteen, souvenir d'un concert à L.A., jean délavé et déchiré, veste de photographe toute neuve, grâce à ses bottes de randonnée, Levi dépassait le mètre quatre-vingt-cinq. Autour du cou il portait le nec plus ultra des appareils photo : un Nikon à 30 000 dollars sur lequel reposaient ses mains. Kayle était l'un des meilleurs photographes de presse du pays.

Wilson prit Reed par le bras et l'entraîna aussitôt à l'écart.

— Faut qu'on cause toi et moi. Zeke m'a appelée. Il m'a raconté ce que tu avais trouvé. C'est une véritable bombe, Tom.

Elle jeta un regard circulaire et trouva une certaine intimité entre deux Jeep Cherokee.

— Tu me montres ?

Molly commença à lire l'ancien rapport du procureur du comté concernant les courriers qu'Emily avait écrits, encore enfant, peu de temps après l'assassinat de sa sœur.

« Je suis coupable de sa mort… »

Molly porta la main à sa bouche.

— Excellent, dit-elle. Kayle, Kayle, fais-moi une copie de ça. Tu peux prendre des clichés et les envoyer à San Francisco ?

— D'abord, Wilson, faut commencer par demander gentiment, répondit Kayle. Je ne suis pas à ton service.

— Je t'en prie, mon gros bêta, mon Levi chéri, s'il te plaît…

— Comme ça, d'accord, dit Kayle en souriant.

Il prit les papiers, s'éloigna pour chercher un coin où la lumière était plus favorable, empêcha les feuilles de s'envoler en disposant des cailloux aux quatre coins et effectua la mise au point. Molly consulta sa montre et s'empressa d'aborder l'affaire avec Reed.

— C'est fascinant. Une fois qu'on aura publié ça, tu crois vraiment que les autorités vont aller de l'avant et exécuter Hood ?

— Personne ne peut le dire. Ça arrive tellement au dernier moment. Tout ce que je sais, c'est que c'est une histoire extraordinaire. Au journal, ils en disent quoi ?

— Ils veulent sortir un gros dossier au plus vite avec nos différents articles. Tes documents seront du lot. Ils font faire un mix avec le scoop en exclusivité, le suspense de l'exécution de Hood, la gamine disparue et le mystère de l'assassinat.

Reed acquiesça. Décidément, tout cela tenait du roman, à cette différence près que c'était la réalité.

— Dans quelques minutes, dit Wilson en regardant sa montre, il va y avoir une conférence de presse. Sûrement en réaction à la version de l'AP qui a prétendu que le FBI s'intéresse de près au père.

— Tu as autre chose ?

— Oui. En arrivant ici ce matin, on a été chanceux. Je suis tombée sur Vince Delona. Il sortait avec une de mes copines autrefois. Il travaille pour le *New York Daily News*. On était en train de discuter quand un drôle de petit bonhomme en costume est passé près de nous et a salué Vince.

— C'était qui ?

— Reese Larson, le gars qui supervise les interrogatoires au détecteur de mensonges. Il est installé à New York. Vince l'avait remarqué il y a quelques années lors des attentats du World Trade Center. Kayle a fait des photos. Personne, à part Vince et moi, ne sait que Larson est ici pour des tests au détecteur de mensonges.

— Ce qui signifie qu'ils sont en train de monter un dossier d'accusation contre le père… et peut-être la mère. À moins qu'ils veuillent totalement dédouaner le père pour mieux mettre le paquet sur la mère.

Wilson acquiesça d'un hochement de tête.

— Et j'ai aussi parlé à des gars qui participent aux recherches, poursuivit-elle. Ils sont dégoûtés. Le FBI leur a demandé de les suspendre. Il paraît qu'il n'y a aucune trace de la gamine et que, si elle est là-haut, elle est déjà morte, ou si elle ne l'est pas elle le sera demain matin. On annonce de la neige pour cette nuit.

Kayle en avait terminé avec les documents de Reed.

— C'est de la bombe, tes trucs, Reed. Vous allez à la conférence de presse ?

— Moi j'y vais, dit Wilson. Quand c'est terminé, on se retrouve ici pour voir comment on va organiser notre article en commun ? D'accord, Tom ?

Pendant que la meute de journalistes convergeait vers le lieu de la conférence de presse, Reed marcha jusqu'au ruban jaune de la police interdisant l'accès au centre de commandement. Il avait besoin de s'entretenir avec le responsable du FBI chargé de l'enquête afin de tester sa réaction aux documents qu'il avait en sa possession.

Un jeune agent, avec une carte portant ses coordonnées autour du cou, se manifesta et vint à sa rencontre. Il remarqua le badge de plastique marqué « Presse » que Reed portait à la ceinture.

— La conférence de presse, c'est par là-bas, dit le jeune gars d'un ton peu aimable.

— Je sais, je suis au courant, répondit Reed en souriant.

Agent Evan Crossfield. C'était tout ce dont Tom avait besoin.

— Tom Reed, du *San Francisco Star*. Je sollicite officiellement une rencontre avec l'agent chargé de l'enquête. Mon journal s'apprête à publier des informations cruciales que nous venons d'obtenir. Le FBI aimerait peut-être savoir de quoi il retourne avant qu'on les publie.

Pas un brin impressionné, l'agent répondit avec un air renfrogné :

— Nos attachés de presse sont à la conférence. Circulez.

Circulez ?

— Écoutez-moi bien. Vos attachés de presse n'enquêtent pas sur l'affaire. Alors auriez-vous l'amabilité de prévenir l'agent chargé de l'enquête que j'ai en ma possession des documents de la plus haute importance ?

— Désolé, allez rejoindre les autres.

— Inutile d'être désolé, fit Reed en tendant sa carte professionnelle à l'agent, parce que demain, quand notre article va sortir, dedans il sera mentionné que « le FBI a refusé de commenter » nos infos. Vos supérieurs chercheront l'agent qui a pris l'initiative de ne pas alerter les enquêteurs. Les infos dont je dispose pourraient sérieusement gêner le Bureau aux entournures. Quand on me contactera, parce qu'on ne manquera pas de le faire, soyez-en sûr, je serai dans l'obligation de répondre que c'est vous, agent Evan Crossfield, qui n'avez même pas pris la peine de jeter un œil aux documents que je souhaitais montrer au FBI. Tout ça pour dire que, si j'étais vous, je ne serais pas désolé, agent Evan Crossfield. Gardez votre désolation pour demain, car quand notre histoire va sortir, on va parler de vous dans les hautes sphères de l'immeuble Hoover. Et là, vous aurez de quoi être désolé !

Reed sourit, fit demi-tour et s'éloigna. Il marcha cinq mètres, puis dix. C'est tout juste s'il n'entendait pas tourner les rouages dans la tête de l'agent Crossfield. Au bout de quinze mètres, une voix lui dit :

— Hé, le petit malin ! Revenez !

Moins de trois minutes plus tard, l'agent spécial Frank Zander sortit du centre de commandement, l'air très remonté. Il tenait la carte de Reed à la main. Zander approcha du ruban jaune, le leva et entraîna Reed à l'écart à l'ombre d'un gros sapin.

— C'est vous, Reed ?

— C'est moi.

— Sydowski dit que vous n'êtes qu'un fouille-merde.

— Ah bon ? C'est ce qui est écrit sur ma carte ? s'étonna Reed en haussant les épaules. À qui ai-je l'honneur ?

— Frank Zander, je m'occupe du volet criminel de la disparition de Paige Baker.

— Alors comme ça vous vous apprêtez à accuser les parents ?

— Ne me faites pas perdre mon temps. Qu'avez-vous de si important ?

Reed remit l'ancien rapport du procureur à Zander. Qui le lut. Attendu le visage fermé du détective, le journaliste ne put dire s'il était déjà au courant. Zander rendit le dossier à Reed en demandant :

— Et c'est tout ?

— Ça ne modifie en rien l'angle de votre enquête ?

— Pas de commentaires.

— La disparition de la petite cache-t-elle autre chose ?

— Pas de commentaires là-dessus.

— Reconnaissez-vous avoir passé Doug Baker au détecteur de mensonges ?

— Ça va durer encore longtemps, vos questions, Reed ? Je n'ai pas de temps à perdre.

Zander raccompagna le journaliste en dehors du périmètre.

— Zander, ça s'écrit bien Z.A.N.D.E.R, n'est-ce pas ?

Zander s'en alla, abandonnant Reed derrière le ruban de plastique jaune.

— Alors, le fouille-merde, demanda l'agent Crossfield en souriant, t'es plus avancé, maintenant ?

Zander savait y faire. Reed n'avait rien obtenu. Rien de rien. Même pas un « Où vous êtes-vous procuré ça ? »

La conférence de presse apprit bien peu de choses à un pays tout entier suspendu au drame de cette fillette de dix ans qui allait vivre sa quatrième nuit perdue en altitude dans les Rocheuses, à deux pas de la frontière avec le Canada.

Alors que la nuit descendait sur le village des médias, les postes de télé créèrent d'intenses halos lumineux.

La température chuta. Des flocons se mirent à tourbillonner au moment où des envoyés spéciaux équipés de vestes à capuche parlaient avec gravité des probabilités de survie de Paige Baker. Ils citèrent des experts en situations extrêmes et rappelèrent que le FBI n'écartait aucune piste, y compris l'éventualité d'un acte criminel, tel qu'un enlèvement, un contact ayant eu lieu par Internet ou une mort accidentelle.

Dans l'habitacle de la voiture de location de Reed, mis à part le ronron du moteur tournant au ralenti et celui du ventilateur du chauffage, les seuls bruits audibles étaient ceux des claviers des ordinateurs portables de Tom et de Molly, qui luttaient contre la montre pour rendre leur article avant le bouclage du journal. Leur histoire allait porter l'affaire à un niveau insupportable. Wilson jeta un œil par-dessus l'épaule de son collègue pour lire le brouillon de l'article qu'il rédigeait :

Le SAN FRANCISCO STAR

WEST GLACIER, Montana. Ce soir, l'État du Montana va procéder à l'exécution d'Isaiah Hood, qui clame son innocence dans l'assassinat, il y a vingt-deux ans, dans le parc national des Glaciers, de la sœur âgée de cinq ans d'Emily Baker.
L'avocat de Hood a révélé ce qu'il pense être la preuve que Baker a joué un rôle dans la mort de sa sœur.
Cette révélation se produit alors que les gardes du parc, les agents du FBI et des bénévoles mènent d'intenses recherches afin de retrouver la fille de dix ans d'Emily Baker, disparue il y a cinq jours en compagnie de son chien Kobee, dans une zone hostile connue sous le nom de la Main-du-Diable.
C'est dans ce même secteur situé en altitude que, il y a plus de vingt ans, Rachel Ross, sœur cadette d'Emily Baker, fut jetée dans le vide par Hood,

lors d'une randonnée qu'effectuaient les fillettes en compagnie d'un club de jeunes.

Dans des lettres à caractère privé qu'elle a adressées à une amie de son âge quelque temps après avoir effectué le témoignage qui a conduit Hood dans le couloir de la mort, Baker a révélé certains aspects du drame dont elle avait été témoin.

Le FBI a fait passer le père de la fillette disparue au détecteur de mensonges. Doug Baker est l'entraîneur apprécié de l'équipe de football d'une école de San Francisco, où il enseigne également la littérature. Le FBI a l'intention de faire subir à Emily Baker un…

50

Le ciel s'assombrit au-dessus du centre de commandement.

À chaque bulletin de nouvelles nationales sous-entendant que les gardes et le FBI étaient loin de révéler tout ce qu'ils savaient, et que, selon « certaines sources », les soupçons se tournaient vers Doug Baker, les membres de l'escouade spéciale serraient un peu plus les mâchoires.

— Ces infos de merde ne nous aident pas ! Il faut absolument mettre fin aux fuites, dit Zander en éteignant la télé grand écran.

Tasses de café vides, boulettes de papier traînant ici et là, bruit de chaises raclant le sol ou de fenêtre restée ouverte et malmenée par un vent violent, tout contribuait à créer de la tension au sein de l'équipe dans la minuscule salle.

— Frank, d'après nos derniers calculs, les gens des médias seraient au moins trois cents. Ce n'est pas une excuse, mais les rumeurs vont commencer à circuler, lâcha un sergent de la police de la route du Montana.

Zander en convint.

Il se faisait tard. Ils étaient tous à cran. Zander était déterminé à faire avancer l'enquête.

S'il avait bien quitté San Francisco, l'équipement spécial devant servir à confirmer que le corps de Paige se trouvait effectivement au fond de la crevasse ne serait pas opérationnel avant le lendemain matin. Au fond de lui, Zander se disait que cette confirmation allait constituer l'argument massue. Une fois cela vérifié, les autres morceaux du puzzle se mettraient en place. Mais jusque-là, beaucoup de pistes demeuraient hypothétiques.

— J'aimerais bien savoir comment Tom Reed s'est démerdé pour établir le lien entre Emily Baker et Isaiah Hood. Et ces vieux documents du procureur du comté, ceux qu'il m'a mis sous le nez pour me narguer, comment se les est-il procurés ?

— Je crois le savoir, répondit Bowman qui étudiait justement les copies du contenu des lettres d'Emily figurant dans les papiers du procureur.

Elle expliqua comment, après avoir raconté à Zander ce qu'Emily lui avait confié à propos de sa sœur et de ses liens avec Hood, le FBI avait immédiatement diligenté des recherches de tous les dossiers concernant Hood, tant au sein de ses propres archives que dans celles de l'administration de l'État. Les renseignements pertinents qu'Helena était parvenue à exhumer avaient été envoyés par télécopie au FBI, au centre de commandement. Là, les anciennes pièces concernant Emily, et qui figuraient dans le dossier du procureur, avaient confirmé ce que Bowman savait déjà, à savoir que la mère d'Emily avait souvent déménagé, changé son identité et celle de sa fille de manière à ce que l'administration perde leur trace. Et de fait, Emily avait disparu, ce qui expliquait pourquoi le FBI n'avait pas fait le rapprochement entre Emily et Hood dès l'annonce de la disparition de Paige.

— Mais comment Reed a-t-il pu en avoir copie aussitôt après nous ? Qui l'a aiguillé vers le rapprochement entre Hood et Emily ?

— David Cohen, l'avocat de Hood, répondit Bowman. J'ai appelé la capitale de l'État et on m'a confirmé que l'étude où travaille Cohen avait fait une demande identique à la nôtre en même temps que nous.

— Allons au fond des choses, Tracy, dit Turner. En considérant les rapports du procureur et ce qu'Emily vous a confié, que pensez-vous de Hood qui clame son innocence ?

— Difficile d'être sûr de quoi que ce soit dans un sens ou dans un autre. On sait qu'Emily était présente sur les lieux au moment de la mort de sa sœur et qu'elle a essayé de la rattraper. Pour elle, même dans son état émotionnel, c'est clair comme de l'eau de roche que Hood est coupable.

— Ne serait-elle pas capable d'en faire des tonnes pour que, d'une part, nous croyions à la culpabilité de Hood et que, d'autre part, nous pensions que la disparition de sa fille n'est qu'une simple coïncidence ? s'interrogea Thornton. Au cours de son calvaire, cette femme a eu de violentes explosions émotionnelles. Il faut en tenir compte, tout comme de la psychothérapie qu'elle suit à San Francisco.

— Je suis d'accord avec vous, Pike, répondit Bowman, le regard fixé sur le rapport du procureur du comté. Si on considère à la fois ses anciennes lettres et la disparition de sa fille, au même endroit où sa sœur est morte, tout cela amène à se poser bien des questions.

Tracy secoua la tête et lâcha un « je ne sais plus quoi penser ».

— Désolé, mais moi je crois que Paige a très bien pu tomber toute seule dans cette crevasse, intervint Sydowski. On sait que le père a un sacré caractère, que la mère dit entendre des voix et qu'elle a un passé des plus troubles. Mais je vois pas comment tout ça peut s'imbriquer ensemble. Je ne vous suis pas. Du moins pas encore.

— C'est votre opinion, Walt, répondit Zander d'un ton glacial. A-t-on du neuf en provenance de San Francisco à propos de l'élève qui s'est plainte de Doug Baker ? La psy d'Emily, on sait qui c'est ? Peut-être lui a-t-elle confié avoir assassiné sa sœur, ce qui aurait des répercussions sur la disparition de la petite.

— La psy est en voyage en Asie. D'une minute à l'autre j'attends du neuf sur les allégations de l'école concernant Doug Baker.

Zander apprit à tout le monde que les rapports préliminaires du labo démontraient que les sangs trouvés sur le t-shirt rose et la hache étaient du même groupe O positif. D'après son dossier militaire, Doug Baker était O positif.

— Si Paige appartient à un groupe différent, nous devrions avoir un mélange des deux, mais s'ils sont du même groupe, ce que je pense, il va nous falloir une analyse ADN pour les différencier.

— Je vous rappelle que le dossier médical scolaire de la petite mentionne qu'elle est O positif, ajouta Sydowski.

— Oui. Le labo a besoin de temps supplémentaire de manière à déterminer s'il s'agit de sang féminin ou de sang masculin.

— Le sang retrouvé à l'entrée de la crevasse, à quel groupe appartient-il ? demanda Pike Thornton.

— O positif.

— Et les cheveux ?

— On les a comparés à des cheveux pris sur le sac de couchage de Paige, ce sont les mêmes.

On frappa à la porte. C'était Reese Larson.

— Désolé de vous interrompre, mais j'ai terminé mon analyse.

Il ouvrit un dossier qui portait le sceau du FBI, dévissa le capuchon de son stylo-plume et parcourut des notes écrites d'une manière si particulière qu'on les aurait dites calligraphiées.

Zander, qui avait de la misère à maîtriser son impatience, demeura pourtant poli.

— Reese, je vous en prie, commencez par nous donner votre opinion sur les réponses de Doug Baker à vos questions.

— Peu concluants, vous m'en voyez désolé. Les résultats de mon test sont peu concluants.

Zander grinça des dents et regarda la nuit de l'autre côté de la vitre.

— Et ça concerne tous les sujets abordés ?

— Non, pas les sujets ordinaires, où il est resté sincère. C'est sur les points en rapport avec l'enquête que je ne peux pas me prononcer. Doug est un client difficile. Ce que j'aimerais, si vous êtes d'accord, c'est le tester à nouveau.

Turner, un vieux de la vieille qui avait tout vu, mit ses doigts en tour Eiffel et demanda :

— Reese, y a-t-il un sujet sensible où vous avez senti que vous étiez proche de vous forger une opinion, d'un côté ou de l'autre ?

Reese parcourut son dossier. Il feuilleta les graphiques du détecteur de mensonges où l'encre avait tracé des pointes. Il effleura presque le papier avec son stylo-plume alors qu'il relisait ses notes.

— Hum... Eh bien, disons qu'il y a eu cette zone, là, où on s'est approchés, on s'est beaucoup approchés.

— On s'est approchés de quoi, Reese ? soupira Zander.

— Je dirais qu'il était très près de la sincérité, ici, dans cette zone de questions essentielles qui ont été posées à plusieurs reprises.

Son auriculaire méticuleusement manucuré toucha le papier graphique de la zone 1473 marquée d'un astérisque.

— Là, vous voyez ?

— Reese, je ne comprends rien. Vous faites référence à quelles questions ?

Larson consulta une feuille de notes séparée.

— Ah, voilà. « Pensez-vous que votre femme pourrait causer du mal à votre fille ? » et il a répondu non. Il a répondu la même chose chaque fois que nous lui avons posé cette même question.

— Ce qui signifie, Reese ?

— Eh bien, selon moi, il était à deux doigts de mentir. Quand vous analysez ses paramètres, comme les battements cardiaques, la moiteur de la peau…

Zander regarda les autres pendant que Larson continuait à fournir force détails techniques.

On s'est approchés, on s'est beaucoup approchés.

Quand Larson eut terminé, Zander se servit de l'un des téléphones satellitaires du FBI pour appeler les collègues du poste de commandement chargés de la surveillance d'Emily Baker. Tant l'obscurité que le sale temps neigeux rendaient tout vol en hélicoptère trop risqué.

— Zander à l'appareil. À qui ai-je l'honneur ?

— Fenster.

— Que fait Emily en ce moment, Fenster ?

— Elle est dans sa tente.

— Quel est son comportement ?

— Agité. Elle n'arrête pas de demander si on a du nouveau. Elle voudrait bien savoir quand Doug va remonter la rejoindre.

— Je veux qu'on la surveille toute la nuit. Organisez des tours de garde, ne la quittez pas des yeux. On sera là dès l'aube, compris ?

Puis Zander demanda à Sydowski s'il savait si Emily, lorsqu'elle travaillait en tant que photographe pigiste, s'était rendue dans des zones de guerre.

— Je crois me souvenir qu'elle est allée au Timor oriental, pourquoi ?

— Parce que le Pentagone a dû alors enregistrer son groupe sanguin. On va y arriver, dit Zander. Vous voyez, plusieurs scénarios se présentent. Emily aurait pu commettre quelque chose et Doug la couvrirait. Il pourrait aussi l'avoir aidée. On va se le garder au frais un moment.

— Vous comptez l'inculper ? demanda Nora Lam tout en composant un numéro sur son cellulaire.

— Pas encore, répondit Zander. Et peut-on savoir qui vous appelez ?

— Le procureur du comté. Si vous avez l'intention de faire descendre la mère pour la cuisiner, il va falloir lui lire ses droits. Et elle pourrait avoir besoin d'un avocat.

— Alors prévenez le bureau du procureur de se tenir prêt à envoyer un second avocat demain matin, dit Zander.

Nora Lam acquiesça.

Pike Thornton semblait on ne peut plus soucieux.

— Frank, si les choses prennent la tournure qu'elles semblent vouloir prendre, qu'est-ce que ça signifie concernant Hood ? On ne peut pas rester tranquillement assis ici et laisser l'État exécuter un innocent.

— À quelle heure doit-il être exécuté ? demanda Turner.

— À minuit, demain, répondit Thornton en consultant sa montre.

Zander fit un signe de tête à Lam, qui parlait à voix basse au téléphone.

— Selon la tournure des événements, nous allons charger Nora de prévenir le bureau du gouverneur. C'est demain que tout devrait se décider.

Thornton fit remarquer que la chose pourrait être comprise comme une intervention du Fédéral dans les affaires de l'État du Montana.

— Le gouverneur a montré des velléités de briguer la présidence.

Zander, qui ne connaissait que trop bien les dessous peu ragoûtants de la politique à Washington, hocha la tête :

— Moi, j'en ai rien à foutre, mais ce n'est pas en exécutant un innocent qu'il va augmenter ses chances de gagner. Hood, c'est son problème, au gouverneur. C'est son État qui l'a condamné.

Plus tard, chacun remonta dans sa voiture et, avec lassitude, regagna son hôtel dans la nuit.

Tout en fouillant l'obscurité du regard, Zander avait la certitude que le corps de Paige Baker se trouvait dans le fond de cette profonde crevasse. Il y avait l'histoire de la mère, la blessure du père, la dispute des parents, la hache ensanglantée, les résultats indécis du détecteur de mensonges.

Il avait remarqué que Sydowski gardait le silence et décrypté le langage corporel de l'inspecteur de San Francisco, qui donnait le sentiment de cacher quelque chose. *Quelque chose que nous aurions raté?* s'interrogea l'agent spécial du FBI.

Il chassa ces idées de son esprit. Demain serait un autre jour. Tout serait terminé une fois qu'ils auraient remonté le corps de la petite du fond de la crevasse et effectué l'autopsie.

51

Cette nuit-là, dans sa chambre du Sky Forest Vista Inn, qui embaumait le sapin, assis sur son lit, ses lunettes à double foyer sur le nez, Walt Sydowski essayait de lire un article sur la naissance des oiseaux. Il aurait aimé se libérer l'esprit de l'enquête suffisamment longtemps pour pouvoir trouver le sommeil.

En termes techniques, l'article survolait ce qu'il était recommandé de surveiller en matière de naissance, notamment les symptômes avant-coureurs de maladies. La compréhension des choses pouvait éviter de perdre des oisillons. Walt posa son magazine sur la table de chevet, ôta ses lunettes et frotta ses yeux fatigués.

Décidément, la frimousse de Paige Baker ne laisserait pas l'inspecteur tranquille. Il était incapable d'oublier l'affaire. Après une longue carrière à l'escouade des Homicides, cette affaire représentait l'un des pires casse-tête qu'il avait eu à traiter. Il considérait Zander comme un bon flic, qui agissait en tous points comme il l'aurait fait. Mais n'étaient-ils pas en train de passer à côté de quelque chose ?

Sydowski était à bout de forces.

Que faisait-il là, si loin de ses rues de San Francisco ? De plus, c'était le FBI qui gérait le dossier. La manière dont on avait formé l'équipe, pour enquêter sur une affaire en perpétuel développement, revêtait un caractère exceptionnel. Et comment pouvait-on enquêter sur un homicide alors qu'on ne disposait d'aucun cadavre ? Et qu'on n'avait pas *le moindre crime* à se mettre sous la dent ? Était-il possible que les Baker aient tué leur fille ? Et on ne pouvait pas laisser exécuter un innocent s'il existait un doute raisonnable au sujet de sa culpabilité. Trop souvent Sydowski s'était retrouvé aux premières loges pour voir le mal se manifester. Ses yeux fatigués se mirent à le piquer quand il se souvint d'une affaire mettant en cause deux sœurs, âgées de deux et quatre ans. Après les avoir ligotées à l'aide de ruban adhésif, leur mère les avait enfermées dans une cage destinée à un gros chien, et…

Tu ferais mieux d'essayer de dormir, se dit-il.

Mais c'était impossible. Un sentiment de solitude s'empara de lui soudainement. Alors il composa le numéro de son père, qui habitait Sea Breeze Villas, une institution pour personnes âgées de Pacifica. John avait dû passer la journée à s'occuper de son potager situé en bord de mer, alors qu'ici, au Montana, la neige tourbillonnait autour du motel.

— A… Allô ?

— Salut, pa, je ne te réveille pas ? demanda Walt en polonais.

— Non, je regardais un film.

— Comment vas-tu ? fit Walt en souriant.

— Ça va. Dis donc, tu vas rester encore longtemps dans les montagnes ?

— Difficile à dire, pa.

— À la télé, ils affirment que la police croit que c'est le père qui a fait le coup. Quel salaud ! Pourquoi aurait-il fait une chose pareille ? C'est complètement fou.

— Pour le moment, on n'est sûrs de rien, pa. Tu sais bien comment ça se passe.

— Je sais surtout comment ça s'est passé pour toi avec ta dernière affaire, celle du bébé et des enfants kidnappés. Je crois que t'as envie de prendre ta retraite, peut-être même de refaire ta vie avec une nouvelle femme, mais que ça t'effraie.

— Va savoir… Dis donc, pa, je me disais que lorsque j'en aurai terminé ici, toi et moi, on pourrait aller à Los Angeles par la route côtière ?

— Pour quoi faire ?

— On pourrait aller voir les Dodgers. Bientôt ils vont jouer un programme double. On pourrait prendre du bon temps en réalisant un truc dont tu rêves depuis longtemps.

— Quel genre de truc ?

— Aller à Hollywood, par exemple. Avec une carte, on pourrait aller voir à quoi ressemblent les maisons des stars. T'as déjà vu celle de Brando ?

— C'était un grand acteur. Le meilleur. Il a joué un rôle de Polak sympathique dans *Le Tramway*. Kowalski qu'il s'appelait. « Stellllaaaa ! » qu'il gueulait tout le temps dans le film. Hé hé. Il a pris du poids quand même. Dis donc, si tu viens, peut-être que je pourrais te couper les cheveux et te faire la barbe ? Comme la dernière fois.

Le souvenir de cette journée arracha une grimace à Sydowski.

— Écoute, pa, on reparlera de tout ça, je dois te laisser.

— Tu devrais téléphoner à ta petite amie.

— Louise n'est pas ma petite amie.

— N'empêche qu'elle se fait du souci pour toi.

— Comment tu sais ça ?

— Elle m'a appelé pour me demander comment tu allais. Alors téléphone-lui.

Soudain baigné d'une chaleureuse sensation, Sydowski se demanda à quand remontait la dernière fois où une femme s'était préoccupée de son sort. À une demi-douzaine d'années ? À la mort de sa femme ? Tout en se brossant les dents et en scrutant son visage vieilli dans le miroir, il se demanda si, après tout, Louise n'était pas sa petite amie. Auprès d'elle, il se sentait bien. Mais que pouvait-elle bien lui trouver, elle, si intelligente, si facile à vivre? *Mais c'est pas possible, t'es amoureux,* pensa-t-il, *comme un vrai gamin!* Il décrocha le combiné du téléphone, puis le reposa. *Y a pas à dire, tu te comportes comme un ado. Allez, vas-y, appelle-la!* Il n'avait pas réalisé ce qu'il faisait que le téléphone sonnait déjà à San Jose. Il se sentit soudain coupable. C'était comme s'il trahissait la mémoire de Basha. *Raccroche. Rien ne vaut la solitude.*

— Allô?

— Louise? Euh... je sais qu'il est tard. Je suis désolé si je t'ai réveillée. C'est Walt. Sydowski.

— Tu ne me réveilles pas, Walt, dit-elle d'une voix qui lui mit du baume sur le cœur.

Il sentit qu'elle souriait au bout du fil. Il cala le combiné contre son oreille.

— Je sors à l'instant de la piscine, ajouta-t-elle.

— Oh! fit-il en essayant de l'imaginer en maillot de bain. Je vais pas te retenir trop longtemps. C'était juste pour... comment dire? Mon père m'a dit que tu l'avais appelé.

— Oui. Je me demandais comment tu allais. L'affaire sur laquelle tu enquêtes prend de sacrées proportions. C'est terrible. À la radio, à la télé, dans les journaux, ça n'arrête pas. Et y a tellement de rebondissements que ça doit être stressant.

— Oui, et ça continue à se compliquer.

— Et toi, Walter, tu encaisses le choc?

— Je vais bien. Et tes perruches? Comment vont-elles?

— Elles chantent à tue-tête. Mais tu ne m'appelles tout de même pas pour me demander des nouvelles de mes oiseaux?

— Euh... non. Toi, comment vas-tu?

— Walter, par tous les saints, quand vas-tu te décider à me proposer de sortir un soir?

Walter paniqua. Il était très impressionné et surpris.

— Oui, oui, bien sûr. Ça te dirait qu'on sorte souper quand je serai rentré ?

— Avec joie.

— Bon, OK, je te rappellerai.

— J'en salive d'avance. Et bonne chance dans ton enquête !

— Merci pour tout, Louise.

Au cours des quelques minutes qui suivirent cette conversation, Sydowski resta assis sur son lit, en t-shirt et caleçon, à écouter le vent qui hurlait à l'extérieur, tout en essayant de ne penser à rien. Puis il éteignit et il fut alors submergé par mille pensées et mille soucis où se mêlaient son père, sa nouvelle relation avec Louise, Tom Reed qui ne cessait de le harceler ou encore la possibilité qu'on exécute un innocent dans quelques heures.

Dors ! se commanda-t-il. *Dors !*

Il commença à somnoler, mais son esprit engourdi subit les images du corps de la petite Paige Baker. Il était là-haut, raide, figé par le froid, si profondément enfoui dans la crevasse que les flocons qui tourbillonnaient entre les cimes célestes des Rocheuses ne l'atteindraient jamais.

52

À quelques kilomètres au sud de l'entrée ouest du parc national des Glaciers, pas très loin des chutes Columbia, se trouvait le Blueberry Hill Lodge, un motel de grand confort appartenant à un propriétaire indépendant. L'entrée, très spacieuse, aux murs de bois rond et au parquet de bois franc, était meublée d'énormes sofas de cuir et éclairée par d'immenses fenêtres qui allaient du sol au plafond et donnaient sur les montagnes. Dans l'imposante cheminée de pierre se mourait une belle flambée.

Dans la quiétude des vestiges du jour, une cliente esseulée, assise près d'une lampe à la lumière tamisée, brodait une scène représentant un oiseau-mouche volant au-dessus d'un lis des neiges. L'agente spéciale Tracy Bowman n'avait rien trouvé de mieux que les travaux d'aiguille pour empêcher ses mains de trembler au retour du briefing de l'escouade spéciale qui s'était tenu une heure plus tôt.

Eh bien, ma fille, toi qui voulais travailler sur le terrain, on peut dire que t'es servie !

Tracy était incapable de ne pas penser à Paige Baker, à Emily, à Doug et à Isaiah Hood.

Mon Dieu. Et si ce garçon était innocent ?

Quelques heures plus tôt, quand elle avait tenu Emily dans ses bras, avait-elle réconforté un assassin ?

Avait-elle été manipulée par une femme calculatrice, impitoyable, qui avait tué sa petite sœur ?

Et à présent sa propre fille ?

Bowman eut une pensée pour Mark. Elle aurait tant aimé le serrer contre elle. Carl aussi lui manquait. Et de bien des manières. Elle se dit qu'elle ferait mieux d'aller dormir. *Arrête de penser à ça. Dis-toi que ça fait plus de sept ans que tu es agente spéciale du FBI.* Chaque mois, Tracy recevait un salaire respectable de fonctionnaire. Lors des tests à Quantico et à Hogan's Alley[6], elle s'en était honorablement sortie, et aujourd'hui elle avait une tâche à remplir. *Il se passe tellement de choses dans cette enquête. Rien que pour Mark, il faut que je me concentre sur mon travail.*

— Ça va, Tracy ?

Comme on prononçait son nom, une bonne grosse main se posa sur son épaule. Frank Zander était derrière elle.

— Oh ! fit-elle. Oui, ça va. Juste un peu chiffonnée et triste… à cause de Paige Baker.

— Je comprends.

L'air en forme, Zander, qui visiblement sortait de la douche, avait passé des vêtements propres et s'était parfumé. Il tenait une planchette et des dossiers à la main.

— C'est votre passe-temps ? dit-il en désignant la broderie d'un signe de tête.

— Oui, ça m'aide à me relaxer. Cette enquête ne nous fait pas de cadeaux.

— C'est l'une des plus difficiles qu'il m'a été donné de diriger.

— C'est si intense. Tout va si vite. Je ne pensais pas m'y investir à ce point.

— Vous savez, dans toutes les enquêtes, on laisse des plumes.

---

6 Ville artificielle avec banque, hôtel, restaurant, etc., qui, depuis 1987, sert de cadre pour l'entraînement en zone urbaine des agents du FBI.

— Vous avez des enfants ?

— Non. Je ne suis pas marié. Je suis sép... Euh... je suis en train de divorcer.

— Loin de moi l'intention de me mêler de votre vie privée. C'est seulement que je ne fais que penser à l'enquête et à Paige Baker. Je me demande si la petite est encore en vie. Puis je pense à mon fils Mark, qui a neuf ans, et je pense à Doug et à Emily Baker. On scrute leurs regards, on leur parle. Qui dit vrai ? Je comprends parfaitement que c'est notre boulot d'aller vite en besogne, mais ça me ronge.

— Je sais, fit Zander qui jeta un regard circulaire pour s'assurer qu'ils étaient seuls.

Toujours à voix basse, il ajouta :

— On doit accomplir notre devoir dans l'ombre, et c'est ce que vous faites.

— Pardonnez-moi, je devrais aller me coucher et ne pas vous achaler avec ça.

— C'est normal, Tracy, que nous en parlions. Ça ne me dérange pas.

— C'est vrai ?

— Moi aussi, ça me ronge. Et ça l'a toujours fait. Si ça peut vous rassurer, je crois que vous êtes une bonne enquêtrice.

Elle hocha la tête pour montrer qu'elle appréciait le compliment et se concentra sur sa broderie.

— C'est vrai, poursuivit-il, vous avez une intuition incroyable, vous arrivez au but avec des approches différentes. Parlez-moi de vous. Vous travaillez à Missoula ?

— Oui. Je passe beaucoup de temps à l'ordinateur. Je travaille sur les fraudes au gouvernement. Ce n'est pas très valorisant. J'ai donc demandé à suivre une formation complémentaire à Quantico pour être mutée dans une grande ville. Je devrais avoir un poste à Los Angeles... à condition que je ne fasse pas de conneries ici.

— Mais vous n'en ferez pas, Tracy.

— Vous semblez bien sûr de vous.

— Faites-moi confiance.

En fait, elle appréciait sa compagnie. Il y avait si longtemps qu'elle n'avait pas parlé, vraiment parlé, avec un homme.

— À votre tour, Frank, parlez-moi de vous.

Il lui raconta. Tout. Ses épouses successives, son dégoût du panier de crabes que formaient les politiciens de Washington et son souhait de pouvoir tout recommencer. Son abnégation professionnelle. Cette histoire en Géorgie, qui avait décidé de sa vie, bâti sa réputation de merde et forgé sa légende au sein du Bureau.

Quand il eut terminé, il dit:

— Il est très tard. Nous devrions aller nous coucher.

Il raccompagna Tracy à sa chambre. Elle le remercia une fois rendue à sa porte. Elle allait lui souhaiter bonne nuit quand leurs regards se croisèrent.

— Tracy, je...

Elle lut du désespoir dans ses yeux. Leur brève conversation leur avait permis de comprendre qu'ils étaient l'un comme l'autre des individus en souffrance arrivés à un tournant de leur vie. Chacun des deux possédait ce qui manquait à l'autre et qu'il souhaitait ardemment. Mais les deux vivaient encore dans la crainte. Un curieux sentiment les envahit.

Serait-il gentil avec Mark? se demanda Tracy.

Que se passait-il? Elle eut le sentiment de rencontrer quelqu'un de formidable à un enterrement. *On a le temps*, pensa Bowman. *Si ça doit se faire, il n'y a rien qui presse*.

— Le jour ne va plus tarder à se lever, Frank, dit Tracy. Et on n'est pas au bout de nos peines.

Il hocha la tête et s'éloigna en consultant sa montre. Il allait retourner à sa chambre pour visionner la vidéo des interrogatoires de Doug et d'Emily Baker. Dans quelques heures, il espérait pouvoir les inculper du meurtre de Paige, leur petite fille de dix ans.

53

La nuit était tombée sur le poste de commandement opérationnel. Emily écoutait le vent battre la toile de sa tente. Il la privait de sommeil, de lucidité et mettait son âme à vif.

La jeune femme glissait du gros bon sens vers un abîme béant.

Elle voyait le visage de Paige. Les yeux de Rachel. Et sombrait.

Mon Dieu. Je vous en prie.

De l'obscurité vers l'obscurité. Et ce vent qui l'accusait.

« Ta sœur, où est-elle ? Où est Rachel ? »

Où est Doug ? Ça fait si longtemps qu'il est parti. Le FBI l'a emmené. Zander l'a emmené. La laissant seule parmi des inconnus. Les agents, qui ne souriaient jamais, la surveillaient. Et il faisait si froid. *Mon Dieu, aidez-moi. Je vous en supplie. Faites que cela se termine. Si Paige n'est plus de ce monde, je ne pourrai pas supporter cette nouvelle épreuve.*

Ma Sun Ray, mon Rayon de Soleil. Je vois ses yeux. Je sens sa main qui effleure la mienne et s'en détache.

Le vent ne s'arrêterait donc jamais ?

Elle se souvint de son obsession apparue après la mort de Rachel, de ce besoin de comprendre, *de savoir*… ce qu'un être humain ressent au cours des toutes dernières secondes, avant de rencontrer la mort.

Pour Emily, savoir était devenu une obsession.

Et elle s'était penchée sur le problème.

Elle avait étudié la vitesse en fin de chute et l'énergie sensorielle vestibulaire. *Elle se souvient de l'effroi dans les yeux de Rachel*. Elle s'était intéressée à l'énorme masse de messages qui assiègent le système neurologique, au besoin automatique de nier la réalité en cherchant, dans un geste de survie, à « s'agripper à l'air. » *Elle revoit la peur inscrite sur le visage de Rachel, ses mains tendues*. Qu'éprouve-t-on quand le sol se rapproche à toute vitesse et va donner le coup de grâce pour faire entrer votre vie au paradis ? *Rachel se savait déjà perdue*. Emily avait étudié la phase d'agonie, cet instant qui précède la mort, la fin de tout ce qui constitue l'aspect physique d'un être humain. *A-t-elle souffert ?* Emily avait consacré sa vie à chercher à savoir si sa sœur aurait pu bénéficier de l'aide d'un quelconque phénomène spirituel.

Rachel n'avait que cinq ans.

A-t-elle souffert ? Emily devait absolument le savoir.

Mais ce n'était pas le vent qui allait le lui apprendre.

Ta fille, Emily, où est-elle ? Et ton mari, où est-il ?

Doug est resté seul avec Paige. Il a été le dernier à la voir.

« Je l'ai envoyée te rejoindre. Je croyais qu'elle était avec toi. Elle est partie à ta rencontre avec Kobee. Je te jure, elle est partie pas plus de cinq minutes après toi. Pendant tout ce temps, j'ai cru qu'elle était avec toi. »

Et sa blessure à la main ? Et le t-shirt de Paige pour envelopper sa blessure ? Il s'est fait ça en coupant du bois ? Ils s'étaient disputés si violemment. Il lui en voulait terriblement d'être incapable de lui parler de son histoire familiale.

Non, arrête.

Arrête de voir les choses sous cet angle. Bien que morte de fatigue, Emily luttait encore.

Mais elle dévissait, comme un alpiniste. Qui va chuter.

Je t'en prie, Paige. Reviens.

54

Paige est-elle encore en vie ?

Il le faut.

Doug devait espérer au-delà de l'espoir. Ne pas céder au doute, ce traître. Paige devait savoir qu'il ne l'avait pas abandonnée.

Un méchant vent secoua les baraques du centre de commandement. La fenêtre de la pièce claqua violemment. Doug était allongé, au sec, sur un douillet bat-flanc, bien au chaud sous une couverture de laine. À côté de lui, le narguant, intacts et froids, un énorme bol de soupe aux légumes accompagné de biscuits au beurre. Anéanti, Doug pleurait.

Si Paige était encore de ce monde, elle luttait pour sa survie.

Doug n'avait pas faim.

Paige, tu peux m'accorder ton pardon ?

Si tu es morte…

Doug regarda sa main blessée.

Elle voulait seulement discuter avec moi et je l'ai chassée alors que je tenais une hache à la main. « Fous-moi le camp et va retrouver ta foutue mère ! »

Emily.

Emily avait une sœur. Qui est morte. Emily était présente aux côtés d'Isaiah Hood quand sa sœur a été tuée. Ma propre femme aurait-elle fait du mal à ma fille ? Est-ce que je peux vraiment croire une chose pareille ?

Le soir de leur arrivée au Montana.

Les images lui revinrent à nouveau en mémoire, celles d'Emily qui sort du lit de la chambre du Holiday Inn pour aller regarder le topo à la télé sur l'exécution de Hood. Il se souvint de l'avoir entraperçue fouillant dans son sac à main à la recherche de quelque chose. Elle était allée s'asseoir près de la fenêtre pour d'abord regarder ce qu'elle venait de retrouver, puis ensuite contempler la nuit, avant de se mettre à pleurer tout doucement.

Le lendemain matin, pendant qu'Emily était sous la douche, Doug fouilla son sac et trouva. D'anciennes photos. Emily s'était relevée la nuit pour examiner de près de vieilles photos, des photos de filles, d'un groupe de filles en montagne. Elles souriaient, rigolaient. C'était sûrement des amies d'enfance.

L'une des filles lui rappela quelqu'un.

Et aujourd'hui il pouvait mettre un nom sur ce visage.

C'était celui qu'il avait vu dans le journal, celui de la petite fille qu'Isaiah Hood avait assassinée, celui de la sœur d'Emily.

Rachel.

Oh mon Dieu, c'est donc vrai. Le FBI ne ment pas. Il n'avait pas voulu repenser à tous ces événements, à ces fantômes jaillis du passé d'Emily, et qui s'imbriquaient parfaitement les uns dans les autres.

Que savait la police qu'il ignorait encore ?

Il ressentit des picotements.

Les flics s'échinaient à creuser leur passé. Mais n'arrivaient à rien.

— Connaissez-vous Cammi Walton ?

Bien sûr. La plupart des profs savaient que Cammi vivait très mal le divorce de ses parents.

— *L'avez-vous frappée ?*

Quelles salades Cammi avait-elle bien pu inventer ? Ça n'aurait rien eu d'extraordinaire. Sa vie était un tel chaos. De temps en temps elle explosait. Doug n'avait rien fait de mal.

Mais son avocate lui avait dit : « En fait, on essaie de constituer un dossier d'accusation contre vous. Ils veulent vous inculper. »

Doug devait apprendre la vérité sur les siens.

Sur sa propre femme.

Les flics savent. Le FBI sait quelque chose.

Dehors, le vent tourbillonnait.

— *Tu m'aimeras, Doug, quoi qu'il arrive ?*

Paige.

Aucune trace d'elle. Rien.

Doug sonda l'obscurité pour obtenir des réponses.

55

Tom Reed appela sa femme à Chicago. Il espérait qu'Ann et Zach ne seraient pas encore couchés et qu'il pourrait leur souhaiter bonne nuit.

— Il dort comme une bûche, répondit Ann. Ce soir, son oncle l'a emmené voir jouer les Cubs. Tu veux que je le réveille ?

Ann rentrait à l'instant de la soirée où sa sœur, qui allait se marier, avait reçu tous ses cadeaux.

Il se faisait tard. Près de Kalispell, dans l'obscurité de sa chambre du Sunshine Motel balayé par le vent descendu des Rocheuses, Reed vivait un douloureux moment de solitude et sa famille lui manquait. La télé diffusait *Les Hommes du Président*. Le son était coupé.

— Non, laisse-le dormir. Dis-moi, il a l'air d'aller plutôt bien, qu'en penses-tu ?

— Oui, il va très bien depuis… l'affaire.

« L'affaire », c'est ainsi qu'Ann appelait le kidnapping et la tentative de meurtre dont Zach avait été victime quelques mois plus tôt, quand un dément avait enlevé trois enfants à San Francisco. Reed avait enquêté sur l'affaire, avant qu'elle ne devienne leur propre « affaire », à Ann et à lui, et ne manque d'anéantir leur famille.

— Tom, tu n'as pas répondu à ma question. Cette petite fille perdue dans la montagne, qu'est-ce qu'il lui est arrivé ?

Il avait informé Ann de sa découverte des lettres en forme de confession d'Emily Baker, de son interview de Hood, de l'exécution dont l'heure fatidique approchait, de Doug Baker que le FBI avait passé au détecteur de mensonges, et de la tension qui montait de tous côtés.

— C'est difficile de savoir ce qui s'est passé. Les Baker… enfin… Emily Baker, à cause de son passé trouble, pourrait bien avoir quelque chose à se reprocher. Toi et moi savons d'expérience que ce scénario est plausible. Mais il se peut très bien que cette femme soit victime des circonstances. Va savoir…

— Ouais… fit Ann en analysant ce que son mari venait de dire. En tout cas, ici on ne parle que des recherches. Ça a fait les unes du *Tribune* et du *Sun-Times*. Même la télé locale a dépêché quelqu'un sur place.

— C'est le gros buzz du moment.

— Tu sais, Tom, j'aimerais que tu sois à mes côtés.

— C'est vrai ?

— Oui… pour m'aider à me déshabiller et me masser le dos.

— Et moi, j'aimerais que tu sois ici, avec moi, au Sunshine Motel.

— Dis donc, t'es sûr que tu seras ici à temps pour le mariage ?

— Oui. Molly m'a rejoint, j'ai vérifié mes horaires d'avion et…

— Mais pourquoi Molly est-elle au Montana ?

— La direction du *Star* voulait qu'on soit plus nombreux sur le coup. Vu que ça devient énorme. Quand je devrai partir, je refilerai le bébé à Molly.

— T'as intérêt à être là pour le mariage, sinon t'es viré.

— Viré ? Viré de quoi ?

— De ton boulot de masseur personnel d'Ann Reed.

— Vous devriez plutôt me caresser dans le sens du poil, madame.

Il aima la façon dont elle rigola.

— Bonne nuit, gros niaiseux. Je t'aime.

Reed éteignit la télé et sombra dans un sommeil agité, se demandant si Isaiah Hood, rencontré quelques heures plus tôt, était innocent du crime pour lequel on s'apprêtait à l'exécuter.

Dans l'obscurité, le regard suppliant de Hood lui apparut.

— *Je voudrais bien savoir pourquoi elle m'a envoyé en prison.*

Il revit Emily Baker, face à l'objectif des caméras, pleurant sa fille disparue.

— *On n'a qu'elle au monde.*

Ainsi que les lettres qu'Emily avait adressées à une amie, dans lesquelles elle parlait du meurtre de sa petite sœur, qui remontait à vingt-deux ans.

« Je suis coupable de sa mort. Je n'oublierai jamais son regard planté dans le mien alors qu'elle chutait. Mon Dieu, je vous en prie, pardonnez-moi. »

56

Tels des porteurs de cercueil, quatre gardiens, la mine sombre, des chaînes dans les mains, se présentèrent à la porte de la cellule d'Isaiah Hood.

Le plus vieux d'entre eux, celui qui inspirait la bonté, toucha l'épaule du condamné et lui dit à voix basse :

— C'est l'heure, Isaiah. Faut qu'on te transfère.

Qu'on te transfère vers la mort.

Les autres se gardèrent bien de croiser le regard de Hood. Ils l'autorisèrent une dernière fois à jeter un œil sur la cellule de deux mètres cinquante sur trois devenue son tombeau depuis vingt-deux ans. Tous ses effets personnels, comme ses livres et son échiquier, avaient été offerts à d'autres détenus. Hood avala sa salive avec difficulté. Il s'imprégna de son poster des Rocheuses du Montana. C'est David Cohen qui devait en hériter et l'afficher dans son bureau de Chicago. Le poster, en fait la fenêtre de Hood sur le paradis, eut sur lui un effet paralysant.

C'est là que j'habite. C'est chez moi.

Bien que ce fût un exercice de routine, les gardiens mirent de la solennité dans leurs gestes quand ils passèrent une première chaîne autour de la ceinture de la combinaison orange du détenu et bouclèrent la seconde qui reliait les menottes à la ceinture.

Hood ferma les yeux et serra les poings.

À plusieurs reprises, le prisonnier avait rencontré son conseiller spirituel et le directeur de la prison. Tous deux avaient gentiment insisté sur la nécessité qu'« il se comporte en homme et affronte dignement la conséquence de ses actes ». Pour les quatre gardiens, le moment était tendu. Chacun espérait que les séances de préparation qu'avait suivies Hood porteraient leurs fruits et que tout se passerait en douceur.

Hood rouvrit les yeux pour regarder son poster, pour savourer une dernière goutte de paradis.

Puis il se tourna vers le plus âgé des gardiens. Ses genoux fléchirent un peu. Il se ressaisit et dit avec un signe de tête :

— Allons-y, chef.

La machine était en marche.

Depuis longtemps déjà, le directeur de l'administration pénitentiaire de l'État, à Helena, avait reçu une copie certifiée de la condamnation à mort de Hood. En accord avec la loi en vigueur au Montana, le manuel de la procédure d'exécution capitale exigeait qu'au moins vingt-quatre heures avant son exécution le condamné fût transféré de sa cellule et mis à l'isolement dans une cellule prévue à cet effet.

L'Antre de la Mort.

Les fers que portait Hood résonnèrent dans les allées du couloir de la mort. Il passa devant les cellules des autres condamnés qui lui firent leurs adieux.

— Dieu te garde, Isaiah.

— On se reverra de l'autre côté, mon ami.

— La liberté, mon frère, la liberté.

Hood, le corps comme engourdi, regardait droit devant lui, sans broncher. On l'emmena vers un endroit du couloir de la mort qu'on utilisait peu. Hors de portée du bruit et du brouhaha de la prison, c'était l'endroit où la condamnation à mort aurait lieu suivant la procédure légale en vigueur.

Les néons grésillèrent quand on alluma, des clés cliquetèrent, des portes d'acier émirent un bruit sec, s'ouvrirent et se refermèrent dans un bruit sourd. Hood entra dans sa nouvelle réalité, celle de l'Antre de la Mort.

Il sentit la température chuter. Son cœur s'arrêta de battre. Il expira lentement. On venait de le mettre à l'isolement dans une cellule munie de barreaux qui allaient du sol au plafond, de sorte qu'on pourrait facilement le surveiller et prévenir toute tentative de suicide de sa part.

Dans les yeux du plus ancien des gardiens se mêlaient le sens du devoir et la compassion. Il plongea son regard dans celui de Hood après qu'on eut débarrassé le condamné de ses fers.

— Ça va aller maintenant, Isaiah, dit-il à voix basse.

Hood acquiesça.

Puis on referma la grille.

La cellule ressemblait à toutes les autres, à part la couleur crème de ses murs, une couleur censée calmer, psychologiquement parlant. On y trouvait un bat-flanc, une tablette rabattable, un bloc de feuilles jaunes lignées, du format autorisé en prison, des enveloppes de format lettre et un formulaire de commande du dernier repas. Tout près, de l'autre côté des barreaux, il y avait une petite télé couleur dont les gardiens contrôlaient les programmes. Près du poste, sur une modeste table recouverte d'une nappe blanche, se trouvaient un téléphone et une bible. À quelques pas de là, dans le couloir, il y avait une douche particulière. Comme le directeur l'avait dit à Hood dans les jours précédents : « Si vous le souhaitez, Isaiah, avant, vous pourrez vous doucher. » Tout près de la cellule, face à un bureau équipé d'un téléphone et d'un ordinateur, se tenait un gardien. Il salua Hood gentiment de la main. La procédure prévoyait que, dans les heures précédant l'exécution, les gardiens qui se relaieraient surveilleraient le condamné.

Dès que Hood arriva, le gardien commença à taper sur son clavier pour créer un nouveau dossier.

AO#A041469

ISAIAH HOOD

SURVEILLANCE CONDAMNÉ À MORT

Le gardien nota l'heure et ce que faisait Hood.

« Assis sur le bat-flanc. »

Une heure plus tard, il tapa: « Discussion avec conseiller spirituel. »

Le révérend Philip Wellsley effectuait son ministère dans une petite église située près d'Anaconda. Il approchait des quatre-vingts ans. Voûté, il avait des cheveux blancs et un visage pâle et ridé. Il sentait le vinaigre quand il prit place sur une chaise de l'autre côté des barreaux. Il posa sa main sur l'épaule du condamné en lui parlant.

— Bientôt, mon fils, tu vas te retrouver, libéré de toutes dettes, face à ton Créateur, pour commencer une nouvelle vie.

Immobile, les yeux brillants, Hood se dit que toute sa vie n'avait été qu'une erreur.

À Deer Lodge, les premiers véhicules des opposants à la peine de mort commencèrent à arriver de tout le pays et du Canada. Voyageant à leurs propres frais, étudiants, médecins, mères au foyer, prêtres, militaires à la retraite, profs, tous s'obligeaient à mettre leurs idées en adéquation avec leurs actes. Ce soir-là, ils se retrouvèrent dans une église du coin pour fabriquer des pancartes et constituer une chaîne de prières qui veillerait toute la nuit. Dès l'aube, le jour de l'exécution de Hood, ils iraient se poster à la lisière de la propriété de l'État. Là, ils protesteraient calmement, face aux voitures assurant la sécurité de la prison, visibles depuis le pénitencier et avec les Rocheuses en toile de fond. Dans les États où la peine de mort existait, dans le jargon du personnel pénitentiaire, on les appelait les « porteurs de bougies ».

À l'intérieur de la prison, alors que le révérend Philip Wellsley prenait congé, les préparatifs de l'exécution de Hood allaient bon train.

Dehors, juste au-delà de la cellule du condamné, à une courte et fatale distance, se trouvait la remorque, d'une largeur double d'une remorque normale, qui servait de chambre d'exécution pour tout le Montana.

Hood connaissait parfaitement la procédure. Jusque dans ses moindres détails. Demain soir, sur les coups de minuit, le directeur viendrait dans sa cellule lui lire le mandat autorisant sa mise à mort ; puis on lui passerait les menottes, on le sortirait de sa cellule et, sous bonne escorte, il gagnerait la modeste chambre d'exécution équipée d'un chariot d'hôpital. On demanderait à Hood de s'y allonger et, à l'aide d'épaisses courroies de cuir couleur caramel, on l'y sanglerait en cinq endroits du corps. Les bras, tendus, seraient attachés sur les accoudoirs, eux-mêmes recouverts d'adhésif médical, dont l'odeur d'antiseptique donnerait à la pièce une atmosphère de clinique.

Pendant qu'un médecin de l'administration enfoncera une aiguille intraveineuse dans chaque bras du condamné et posera un moniteur cardiaque, Hood découvrira la modeste pièce dénuée du moindre attrait. Il regardera la lumière crue à sa verticale, entendra les témoins prendre place dans la zone qui leur est réservée, leurs pas faisant vibrer le sol de la remorque. Il jettera un œil aux deux téléphones muraux, l'un étant exclusivement relié au bureau du gouverneur et l'autre à celui du ministre de la Justice, les lignes restant libres tout au long du processus au cas où une suspension de dernière minute interviendrait.

Le directeur lui demandera de prononcer ses dernières paroles avant de lui souhaiter ses meilleurs vœux. Pendant ce temps, l'aumônier de la prison continuera de prier. Le processus d'exécution proprement dit débutera. Au-delà de l'enceinte du pénitencier, les « porteurs de bougies » commenceront à chanter *Amazing Grace*. Les extrémités des cathéters plantés dans les bras du condamné aboutissent dans la pièce du bourreau. Là, alors que l'aumônier priera toujours, un membre du corps médical de l'administration, dont l'identité demeure secrète, procédera à l'injection létale.

— *C'est nu et seul que nous venons au monde. C'est nu et seul que nous le quittons.*

En premier lieu, une injection de thiopental sodique plongera Hood dans un profond sommeil.

— *Tourne-toi vers la lumière, mon fils.*

Suivra une bonne dose de bromure de pancuronium, qui servira à détendre les muscles. Puis la dose létale de chlorure de potassium procédera à l'arrêt cardiaque. Le coût de revient de cette mort ? Dans les soixante-quinze dollars, pour un procédé qui n'excédera pas les dix minutes. Hood sera déclaré mort et l'on signera son certificat de décès. Un fourgon qui attendra dans une zone sécurisée de la prison emportera le corps vers un salon funéraire de Deer Lodge, où il sera incinéré. Selon les dernières volontés du défunt, les cendres seront remises à son avocat, David Cohen, qui se rendra dans le parc national des Glaciers pour les disperser dans les Rocheuses.

— Tout n'est pas encore joué, Isaiah.

Cela lui fit bizarre d'entendre la voix de Cohen le réconforter. Puis il aperçut David de l'autre côté des barreaux de sa cellule. Hood quitta ses pensées pour écouter son avocat.

— L'interview avec Tom Reed va nous aider. Son article va avoir un retentissement qui va nous rapprocher de notre but.

Hood se contenta de regarder David. À son teint livide, Isaiah comprit que David était également mort de peur.

— J'ai un truc de prévu demain matin, Isaiah.

Moi aussi, pensa Hood.

Le condamné remarqua que le clavier de l'ordinateur du gardien reprenait de l'activité.

— Je dois rencontrer un avocat.

— David, dit Hood, je ne suis plus coupable de sa mort.

— Oui, je vous crois. Je vais tenter quelque chose demain matin.

— Mais que reste-t-il à tenter ?

Cohen garda le silence parce que le gardien s'excusa pour leur dire que le temps imparti était écoulé.

David tapota la main d'Isaiah. Il le salua d'un signe de tête et s'éloigna en affirmant :

— Je reviendrai vous voir demain.

Ce soir-là, quand on baissa la lumière dans sa cellule, Hood s'allongea sur son bat-flanc. Il resta un moment à regarder le reflet de l'écran d'ordinateur sur le visage du gardien. Puis il ferma les yeux.

Il sentit ses petits poignets dans ses mains et la bonne odeur de sapin que la brise poussait le long de la paroi rocheuse. La petite haletait, sanglotait et le suppliait de l'épargner. Elle paraissait si légère entre ses grosses mains.

Ce n'était qu'un jeu, auquel il avait déjà joué, avec le chien, puis avec le lapin.

À présent, c'était avec la petite chasseuse de papillons aux yeux clairs.

C'est elle qui avait dit qu'elle voulait jouer.

C'était une vraie plume. Pour sûr, elle allait flotter dans l'air. Il devait s'assurer qu'elle était capable de voler.

Tous, ils pensaient tous être meilleurs que lui.

— *On n'est pas censées jouer avec toi.*

Ils marchaient sur l'air.

Comment pouvaient-ils dire qu'il l'avait tuée ? Alors que ce n'était qu'un jeu.

Le clavier cliquetait.

« Dormir. »

Mais Hood ne dormait pas.

Il réveilla son plan.

Il n'allait pas crever en prison.

Jour 5

57

Le chef typographe du *San Francisco Star* et son équipe s'activaient d'arrache-pied dans l'immense sous-sol du journal, situé au cœur de la ville.

Ils faisaient des essais d'encre, réglaient le papier, bref, préparaient les vingt-cinq tonnes de la presse de marque Metroliner qui allait fabriquer les trois cent dix mille exemplaires de la deuxième édition du journal, destinés aux abonnés urbains et à ceux de la grande banlieue de San Francisco.

Sur six colonnes à la une, juste sous le bandeau du *Star* et au-dessus de l'encart, l'article en exclusivité signé Tom Reed et Molly Wilson allait avoir l'effet d'une bombe. Avant que l'encre n'imprime le tout premier exemplaire, il avait déclenché une série d'événements qui remettraient en cause les débordements de sympathie des Américains envers Emily et Doug Baker.

Peu après une heure du matin, heure du Pacifique, le *San Francisco Star* avait envoyé le résumé final des futurs articles de sa prochaine une à l'Associated Press. Au QG mondial de l'agence, à Manhattan, la rédactrice en chef nationale de permanence de nuit avait lu la courte phrase qui résumait l'article de Reed et de Wilson : « L'avocat du meurtrier condamné assure détenir la preuve que la mère de la fillette disparue est une tueuse d'enfant. » La rédactrice décrochait son téléphone quand une ligne extérieure sonna. Le rédacteur de l'édition Internet du *New York Times* réclamait l'article du *Star*. Cet appel fut immédiatement suivi d'un autre du *Washington Post*, puis ce fut au tour de CNN et de CNBC, avant que d'autres ne leur emboîtent le pas. La rédactrice de l'AP supplia l'équipe de nuit de permanence au *Star* de lui envoyer l'intégralité de l'article. D'abord réticent, vers trois heures du matin, heure du Pacifique, le *Star* accepta de mettre en ligne sur son propre site un résumé de deux cent cinquante mots, bientôt suivi, une heure plus tard, par l'intégralité de l'article.

— La demande est incroyable, dit l'éditrice de l'AP en se souvenant que le journal avait le droit de protéger l'exclusivité de sa publication.

Elle se fit aussi la réflexion que quelqu'un de son agence pourrait très bientôt se procurer un exemplaire du *Star,* dont l'encre serait à peine sèche, sur les quais de chargement du journal à San Francisco.

Le journal offrit l'intégralité de son histoire à l'agence de presse avec l'espoir qu'elle ne le diffuserait que bien après l'heure de tombée des concurrents californiens du *Star*.

Puis l'AP alerta toutes les agences. En fait, la moindre salle de rédaction des États-Unis affiliée au réseau reçut le message, pour ne pas dire toutes les rédactions de la planète. Trente-six minutes plus tard, l'AP diffusa l'article. Peu avant cinq heures du matin, heure de l'Est, les grandes chaînes de radio reprenaient l'info à leur compte et la diffusèrent sur leurs ondes en citant le *San Francisco Star*. La même chose se produisit avec les *news groups* sur Internet et à travers le monde entier avec les chaînes d'infos télévisées vingt-quatre heures sur vingt-quatre. Toutes diffusèrent des topos sur le « drame des montagnes Rocheuses » ou la conférence de presse des Baker, des photos d'Isaiah Hood, du pénitencier d'État du Montana et du chariot d'hôpital de la salle d'exécution. À cinq heures du matin, à New York, les équipes des bulletins de nouvelles matinaux feuilletaient les Rolodex, réveillaient professeurs d'université, juristes, écrivains, avocats des droits de la victime, experts en histoires de « parents assassins », « erreurs judiciaires », « fragilité du système judiciaire », « opposants à la peine capitale », « dédommagements des innocents », « distorsion médiatique » ou « réouverture et reprise des poursuites d'anciennes affaires judiciaires ».

La grande majorité des Américains avaient à peine ouvert un œil qu'ils savaient de quoi les Baker étaient accusés, mais aussi, dans l'hypothèse de leur *culpabilité*, comment ils l'avaient probablement fait, ce qui avait conduit le FBI à penser qu'ils l'avaient probablement fait, pourquoi ce pauvre Isaiah était apparemment innocent, pourquoi les gens devaient comprendre, avec tristesse, que, selon toute vraisemblance, la petite Paige Baker était morte ; comment cette affaire illustrait très précisément les failles d'un système judiciaire défectueux, la « machine médiatique américaine », les « stress que subissaient les familles de milieu urbain » et « l'État de Californie ». Toute la matinée, chaque responsable de la production des réseaux d'information avait demandé en gueulant à son équipe : « Y en a un qui peut me dire pourquoi on n'est pas foutus de mettre la main sur l'avocat de Hood pour l'interviewer ? »

À sept heures, heure du Pacifique, les premiers « bouquets de fleurs du souvenir » à la mémoire de Paige étaient anonymement livrés et déposés sur le paillasson de la maison des Baker du quartier de Richmond.

58

L'agent spécial du FBI Frank Zander avala une nouvelle gorgée de café noir. Le jour n'était pas levé qu'il avait déjà besoin de se concentrer sur ce que l'agent Rob Clovis disait de sa voix rocailleuse aux membres de l'escouade spéciale rassemblés dans le bureau du centre de commandement.

Petit génie de l'équipe des techniciens de scènes de crime du FBI de San Francisco, Clovis s'était porté volontaire pour venir enquêter dans le parc des Glaciers. Arrivé la veille au soir par avion, avec dans ses bagages du matériel vidéo capable de filmer à distance, il devait prêter main-forte à l'équipe de Bill Horn dans sa recherche du corps de Paige Baker, coincé dans une profonde crevasse des falaises du secteur 23. Totalement chauve, Clovis possédait cette modestie de professeur d'école d'ingénieurs qui réalise que ce qu'il raconte passe à des années-lumière au-dessus de la tête de son auditoire.

— Nous avons là le nec plus ultra en matière de caméra à fibre optique. Le système est encore au stade expérimental dans la compagnie de Silicon Valley qui le met au point. Ils ont dû travailler d'arrache-pied pour l'adapter afin que nous puissions explorer la crevasse. C'est ce qui explique le retard de l'arrivée du matériel sur les lieux. On avait prévu de commencer hier soir, mais à cause de la neige et des vents violents, les hélicos sont restés cloués au sol. Ce matin, le ciel est dégagé.

Clovis donna des instructions à son équipe pour installer ce qui, sur les tables de la salle exiguë qui sentait l'eau de Cologne, le rince-bouche, le shampooing parfumé d'hôtel et le café, ressemblait à des ordinateurs portables et à du matériel électrique high-tech.

— Rob, vous pouvez nous redire en gros comment ça fonctionne ?... mais en langage clair, pas en chinois, demanda Lloyd Turner.

Clovis posa sa tasse de café.

— Nous avons un peu plus de soixante mètres de câble hybride à peine plus gros qu'une ficelle de yoyo, expliqua Rob en montrant son pouce et son index qui se touchaient presque. Nous avons une caméra vidéo miniature télécommandée et dotée d'une lampe de forte intensité située à l'extrémité du câble, qui lui-même se trouve relié à un tableau de commande de manière à pouvoir orienter la caméra. Les images circulent dans le câble jusqu'à un moniteur couleur, qui ressemble à un écran de télévision.

Turner écoutait en hochant la tête.

— C'est un système voisin de celui qu'on utilise en microchirurgie, ou encore dans certaines municipalités pour aller inspecter les égouts en évitant de coûteuses excavations. Mais ce que nous nous apprêtons à faire est quelque peu différent.

Clovis, de la tête, désigna le grand écran de télé de la pièce.

— Vous allez assister à la fouille de la crevasse en direct sur cet écran. Les gars de la compagnie ont renforcé le signal du câble et bricolé l'émetteur et le récepteur par satellite.

— Vous allez envoyer les images de la crevasse jusqu'ici, dans cette salle du centre de commandement, via plusieurs satellites, c'est bien ça ? demanda Zander.

— Absolument. En suivant certains des principes dont se servent les astronautes de la NASA pour envoyer des images. Vous découvrirez ce que verra l'objectif de la caméra avec deux à trois secondes de décalage. Nous vous communiquerons de là-haut la profondeur et les conditions d'exploration.

Zander regarda les autres membres de l'escouade. Tous semblaient impressionnés. Mais une chose turlupinait Zander :

— Y a-t-il un risque que les médias puissent intercepter les images avec tout leur matériel satellitaire ?

Bowman frissonna en entendant la question.

— Notre signal sera codé, répondit Clovis en secouant la tête.

Le walkie-talkie qu'il portait à la ceinture se réveilla.

— L'hélico est chargé et prêt à décoller, Rob.

— *Roger*.

Clovis salua l'assistance d'un signe de tête, ramassa une petite mallette qui contenait de l'équipement et dit :

— C'est à nous de jouer.

En sortant de la pièce, Clovis dut s'effacer en croisant Nora Lam qui entrait, la mine grave. Elle dévisagea les agents présents et laissa tomber ses dossiers et sa planchette sur l'une des tables avec un bruit sec.

— Quelqu'un ici avait-il eu vent de ce que s'apprêtait à publier le *San Francisco Star* ? Mon téléphone n'arrête pas de sonner.

— Tom Reed a traîné dans le coin, commença à expliquer Zander.

Mais Lam l'arrêta en levant la main, car elle dut répondre à un bref et laconique appel sur son cellulaire.

— C'était le bureau du ministre de la Justice à Washington, dit-elle. Ils veulent savoir si vous êtes sur le point d'inculper quelqu'un. Vue de leur fenêtre, cette enquête ne se déroule pas comme elle devrait. Et j'ai eu Maleena Crow qui exige que vous libériez Doug Baker.

— C'est que… nous avons besoin d'un peu de temps pour…

Zander fut à nouveau interrompu.

— Et le bureau du gouverneur à Helena n'a pas arrêté d'appeler depuis la publication de l'article. Il voudrait bien savoir ce qui se passe ici. L'exécution d'Isaiah Hood est prévue pour ce soir à minuit.

Zander s'assit et mit ses doigts en tour Eiffel.

Lam prit place à ses côtés.

— Frank, en quelques heures cette histoire est devenue le centre d'intérêt numéro un de toute l'Amérique. Dois-je vous rappeler que le compte à rebours d'une exécution capitale, liée directement à votre enquête, a commencé ? que personne ne veut s'attaquer à la possibilité que Hood soit innocent ? que Washington exige une issue à l'affaire dans les plus brefs délais ? Et je ne vous parle pas du gouverneur qui pousse des cris d'orfraie à cause de Hood et de toute cette histoire. Vous devez rassurer tout le monde en affirmant que le FBI a le contrôle de la situation et pas l'inverse !

— J'en ai assez entendu, madame Lam, répliqua sèchement Zander. Je connais parfaitement les enjeux du dossier. Notre priorité, c'est l'enquête, pas les hommes politiques *ni* l'opinion publique. Quant aux condamnations douteuses rendues par l'État du Montana, ce n'est pas mes oignons ! Le gouverneur a des doutes ? Eh bien, qu'il s'arrange avec !

Les battements cardiaques de Zander s'accélérèrent au rythme du lointain grondement d'un hélico en approche.

— Si j'inculpais quelqu'un maintenant, cette inculpation pourrait s'envoler en fumée sous nos yeux.

Lam piqua un fard en hochant la tête.

— La crevasse devrait parler et apporter des réponses, ajouta Zander. On est proches du but, tout proches.

L'hélico aussi se rapprochait. Zander se leva. C'était l'heure. En compagnie de Bowman, il devait monter au poste de commandement chercher Emily Baker.

— D'une manière ou d'une autre, cette enquête, on va la résoudre, dit-il. Mais ça va prendre quelques heures.

Zander et Bowman sortirent, juste au moment où le cellulaire de Lam se remettait à sonner.

59

Emily Baker s'éveilla-t-elle vraiment ? Car elle n'était même pas certaine d'avoir dormi.

La couche de neige fondue avait disparu depuis longtemps. De faibles vents plus doux caressaient la toile de sa tente. L'aube pointait. Une douleur s'empara d'Emily au fur et à mesure qu'elle reprenait cruellement conscience de la disparition de sa fille. Jusqu'à l'envelopper totalement.

Elle perçut de lointains bruits de communications radio. À leur table des cartes du poste de commandement opérationnel, les gardes informaient les équipes de chercheurs des secteurs à explorer. Depuis combien d'heures à présent Paige était-elle égarée dans ce territoire hostile ? Emily fut assaillie d'images du cercueil de sa petite sœur.

Non. Pas ça. Elle se devait d'être forte pour sa fille. Et si aujourd'hui on apprenait une bonne nouvelle ? Et si quelque chose la sortait de son cauchemar ?

Elle s'extirpa avec lenteur de sa tente pour apparaître en pleine lumière sous les yeux des agents du FBI et des gardes chargés de sa surveillance. Un jeune type du Bureau, originaire de Salt Lake City, s'approcha d'elle, une tasse de café fumant à la main.

— Avez-vous réussi à dormir, Emily ?

— Je n'en sais trop rien, dit-elle en prenant la tasse à deux mains. Est-ce que Doug va revenir ?

— On ne nous a rien dit.

— Tracy Bowman, elle est au poste de commandement ? Je ne la vois pas.

— Non, je crois que…

L'agent jeta un œil vers ses collègues restés près des tables où l'on stockait l'équipement et ajouta :

— Aujourd'hui, on va fouiller les secteurs nord.

— Bien sûr… Comme hier. Et comme avant-hier, répondit Emily qui nota le coup d'œil de l'agent en direction de ses collègues et des gardes. Vous pouvez m'expliquer ce qui se passe ? demanda-t-elle en se dirigeant vers les tables.

— Si j'étais vous, je ne… osa l'agent.

— Excusez-moi, fit Emily en l'ignorant.

Ce matin, on aurait dit que les membres du FBI et les gardes agglutinés autour de la table étaient plus nombreux que d'habitude. Brady Brook, plongé dans l'étude d'une carte, s'entretenait avec un secouriste d'un secteur très éloigné. Emily remarqua les regards en coin qu'on lui décochait par-dessus les mugs de café, tout en discutant à voix basse, à peine dérangés par les bruits des ordinateurs portables ou des petites télés couleur en marche – *Était-ce hier ?* – alors que les recherches attiraient l'attention des médias nationaux.

Quand Emily se planta devant la table, les regards froids se braquèrent sur elle. Et devinrent à la fois glacés et accusateurs.

— Nom de Dieu ! lâcha quelqu'un dans un murmure en réalisant qu'Emily était devant eux.

— Je peux savoir ce qui se passe ? Avez-vous trouvé Paige ? Ou autre chose ? Je ne sais pas, moi. Je vous en prie…

Silence total.

Ils étaient tous accaparés par les petits écrans branchés vingt-quatre sur vingt-quatre sur les chaînes d'info et leurs reportages liés à l'article du *San Francisco Star.*

— Que se passe-t-il ? Personne ne veut me répondre ? Mais dites-moi quelque chose à la fin !

L'une des gardes avait réussi à obtenir une liaison Internet grâce à une ligne téléphonique et trouvé le site du *Star* avec l'intégralité de l'article signé Tom Reed et Molly Wilson.

— Que se passe-t-il ? répétait Emily d'une voix brisée en se déplaçant autour des tables pour essayer de voir ce que les agents du FBI et les gardes regardaient. Qu'est-il arrivé ? Vous l'avez trouvée ?

Dans un roulement de tonnerre, un hélico décolla du surplomb pour se rendre dans le secteur 23. Le calme revenu, Emily commença à voir ce que diffusait l'un des écrans.

— Y a-t-il quelqu'un qui va finir par m'expliquer ce qui se passe ? Je vous en prie.

Personne ne tenait à l'informer de la situation. Un nouvel hélicoptère approchait. Il fit du surplace à faible distance du poste. Emily surprit quelques bribes du bulletin de nouvelles : « Alors que les préparatifs de l'exécution d'Isaiah Hood, prévue ce soir… des preuves pour le moins troublantes viennent plaider en faveur de son innocence, preuves qui pourraient expliquer le mystère qui se cache derrière la disparition de la petite Paige Baker âgée d'une dizaine d'années… »

Emily n'en entendit pas davantage. Le vacarme de l'hélico couvrit le son des télés, laissant la jeune femme face aux images de sa jeune sœur défunte, d'Isaiah Hood, de Paige, de Doug, de la chambre d'exécution du pénitencier fédéral du Montana, et enfin d'elle-même, morte d'angoisse, lors de la conférence de presse de la veille. Les pales de l'engin fouettèrent l'air qui vint frapper Emily dans le dos alors qu'elle portait une main à sa bouche.

Que se passait-il ?

Tous les regards étaient braqués sur elle. Elle remarqua l'ordinateur branché sur Internet, et son grand écran avec le titre de l'article du *Star* :

LE CONDAMNÉ DÉCLARE QUE LA MÈRE DE LA FILLETTE DISPARUE EST UNE MEURTRIÈRE

Comprenant qu'Emily était en train de lire l'article, la jeune garde tendit la main pour fermer son portable. Emily l'en empêcha et poursuivit sa lecture.

TOM REED et MOLLY WILSON

Le SAN FRANCISCO STAR

WEST GLACIER, Montana. Cette nuit, l'État du Montana va procéder à l'exécution d'Isaiah Hood, qui clame son innocence du meurtre, il y a vingt-deux ans, dans le parc des Glaciers, de la sœur âgée de cinq ans d'Emily Baker.
L'avocat de Hood a produit ce qu'il prétend être la preuve que Baker a sa part de responsabilité dans la mort de sa sœur. Cela intervient au moment où les gardes et les hommes du FBI recherchent Paige Baker, la fille d'Emily Baker, âgée d'une dizaine d'années, et disparue en compagnie de son beagle nommé Kobee…

Emily grogna.

— Je ne crois pas que vous devriez en lire davantage, fit la garde en haussant la voix pour couvrir le bruit du rotor tout en essayant, mais en vain, de refermer son ordinateur, dont Emily tenait fermement l'écran relevé.

Les mots qui la hantaient, ces mots qu'elle avait écrits enfant lui revinrent en mémoire et lui lacérèrent l'âme.

« … Je suis responsable de sa mort. Elle m'a suppliée de la sauver. J'ignore ce qui s'est passé. Elle m'a suppliée et a crié. Je tenais sa main, mais ce jour-là je ne sais pas ce qui s'est passé. Je n'oublierai jamais son regard planté dans le mien au moment de sa chute. Oh mon Dieu, je vous en prie, pardonnez-moi… »

Elle revit les yeux de Rachel. Et la chute.

Emily échappa son mug de café. *Oh mon Dieu!* Sa vue se brouilla, son cœur se mit à battre au rythme du bruit du rotor de l'hélico et le vacarme emplit ses oreilles.

Oh mon Dieu, s'il vous plaît.

Elle s'écarta de la table.

Quelqu'un cria son nom. Elle continua à s'éloigner de la table. Anéantie. Le visage entre les mains. De la poussière et des petites roches se mirent à tourbillonner autour d'elle, masquant le soleil. Et on criait toujours son nom. Elle se sentit défaillir, elle s'abandonna jusqu'à ce que quelqu'un, ou quelque chose… une main ferme se posa sur son épaule. Son nom émergea du brouhaha.

— Emily.

C'était une voix de femme, une voix qu'elle connaissait.

— Emily, c'est l'heure.

C'était Bowman. Tracy Bowman.

— C'est l'heure de descendre avec nous au centre de commandement. Nous avons à parler.

L'agent spécial Frank Zander se tenait aux côtés de Bowman.

60

Il restait seize heures à vivre à Isaiah Hood.

Les médias cherchaient son avocat partout, mais David Cohen avait coupé son cellulaire, de sorte que même ses collègues de Chicago se trouvaient dans l'impossibilité de le joindre.

Les journaux, les radios, les agences de presse, les chaînes de télé d'informations de tout le pays, tous appelaient désespérément chaque hôtel et chaque motel des alentours de West Glacier, au Montana, pour essayer de mettre la main sur lui. Des journalistes de magazines et de tabloïds, ainsi que trois dénicheurs de bonnes histoires qui travaillaient pour Hollywood, étaient venus grossir la meute. Leur but ? Trouver Cohen afin de négocier le montant des droits de Hood.

Mais Cohen s'arrangeait pour qu'on ne le trouve pas.

Du moins pas encore. C'est ce qu'il se dit en avalant la dernière bouchée de son déjeuner avant de régler la note de son minuscule motel près de Flathead Lake, à quelques kilomètres au sud du parc national des Glaciers.

La télé située derrière le patron du motel diffusait un nouveau reportage sur l'affaire. David vit une photo de lui-même, prise trois ans plus tôt, et qu'une chaîne de Chicago avait mise en ligne sur le Net. Fort heureusement, Cohen portait des lunettes de soleil et une casquette de baseball.

À l'approche du parc, il pensa à Hood et l'imagina assis dans sa dernière cellule de condamné à mort, sous bonne garde, et avec la pendule qui égrenait les secondes du compte à rebours. De la façon dont les choses se présentaient, l'avenir de Hood se résumait à une poignée d'heures.

Cohen doubla un autre camion de chaîne de télé équipé d'une antenne parabolique, qui faisait route vers le nord. Il prit son cellulaire et l'alluma pour écouter ses messages. Il écouta la messagerie, puis fit défiler les messages. « Francis Lord du *L.A. Times.* » Suivant. « Chuck Ryker, ABC News, New York. » Suivant. « Nancy Womack, *Great Falls Tribune.* » Suivant. « Bonjour monsieur Cohen, c'est Phil Braddock du *Washington Post.* » Suivant. « Salut, David, c'est Dianna Strauss du *New York Times.* » Suivant. « C'est Abe Gold, du bureau. On a vu les reportages à la télé. Mais qu'est-ce que vous foutez, bon Dieu ? Dorénavant, je vous interdis de bouger le petit doigt sans nous en avertir. C'est bien compris ? Appelez-moi sur mon cellulaire personnel… »

C'était le boss en personne, l'actionnaire majoritaire de l'étude d'avocats. Et il semblait être à prendre avec des pincettes. David jeta un œil au paquet de photocopies posé sur le siège passager, celles du résumé des lettres de confession d'Emily qu'avait rédigé l'ancien procureur du comté.

David coupa son cellulaire. Non, il ne rappellerait pas. L'efficacité de l'article de Reed allait au-delà de ses espérances et comblait les attentes de Hood en attirant l'attention sur les bonnes questions qui méritaient d'être posées et sur l'injustice qu'on s'apprêtait à commettre à minuit. Cohen allait affronter la ronde suivante d'un combat dans lequel il risquait de tout perdre. L'exécution de son client ne devait pas avoir lieu.

Il repensa à ses études, à Harvard, à ces heures où il ruminait le long de la Charles River ou quand il descendait en ville pour sauter dans un train en partance pour Fenway, l'esprit empêtré dans des problèmes de philosophie ou d'éthique. *Si un honnête homme ne réagit pas lorsqu'il est face à quelque chose de moralement injuste, qu'avons-nous perdu ?* Ce n'était qu'une théorie, une posture académique. Le seul moment de sa vie où David espérait devoir répondre à ce genre de question, c'était celui de ses examens de droit. Jamais dans la vraie vie.

Au fond de lui, il savait que Hood ne méritait pas d'être exécuté. Lane partageait ce sentiment. Le principe qui avait guidé Cohen s'appuyait sur une certitude légale et contraignante. S'il lui restait deux sous de morale, il devait agir. Sinon, il ne pourrait jamais plus se regarder dans un miroir.

Un officier de la police de la route du Montana lui barra l'entrée principale du parc des Glaciers.

— Nous limitons la circulation à cette entrée, monsieur. Vous êtes ici pour quoi ?

Cohen déclina son identité. L'officier l'envoya se garer avec les véhicules des médias, précisément là où l'avocat voulait aller. Le parking était bourré à craquer.

Cohen prit son paquet de photocopies et chercha le podium que les téléspectateurs des États-Unis et du monde entier connaissaient, pour peu qu'ils s'intéressent à l'affaire Paige Baker. À en croire les derniers bulletins d'information des gardes, la petite fille n'avait toujours pas été retrouvée. Tout en se frayant un chemin vers la forêt de micros, Cohen distribua ses copies à toutes les personnes qu'il croisa. La nouvelle se répandit comme une traînée de poudre. Producteurs délégués de réseaux d'information, reporters, photographes, tous encerclèrent Cohen et lui demandèrent d'attendre un petit quart d'heure, pour des raisons techniques, avant de commencer sa conférence de presse. Parlant tous en même temps, ils l'assaillirent de questions préparées, de sorte que David fut incapable de savoir qui demandait quoi.

— Vous êtes l'avocat de Hood ?

— Oui.

— Vous pouvez épeler votre prénom et votre nom ?

— Vous allez donner une conférence de presse ?

— Pourquoi êtes-vous venu ?

— Eh bien, je…

— Une minute !

Quelqu'un en ligne avec New York hurla dans son cellulaire : « Eh ben, dis-leur qu'on l'a trouvé et qu'ils sortent de la salle de réunion. Oui, il est là, devant moi… »

— David, de quoi allez-vous parler ?

— Je crois que c'est clair, non ? Les choses parlent d'elles-mêmes. On est ici pour parler de vie et de mort.

— C'est bon, parfait, fit quelqu'un avec l'accent sudiste. Vous m'écoutez, tous ? On passe à l'antenne avec l'avocat dans dix minutes.

La foule continua à s'agglutiner autour de Cohen dans le brouhaha de propos saccadés de gens qui parlaient dans des walkies-talkies ou des cellulaires. Un hélico survola les têtes.

En quelques instants, on braqua des dizaines de caméras sur Cohen quand il s'installa derrière les micros. Il passa la langue sur ses lèvres sèches, prenant conscience qu'il ne pouvait plus reculer. *Tu dois le faire, tu ne peux plus te dérober.*

— Allez-y ! lança quelqu'un.

— Non, attendez ! cria une autre qui parlait aussi dans un téléphone radio. C'est bon !

Cohen hocha la tête. Mains sur les hanches, en chemise de jean délavé et pantalon de toile, les joues bronzées mangées par une barbe de vingt-quatre heures, les cheveux dépeignés juste ce qu'il fallait, il incarnait l'image de l'avocat idéaliste et angoissé. Ce qu'il était.

Il plongea son regard franc dans celui des caméras. Les médias adoraient ça. Il s'éclaircit la voix pour se présenter avant de subir un feu nourri de questions.

— J'en appelle au gouverneur afin qu'il reconsidère sa position sur le sort qui attend mon client, Isaiah Hood, dont l'exécution doit avoir lieu ce soir à minuit.

Les questions fusèrent aussitôt. On entendit les déclencheurs des appareils photo.

— Pourquoi ?

— Sur quoi vous basez-vous, maître Cohen ?

— Pour quelle raison…

— À la lumière des preuves qui viennent d'apparaître et qui montrent le lien unissant Emily Baker à mon client, autant de documents qui ont été totalement ignorés lors du procès et des différents procès en appel…

— Vous faites allusion à ses soi-disant lettres de confession ?

— En effet. Et ces lettres, vu la situation, vous les avez devant vous…

— Maître, êtes-vous en train de prétendre qu'Emily Baker a assassiné sa sœur ?

— Non. Je demande qu'on considère ces preuves particulièrement troublantes. Nous avons toujours répété qu'un doute raisonnable plombait cette affaire, que la condamnation ne reposait que sur une preuve indirecte. Il ne reste que quelques heures avant l'exécution de mon client. Je demande qu'on reporte l'exécution de manière à ce que nous puissions faire le po…

À Chicago, au soixante-dixième étage, là où se trouvaient les bureaux de la firme d'avocats, Abe Gold, inquiet, en compagnie d'autres associés, regardait la prestation de David sur le grand écran de la salle de réunion.

— Bon sang ! Mais qu'est-ce qu'il est en train de foutre ? s'étonna l'un des associés. Quelqu'un savait que ça allait arriver ? Abe ? Vous étiez au courant que cette saloperie allait nous tomber dessus ?

Gold fit non de la tête. L'interphone de la salle de réunion grésilla.

— Monsieur Gold. Nous avons en ligne un certain monsieur Jackson, du bureau du ministre de la Justice du Montana.

— Oui, répondit Gold, sans détacher son regard de l'écran où se déroulait la conférence de presse.

— C'est quoi ce bordel, Abe ? demanda Jackson depuis Helena. Rappelez votre gamin immédiatement ! Appelez-le ! Conjointement avec Washington, nous envisageons de porter plainte contre lui pour obstruction.

Gold resta muet. Il jaugea la situation. Si d'un côté il en voulait à David de ne pas l'avoir tenu informé, d'un autre il admirait son courage, qui lui rappelait la fougue de ses jeunes années.

— Monsieur Jackson, dois-je comprendre que le gouverneur Nye va accorder un sursis à notre client jusqu'à ce qu'on ait examiné les sérieuses questions que maître Cohen soulève ?

Jackson raccrocha.

Gold se retint de sourire.

— Je crois que l'autre gars a sourcillé, dit-il.

L'interphone se manifesta à nouveau.

— Monsieur Gold, c'est le bureau du ministre de la Justice à Washington.

◆

Au Montana, Maleena Crow claqua ses paumes contre le volant de sa Jetta. Elle était bloquée par la circulation à l'entrée principale du parc des Glaciers, où elle avait rendez-vous avec le FBI. En allumant la radio de sa voiture, elle était tombée par hasard sur le début de la conférence de presse de David Cohen. Ce qui l'avait mise dans une colère noire.

— Mais de quel droit ose-t-il ?

La veille au soir, Nora Lam l'avait prévenue qu'on lirait ses droits à Emily Baker avant son interrogatoire du lendemain matin. Aucun autre avocat n'était disponible. Lam avait donc demandé à Crow de se présenter au poste de commandement dans l'hypothèse où les choses évolueraient du côté d'Emily. Savaient-ils que cet énergumène de Cohen allait faire son show ? se demanda-t-elle en laissant son auto sur le bord de la route avant de foncer à la conférence de presse de son confrère.

Un officier patrouilleur lui courut après en lui disant :

— Vous ne pouvez pas laisser votre voiture ici, mademoiselle...

Ce qui n'arrêta pas l'avocate, qui joua des coudes à travers la foule de journalistes pour aller retrouver Cohen, au grand étonnement de tout le monde, car personne ne connaissait cette étonnante femme en jean, t-shirt et blazer pastel. Avec son attaché-case à la main et son air intelligent, elle avait tout d'une personnalité officielle. Cohen était en train de répondre à une question.

— Je pense que nous disposons de bien plus d'éléments et de raisons qu'il n'en faut pour rouvrir...

— Excusez-moi, dit Crow. Il me semble que nous assistons tous ici à un tour de passe-passe.

— Qui êtes-vous, mademoiselle ? Présentez-vous !

— Je m'appelle Maleena Crow, je suis l'avocate de Doug Baker. Ce qu'est en train de faire maître Cohen, et la façon dont il le fait, c'est-à-dire porter cette accusation contre la famille Baker, est immoral et contraire à l'éthique.

— Je ne suis pas d'accord...

— Laissez-moi terminer, monsieur. Vous avez eu le temps de *vous* exprimer.

La tension monta d'un cran et les cameramen cadrèrent le joli visage de l'avocate. Les chaînes de télé se régalaient du drame en train de se jouer.

— Vos accusations, sous-entendus et autres implications sont aussi hypothétiques que dénués de fondement. En tant qu'avocat, même de votre renommée, ce que vous faites démontre votre absence de scrupules, c'est…

— Nous avons de nombreux et troublants éléments.

— Monsieur Cohen. Au mieux, ces éléments sont indirects et vous n'avez pas connaissance de tous les faits concernant les recherches de Paige Baker.

— Apparemment, vous non plus, mademoiselle Crow.

— Je crois que vous allez trop loin. Une enfant est portée disparue et vos accusations ne justifient pas un procès, ni dans un prétoire ni dans les médias…

Le vrombissement d'un hélico qui approchait étouffa les voix de la conférence de presse.

C'était devenu un rituel avec chaque arrivée d'un nouvel hélico : les caméras se tournaient vers lui pour voir qui était à bord.

Cette fois-ci, les journalistes en eurent pour leur argent.

Toutes les équipes de tournage continuaient à enregistrer l'altercation entre les deux avocats.

À point nommé, les agents du FBI Tracy Bowman et Frank Zander descendirent de l'hélico. Ils se courbèrent et prirent chacun Emily Baker par un bras pour l'escorter jusqu'au centre de commandement.

Les images parlaient d'elles-mêmes.

Emily Baker venait de passer au rang de suspect dans l'enquête sur la disparition de sa fille et le meurtre de sa jeune sœur vingt-deux ans plus tôt. Et pendant ce temps, le compte à rebours de la vie d'un homme qui clamait son innocence continuait à s'égrener.

61

Lors de son voyage précédent vers le centre, Emily avait considéré les médias comme des alliés. Mais voilà qu'ils prenaient des allures de meute affamée. Elle ferma les yeux et serra les genoux à l'instant où l'hélico touchait terre.

Ah, Paige, je t'en prie, reviens-moi.

Les agents Zander et Bowman l'escortèrent vers le centre sous un flot de questions et sous les objectifs de nombreuses caméras. Les pales de l'hélicoptère provoquèrent une violente bourrasque de vent qui colporta des propos donnant à réfléchir. Une phrase s'en dégagea. Emily aurait pu jurer avoir entendu: « Avez-vous tué votre sœur et votre fille ? »

Quand le trio fit son entrée dans le centre, ses pas résonnèrent sur le plancher d'érable. Emily et les agents passèrent rapidement près des coordinateurs des opérations de recherches. Les conversations cessèrent et des têtes se tournèrent. Ici, tout le monde était au courant de la situation. Bowman fit signe à une autre agente. Les deux femmes accompagnèrent Emily à la salle de bain et lui demandèrent de laisser la porte de la cabine ouverte. Elles ne quittèrent pas Emily du regard pendant qu'elle se débarbouillait.

Zander entra dans la pièce de l'escouade spéciale, où l'attendaient les autres policiers assis à une grande table. Face à eux, des tasses de café noir, d'épais dossiers fermés et des blocs-notes ouverts à une page vierge. La tension dans la pièce était insoutenable. Zander fit quelques pas et s'arrêta pour fixer le grand écran de la télé branchée sur CNN. Il perçut les commentaires des derniers développements de l'affaire. Il tapota le côté du poste, qu'il brancha sur le canal double zéro spécialement programmé par l'agent Clovis. L'écran était encore tout noir. Zander éteignit le poste quand Maleena Crow arriva.

— Asseyez-vous, lui dit-il d'une voix neutre.

La chaise racla le sol. Personne ne parlait. Un hélico des équipes de recherches survola le bâtiment. Personne n'aborda les développements surréalistes de l'affaire. Même la présence de Crow avant qu'on s'attaque à Emily avait quelque chose de singulier.

La jeune avocate se dit que le FBI s'évertuait à s'assurer que son enquête, dans le moindre détail, même le plus insensé, était menée selon les règles.

Emily arriva en compagnie de Bowman, qui l'aida à gagner la même place qu'elle avait occupée précédemment.

— Voulez-vous du café ou autre chose? demanda l'agente du FBI.

— De l'eau, ça ira très bien, répondit Emily en s'éclaircissant la voix.

Bowman déposa un petit gobelet de plastique devant Emily. Zander, bras croisés, ouvrit les débats.

— Emily, vous avez le droit de garder le silence. Tout ce que vous direz pourra être retenu contre vous…

Emily courba la tête et se mit à sangloter.

Dites-moi que je rêve? Que se passe-t-il? Paige est-elle morte? Et Doug, où est-il? Oh mon Dieu.

— Vous avez le droit de consulter un avocat et qu'il vous assiste pendant les interrogatoires. Si vous ne pouvez vous offrir les services d'un avocat, il vous en sera commis un d'office pour vous représenter avant chaque interrogatoire. Avez-vous bien compris ces droits tels que je vous les ai expliqués ?

Emily hocha la tête. Des larmes dévalaient ses joues.

— Il me faut une réponse audible.

— Oui, j'ai compris.

— Considérant que vous comprenez vos droits, êtes-vous d'accord pour répondre à nos questions sans la présence d'un avocat ?

Emily commença par fixer son gobelet et cligner de ses yeux brouillés de larmes. Puis elle regarda les montagnes par la fenêtre. Elle se frotta le nez et répondit en hochant la tête :

— Oui.

— Ne faites pas ça, Emily, lui dit Crow, interloquée. Non, Emily, je vais vous assister…

Emily sembla ne pas comprendre ce qui se passait.

— Ça suffit, maître Crow, je vous en prie, laissez-nous, dit Zander.

— Qui êtes-vous ? demanda Emily à Crow. Qui est cette femme ?

Crow se leva et jeta un regard courroucé à Zander en disant :

— Je suis l'avocate de Doug.

— Quoi ? fit Emily en regardant fixement Bowman. *Elle m'a trahie.*

— Mais vous ne m'avez jamais… Personne ne m'a dit que Doug avait un avocat. A-t-il été inculpé ?

— Emily, souhaitez-vous l'assistance d'un avocat ? tonna Zander.

— Non.

— Comment ça : non ? s'étonna Crow. Emily, je vous avertis que…

— Sortez, maître Crow. Vous vous mêlez de ce qui ne vous regarde pas.

Emily posa violemment ses mains à plat sur la table. Son gobelet sursauta sans se renverser.

— Je ne demande qu'une chose: retrouver ma fille. Je n'ai pas besoin d'avocat pour ça. Je me moque bien de ce qu'ils pensent ou suspectent. Je m'en fous.

Les yeux écarquillés, elle fixait ses mains.

— Tout ce que je veux savoir, poursuivit-elle, c'est si je pourrai à nouveau un jour serrer ma fille dans mes bras. Et pour ça je suis prête à répondre à toutes vos questions. Je vous en supplie, je... voulut-elle continuer en plongeant son visage dans ses mains. Pourquoi Doug a-t-il un... Oh mon Dieu... Laissez-moi parler à mon mari. Je vous en prie, est-ce que je peux parler à Doug ?

Personne ne lui répondit.

— Emily, vous commettez une grave erreur, cria Crow avant qu'on l'éconduise et que Zander referme la porte sur elle.

Bowman tendit un mouchoir en papier à Emily, dont on n'entendait que les sanglots.

Avant de poser la première question, Zander laissa passer quelques interminables secondes extrêmement tendues.

— Emily, Paige a disparu depuis cinq jours. Les gardes connaissent bien la région. Ils l'ont fouillée sans relâche, allant jusqu'à prendre de gros risques. La Gendarmerie royale et les autorités canadiennes ont fait la même chose de l'autre côté de la frontière. Selon vous, pourquoi n'avons-nous trouvé aucune trace de Paige ni de son chien ?

— Je n'en sais rien.

— Autre chose: comment expliquez-vous que nous ignorions que votre sœur était morte dans cette région il y a vingt-deux ans et vos liens avec Isaiah Hood ?

— Parce que ça fait partie d'une période très douloureuse de ma vie. Très très douloureuse.

— Vous admettez donc avoir fait de la rétention d'informations à notre encontre quand nous vous avons demandé de nous raconter toute votre histoire personnelle, tout ce qui, de près ou de loin, pouvait nous aider à comprendre ce qui a pu arriver à Paige ?

— Je n'ai même jamais parlé de tout ça à mon mari. Doug vous le confirmera. C'est trop douloureux. Doug vous en a-t-il parlé ?

— Il nous a dit des choses.

— Comme quoi ? Où est-il ? Vous me cachez des choses.

— Emily, quelle est la véritable raison qui vous a poussée à venir au Montana avec votre famille ?

— Je n'ai jamais fait le deuil de ma sœur et de mes parents. Ma psy m'a dit que si j'étais dans la région pour l'exécution d'Isaiah Hood, ça pourrait m'aider à tourner la page et à passer à autre chose.

— À passer à autre chose ou à vous servir du passé pour tout recommencer ?

— Quoi ? fit Emily qui se mit à pleurer. Je n'arrive pas à comprendre… pourquoi…

Soudain, une voix dit dans un walkie-talkie :

— Clovis pour Zander. Terminé.

Zander prit l'appareil, conscient que Clovis appelait depuis la crevasse.

— Ici, tout est prêt pour la retransmission, annonça la voix de Clovis, terminé.

Zander s'approcha d'Emily.

— Doug et vous-même êtes restés évasifs et peu coopératifs depuis le début. Mais les faits sont là, dit-il en se penchant au-dessus de la table, son visage n'étant plus qu'à quelques centimètres de celui de la jeune femme. Nous avons retrouvé le t-shirt de Paige. Taché de sang.

Il tapota la table de son index, ce qui fit tressaillir Emily.

— Nous avons retrouvé la hache de Doug, continua Zander en tapotant à nouveau la table. Tachée de sang.

Emily porta les mains à ses oreilles.

— Doug et vous-même nous avez dit, l'un comme l'autre, que vous aviez pu rester seuls avec Paige, et sans aucun témoin, pendant plusieurs heures. Vous vous êtes donné des alibis bien pratiques que nous ne pouvons que très difficilement remettre en question. Et puis nous avons été informés de questions embarrassantes liées à votre implication dans la mort de votre sœur, mort intervenue dans la *même région* et dans des circonstances *proches de celles* de la disparition de Paige.

— Non.

— Quelques jours à peine avant que vous arriviez ici, la police de San Francisco est intervenue à votre domicile. Un voisin avait signalé le comportement violent de Doug.

— Mais c'était juste un malentendu.

— Nous avons également appris que, quelques jours avant que vous veniez au Montana, l'une de ses élèves a accusé Doug de s'être emporté violemment ou d'avoir porté la main sur elle.

— J'ignorais cette histoire.

Doug ? Frapper une élève ? Ça ne lui ressemble pas.

— La veille de la disparition de Paige, des témoins vous ont vus vous disputer âprement sur le sentier.

— C'était à cause de moi. Ça n'avait rien à voir avec…

— Et nous avons relevé des traces de sang, de minuscules traces de sang, et trouvé des cheveux appartenant à Paige à l'entrée d'une crevasse difficile d'accès, et située à environ trois kilomètres en aval de votre campement. Nous allons bientôt mettre tous ces faits en perspective et vous pourrez ainsi nous dire ce qui n'a pas marché et comment…

— Oh mon Dieu, dit Emily dans un cri de douleur. Paige n'est pas mor…

Zander alluma la grosse télé de la pièce sur le canal double zéro. Il fit un signe de tête à Bowman qui porta le walkie-talkie à sa bouche pour dire :

— Allez-y, Clovis.

Une image floue accompagnée de parasites commença à envahir l'écran.

— Escouade spéciale, vous nous entendez ? Terminé, demanda la faible mais très audible voix de Clovis.

— Cinq sur cinq. Poursuivez, Rob. Terminé.

— Parfait. Nous avons tout installé et allons commencer à faire descendre la caméra. Ça risque de prendre du temps. Terminé.

— ... vous nous informerez de la situation à ce stade de l'opération ? Terminé, dit Zander.

— *Roger*. Nous avons descendu une sonde à vapeur qui confirme qu'il y a bien un corps dans la crevasse. Terminé.

Quand Zander plongea son regard inquisiteur dans celui d'Emily, la jeune femme pâlit.

62

Loin au-dessus de la dangereuse paroi fissurée du secteur 23, le doux ronronnement d'un générateur à essence portable allait se perdre dans le dédale de vallées glaciaires et de forêts d'altitude.

Les membres de l'équipe de techniciens de scènes de crime du FBI s'affairaient tranquillement au bord de la crevasse où l'on avait trouvé des traces de sang et des cheveux de Paige Baker.

L'agent spécial Rob Clovis avait bien conscience du caractère périlleux de l'opération, dont il sentait le poids peser sur ses épaules. La sonde résoudrait l'énigme de l'enquête. En vingt ans de FBI, il était déjà intervenu dans des opérations difficiles, mais il n'avait jamais rien tenté de tel. Il regarda à nouveau sa montre. Il ne devait pas s'écouler plus de cinq minutes sans qu'il la consulte. Il savait tout ce que Frank Zander et les autres détectives attendaient de son équipe.

Mis à part les hommes et les femmes postés au sommet de la paroi rocheuse et ceux de l'escouade spéciale, personne n'était au courant de l'installation de la sonde. Dans tous les autres secteurs, les opérations de recherches de Paige continuaient d'aller bon train et ne seraient officiellement closes que lorsque Clovis et son équipe de techniciens auraient terminé leur mission.

Clovis jeta un coup d'œil alentour. Il était pris en étau entre ses attentes professionnelles et ses sentiments personnels. L'endroit où il se trouvait était le coin idéal pour se débarrasser d'un cadavre. D'un petit cadavre. La gueule de la crevasse s'ouvrait suffisamment pour avaler un corps et le digérer à tout jamais dans ses entrailles. Clovis, grand-père de deux fillettes de l'âge de Paige, chercha à ne plus penser au corps de la gamine glissant et heurtant la roche dans l'obscurité.

Essaie d'imaginer dans quel état on va trouver sa dépouille. Quel monstre faut-il être pour…

Clovis chassa ces idées et décida de dresser l'inventaire de son équipement dont la fiabilité l'inquiétait. La plus grosse partie du matériel avait été assemblée d'urgence pour les besoins de l'opération par une compagnie de Mountain View spécialisée dans la technologie de pointe. Par manque de temps, on n'avait pas testé le matériel en dehors du laboratoire.

Le générateur, d'un nouveau modèle, était doté d'un microprocesseur qui contrôlait son inverseur à sinusoïdale, ce qui réduisait fortement les fluctuations du courant et la distorsion de la courbe. Ses trois mille watts alimentaient aussi bien la sonde en fibre optique télécommandée, et d'une rare sensibilité, que le système de transmission vidéo lui-même connecté à un réseau de satellites. Les six cents mètres de câble hybride et flexible étaient enroulés sur une bobine posée en travers de la gueule de la crevasse. Le câble, doté d'une minuscule caméra à son extrémité, était branché à un puissant ordinateur et à des moniteurs de télévision.

Le technicien était équipé d'un casque audio doté d'un micro pour effectuer les commentaires. Clovis l'observa pianoter sur le clavier pour commander, d'une part, la vitesse de descente de la caméra, sa rotation et sa mise au point et, d'autre part, le choix de certaines images afin de les diffuser sur l'écran d'ordinateur et les moniteurs de la table de montage branchés en binôme.

Dans le même temps, avec un délai de deux à trois secondes, les images et leurs commentaires étaient retransmis sur le grand écran de la salle de l'escouade spéciale du centre de commandement.

— On est prêts, annonça le technicien à Clovis, qui hocha la tête.

Y a intérêt à ce que ça fonctionne, se répéta Clovis. Il espérait pouvoir faire confiance à un dispositif dont c'était la toute première utilisation.

Un chien jappa. C'était Lola, le berger belge, qui avait trouvé l'endroit. Son maître, le jeune gars originaire du Colorado, la calma. Il s'assit sur le bord de la crevasse en compagnie des gardes, des secouristes et des ambulanciers, qui tous faisaient grise mine.

Clovis avait conscience qu'à partir de maintenant tout serait méticuleux. Le système, d'une lenteur d'escargot, progressait de quelques centimètres, ou dizaines de centimètres, à la minute.

Lorsque la caméra entama sa lente descente, on ne vit rien d'autre qu'une paroi rocheuse noire et suintante d'humidité.

D'un côté comme de l'autre, Clovis et les hommes et femmes de l'escouade avaient le regard rivé à leurs écrans.

Eh oui, c'était l'endroit idéal pour se débarrasser d'un corps.

On n'aurait pu rêver mieux.

63

Dans son antre de la mort, Isaiah Hood se frotta gentiment l'estomac et se réjouit de sentir la petite masse dure située près de son nombril.

C'est pour bientôt. Pour très bientôt.

— Ça va bien, Isaiah ? lui demanda le gardien.

Hood hocha la tête, en prenant soin d'afficher ce qu'il fallait de douleur sur son visage.

Se mordillant la lèvre, un œil sur l'écran de contrôle du moniteur, le gardien était inquiet. Résolu à ce que tout se passe bien au cours de son quart de travail, il passa en revue les choix qui s'offraient à lui. Comme la plupart de ses collègues officiant dans le couloir de la mort, il connaissait l'histoire médicale du détenu et les risques d'attaques cardiaques dont Hood pouvait être victime. Respectant à la lettre le règlement et les procédures en vigueur au sein de l'administration pénitentiaire, il demanda au condamné :

— Tu veux que je demande à une infirmière ou au médecin de venir, Isaiah ?

Parce que la loi exige que tu meures en bonne santé.

Hood fit non de la tête.

Le clavier se remit à cliqueter lorsque le gardien consigna l'insignifiance de ce qui venait de se passer dans le carnet de surveillance du condamné. C'est alors que le téléphone sonna.

— C'est vrai ? dit le gardien. Très bien, je vais lui demander, fit-il avant de raccrocher. Isaiah, ton avocat est en direct sur CNN. Il parle de ton affaire. Ça t'intéresse de le regarder ?

Hood hocha la tête.

David Cohen, à l'écran, expliquait l'affaire Hood à l'Amérique tout entière.

— ... que le gouverneur reconsidère sa position sur le sort réservé à mon client, Isaiah Hood, dont l'exécution est prévue ce soir à minuit.

— Pourquoi ?

— Sur quoi vous basez-vous pour demander ça, maître Cohen ?

— Pour quelle raison...

— Vous faites allusion aux soi-disant lettres de confession ?...

— Sous-entendez-vous, maître, qu'Emily Baker a tué sa sœur ?

La réponse est évidemment oui, David, pensa Hood en se souriant à lui-même.

Les caméras montrèrent Emily descendant d'un hélicoptère et escortée par deux agents du FBI, puis on remontra Hood, Paige, la prison, le bat-flanc et une ancienne photo de la fillette assassinée vingt-deux ans plus tôt.

La seule amie que Hood ait jamais eue.

Isaiah, fixant la fillette du regard, sentit que tout, autour de lui, était peu à peu envahi d'une lumière vive.

Le gardien en fut interloqué.

Isaiah roula des yeux, n'en laissant plus voir que le blanc. Puis il tendit les bras à l'horizontale de part et d'autre de son corps.

Nom de Dieu, il est en train de tomber dans une de ses foutues transes !

— Isaiah !

Il sent les poignets de la petite dans ses mains et l'agréable odeur de forêt qui monte le long de la paroi rocheuse. La petite a le souffle court, elle sanglote et le supplie de l'épargner. C'est une vraie plume entre ses mains. Elle a ses petits pieds qui s'agitent au-dessus du vide.

Ce n'est qu'un jeu, un jeu qui effraie celles qui ont le cœur mal accroché. C'est son père qui le lui a appris.

Celui avec les crochets.

Ces crochets d'acier, ronds et durs, qui le frappaient sur les bras, les épaules, le cou, la tête, comme un forgeron martèle une pièce. Un jour, un direct, rapide comme l'éclair, lui avait explosé le cerveau, l'aveuglant d'une insoutenable lumière crue.

Il s'était enfui de la maison et avait passé les jours suivants, seul, dans la montagne. Si douloureusement solitaire. De toute sa vie, ses seules amies avaient été ces montagnes. Il avait si mal au crâne qu'il croyait souffrir d'une fracture d'où suintaient ses idées et sa vie. Il avait de la difficulté à se concentrer, à penser à quelque chose. Pendant tous ces jours, il n'avait eu qu'une idée fixe : ne pas rester seul. Pour jouer à ce jeu.

Car ce n'était qu'un jeu.

Il y avait joué autrefois avec le chien, puis avec le lapin.

Mais ça ne l'avait pas satisfait.

Ni l'un ni l'autre n'avaient été capables de marcher sur l'air.

Et puis il était tombé sur les chasseuses de papillons aux yeux clairs.

La grande ne voulait pas jouer, mais la petite avait accepté.

D'emblée.

Elle en avait vraiment envie.

Mais cette morveuse de grande, qui fait sa snob, se met à le pousser.

« On n'est pas censées jouer avec toi. »

Ça marche sur l'air, ça va à la messe tous les dimanches et regarde les autres de haut. Elles agissent de même. À la ville, ils font tous ça.

« On n'est pas censées jouer avec toi. »

Mais lui, il voulait jouer avec elles. Il allait leur montrer.

La petite est une vraie plume. C'est sûr, elle est incapable de marcher sur l'air, comme les autres. C'était ça, le jeu. Elle joue bien. Faut la voir s'agiter et l'entendre crier. La grande essaie de l'empêcher, de l'arrêter. Elle veut l'empêcher de s'amuser, c'est plus fort qu'elle, elle fait tout le temps ça. C'était pourtant qu'un jeu. Un jeu de gamin solitaire vivant dans la montagne.

Et maintenant, pour ça, on veut lui prendre sa vie.

Mais ils ne l'auront pas.

Sûrement pas. Il est tanné de payer. Il leur a donné vingt-deux années de sa vie. Ça suffit. Peut-être que la grande, Emily, devrait payer pour ce qu'elle lui a pris. Elle savait, elle, que ce n'était qu'un jeu, mais elle s'est bien gardée de leur dire. Il sait bien pourquoi elle est revenue.

C'est pour le regarder mourir.

Eh bien, il ne va pas lui faire ce plaisir.

Le moment est venu de lui donner une petite leçon.

— Isaiah !

Une voix l'appelait. Une voix qui venait de loin, de très loin.

Le moment était arrivé.

Son cœur commença à battre la chamade et à cogner contre sa cage thoracique. Son cerveau se mit aussi à palpiter. Provoquer cette crise pouvait le tuer. C'était là un secret qu'il avait caché aux médecins, cette faculté de s'auto-provoquer des attaques cardiaques et de parvenir à les maîtriser, plus ou moins bien, selon leur force. Les contrôler, c'était risqué. Aujourd'hui, il lui fallait provoquer la plus puissante de toutes. Le moment était venu d'agir. Il la sentit venir. Il la sentit grossir comme des ondes dans son esprit, des ondes irrégulières, comme dans un circuit électrique défaillant. Son cœur martela et s'emballa…

— Isaiah ! gueula le gardien.

Le corps entier de Hood se mit à tressaillir et à se convulser sur le sol à la manière d'un poisson qui se retrouve à l'air libre. Sa tête heurta le bat-flanc et la chaise. Isaiah grogna et hurla, la tête secouée de spasmes.

— Ouvrez la cellule ! Ouvrez la cellule ! cria l'un des infirmiers.

Car le gardien avait appelé de l'aide médicale à la rescousse. Deux infirmiers et deux gardiens étaient arrivés, l'un d'eux poussant un défibrillateur. Ils n'avaient pas perdu de temps pour s'occuper d'Isaiah et vérifier ses fonctions vitales. Un infirmier avait ouvert une sacoche et enfourné une langue de caoutchouc dans la bouche de Hood.

— Il va nous faire un arrêt cardiaque !

Ils préparèrent une piqûre.

— Prévenez le directeur ! Vaudrait mieux le prévenir ! dit l'un des infirmiers.

— Son cœur s'est arrêté ! Je n'entends plus rien ! dit celui qui avait le stéthoscope.

— Sortez-le de la cellule. Prépare la machine ! Passe-moi les électrodes ! Vite !

Ils s'activèrent sur le corps de Hood posé à même le sol à l'extérieur de sa cellule de l'antre de la mort.

À la seconde tentative, le cœur d'Isaiah recommença à battre. L'un des gardiens s'empressa d'entraver les pieds et les poings du détenu.

— Il est dans un sale état. Faut l'expédier par hélico à Missoula.

Tous se regardèrent avant de baisser les yeux vers Hood.

Le gardien qui était au téléphone passa le combiné au plus âgé des infirmiers.

— C'est le directeur, il veut te parler.

64

Le monde d'Emily Baker s'assombrit gravement.

Des voix. Oui, elle entendait des voix.

L'agent du FBI lui parlait. Les techniciens dans la montagne parlaient dans leur radio. Mais tout le monde lui semblait loin, distordu, comme si ces gens parlaient sous l'eau et étaient noyés par les battements de son cœur qui résonnaient dans ses oreilles.

— Nous sommes à trente mètres à présent…

L'horreur s'empara d'Emily. Chaque iota de sa personne était absorbé par le moniteur et la minuscule caméra qui fouillait la crevasse à la recherche de sa fille. La caméra descendait petit à petit, sa forte lumière se réfléchissant sur les parois rocheuses glissantes et suintantes d'humidité. On aurait dit l'exploration de la gorge de quelque monstre maléfique d'une puissance sans égale.

— … quarante mètres…

Paige est-elle tombée là-dedans ?

L'enfant unique d'Emily avait-il été avalé par les mêmes montagnes qui l'avaient hantée une grande partie de sa vie ?

La caméra descendait.

L'obscurité succédait à l'obscurité.

— Toute famille a ses secrets, Emily.

Comme tous les gens présents dans la petite salle de l'escouade spéciale, Zander était captivé par ce qui se passait sur l'écran.

— Selon vous, demanda-t-il à la jeune femme, que s'est-il passé ?

Et Doug ?

Où est-il ? Que lui ont-ils fait ? Il avait cette coupure à la main. Il a un avocat. Il est le dernier à avoir vu Paige.

Emily sanglotait, le corps secoué de convulsions.

— ... soixante mètres...

Cette fois-ci, personne ne vint réconforter Emily en larmes.

— Oh, Paige, murmura-t-elle entre deux sanglots.

L'inspecteur Walt Sydowski lui décocha un bref regard. Quelque chose le préoccupait. Zander conduisait l'enquête, et il était bon, mais Sydowski n'appréciait pas son approche. Quelque chose clochait dans la manière dont les éléments s'imbriquaient les uns dans les autres. C'était presque ça, mais ce n'était pas complètement ça. L'affaire Hood les pressait d'agir. Des vies et des carrières étaient en jeu. L'affaire avait pris une ampleur nationale et, sur un plan politique, ils manipulaient une bombe à retardement. Mais les éléments dont ils disposaient maintenant ne satisfaisaient pas Sydowski. Et ça, ça le rongeait, parce qu'il ne parvenait pas à en trouver la cause.

— Frank, dit-il, peut-être devrions-nous songer à faire sortir Emily de la pièce. On ne sait pas ce que là-haut ils vont trouver.

Mais Zander resta les yeux braqués sur l'écran.

— ... soixante-dix mètres...

Zander ne répondit pas.

— Frank ?

— Vous pouvez quitter la pièce si ça vous chante, Walt, dit enfin Zander sans se tourner vers Sydowski. Emily, êtes-vous prête à nous dire ce qui s'est passé ? Cela vous soulagerait peut-être.

— … quatre-vingts mètres… Attendez, on a quelque chose sur l'image…

Dans la salle réservée à l'escouade spéciale, chacun retint son souffle pendant les trois secondes de décalage entre le son et l'image. Le technicien du FBI qui manipulait la sonde expliqua qu'il s'agissait d'une espèce de morceau de tissu blanc.

— On dirait une… Attendez…

La caméra vira de bord, s'approcha, puis recula. L'objet était pendu à une petite aspérité de la crevasse.

— C'est sa chaussette, grogna Emily avant d'enfouir son visage entre ses mains.

« Maman, tu crois que je peux emporter cette paire-là ? » C'étaient ses chaussettes de coton, les blanches, avec des fronces roses aux chevilles. « Tu crois que ça va convenir pour la montagne ? » Ces chaussettes avaient été achetées quelques semaines plus tôt, chez Stonestown, un soir où la mère était allée magasiner avec sa fille. « Ma pauvre petite… »

La caméra poursuivit sa progression.

Emily trembla. Quelqu'un dit quelque chose.

— Il serait dans votre intérêt, Emily, de nous dire ce qui s'est passé, réitéra Zander qui continuait à travailler la jeune femme au corps, de nous dire *ce que vous croyez* qu'il s'est passé.

— … quatre-vingt-cinq mètres…

— Doug nous a dit certaines choses.

Emily renifla.

Tracy Bowman lui tendit un mouchoir en papier. Elle ne savait trop quoi penser de la situation, elle n'arrivait pas à croire à ce qui se déroulait devant elle. Zander était-il un génie ou un monstre ?

Et si le monstre, c'était Emily ?

— … quatre-vingt-dix mètres… quatre-vingt-quinze mètres… stop ! Y a quelque chose…

Sur l'écran l'image dansa. Il était impossible de voir de quoi il s'agissait. Mais oui, c'était un sac à dos.

D'un petit modèle. Les membres de l'escouade le reconnurent d'après les photos de la famille Baker.

C'était celui de Paige.

— Tout le monde a bien vu le sac à dos ? grésilla la voix du technicien dans le walkie-talkie.

Emily geignit, décolla les paumes de la table avant de les y reposer en silence, comme si elle souffrait de manière atroce, comme si elle suppliait qu'on mette un terme à son supplice.

— S'il vous plaît, murmura-t-elle. Je vous en supplie.

La caméra descendait toujours.

— Selon vous, Emily, comment Doug s'est-il blessé à la main ?

La jeune femme ne répondit pas à Zander.

— Nous savons qu'il peut parfois se montrer violent.

— ... cent mètres...

— Que s'est-il passé il y a vingt-deux ans avec votre sœur ? Que s'est-il vraiment passé ?

Isaiah Hood, son monstre, rigolait.

— Votre mère, pourquoi a-t-elle changé votre nom ? Ça donne l'impression que vous fuyiez quelque chose. Tracy, montrez-lui l'ancien rapport du procureur.

Bowman fit glisser un dossier devant Emily, qu'elle ouvrit pour elle. Mais Emily ne prit pas la peine de lire. Elle savait ce qu'elle avait écrit autrefois.

— ... cent vingt mètres...

Paige. Rachel. Mais pourquoi ?

— Cent vingt-cinq mètres... annonça le technicien. Bon sang ! Vous voyez ce que je vois ? Doux Jésus...

La tension monta d'un cran dans la pièce. Les trois secondes de décalage écoulées, quelque chose de brillant dansa à l'image.

Une paire d'yeux.

Des yeux morts. Sans âme. Qui réfléchissaient la lumière. Des yeux flous. Étranges.

— Oh mon Dieu ! lâcha Bowman.

Puis on découvrit une rangée de dents blanches près des yeux. Écrasées contre la roche. Mais la retransmission des images n'était pas bonne. Des parasites envahirent l'écran et l'image disparut.

— Qu'est-ce qui se passe, bon Dieu ? demanda Zander.

— Ne quittez pas. On a des problèmes avec le satellite.

La respiration d'Emily devint saccadée. La jeune femme ressentit des picotements d'horreur.

Je vous en supplie. Non. Pas encore ça.

Hurlait son âme.

65

Dans son bureau fraîchement rénové du capitole au style néoclassique qui dominait la ligne d'horizon d'Helena, le gouverneur Nye, du Montana, se débattait avec un conflit interne.

Son estomac s'était soudain crispé quand Nye avait regardé le reportage sur Isaiah Hood aux infos du petit matin, où l'on avait parlé de la demande de grâce de dernière minute que le condamné venait de formuler.

Nye avait vu l'avocat de Hood, David Cohen, de Chicago, annoncer en direct au pays tout entier, et sur toutes les chaînes, que le Montana s'apprêtait à assassiner son client.

Acculé dans les cordes par un salaud de fils de pute, le gouverneur ne goûtait guère la plaisanterie.

Il prit place à son bureau et s'attarda à regarder la photo de sa femme en compagnie de leur fille.

On frappa deux coups secs à la porte et son ministre de la Justice entra, suivi de John Jackson, son principal conseiller. Le gouverneur était en contact avec eux depuis six heures du matin, depuis que le *Washington Post* l'avait appelé sur son cellulaire personnel. Comment le journaliste du *Post* s'était-il procuré son numéro, la chose resterait un mystère. Nye avait refusé tout commentaire tant qu'il ne se serait pas informé des derniers développements de l'affaire.

Sans y être invités, le ministre et Jackson s'assirent. Le gouverneur grinça des dents, puis lâcha :

— Il est hors de question que je fasse marche arrière.

Le ministre et son conseiller échangèrent un bref regard. Le gouverneur n'avait pas répondu ce qu'il fallait.

— Il y a des aspects, monsieur, à considérer, commença le ministre.

— Cohen a tout déballé sur la place publique. Je l'ai vu.

— Vous devez prendre en considération ce qui se passe au parc des Glaciers, ajouta le ministre. Au moins ce que l'on en sait. Pour le moment, on n'a toujours aucune trace de la petite. Les enquêteurs accumulent des preuves qui attestent d'une intention criminelle.

— À l'heure où l'on se parle, mon sentiment est que nous devons dissocier les deux affaires, expliqua le gouverneur. Supposons que Doug Baker ait tué sa fille. Lui ou quelqu'un d'autre, peu importe. Eh bien, ça n'a rien à voir avec l'affaire Isaiah Hood. C'est tragique pour Emily Baker, mais le Montana a condamné Hood dans le respect de la justice. Ces lettres qu'elle a écrites après les faits, le procureur du comté les avait en sa possession. Et ça ne lui a pas posé de cas de conscience de ne pas rouvrir le dossier.

— Évidemment. S'il l'avait fait, ç'aurait été un suicide politique, un aveu d'échec. Qui aurait désigné la grande sœur. Et il aurait fallu libérer celui dont la population voulait la tête pour venger la mort de la petite sœur. On peut comprendre que le procureur du comté ait minimisé l'importance des lettres. Seriez-vous tenté d'aller dans cette direction, à la lumière de ce qui se passe aujourd'hui dans le parc des Glaciers ?

Le gouverneur soupira, se laissa aller dans son fauteuil et regarda la photo de sa fille.

— Par rapport à la dernière fois, remarqua-t-il, vous avez changé de refrain ?

— Je dis seulement que ce dossier est une patate chaude et que la prudence recommande de ne pas nous engager dans une impasse où nous ne pourrions plus faire marche arrière.

— Vous me conseillez donc de rester dans le flou artistique ? de considérer le crime avec modération, c'est ça ?

— D'agir en responsable respectueux et de tenir compte des événements proches.

Le gouverneur se tourna vers Jackson et lui demanda :

— John, que se passe-t-il du côté du parc ? J'en suis resté à la hache, au t-shirt et au père passé au détecteur de mensonges.

— J'attends un appel de nos membres de l'escouade spéciale. Il paraît qu'on viendrait de découvrir une nouvelle preuve.

— Qui indiquerait que la petite est en vie ?

— Rien n'est moins sûr. J'espère en savoir plus très prochainement.

— Et quelle a été la réaction du patron de Cohen à Chicago ? Ils ont décidé de l'obliger à rentrer dans le rang ? Bien que ça n'ait plus d'importance… maintenant que le mal est fait.

— En fait, disons que la réponse à votre question est non. Ils sont fiers de Cohen.

— Je n'aime pas ça. Mais alors pas du tout.

L'interphone grésilla.

— Gouverneur, c'est le bureau du ministre de la Justice à Washington.

Tout débuta par un bref échange pour expliquer poliment, mais fermement, comment le ministre de la Justice du Montana était « en train de faire ce qu'il fallait, après avoir examiné les faits et séparé la réalité de la rhétorique. Pardon ?… C'est quoi ? Ah, très bien. Non, nous n'étions pas au courant. Nous attendons des informations d'une minute à l'autre. Une mise à jour ? Oui, c'est ça. Est-on certain qu'il s'agit de la petite ? Je vois… »

À l'issue de l'entretien, le cellulaire de John Jackson sonna. On l'informa qu'on était sûrs à quatre-vingt-dix-neuf pour cent d'avoir trouvé le cadavre de Paige Baker au fond d'une crevasse à environ trois kilomètres du campement de ses parents.

Le gouverneur resta un moment à hocher la tête tout en caressant le cadre de la photo de sa fille. Il passa la main sur son visage, se leva et gagna la fenêtre pour regarder les montagnes.

— On suspecte les parents, dit le gouverneur. Leur sort semble de plus en plus scellé.

Il avait demandé au ministre de la Justice s'il était encore temps de gracier Hood après avoir précédemment répondu de manière négative à son recours.

— La réponse est oui. Les textes l'autorisent en cas de nouveaux éléments de preuve, avait répondu le ministre. Il vous est possible d'accorder une grâce de trente jours afin qu'on se penche à nouveau sur le dossier Hood à la lumière de ces nouveaux éléments. Si Hood obtient gain de cause, il pourra alors soit faire appel auprès de la Commission, soit aller directement en cour.

Le gouverneur hocha la tête en regardant ses conseillers.

— C'est ce qu'on va faire. Je vais appeler l'administration pénitentiaire. Je suppose que je vais devoir signer quelque chose, puis le faxer à la prison de Deer Lodge. Pendant qu'on y est, prévenons la Commission des grâces et libertés.

— Je peux m'occuper de ça, gouverneur, dit Jackson.

— Merci. Et appelez donc Cohen. Je suppose qu'on va le voir ce soir chez Larry King. On ferait bien de programmer une conférence de presse. Disons, ici, dans trois ou quatre heures, ce qui laisse le temps à nos membres de l'escouade spéciale de redescendre à Helena.

Le ministre de la Justice consulta sa montre.

— Rien ne presse, gouverneur. Il nous reste encore quatorze bonnes heures.

— C’est vrai ?

— Pourquoi ne pas attendre encore quelques heures ? Histoire de voir ce qui va se passer. Ce que nous avons décidé peut rester entre nous. Imaginez que quelqu’un sorte une nouvelle carte de sa manche… Si des accusations sont formellement portées et officialisées par le FBI, vous serez perçu comme quelqu’un qui réagit sans s’emballer. Quelques heures de plus ou de moins, qu’est-ce que ça va changer ?

Le gouverneur considéra cette proposition, qu’il accepta.

— Laissons-nous quelques heures.

66

Sans détacher son regard d'Isaiah Hood, l'infirmier-chef transmit son inquiétude par téléphone au directeur de la prison.

— Oui, il nous fait une attaque cardiaque, comme c'est déjà arrivé. Mais celle-ci est sérieuse. Ses signes vitaux se dégradent.

— Peut-on le traiter sur place ? demanda le directeur.

— Impossible.

— Quelles probabilités a-t-il d'y passer ?

— Il a quatre-vingt-quinze chances sur cent d'y rester dans les deux heures qui viennent s'il n'est pas évacué par hélicoptère à l'hôpital Mercy.

— Pour le moment, est-il sous contrôle ?

— Oui, mais les convulsions reprennent, je dois vous laisser.

Aussitôt, le directeur appela son homologue de l'administration pénitentiaire. Hood n'était pas n'importe qui, il fallait impérativement prévenir le directeur de manière à évaluer les conséquences d'un transport du détenu.

— Je suis désolé, monsieur, mais le directeur est en réunion.

— Eh bien, dérangez-le.

— Mais c'est que…

— Vous attendez quoi ?

Le directeur prit la ligne, mécontent d'être importuné... jusqu'à ce qu'il découvre l'ampleur du problème.

— Allez-vous faire ce plaisir au gouverneur ? osa le directeur de la prison, au courant du mépris légendaire que le directeur de la pénitentiaire ressentait envers le gouverneur.

Entre les deux hommes, l'inimitié était réciproque et datait de situations embarrassantes que le directeur avait endurées lors de réunions du comité de révision des peines présidées alors par le futur gouverneur.

— C'est moi qui dirige la prison, pas le gouverneur.

Le directeur fit le point de la situation. L'affaire Hood et ses interactions avec le drame des Baker souillaient aussi bien l'administration du gouverneur que les aspirations de ce dernier à se lancer dans la course à la Maison-Blanche. Si Hood mourait maintenant, la crise que vivait le gouverneur disparaîtrait comme par enchantement. Ou empirerait si l'on prouvait l'innocence de Hood et l'iniquité de sa condamnation. Le directeur considéra toutes les ramifications possibles. Il était contraint de suivre la loi en vigueur dans l'État. Et c'est ce qu'il ferait.

— La loi nous oblige à exécuter un Hood en bonne santé. Je vous conseille vivement de lui prodiguer tous les soins médicaux adéquats, comme le stipule le règlement de l'administration pénitentiaire, dit-il au directeur de Deer Lodge.

La décision de la chaîne de commandement n'avait pas pris plus de deux minutes.

Un hélicoptère-ambulance décolla de Missoula ; il devait se poser à la prison vingt minutes plus tard.

Sur les ordres du directeur, les procédures de sécurité pour escorter le détenu seraient appliquées à la lettre. Deux officiers en uniforme accompagneraient Hood, dont les mouvements seraient entravés. Les gardiens seraient équipés de radios et d'un téléphone cellulaire, et l'un d'eux porterait une arme fournie par la prison. Prévenu du transfert, le bureau du shérif du comté confirma l'envoi de deux adjoints qui prêteraient main-forte au personnel de l'hôpital Mercy de Missoula.

— Je veux un black-out total, pas un mot aux médias, c'est bien compris ? précisa le directeur de la prison au superviseur de la sécurité.

L'aéroport Johnson-Bell Field occupait une portion de terrain plat au bord du canyon Hellgate à la limite nord-ouest de la ville de Missoula. Le service sanitaire par hélicoptère de l'hôpital Mercy était connu sous le nom de Mercy Force. Tous les vols partaient du même hangar, où un équipage se tenait toujours prêt à décoller, vingt-quatre heures sur vingt-quatre, et sept jours sur sept. Il ne lui fallait pas plus de huit minutes pour être opérationnel.

Les gardes du parc disposaient d'un hélicoptère-ambulance basé à Kalispell, le Mercy Force étant toujours prêt à le seconder. Shane Ballard, le pilote du Mercy Force, venait juste de prendre son poste de travail. L'ancien pilote de l'U.S. Air Force, un type bronzé de trente et un ans, connaissait bien la région. Aux commandes de l'hélico à double turbine de l'hôpital, il était intervenu un grand nombre de fois lors d'accidents de randonneurs à l'intérieur du parc.

Comme la plupart des Américains, Ballard dévorait les reportages en direct sur l'affaire Baker, et maintenant sur Isaiah Hood, que diffusaient les chaînes de télé. Il essayait de comprendre la situation.

— Dis-moi, Mya, d'après toi, que s'est-il passé là-haut ? demanda Ballard à Mya Wordell, l'infirmière de service, qui servait le café dans la salle de repos de l'équipage.

Fiancée, elle devait deux semaines plus tard épouser un chirurgien urgentiste de l'hôpital Mercy.

— Je crois que c'est dramatique, c'est tout.

Elle tendit une tasse à Ballard, qui devait être l'un des placeurs à son mariage. Quelque temps auparavant, Shane lui avait montré des photos de son essayage de smoking.

Wordell passa ensuite une tasse à Jane McCarry, l'infirmière urgentiste, qui était sa meilleure amie à l'université et serait bientôt sa demoiselle d'honneur.

— C'est répugnant à regarder, fit McCarry en sirotant son café alors que la ligne d'urgence du téléphone sonnait.

Ballard décrocha et griffonna quelques notes.

— On arrive ! dit-il avant de glisser ce qu'il avait écrit dans une poche à fermeture éclair de sa combinaison bleue de pilote.

Il frappa dans ses mains et lança :

— Trauma à Deer Lodge. Allez, mesdames, on y va !

Le chef du service sanitaire du pénitencier d'État du Montana sortit le dossier médical d'Isaiah Hood pour l'accrocher au brancard sur lequel le détenu traversait la prison.

En chemin vers la porte principale, ils croisèrent plusieurs gardiens, dont le gardien-chef, qui faisait grise mine dans son costume. Il avait dû annuler une réunion de service. Il agrippait avec force la tablette sur laquelle se trouvait la liste de vérification des documents rédigés d'urgence et autorisant le transfert du prisonnier. Il fut soulagé de constater *de visu* que Hood, qui portait menottes et fers aux pieds, était sanglé sur son brancard. *Non monsieur, se dit-il. Pas question que ce soit le bordel dans mon service.*

— Je veux qu'il passe un scan en sortant, ordonna le responsable de la sécurité, alors que le brancard de Hood empruntait le couloir extérieur qui reliait le quartier des condamnés à mort à la porte principale.

Apparemment inconscient, Hood dodelinait de la tête. Un masque à oxygène lui couvrait le nez et la bouche. Une fois à l'intérieur du sas de la porte principale, on le roula vers le dispositif de sécurité de haute technologie.

Un système de radiographie dernier cri, capable de détecter du métal ou de la drogue cachés n'importe où, était relié à une caméra mobile dotée d'un écran haute définition. Lentement, un officier passa la caméra au-dessus du corps de Hood sous les yeux d'une demi-douzaine de ses collègues qui fixaient l'écran. Tout objet passé en fraude apparaîtrait à l'image et déclencherait une alarme, alarme qui commença à sonner lorsqu'on aperçut un objet métallique dans la région abdominale de Hood, près de son nombril. Le bruit de l'alarme se confondit avec celui de l'hélicoptère-ambulance qui approchait. Sourcils froncés, le responsable de la sécurité demanda en pointant son doigt sur l'écran :

— C'est quoi ce truc-là ?

— Un fragment de projectile, répondit l'infirmier-chef en feuilletant les pages du dossier médical. Hood s'est fait tirer dessus quand il était ado. Accident de chasse. Voyez ? Ça figure dans le dossier.

Le responsable de la sécurité compulsa le dossier, puis regarda l'écran en chaussant ses lunettes.

— Ça me paraît bien gros.

— Lisez son dossier.

De fait, la présence d'un fragment de balle figurait bien dans le dossier. Elle avait été notée vingt-deux ans plus tôt, quand Hood avait été radiographié pour la première fois. Il avait d'ailleurs suivi un traitement médical afin d'éviter une septicémie. Les médecins avaient conseillé une opération afin de retirer le fragment, mais l'inconfort était minime pour Hood et l'intervention comportait des risques.

L'hélicoptère était tout près.

— OK, trancha le responsable de la sécurité. Emmenons-le vers l'hélico qui attend sur le parking.

Ballard posa l'appareil bleu et blanc de la Mercy Force en douceur, laissant les pales tourner au ralenti alors que Wordell et McCarry abaissaient les portes arrière. Le personnel de la prison chargea le détenu dans le petit espace encombré de matériel de réanimation dernier cri.

Ballard tressaillit quand il vit les deux gardiens se tasser à l'intérieur de l'appareil. *C'est pas possible. Avec un tel poids, on va se crasher. Trop risqué.* Tout ce que Ballard pouvait faire avec le bruit du rotor se limitait à des gestes pour ordonner aux gardiens de descendre.

Le responsable de la sécurité courut vers le cockpit pour discuter avec Ballard. La mine renfrognée, prenant un air autoritaire, le pilote cria :

— Pas question qu'ils montent à bord ! On peut transporter juste le patient. C'est une question de poids et y a pas à discuter !

— C'est un problème de sécurité.

— Il est sanglé ?

— Oui.

— On a déjà transporté des prisonniers, c'est pas la première fois. Des flics nous attendent à l'arrivée ?

— Oui.

— Eh ben alors, y a pas une seconde à perdre. Vous préférez le voir crever ici ?

Le responsable de la sécurité réfléchit. Ce que proposait le pilote était contraire au règlement.

— Et si un seul officier accompagne le détenu ?

Ce fut au tour de Ballard de réfléchir.

— Bon, d'accord, un seul. Sans arme. Et le plus léger des deux. Dépêchez-vous, je brûle du carburant pour rien.

— Combien de temps de vol ?

— Vingt minutes.

McCarry intervint dans la radio de bord.

— Shane, on est en train de le perdre. Faut qu'on détache un de ses bras pour lui faire une intraveineuse.

Ballard hocha la tête, informa le responsable de l'urgence de décoller et du fait qu'on devait détacher un des poignets de Hood.

Le responsable appela un jeune gardien, un type dans la vingtaine, plutôt frêle, qui ne pesait pas plus de soixante-dix kilos.

— Signez ici, lui cria-t-il dans l'oreille. L'escorte, c'est vous. Vous irez sans arme. Vous prenez juste la radio et la clé des menottes. Des adjoints du shérif vont se charger de l'emmener à l'hôpital. On enverra une fourgonnette pour vous ramener à Deer Lodge.

Le jeune gars acquiesça. Il regarda son chef libérer un des poignets du détenu avant d'attacher le second au brancard. Puis le responsable vérifia deux fois plutôt qu'une que Hood avait bien les chevilles enchaînées. Enfin, il tapota l'épaule du gardien et quitta l'appareil.

L'hélico décolla et survola la prison.

Quand l'hélicoptère vira de bord, Hood tourna la tête et cligna des yeux avant de les ouvrir. Il regarda les bâtiments de la prison rapetisser alors que l'appareil longeait déjà ses chères montagnes.

Puis il massa la bosse dure qu'il avait près du nombril.

Isaiah ne remettrait jamais plus les pieds en prison.

67

Deux yeux sans vie fixaient ceux qui regardaient l'écran de télévision.

Zander avait repassé aux membres de l'escouade spéciale l'enregistrement vidéo de la sonde descendue dans la crevasse.

Les yeux au regard flou et gelé se braquèrent sur ceux d'Emily Baker.

Elle les regarda à son tour, immobile, ne ressentant rien d'autre que l'insupportable fardeau de douleur.

On venait de lui transpercer le cœur.

Paige.

Au fond de cette crevasse obscure et froide. Seule. Morte.

Rachel. Son regard au moment de la chute.

Oh, ma Paige. La chute de Rachel. *Pensait-elle à moi ? M'a-t-elle crié quelque chose ? La dernière fois que je l'ai tenue dans mes bras, que je lui ai dit que je l'aimais, c'était quand ?*

Pourquoi, mon Dieu ? Pourquoi me punissez-vous ainsi ?

Zander s'assit face à Emily. De son regard bleuté, il chercha celui de la jeune femme, pour qu'elle lui apporte des réponses.

— Êtes-vous prête à nous dire ce qui est arrivé à Paige ?

Mais comment pouvez-vous me demander ça maintenant ?

Emily regarda Zander droit dans les yeux.

Comment pouvez-vous agir de la sorte ?

— Emily, ne soyez pas aussi dure avec vous-même. Soulagez votre conscience. Il est clair que Doug et vous êtes impliqués. Les choses vous ont peut-être échappé. Peut-être ne vouliez-vous pas que ça se termine de cette façon, mais il est évident que quelque chose s'est mal passé.

Emily demeurait incapable de répondre.

Pour elle, la vie s'était arrêtée au fond de la crevasse.

L'inspecteur Walt Sydowski était abasourdi.

Il avait beau retourner l'affaire dans tous les sens, il ne parvenait pas à assembler les morceaux du puzzle. Quel homme, ce Zander ! Il semblait maîtriser la situation. Sydowski observa Emily, puis il regarda l'écran. Il repensa à la fillette de San Francisco qui, quelques jours plus tôt, était venue découvrir les montagnes Rocheuses en compagnie de ses parents. Elle allait rentrer chez elle dans un sac mortuaire. Sydowski battit des paupières, regarda par la fenêtre, à travers les arbres, en direction des montagnes.

Bowman eut une pensée pour son fils Mark.

Zander repensa à deux petites tombes de Géorgie, conscient qu'il ne surmonterait jamais la mort de l'un des deux enfants.

Pike Thornton hocha doucement la tête en se disant qu'il avait eu raison de suivre ce que lui dictait son instinct concernant la blessure que Doug Baker avait à la main. Mais comment se fait-il, se demanda-t-il, qu'on n'ait pas trouvé trace de Kobee, le petit chien de Paige ?

Emily commença à bouger les lèvres d'où sortit un son lugubre.

— C'est quoi, ça, Emily ? dit Zander.

— Je n'ai pas fait de mal à ma fille.

Le regard de Zander se radoucit. Il plissa les yeux.

— Alors c'est Doug ?

— Non, non. Il est incapable de lui faire du mal.

— Il est capable d'emportement.

— Non. Ça lui arrive de gueuler quand il entraîne ses joueurs.

— La police de San Francisco a été appelée à votre domicile parce qu'il s'était emporté.

— Je vous ai déjà dit que c'était un malentendu. Nous nous étions disputés. Ça arrive à tout le monde.

— Quelques jours avant que vous veniez ici, une élève s'est plainte d'avoir été agressée. Doug était à cran.

Emily hocha la tête, les traits déformés par la douleur.

— On vous a vus, Doug et vous, sérieusement vous disputer la veille de la disparition de Paige.

— Oh, mon Dieu, je vous en prie, mon enfant est mort ! Pourquoi vous comportez-vous ainsi avec moi ?

— Je veux que vous me disiez ce qui s'est passé.

— Je n'en sais rien. Elle a dû tomber. C'est... C'est...

— Elle a dû tomber ? Vous savez que c'est ce que disent le plus fréquemment les parents dans les cas d'abus d'enfants ? « Il a dû tomber. »

Zander plaqua ses mains sur la table, ce qui fit tressaillir Emily.

— Que s'est-il passé ?

— Je vous en prie, ce n'est pas ce que vous pensez.

— Dites-moi quoi penser, Emily. Votre sœur est morte ici, et vous étiez présente.

— Non, je vous en prie.

— La seule autre personne présente dit que vous êtes responsable de ce qui est arrivé.

— Il ment !

— Il va être exécuté pour quelque chose dont il se dit innocent !

— S'il vous plaît. Je n'ai pas fait de mal à ma sœur. J'ai essayé de la sauver. Il me l'a passée. Elle glissait… Il savait ce qu'il faisait… J'ai vu le regard de ma sœur…

— Vous avez écrit des lettres dans lesquelles vous admettez être coupable ! Votre fille disparaît pendant que vous et votre mari, Doug, le type au caractère emporté, ne voyez pas ce qu'elle fait.

— Je vous en prie. Non.

— Doug est blessé à la main gauche. Et il est droitier. La blessure est cohérente avec quelqu'un qui faisait décrire une courbe à un objet qui lui a échappé. Nous avons retrouvé la hache avec du sang. Nous avons retrouvé le t-shirt ensanglanté de votre fille.

— Mon Dieu, noooon, sanglota Emily.

— À l'entrée de la crevasse, nous avons trouvé des traces de sang et des cheveux appartenant à Paige.

— Arrêtez.

— Plus profondément, nous avons retrouvé une de ses chaussettes !

— Non.

— Puis son sac à dos !

— Je vous en supplie.

— Et son cadavre !

— Paige… Pardonne-moi.

— Vous l'avez vu, de vos yeux vu, Emily !

— Non, je ne peux pas. Je vous en supplie. S'il vous plaît.

— À présent, Emily, dites-moi ce que je dois penser !

Emily laissa tomber son visage sur ses avant-bras et continua à sangloter. Bowman se fit violence pour ne pas lui tapoter l'épaule et détourna le regard. Dans la pièce, on n'entendit plus que les pleurs d'Emily. Zander se tourna vers la fenêtre, se passa une main sur le visage, le regard perdu vers les montagnes. Il avait gagné. Les larmes d'Emily le laissaient indifférent. Il la tenait entre les mâchoires de son étau. Il allait continuer à serrer, jusqu'à ce que la jeune femme avoue la vérité.

— Clovis à Zander, vous êtes là ? Terminé…

— Continuez, dit Zander qui prit sa radio.

— On est à nouveau prêts. Votre télé est branchée ?

— Non, nous nous repassions le début de l'exploration.

— Vous feriez bien de vous rebrancher.

La caméra, recommençant à bouger, reprenait la transmission de nouvelles images de la macabre découverte des yeux. Thornton fut le premier à émettre un son. Haletant à moitié, il fit claquer sa langue.

La caméra sonda les yeux et ce qui se trouvait juste autour, jusqu'à obtenir la netteté de l'ensemble ; quelque chose de blanc, le visage de Paige était bien trop blanc, on s'était trompé, en fait il semblait y avoir de la fourrure, et les yeux étaient bien trop écartés l'un de l'autre, et les dents trop pointues, entourées de lèvres noires, rien de tout cela n'avait quoi que ce soit d'un être humain, et cette mâchoire allongée avec une…

— C'est une chèvre sauvage, annonça le technicien qui manipulait la caméra. Nous avons atteint le fond de la crevasse. Il n'y a rien d'autre ici. Ça reste un mystère.

Emily redressa la tête, encore étourdie par l'émotion et cherchant de toutes ses forces à comprendre.

— Ce n'est pas Paige ?

Zander était assommé.

— Non, ce n'est pas elle, dit Sydowski, avec l'impression que quelqu'un venait de provoquer l'écroulement d'un château de cartes.

68

À l'aide de sa gourde, Greg Garner, sergent de la Gendarmerie royale du Canada, remplit d'eau pure et fraîche une écuelle posée par terre et destinée à son partenaire, dont les lapements d'appréciation lui arrachèrent un sourire.

— Mon vieux chum, on te mène la vie bien dure, aujourd'hui, hein ?

Le sergent s'agenouilla pour masser les épaules de Sultan, son berger allemand pure race âgé de deux ans.

— En réalité, ils veulent nous rappeler pour que quelqu'un d'autre prenne le relais. Mais cherchons encore une heure ou deux. Après, on rentrera retrouver toute la famille et à nous les vacances !

Sultan jappa. Très affectueux, dur à la tâche, il partageait la vie de la famille Garner sur leur ranch situé au pied des collines, à l'ouest de Red Deer, en Alberta. La femme de Greg et les enfants adoraient le chien.

— Ça s'annonce bien. Les enfants te manquent ?

Sultan haleta.

— À moi aussi.

Garner, qui se trouvait dans le parc national Waterton Lakes, à quelques encablures au nord de la frontière avec les États-Unis, s'imprégna de la vue panoramique des Rocheuses. Le parc Waterton Lakes se joignait à son homologue des Glaciers pour former un complexe appelé International Peace Park. C'est à contrecœur que Garner devait mettre un terme à une mission inachevée, mais il en avait reçu l'ordre de la K-Division. Son chien et lui devaient être relevés par une équipe de K-9[7], fraîche et dispose, de la subdivision de Calgary.

Quand l'officier de trente-cinq ans s'assit sur un rocher pour surveiller les vallées creusées par les glaciers, les forêts alpines et les lacs, il sentit une vague de tristesse l'envahir.

C'était chaque fois la même histoire quand il recevait l'ordre de rentrer alors que les recherches n'avaient pas abouti. Sultan et lui participaient aux opérations depuis quatre jours, quand un coup de téléphone leur avait demandé d'apporter leur concours. Ils avaient fouillé un nombre incalculable de fois toute la zone frontalière, là où le sentier de la Dent-du-Grizzly s'enfonçait en territoire canadien. Surplombs suspendus au-dessus du vide, parois rocheuses, forêts impénétrables, rivières, vallées, hors-piste, ils avaient fouillé l'une des régions les plus accidentées et les plus reculées de tout le continent. Greg était frustré, car personne n'avait rien trouvé, même pas le moindre signe de Kobee, le beagle de la petite.

Garner pensait avoir au moins gagné le droit de savoir ce qui était arrivé à la fillette, surtout maintenant que l'enquête prenait une sale tournure. Le FBI tenait les parents pour suspects et donnait l'ordre de poursuivre les recherches. Mais que devait-on chercher ? Un cadavre ? Cette formidable opération de recherches s'était-elle soudain transformée en enquête sur un homicide ? Se trouvait-il au beau milieu d'une gigantesque scène

---

7 K-9 Search and Rescue Team Inc. : organisation à but non lucratif, basée à Dolores, au Colorado, composée de volontaires qui, par tous les temps, 24 heures sur 24, à longueur d'année, assistent les agences locales et fédérales dans la recherche de personnes disparues.

de crime ? Garner ne voulait pas quitter les lieux sans connaître le dénouement de l'affaire.

— Greg ? T'es réveillé ? lui demanda sa radio.

C'était la caporale Denise Mayo de la Gendarmerie. Greg entendit Prince, le malinois de Denise, aboyer derrière elle. Ce chien aimait qu'on le remarque.

— Non, je rêve que nous avons cette conversation.

— On ne devrait pas tarder à te rejoindre en hélico. Ils sont en train de faire le plein. Reste où tu es.

Avant de quitter la zone, Garner souhaitait tenter quelque chose. Il étudia sa carte plastifiée et ses notes. Il avait participé à plus de trois cents opérations de recherches. Les tribunaux de grande instance canadiens avaient reconnu son expertise pour la fiabilité de ses témoignages lors d'importantes enquêtes criminelles. Son palmarès était exemplaire.

Mais pour les touristes, ça ne signifiait pas grand-chose, disait-il en se moquant de lui-même.

Avant d'être héliporté vers son secteur de recherches, et alors qu'il se trouvait à la terrasse d'un café de Waterton avec Sultan à ses pieds, il avait assisté à une manifestation de la mystique entourant la Gendarmerie royale du Canada. Garner portait un jean, un t-shirt, des lunettes de soleil, un sac à dos et un pistolet à la ceinture.

— Ne me dites pas que vous êtes officier de police ? lui avait demandé une septuagénaire qui descendait d'un bus immatriculé en Arizona.

— Mais si, m'dame. J'appartiens à la police montée.

— Vous ? Un gars de la police montée ? avait-elle souri. Mais où est votre uniforme ?

Garner avait rigolé et exhibé son badge étampé d'une tête de bison.

— On ne porte pas tout le temps la tunique rouge et le Stetson.

— Mais vous attrapez toujours votre homme, c'est bien votre devise, n'est-ce pas ?

— Hélas non, m'dame. Notre devise, c'est « Maintiens le droit. »

Il autorisa la touriste à le prendre en photo, content d'avoir rétabli la vérité, sans cependant dire que pour lui l'honneur et la tradition signifiaient ne jamais, au grand jamais, abandonner une enquête. C'était son seul et unique credo, un sentiment qui se consumait en lui alors qu'il étudiait sa carte, prêt à transformer en succès la dernière reconnaissance qu'il allait entreprendre.

Le campement de la famille Baker se trouvait à quelques kilomètres au sud. Bien qu'éloigné, il demeurait concevable que la fillette, si elle se déplaçait, ait franchi la frontière. Concevoir l'inconcevable. Tout constituait un élément à prendre en compte : le temps, l'état d'esprit, une éventuelle blessure, la rencontre avec des animaux.

Si la fillette se déplaçait, Garner se dit qu'il devrait retourner dans le secteur qu'il n'avait pas exploré depuis le plus longtemps, au cas où la petite y serait entrée. Bien sûr, dans l'hypothèse où elle était encore en vie.

— Allons-y, mon ami. On n'a pas encore dit notre dernier mot.

Garner et Sultan longèrent Boundary Creek dans l'ombre de Campbell Mountain. Garner se félicita de la décision des autorités de Waterton de fermer les secteurs qu'il fouillait. Il se sentait un peu seul mais plus efficace. Des ours fréquentant la région, Garner se mit à chanter « Runaway », la chanson de Del Shannon. C'était l'une de ses chansons préférées, depuis son enfance passée sur une ferme près de Lethridge. Il essaya d'éviter de penser aux affaires tragiques dans lesquelles il était intervenu, et encore moins maintenant, juste avant de partir en vacances pour trois semaines. Il avait loué un motorisé dans le but de traverser le Canada jusqu'aux chutes du Niagara. Il se félicita que cette année sa femme et lui aient pu emmener les enfants au Stampede de Calgary.

Sultan le conduisit vers une zone accidentée et marécageuse.

Avec la neige qui humidifiait le sol, le secteur recelait possiblement quelque chose. On pouvait s'abriter sous des surplombs. Il n'y avait rien de rien.

Sultan s'immobilisa.

— Qu'est-ce qu'il y a ?

Le chien jappa, son poil se hérissa.

En fait, l'un des surplombs abritait une ouverture qui ressemblait à l'entrée d'une grotte. Garner se mit à chanter de plus en plus fort alors que son chien et lui progressaient pas à pas vers l'ouverture. Ça semblait assez grand pour qu'un ours ou un loup en ait fait son antre ou sa tanière. Ça puait comme puent les grizzlys.

— Y a quelqu'un ?

Pas de réponse.

Garner libéra la courroie de son holster qui renfermait un Smith & Wesson. Les grognements de Sultan résonnèrent dans la grotte alors qu'ils s'en approchaient. Garner inspecta les alentours immédiats pour se ménager une issue en cas de danger. Il fit gentiment rouler une roche de la taille d'un pamplemousse dans la grotte, et l'entendit cogner ici et là. Sans cesser de chanter, il en lança une autre. Il ne se passa rien.

— Tu veux jeter un œil pour vérifier ?

Haletant, Sultan jappa et bondit dans l'obscurité, comme son devoir le lui commandait, ses halètements et ses gémissements résonnant dans la grotte. Il en ressortit quelques secondes plus tard avec quelque chose dans la gueule.

Garner sentit son pouls s'accélérer.

— Mais qu'est-ce que c'est ?

Il s'agissait d'une bouteille de plastique ayant contenu de l'eau minérale.

Sultan la tenait délicatement dans sa gueule par le goulot ; il permit à son maître de la prendre. Il manquait le bouchon.

Garner s'empressa de mettre la bouteille dans un sac de plastique réservé aux indices et écrivit le lieu et l'heure de sa découverte, qu'il mit dans son sac à dos avant de prendre sa torche et d'entrer en rampant dans la grotte. Ses yeux s'acclimatèrent à la lumière alors que son faisceau balayait les lieux et qu'il appelait. Mais il n'y avait rien, à part l'épouvantable odeur.

Il sortit et se rendit dans un endroit plus sûr afin d'examiner la bouteille. L'étiquette lui apprit que le flacon avait été rempli dans le nord de la Californie. Il y avait une espèce de petite étiquette, pas mal endommagée, collée par le vendeur. Il fallut un moment à l'officier pour réaliser qu'il était en train de lire AÉROPORT INTERNATIONAL DE SAN FRANCISCO.

— Ben ça alors.

Il s'empressa de rejoindre Sultan, dont la truffe traînait au ras du sol. Ils fouillèrent des zones boueuses, dans lesquelles ils enfonçaient, jusqu'à ce que le chien jappe à nouveau.

— Bingo ! s'exclama Garner qui s'agenouilla face à un joli spectacle.

Une empreinte d'espadrille. Fraîche. Toute fraîche.

— Calme. Bon travail.

Garner comprit qu'il s'agissait d'une empreinte de pied d'enfant. Il en trouva une autre, partielle, puis encore une troisième. Il vérifia sa position à l'aide de sa boussole, de sa carte et des points de repère. D'après la direction suivie, l'individu se dirigeait vers les États-Unis, dont la frontière était à moins de cent mètres.

Garner prit sa radio.

Ce qui le préoccupait demeurait l'état de la bouteille de plastique. Une entaille dentelée courait en son milieu, comme si la bouteille avait été sauvagement malmenée. Garner savait que Sultan était incapable d'une telle chose. Il appela. Après, il faudrait suivre les traces.

— On t'écoute, Greg, qu'as-tu trouvé ?

— Préviens tout le monde. La petite est passée par où je me trouve. Il n'y a pas longtemps.

— Donne-nous ta position.

69

Paige souffrait d'une faim insupportable. Son estomac vide, constamment contracté, en cruel manque de nourriture, lui donnait des crampes. La fillette subissait les assauts de vagues d'étourdissement.

Je ne vais pas pouvoir continuer encore longtemps.

Ça faisait une éternité qu'elle avait mangé ses barres aux céréales.

Depuis combien de jours est-ce que ça dure ?

Je ne sais pas. Je voudrais seulement m'allonger et mourir.

Elle avait les pieds enflés, on aurait dit des coussins traversés d'une douleur lancinante. Coupures, ampoules, égratignures à vif qui la piquaient. Elle mourait d'envie de prendre un bain. Ses cheveux sales la grattaient, sa peau la démangeait et sa gorge sèche la brûlait.

Est-ce qu'on peut boire ses propres larmes ?

Elle avait encore sa bouteille d'eau, mais elle s'était percée dans la crevasse, lors de la rencontre qui avait failli lui être fatale avec cet ours.

Oh mon Dieu.

Paige en frissonna rétrospectivement.

Kobee l'avait sauvée. *Brave petit toutou.*

L'ours l'avait giflée comme une vulgaire peluche, l'avait envoyée valdinguer jusqu'à l'entrée de la crevasse.

Alors qu'elle se débattait pour ne pas tomber dans la faille étroite et sombre, une griffe s'était prise dans son sac à dos, et l'ours s'était trouvé empêtré suffisamment longtemps pour permettre à la fillette de se défaire rapidement des bretelles pendant que Kobee essayait de mordre la bête.

Ça s'était passé si vite.

Grondant et grognant après le chien, le monstre déchaîné s'était satisfait de voir le sac accroché à sa patte, ce qui avait permis à Paige de descendre le long d'un surplomb trop étroit pour permettre le passage d'un grizzly, de s'y réfugier hors d'atteinte et de prier pour que Kobee puisse fuir et se mettre en sécurité.

Paige était restée collée à la glaciale paroi rocheuse jusqu'à tard dans la nuit, jusqu'à ce qu'elle pense que l'ours avait quitté les lieux.

Au bout de deux bonnes heures, elle était sortie de son refuge en escaladant la falaise.

Dans l'obscurité, elle trouva un petit renfoncement dans le rocher et s'y blottit. Elle essaya de retenir ses larmes, de ne pas crier, de ne pas penser à Kobee, mais seulement dans le but d'arrêter de trembler suffisamment longtemps pour dormir sur le calcaire dur et gelé. Elle se força à rêver de sa mère, de son père, de son lit chaud et douillet, de sa maison de San Francisco et de ses amis.

L'aube se leva, ensoleillée, et Paige trouva Kobee blotti contre elle.

— T'es sain et sauf ! Je t'aime, mon chien ! T'es mon héros, murmura la fillette en serrant contre elle son petit animal puant, se délectant de sa chaleur tout en chassant de son esprit des images de bananes, d'oranges, de restaurant et de courses au supermarché.

Paige pleura, le visage collé à son chien.

Faut continuer à avancer. Regagner la vallée. Trouver de l'eau, à manger, de l'aide. Quelque chose quoi.

La fillette s'extirpa prudemment de son minuscule refuge, tenant fermement sa bouteille d'eau de manière à ce que le reste du liquide ne s'écoule pas par les trous que l'ours avait faits.

Elle revint à la crevasse qui avait failli l'engloutir.

L'endroit de ma mort.

Son sac à dos avait disparu.

Elle enroula la laisse de Kobee autour de sa main, comme elle l'avait fait la fois où ils étaient allés au parc Golden Gate, puis elle trouva une branche qui lui servirait de bâton de marche.

Pas trace de l'ours. Merci mon Dieu.

Ils se mirent en route vers la vallée.

Quelques heures plus tard, ils arrivèrent près d'un petit cours d'eau. Paige se dit qu'elle pourrait peut-être trouver des baies ou autre chose. Elle mit sa bouteille de côté, s'agenouilla sur la berge et se lava le visage et les mains, en se sentant un peu revigorée par l'eau descendue des glaciers. Elle mit ses mains en forme de coupe et laissa Kobee y boire. Puis elle-même but un peu et sentit le liquide froid lui remplir l'estomac. Elle en sursauta de plaisir avant de s'essuyer les lèvres d'un revers de main humide.

Elle se demanda si elle ne pourrait pas trouver un abri dans le coin.

Elle explorait les alentours quand elle entendit un bruit d'éclaboussement.

Un poisson, prisonnier d'un endroit peu profond de la rivière, ne pouvait plus en regagner le lit. Kobee aboya. Paige, l'estomac frémissant, courut vers le poisson, sans savoir à quelle espèce il appartenait.

À manger.

Le poisson avait la taille d'un gros sandwich.

Sa queue battit l'eau, comme s'il ne supportait pas qu'on l'observe.

Sans s'en rendre compte, Paige se passa la langue sur les lèvres.

Son estomac gargouillait.

Et maintenant, je fais quoi ?

Je le harponne avec un bout de bois, comme j'ai vu faire ces pêcheurs des îles sur la chaîne de télé éducative ? Paige déglutit et regarda alentour. Elle aperçut un petit morceau de bois pointu, de la taille d'une main. Elle se mit à la verticale de la vulnérable créature.

Kobee jappa d'impatience.

— Ça risque de pas ressembler aux filets servis avec des frites qu'on mange chez Skipper of the Sea.

Paige resta un moment à fixer le poisson.

Elle n'avait rien pour le cuire. Elle ignorait comment le vider. Qu'allait-elle en faire ?

Elle se pourlécha les babines.

Elle avait bien mangé des sushis avec de la sauce teriyaki, du riz et des crevettes froides. Maman et papa adoraient ça. Elle visa le poisson dont la petite gueule s'ouvrait et se fermait et les nageoires ondulaient. Il attendait la mort.

D'un coup, Paige se précipita sur lui et l'atteignit aux mâchoires comme il se tortillait pour s'échapper. Tombant sur une roche, il frétilla pour regagner la rivière et la liberté.

Toujours avec son bout de bois entre les mains, Paige éprouvait la pire faim qu'elle ait jamais connue.

Elle s'assit au bord de la rivière et pleura.

Malgré les larmes qui lui brouillaient la vue, elle vit le grizzly s'en venir dans sa direction. La fillette était hypnotisée par son majestueux pelage chocolat au lait, son inquiétante corpulence et sa truffe en l'air qui lâcha un grognement.

Ce coup-ci, elle était trop fatiguée pour se battre.

Elle resta là, assise, immobile, sanglotant, ayant mal aux mains, parce que Kobee tirait sur sa laisse pour s'enfuir.

— Oh mon Dieu, faites qu'on vienne me sauver. Je vous en supplie.

70

Shane Ballard, le pilote du Mercy Force, savait qu'en longeant la chaîne des Bitterroot Mountains, il avait de fortes chances de rencontrer des turbulences.

Aujourd'hui n'échappait pas à la règle.

L'hélicoptère-ambulance équipé de deux turbines commença à vibrer.

Deer Lodge disparut derrière le pilote et ses passagers dans un flou tremblotant, puis le vol devint bientôt plus agréable.

— Ça s'arrange, annonça dans un soupir la voix métallique et pressurisée de Ballard quand la tour de contrôle de Missoula intervint pour lui demander l'estimation de son temps de vol.

— Dix-huit minutes, dit Ballard. *Curieux, normalement c'est à moi de les appeler. Je l'ai déjà fait au décollage. Qu'est-ce qu'il leur prend de m'appeler ?*

— Restez à l'écoute dans l'attente d'un communiqué du Montana General Mercy.

On aurait voulu inquiéter Ballard qu'on ne s'y serait pas pris autrement. Il chercha une réponse au sommet des montagnes aux pics se découpant sur un ciel immense, d'un bleu grandiose.

— Montana General à Mercy Force.

— Mercy Force, je vous reçois.

— Restez en alerte pour un éventuel transfert de trauma dans le parc des Glaciers. Pouvez-vous noter les coordonnées ?

— Mercy Force, allez-y.

Ballard nota la position qu'on lui transmit. Elle se situait à l'extrémité nord de la piste de la Dent-du-Grizzly, ce qui pouvait signifier qu'il y avait du nouveau dans l'affaire Baker. Ballard devait s'en assurer.

— On l'a retrouvée ?

— Possiblement, c'est pourquoi vous êtes en alerte.

— Mais que fait l'équipe sur place ?

— Ils ont été appelés pour une chute de cheval.

— Mercy Force, bien reçu, terminé.

Ballard brancha l'interphone pour informer McCarry, Wordell et le gardien de prison.

— Ils pensent que Paige Baker est peut-être en vie du côté nord du parc. On vient à l'instant de me transmettre les coordonnées. On reste en alerte au cas où il faudrait la ramener.

Hood battit des paupières.

Il capta parfaitement la voix forte et enthousiaste de Ballard qui s'échappait du casque d'écoute de McCarry, lorsque l'infirmière lui ôta son masque à oxygène pour mieux l'ajuster.

— Dieu du ciel ! s'exclama McCarry qui n'en croyait pas ses yeux. Vous ne devinerez jamais le nom de notre invité.

Ballard tenta de jeter un coup d'œil par-dessus son épaule. Mais il lui fut impossible de voir quoi que ce soit.

— Mais c'est Isaiah Hood, dit Wordell en regardant par-dessus l'épaule de son amie.

— C'est pas possible ! lâcha Ballard, incrédule.

McCarry regarda en direction du jeune gardien, qui confirma d'un hochement de tête. Soudain, Wordell regretta l'absence du plus costaud des deux gardiens. Elle avala sa salive et reposa le masque à oxygène sur le visage de Hood, en s'assurant que le débit était satisfaisant et que ses signes vitaux demeuraient stables. La menotte de métal brillant qui reliait le poignet de Hood au brancard lui apporta un brin de soulagement. Le jeune gardien de prison n'avait jamais survolé les Rocheuses en hélico. Il semblait fasciné et passa tout le temps que McCarry s'occupait de Hood à regarder par le hublot.

— Bon, il est stabilisé et toujours inconscient.

McCarry se trompait.

Avec lenteur, la main libre de Hood se déplaça sous le drap ; il força l'introduction de son auriculaire dans son nombril et l'enfonça en le faisant gigoter vers la petite protubérance toute dure.

Quelques années plus tôt, pendant un des appels de sa condamnation, Hood avait connu les cellules du palais de Justice du comté de Goliath. Là-bas, la sécurité laissait grandement à désirer. Comme à son habitude, Hood avait gardé tous ses sens en éveil pour profiter de la moindre occasion.

Un jour, il se trouva que c'était le départ en retraite de l'un des gardiens. Vers la fin de son quart de travail, peu avant que Hood ne soit reconduit dans sa cellule du couloir de la mort à Deer Lodge, la ceinture de service du vieux gardien s'était dégrafée et avait atterri juste devant la cellule de Hood. Tout ce qu'elle contenait s'était éparpillé.

— Reste où t'es, fiston ! avait dit le vieux schnock d'une voix rauque en s'empressant de tout ramasser.

La chance n'étant décidément pas avec lui, ses lunettes avaient glissé de son nez.

— Sacrée manière de partir à la retraite, avait juré le gardien.

— M'sieur, vous avez oublié ça.

Hood, souriant de toutes ses dents brunies, tendait un calepin au gardien.

— Ah ! Merci.

Le vieux con ne s'était pas aperçu qu'un objet bien plus important était tombé dans la cellule de Hood.

La clé de ses menottes.

Une espèce de sésame pour le paradis, car cette clé était la réplique de celle dont l'Administration pénitentiaire du Montana équipait ses officiers. C'était avant l'invention des scanners de haute technologie, alors Hood avait avalé la clé, qu'il avait récupérée plus tard dans la toilette de sa cellule et consciencieusement lavée. Il l'avait ensuite cachée à l'intérieur d'une petite encoche du mécanisme d'ouverture de la porte de sa cellule, où elle était restée plusieurs années.

L'avant-veille d'être transféré vers la cellule où la mort l'attendait, Hood avait récupéré sa clé. Après l'extinction des feux, il avait vécu un moment difficile quand il s'était agi d'introduire l'objet à travers la peau de son nombril, dans la cicatrice de son ancienne blessure, jusqu'à ce qu'il trouve sa place à côté du fragment de balle. Pour attacher et retenir la clé, Hood avait utilisé du fil armé pris sur des chaussettes de couleur noire, qu'il avait mélangé avec ses propres poils poussant autour du nombril.

Alors que Mercy Force fonçait vers Missoula, Hood, avec délicatesse, entoura le fil autour de son pouce, en s'aidant de son auriculaire pour gentiment récupérer la clé ; il sentit du sang chaud et du pus s'échapper de la plaie. La liberté, il fallait souffrir pour la gagner. Hood serra les dents ; il avait le sentiment d'avoir extrait un camion de son estomac.

Le jeune officier restait captivé par le spectacle, ce qui était loin de déplaire à Hood, qui regarda son poignet menotté et visualisa ses gestes. Puis, en une fraction de seconde, quand McCarry se tourna, il ouvrit la menotte. L'infirmière ne remarqua pas le petit clic étouffé par le bruit de l'appareil. Hood laissa la menotte ouverte, mais sans bouger sa main, et commença à se tordre. D'un effort herculéen, il fit basculer le brancard sur le côté.

— Oh mon Dieu !

McCarry pensa d'abord que Hood avait une nouvelle attaque. Avec des yeux horrifiés, le jeune gardien et l'infirmière virent Hood se lever, tenant la menotte, avec le brancard sanglé dans son dos, renversant le matériel alors que, de ses mains libres, il commençait à détacher ses entraves.

— Shane ! Faut qu'on se pose !

Le pilote avait les yeux écarquillés. L'hélico fit une embardée.

— Nom de Dieu, attendez !

Ballard entama sa descente. Sous eux, que des montagnes, à l'infini. Shane entendit le coup sourd que fit l'extincteur que Hood fracassa contre la tempe du jeune gardien pour l'assommer.

Wordell hurla.

— Shane, pose-toi ! Pose-toi !

Hood poussa violemment McCarry vers l'arrière, où elle s'affala sur le matériel médical. Il dégrafa chacune des sangles et se libéra des chaînes qui entravaient ses chevilles. Il s'avança vers Wordell.

— Je vous en prie, non ! Je vous en prie.

Ballard anticipa son geste et fit virer de bord son appareil. Hood perdit l'équilibre et sa tête heurta la paroi d'acier de l'hélico. Il s'aida de ses mains pour se cramponner et chercha à atteindre le système d'ouverture d'urgence des portes arrière.

— Mon Dieu ! Non ! hurla Wordell. Shane !

La sueur, piquant les yeux du pilote, brouillait sa vision. Il continua à balancer l'appareil de droite à gauche pour faire perdre l'équilibre à Hood. Manœuvre inutile. La grosse main de Hood prit Wordell à la gorge et l'entraîna vers l'arrière de l'hélico ; l'infirmière, qui étouffait et s'étranglait, essaya vainement de desserrer l'étreinte de Hood.

Hood menotta l'un des poignets de Wordell, qu'il suspendit par l'autre bout de la chaîne à un anneau d'acier du plafond de la carlingue. Sans trop de peine, il hissa le corps du jeune gardien, leva son poignet, ouvrit la menotte libre de Wordell, qu'il serra fermement à la fois sur l'anneau d'acier et le poignet du gardien.

Ballard continuait en vain à faire danser l'appareil. Hood, trop rapide et trop fort, leva la cheville droite de McCarry, passa une menotte autour et prit l'autre extrémité dans le même anneau qui immobilisait Wordell et le gardien. Puis il gagna le cockpit avec une paire de ciseaux de chirurgien, qu'il plaqua sur la gorge du pilote.

— Je vais crever ! hurla Hood. Et tu vas crever avec moi si tu refuses de faire ce que je te dis. C'est compris ?

Ballard hocha la tête et demanda :

— Vous avez tué mes amis ?

— Non, mais je vais le faire. Ça dépend de toi, sale con !

Le jeune pilote lutta pour conserver son sang-froid et, pour montrer sa bonne foi, cessa de faire bringuebaler l'appareil.

— Qu'est-ce que vous voulez ?

— Fonce à l'endroit où est la petite. Je sais que tu connais sa position dans le parc des Glaciers.

— Pourquoi ?

Hood enfonça de quelques millimètres supplémentaires la lame de ciseaux dans la gorge du pilote, lui perçant la peau et les veines cutanées ; du sang commença à couler abondamment.

— Alors ? Tu te décides, sale con ? T'as envie que je retourne à l'arrière et te ramène un œil ?

— C'est bon. Mais avant faut que je prévienne par radio.

Aussitôt Hood se rapprocha de Wordell, ce qui déclencha ses cris.

— Shane ! Oh mon Dieu, Shane !

Le regard de Hood débordant d'une rage contenue pendant vingt-deux ans se posa sur les oreilles percées et les petites boucles en or de l'infirmière. Hood tira sur l'une d'entre elles, étirant le lobe. Wordell poussa un cri. Hood relâchá la boucle, laissant l'oreille intacte.

— OK ! cria Ballard. Leur faites pas de mal. On y va !

Il vérifia sa position et vira de bord, en cherchant désespérément la frontière séparant le Canada des États-Unis. *Pourquoi ne pas s'y poser avec ce monstre à bord ? En bas, ça doit grouiller d'agents du FBI, de gardes et de gens du coin.*

Hood farfouilla dans l'hélico et remplit un sac de provisions, heureux de tomber sur un petit sac à dos et une combinaison de pilote de rechange. Il troqua sa tenue orange de prisonnier du pénitencier d'État du Montana pour celle de pilote. Il lui fallait des chaussures. Il jeta un œil à celles du gardien. Elles lui parurent trop petites. Mais celles de Ballard semblaient convenir. Ils étaient sensiblement de la même taille.

— Hé ! cria Ballard à Hood. Je reçois un message. Chaussez les écouteurs.

— Tour de contrôle de Missoula à Mercy Force. Mercy Force, revenez, vous vous êtes écarté de votre route.

— Eh bien, monsieur Isaiah Hood, je leur réponds quoi ? Est-ce que je leur dis, monsieur Hood, que vous avez détourné l'appareil en direction du parc des Glaciers ?

Comprenant que Ballard venait à l'instant de transmettre ce message avec exactitude, Hood arracha les écouteurs de la tête du pilote et les balança dans le fond de l'appareil qui survolait le parc national des Glaciers à pleine vitesse, vrombissant au-dessus du lac McDonald, arrivant sur Flattop, filant tout droit sur la Dent-du-Grizzly et la région de Boundary Creek. Les pilotes des autres appareils impliqués dans l'opération en restèrent abasourdis ; ils firent aussitôt de leur mieux pour éviter Mercy Force, pensant que l'hélicoptère-ambulance participait à une mission d'urgence médicale. Nul doute qu'il fonçait vers l'extrémité nord du parc. Contemplant le tapis de forêts qui se déroulait sous lui, les vallées et les glaciers, Hood se sentit littéralement revivre et remarqua que l'hélicoptère descendait.

— Laisse-moi à l'écart de tout le monde, ordonna Hood.

Au milieu des sapins, Ballard repéra une pente herbeuse et amorça sa descente vers la clairière. Concentré sur l'atterrissage, il eut environ deux secondes pour se demander pourquoi Hood balançait son petit sac par la fenêtre. À moins de cinq mètres du sol, Hood prit le contrôle des commandes.

— Oh nom de Dieu !

Ce fut tout ce que parvint à dire Ballard quand Hood força l'hélico à s'écraser sur son flanc et que les pales étêtèrent les arbres, lacérèrent la terre et déclenchèrent des gerbes d'étincelles en frottant contre les rochers épars. L'appareil rua tel un monstre d'acier en colère au milieu du fracas de la ferraille, des cris, de l'odeur âcre d'huile et d'essence au moment où chacun fut projeté et écrasé.

Ballard et McCarry étaient inanimés. Les gémissements de Wordell se transformèrent en hurlements quand se déclara un début d'incendie. Malgré une blessure à la jambe, plus déterminé que jamais, Hood s'affaira à récupérer les chaussettes et les chaussures du pilote. Il fouilla ses poches dans l'espoir d'y trouver quelque chose d'utile et se félicita de mettre la main sur un couteau de l'armée suisse.

Il s'empara de la radio haute fréquence du jeune gardien. Il essaierait d'écouter les fréquences réservées aux urgences. Il émergea du crash, retrouva son sac, puis s'évanouit dans la forêt. Il était de retour chez lui.

71

— Là, on va se faire un peu de magie.

Voilà ce que le père de Frank Zander avait coutume de dire à son fils.

Par les soirs d'été pluvieux, quand Frank n'était encore qu'un petit garçon, à Shaker Heights, son père jouait au bonneteau avec lui. Il mettait un petit pois sous l'une des trois coquilles de noix posées sur la table de la cuisine.

— Perds pas de vue celle où est le pois, Frankie.

Pour piéger son fils, le père faisait décrire des cercles aux coquilles de noix, s'arrêtant pour rapidement soulever celle qui avait le pois avant de recommencer les cercles.

— T'as bien regardé, Frankie ? Sous laquelle est le pois ?

Malgré son jeune âge, Frank était très observateur. Il réussissait toujours à trouver le pois, jusqu'à ce soir où son père lui avait dit avec une lueur de froideur dans le regard :

— Là, on va se faire un peu de magie, Frankie.

Après son petit manège des coquilles de noix sur la table, le père leva celle choisie par Frank, puis il éclata de rire. Le pois n'y était pas. Il n'y avait rien sous la coquille. Frank n'en revenait pas. Le pois était pourtant sous celle-là. Forcément. Il souleva les autres. Et ne trouva rien. Il souleva à nouveau la première et la retourna pour s'apercevoir que le pois était coincé à l'intérieur. Son père, un détective de Cleveland spécialisé dans la traque des cambrioleurs, était aux anges.

— Tu es un enquêteur-né, Frankie, lui dit-il.

Il lui lança un clin d'œil, ébouriffa ses cheveux, termina sa cannette de Old Milwaukee et ajouta :

— On ne connaît vraiment la vérité que lorsqu'on détient tous les éléments. N'oublie jamais ça, fiston.

À présent, Zander s'accrochait au conseil de son père alors que l'escouade spéciale commençait à discuter de ce que serait sa prochaine initiative.

Tracy Bowman avait emmené Emily Baker prendre l'air à l'extérieur du centre de commandement pendant que les autres analysaient ce qui venait de se passer.

— Frank, remarqua Sydowski en feuilletant son dossier, je crois que nous allons devoir admettre que les Baker nous ont dit la vérité.

— Et c'est quoi, la vérité ?

— Que la gamine s'est sauvée.

— Et s'ils l'avaient emmenée là-haut pour la tuer ?

— C'est une hypothèse. Mais basée sur quelle preuve irréfutable ?

— La région en regorge, de preuves. Il y a le sang, les objets qui appartiennent à la petite. Et toute cette histoire d'Emily avec sa sœur et Isaiah Hood. Allons, Walt. Il est trop tôt pour s'accrocher à quoi que ce soit. Jusqu'à ce qu'on en sache davantage sur la disparition de Paige Baker, ses parents restent suspects.

— Je ne sais plus quoi penser, Frank, répondit Sydowski en tripotant un élastique. Pour moi, ça colle pas. J'arrive pas à y croire. C'est pas comme ça que je vois les parents. Pour moi, ils traversaient une crise familiale et le sort s'est acharné sur eux.

— Et comment le sac et la chaussette de la petite seraient arrivés au fond de la crevasse ?

— Une bestiole a pu les y emporter. Pike Thornton a déjà vu des choses comme ça. La carcasse de chèvre est un excellent indicateur, sans parler du fait que toute la région est fréquentée par les ours.

— Et la hache, le t-shirt et la blessure de Doug ?

— Frank, dit Sydowski en tordant le capuchon de son stylo, ça s'est peut-être passé tout simplement comme ils le disent.

Zander feuilleta les documents accrochés à sa planchette : les dernières informations en provenance des équipes de recherches, le rapport du procureur du comté sur les lettres d'Emily, Isaiah Hood qui clamait son innocence, les plaintes concernant Doug Baker et son caractère emporté, le témoignage du flic de New York sur la dispute la veille de la disparition de Paige.

— Les signaux d'alerte sont trop nombreux, protesta Zander en secouant la tête, se rappelant comment, en Géorgie, la jeune mère dérangée avait leurré les détectives, lui inclus !

Il se souvint du visage du petit garçon avec lequel il avait joué et discuté au cours de l'enquête. Tué par sa mère, alors que la police la surveillait, mais parce que tous avaient baissé leur garde. *Ouais, cette cinglée les avait bien menés en bateau*. Zander se promit de ne plus jamais se faire avoir.

— On ne connaît vraiment la vérité que lorsqu'on détient tous les éléments.

Zander se passa la main sur le visage.

— On va revoir Doug Baker pour qu'il nous explique comment le sac à dos et la chaussette de Paige se sont retrouvés dans la crevasse.

On frappa à la porte. Un agent du FBI passa la tête.

— Inspecteur Sydowski ? Un appel urgent de San Francisco. C'est l'inspectrice Turgeon. Je peux vous la passer ici ?

Emily Baker et Tracy Bowman marchèrent à l'ombre des grands sapins derrière les dortoirs réservés aux pisteurs et aux pompiers du parc. À distance respectable, une demi-douzaine d'agents du FBI formait un cordon de sécurité autour des deux femmes.

Emily s'essuya les yeux avec un mouchoir en papier.

— Vous savez, à l'époque où elle apprenait à marcher, je lui faisais des nattes.

Bowman hocha la tête.

— C'était adorable à voir, la manière dont les nattes dansaient, quand elle trottait partout dans la maison. J'ai dû la prendre des milliers de fois en photo. Fallait voir comment son regard resplendissait de bonheur, et là, cette caméra dans la crevasse, et ces yeux morts… Oh mon Dieu.

— Ce n'était pas elle, Emily.

— Pourquoi m'a-t-il fait ça ? Savait-il quelque chose ?

Attention, prudence, agent Bowman, se dit Tracy.

— Nous cherchons seulement à comprendre ce qui s'est passé.

— Euh… vous croyez qu'on a une chance de… fit Emily en s'arrêtant et ôtant ses lunettes. Tracy, que vous dit votre cœur de mère ? Dites-moi franchement s'il reste quelque espoir que Paige soit encore vivante quelque part.

Bowman regarda Emily dans les yeux.

— Je continuerais d'y croire. Toutes les mères feraient pareil tant que… dit Bowman qui leva les yeux vers un hélico bleu et blanc qui passa à toute vitesse au-dessus de leurs têtes.

— Tant que quoi, Tracy ?

— Tant que la vérité ne sera pas connue. L'indubitable.

Perdue dans ses pensées, Emily demeura immobile.

— Il faut que je parle à Doug, dit-elle. Vous allez m'aider ?

Nora Lam, du ministère américain de la Justice, entra sans frapper dans la pièce de l'escouade spéciale, le visage tendu.

— Pas maintenant, madame Lam, je vous en prie ! dit Zander.

Sydowski était au téléphone.

— Maleena Crow demande qu'on relâche Doug Baker. Vous ne pouvez pas le garder plus longtemps.

— Pas maintenant !

— Et Washington a appelé pour avoir un état de la situation.

Washington. Zander sentit son estomac protester, il pensa à celle qui serait bientôt sa future ex, à ce tas de fumiers de bureaucrates égocentriques…

— Mais merde ! On est en plein milieu de quelque chose.

— L'affaire Hood est dangereusement liée à…

— L'affaire Hood a été jugée il y a vingt-deux ans !

Sydowski mit une main sur son oreille ; il avait de la difficulté à entendre l'inspectrice Turgeon, qui lui parlait depuis un cellulaire sur une autoroute de San Francisco.

— Quoi de neuf, Linda ?

— La plainte de Cammi Walton contre Doug Baker est bidon.

— Tu en as la confirmation ?

— La gamine l'a reconnu quand on lui a mis la pression. Je vais envoyer mon rapport à Golden Gate et ils l'enverront par télécopie à votre escouade. Il vous arrivera tout chaud comme un petit pain.

— Que s'est-il passé ?

— J'ai parlé au prof d'histoire dont la classe se trouve face à celle de Baker dans le même couloir. Il m'a dit que les profs, tout particulièrement les hommes, ont pour règle de ne jamais, jamais rester seuls dans leur classe avec une élève, notamment avec une adolescente.

— C'est une excellente mesure.

— Le prof d'histoire et deux élèves m'ont confirmé avoir vu Baker en train de parler avec mademoiselle Walton à la porte de sa classe à l'heure à laquelle elle prétend qu'il a pété une coche. Or il ne s'est rien passé.

— Très bien.

— Il y a mieux. En tapant le nom de mademoiselle Walton dans le fichier des délinquants juvéniles, on a trouvé qu'elle avait volé dans un magasin une ou deux semaines avant l'incident supposé avec Doug Baker. Le patron du magasin a mis du temps à le signaler.

— Pourquoi ?

— Cammi a essayé d'étouffer l'affaire, et elle a presque réussi en menaçant le patron de dire qu'il lui avait fait des avances, et qu'on la croirait parce que sa mère était commissaire. Le personnel du magasin a fait marche arrière mais a néanmoins signalé l'incident ultérieurement. On vient de recevoir le rapport.

— L'espèce de petite…

— On a montré tout ça à Cammi, qui a craché le morceau et fait une déposition.

— Vous en avez informé maman Walton ?

— Oui. Ça me peine pour elle. Elle est vraiment classe.

— Et concernant l'appel qui a conduit à une intervention de la police chez les Baker ?

— J'ai parlé aux officiers patrouilleurs et dressé un bilan de l'appel.

— Bien.

— J'ai parlé au voisin qui a prévenu la police. Je l'ai poussé dans ses derniers retranchements. Il n'a pu jurer de rien ni d'aucune menace. Au pire, disons que ce soir-là la discussion a dû être un peu animée. Vous trouverez tout ça sur votre bureau.

— Merci, Linda, dit Sydowski qui se tourna pour informer Zander.

Lloyd Turner venait juste d'entrer avec Elsie Temple, la directrice du parc, qui agitait une feuille de bloc.

— Il y a moins de deux minutes, notre centre de communications a reçu ça, commença-t-elle. La Gendarmerie royale canadienne a signalé avoir trouvé une empreinte de pied, toute fraîche, qui correspond aux chaussures que porte Paige Baker, ainsi qu'une bouteille d'eau en plastique achetée à l'aéroport international de San Francisco. Ce sont des indications importantes que la petite est en vie dans la portion nord du parc.

Immédiatement, Temple ordonna que l'on concentre les recherches sur la région frontalière.

— Les Canadiens ont précisé que la petite se dirigeait à nouveau vers le Montana.

72

Levi Kayle, le photographe de presse du *San Francisco Star,* était sous le charme de Tory Sky, son homologue de Santa Monica au bronzage Malibu et aux cheveux blond cendré.

— Ben, j'étais tannée de jouer les paparazzis à L.A., alors je me suis mise à travailler à la pige. Je vends mes photos partout dans le monde grâce à mon site Internet. Je suis ici pour un magazine allemand.

Tout en chassant des cheveux de ses lunettes, elle renfonça son oreillette.

— Il se passe quelque chose !

Le nouveau scanner radio numérique de Tory, ultracompact et d'une valeur de trois mille dollars, lui permettait d'écouter les fréquences réservées aux urgences qu'utilisaient certaines des agences participant aux recherches de Paige Baker. L'appareil dont se servait Kayle était loin d'avoir les mêmes performances. Le regard vert de Tory redevint sérieux quand elle surprit les messages urgents des officiers de la Gendarmerie royale canadienne destinés aux gardes. Elle prit son téléphone cellulaire.

— Ils l'ont peut-être trouvée !

D'un pouce expert, Tory appuya sur le bouton de composition express des numéros.

— À l'extrémité nord. Je pourrais peut-être t'y emmener. Viens, dit-elle dans son téléphone. Je t'attends. Je t'attends.

Kayle parut intrigué. Mis à part les vols d'hélicos autorisés par les gardes et destinés à des groupes de journalistes voulant prendre des clichés des opérations, la presse n'avait accès à aucune portion de territoire où s'effectuaient les recherches. C'était virtuellement inaccessible. Tory connaissait quelqu'un.

— Rawley ? Tory. Oui, j'ai entendu. Tu peux ?... C'est vrai ?... Combien de personnes ? À West Glacier aussi vite que possible ? Cinq places différentes, c'est d'accord. Cinq cents. On arrive. Ne t'amuse pas à décoller sans nous ! Bien sûr que je serai là.

— Qu'est-ce qui se passe ?

— Appelle tes copains, Kayle. Un hélico nous attend. Dieter ! Mais où il est passé, celui-là ?

Les recherches de Paige Baker avaient pris l'importance d'une extraordinaire opération aérienne dont les hélicos assuraient la majorité du travail. Plus d'une douzaine d'entrepreneurs privés, fédéraux, nationaux et la garde fédérale étaient impliqués dans les recherches, le transport de personnel, d'équipement et de ravitaillement. L'un d'eux s'appelait Rawley Nash, une espèce de relique très fatiguée des années 70 qui écoutait du Creedence Clearwater Revival sur son lecteur de bande huit pistes suralimenté. Nash l'avait fait amplifier de manière à pouvoir l'écouter à bord de son engin volant : le *Widowmaker*[8]. Nash était un marginal, une espèce de chauffeur de taxi gitan équipé de pales, qui volait selon ses propres règles sur un bon vieux Huey reconditionné.

On venait juste de lui confier la mission d'héliporter un membre d'une équipe de recherches K-9, originaire

[8] Littéralement Le Faiseur de Veuves.

de l'Idaho, qui allait participer aux opérations concentrées à présent près de Boundary Creek, à la limite nord de la piste de la Dent-du-Grizzly. Le lieu de rendez-vous se situait à West Glacier, là où, auparavant, Nash avait rencontré Tory Sky. Ils avaient conclu un accord. Si le moment crucial devenait imminent, pour un millier de dollars Nash contournerait les règlements et convoierait Tory sur les lieux pour qu'elle puisse prendre ses photos, sachant que, selon le nombre de flics qu'il attirerait, le voyage pourrait se transformer en aller simple. La bonne affaire résidait dans le fait que, si Tory trouvait au moins trois autres journalistes, prêts à payer cinq cents dollars chacun, elle bénéficierait d'une place gratuite.

Ce n'était pas tombé dans l'oreille d'une sourde.

C'est en tout cas la version des faits que Kayle était en train d'expliquer à Molly Wilson et à Tom Reed. Kayle était au volant de sa Sunbird de location et suivait la Taurus de Tory Sky lancée à toute vitesse. Tory roulait devant, avec à ses côtés Dieter, ce gars placide originaire de Hambourg, correspondant à Los Angeles de *Der Spiegel*, le grand magazine allemand.

— Faut absolument qu'on y aille, dit Kayle à Reed. Au poste de commandement, il ne va rien se passer. C'est juste un camp d'internement pour journalistes.

— Et on fait quoi, Kayle, si on est interceptés et qu'on ne peut pas sortir ? Comment vas-tu t'y prendre pour nous ramener ? As-tu jeté un œil à la carte… On sera aussi bien au Canada.

— On a juste à demander à ce gars de nous emmener. On a nos téléphones satellitaires et nos ordinateurs. On pourra envoyer des articles de là-bas. Détends-toi, Reed.

— Tory n'a pas dit que son pilote transportait des membres des K-9 ? interrogea Wilson.

— Oui, répondit Kayle. On va suivre le traqueur. Avec un peu de chance, il nous conduira à la gamine, ou au moins dans le secteur où ça bouge. En plus, il disposera d'une radio pour appeler notre hélico. Reed, en ce moment, tout le monde essaie vraisemblablement d'aller là-bas. Si la petite est vivante, il faut qu'on ramène sa photo et un article !

Reed regarda sa montre. À San Francisco, la direction du journal n'avait pas encore pris de décision. Qui, de lui ou de Molly, allait couvrir l'exécution de Hood ce soir ? De toute manière, il faudrait que Kayle y soit, le journal ayant besoin de toutes sortes d'illustrations.

— Faut qu'on soit à Deer Lodge ce soir pour Hood, dit Reed.

— On y sera, répondit Kayle.

Reed se rappela la fois où on l'avait envoyé au Montana avec Kayle pour couvrir l'arrestation d'Unabomber et comment Kayle adorait pousser les choses à la limite du raisonnable. Comme la plupart des gens des médias, il aimait travailler sous pression.

À West Glacier, au milieu du ballet d'hélicoptères, et pendant qu'on faisait le plein de son appareil, une mallette de cuir usé à la main, Rawley Nash vint à leur rencontre pour leur exposer rapidement la manière dont il fonctionnait. Reed estima que Nash devait avoir la petite cinquantaine. C'était un type au physique avantageux, avec une barbe de deux jours, un sourire carnassier, des sourcils qui dépassaient au-dessus de ses lunettes de pilote et vous recommandaient de ne pas jouer au plus fin avec lui, car son charme seul suffirait à vous ridiculiser.

Nash retira ses lunettes.

— C'est cinq cents dollars par personne.

Le pétillement dans ses yeux laissa penser que Tory le remercierait ultérieurement. Il détailla Molly Wilson de la tête aux pieds.

— Bien, bien, bon maintenant…

Il jeta un regard par-dessus son épaule et sortit une vieille machine à cartes de crédit, qu'il posa sur le capot de la Sunbird de Kayle.

— On accepte toutes les principales marques de cartes. Allez, les enfants, envoyez les bouts de plastique !

Les paiements effectués, Nash leur demanda de se rendre dans une clairière située derrière une rangée de pins et distante d'une centaine de mètres.

— Embarquement porte numéro neuf, annonça-t-il en rigolant. Je fais un saut de puce et je passe vous chercher. On y va maintenant.

Quelques minutes plus tard, les membres du groupe montèrent à bord du *Widowmaker* de Nash. Ce dernier leur expliqua comment chausser les casques radio, fermer, verrouiller les portes et serrer leur ceinture. L'appareil décolla.

À l'arrière, une femme dans la vingtaine, avec un air interloqué, tenait un berger allemand en laisse.

« Mais qu'est-ce qui se passe ? » semblait-elle se demander.

— Beau chien, fit Dieter avec son fort accent. Mords pas. Bon chien.

— Les enfants, je vous présente Hilda Sim et son toutou, Lux. Ils appartiennent à une équipe de recherches de l'Idaho. Sim, les gens qui voyagent avec nous sont indispensables à l'opération. Ne posez pas de question. Aucune boisson ne sera servie au cours du vol. Vérifiez vos ceintures. Tenez-vous prêts, ça va être rock and roll.

Nash poussa un peu le moteur du vieux Huey et enclencha une cassette huit pistes dans le lecteur qui se mit à cracher *Up Around the Bend*[9].

Avant d'accélérer, l'appareil prit rapidement de l'altitude et Wilson sentit son estomac faire des siennes. Sans discontinuer, Creedence Clearwater Revival beuglait dans les haut-parleurs. Nash souriait comme s'il était le roi des Rocheuses.

Reed croyait qu'ils filaient bon train, mais un autre hélicoptère, aux courbes élégantes et plus rapide, les

[9] Succès de 1970 de Creedence Clearwater Revival.

doubla à deux heures. Comme une masse floue bleue et blanche qui disparut. *Doux Jésus,* se dit Reed. *Ils doivent avoir trouvé quelque chose.* Il ressentit une montée d'adrénaline, content que Kayle et Wilson l'aient emmené avec eux. Là où ils allaient, c'était là qu'il fallait être.

Après quelques minutes, Nash ralentit.

— On est à quelques milles du but. Je tiens à m'assurer de ce qui se passe là-bas... euh... en vue d'un atterrissage sans problème.

Reed comprit aussitôt que Nash voulait éviter que les autorités apprennent qu'il organisait des vols illégaux pour la presse, et vendus au marché noir.

Kayle et Tory vérifiaient leurs caméras.

Kayle fut le premier à repérer un filet de fumée noire droit devant eux. Instinctivement, il commença à mitrailler.

Ça se peut pas que ce soit un feu de signalement, se dit Nash. Ils ont rien dit à la radio. *Mais qu'est-ce que c'est que ça ?* Quand ils furent plus proches, la réalité parla d'elle-même.

Un accident d'hélico !

— Sainte merde ! On se pose !

Nash décrocha son micro pour signaler l'accident et sa position.

— On va aller voir s'il y a des survivants !

Au cours de la descente, Tory et Kayle, très concentrés, comme de vrais professionnels, prirent des photos sans dire le moindre mot. Nash continua à réclamer de l'aide jusqu'à ce qu'il soit entendu. Il énonça par radio le numéro de l'appareil accidenté. C'était le Mercy Force, l'hélicoptère-ambulance de Missoula, qui les avait doublés plus tôt.

La tour de contrôle de Missoula admit que le Mercy Force s'était détourné de son itinéraire et avait eu des problèmes. On informa Nash qu'il devait y avoir cinq personnes à bord. Nash se posa à distance sécuritaire du lieu du crash. Après s'être muni d'une hache, d'un extincteur et d'une trousse médicale, il prit la tête du groupe pour aller porter secours. En chemin, Kayle et Tory prirent des photos.

Nash et Dieter sortirent rapidement le pilote. Il était vivant, gémissait et saignait. Kayle se demanda pourquoi le pilote avait les pieds nus.

Sim avait Lux en laisse, qui jappait sans retenue. Ils eurent tous de la misère à croire ce qui les attendait à l'intérieur de l'hélico : deux femmes et un gardien du pénitencier d'État du Montana étaient enchaînés à l'arrière, inconscients, la tête et les mains en sang.

— Mais qu'est-ce qui a bien pu se passer là-dedans ? dit Kayle sans cesser de photographier.

— On va vous sortir de là. Vous êtes vivants. Les secours arrivent, dit Nash aux victimes. Dieter, éteignez le feu, ordonna-t-il. J'ai un coupe-boulons dans mon appareil.

Quand Nash revint, il coupa la chaîne des menottes, libérant de ce fait les femmes et le gardien. On emmena les quatre victimes en sécurité. Sim s'affaira sur leurs blessures.

— Ils vont s'en tirer, dit-elle.

Lux n'arrêtait pas de japper.

— Tais-toi ! lui ordonna Sim.

— Je n'aime guère ça, dit Nash. Ils étaient censés être cinq à bord. Ils ne sont que quatre. Trois d'entre eux étaient enchaînés.

Plus tôt, à la radio, il avait entendu parler d'une évacuation médicale et d'un vol à destination de Deer Lodge. *Le pénitencier fédéral se trouve à Deer Lodge. Ces menottes. Cette évacuation sanitaire. Quatre personnes au lieu de cinq.* Cela devenait de plus en plus évident. Nash se précipita vers le lieu du crash, en se souvenant d'avoir vu un objet étrange quelques secondes plus tôt. Il écarta des débris. *Oui. Là. Cette chose orange!* Une combinaison de prisonnier. Il la souleva.

Kayle et Tory prirent des clichés.

— Le cinquième passager est un détenu qui s'est échappé, dit Nash en balayant les environs du regard.

À travers ses lunettes sans monture, Dieter suivit le regard du pilote.

— C'est dans ce coin que les *Mounties* pensent que la petite Californienne est toujours vivante ; et voilà que ce détenu en fuite s'y trouve aussi, après le crash de l'hélico.

Wilson déglutit en prenant conscience de la situation et en regardant Nash regagner son appareil pour signaler ce qu'il venait de découvrir.

Kayle regarda Sim et Lux et dit :

— Je parie que votre chien pourrait retrouver sa piste.

— Bien sûr, il pourrait.

Tous se regardèrent en évitant de poser la question à laquelle chacun pensait.

Qui souhaite courir après un condamné évadé ?

73

Dans le bureau du gouverneur, au capitole d'Helena, l'interphone sonna.

— Le directeur de l'administration pénitentiaire, monsieur. Il dit que c'est urgent. C'est au sujet de l'affaire Hood.

— Faites-le patienter, je vous prie.

Le cellulaire du gouverneur sonnait alors que le ministre de la Justice du Montana et John Jackson entraient dans la pièce.

— Alors messieurs ? Que disent les Canadiens ? L'a-t-on retrouvée ?

La mine sombre, ils ignorèrent le gouverneur et allumèrent la télé à grand écran à une chaîne d'informations en continu.

Sous une carte du parc national des Glaciers du Montana s'affichait l'inscription DERNIÈRE HEURE. Sur un plan graphique, on voyait un point lumineux près de la frontière avec le Canada et un bandeau annonçait ACCIDENT D'HÉLICOPTÈRE pendant que l'annonceur donnait des détails.

— Un *crash* ? Attendez une seconde, dit le gouverneur dans son cellulaire. Montez le son.

— Nous avons toutes les raisons de croire que Hood était à bord de cet appareil, dit le ministre en composant un numéro sur son propre cellulaire.

— Quoi ?

— … si vous venez de nous rejoindre à l'instant, nous venons de recevoir confirmation qu'un hélicoptère-ambulance, un Mercy Force de l'hôpital General Mercy de Missoula, s'est écrasé dans les montagnes Rocheuses à l'extrémité nord du parc national des Glaciers. Cinq passagers étaient à bord. Quatre ont apparemment survécu et sont dans un état stable. La cinquième personne est portée manquante…

— Manquante ?

— Il s'agit d'Isaiah Hood, monsieur, dit le ministre de la Justice. Il s'est échappé.

L'interphone du gouverneur se manifesta à nouveau.

— Le directeur de l'administration pénitentiaire qui rappelle, monsieur.

Le gouverneur prit la ligne.

— Dites-moi ce qui s'est passé.

— Nous avons eu une urgence médicale traumatique. Le règlement nous a obligés à le transférer à Missoula.

— Vous aviez du personnel de sécurité à bord ?

— Un jeune gardien inexpérimenté. Il était le plus léger. À cause des restrictions de poids, nous avons dû décider à la toute dernière minute.

— Mais comment… Je veux seulement savoir comment on en est arrivé à ce…

— La tour de contrôle de Missoula a surpris une communication radio du pilote qui disait que Hood avait détourné l'appareil. Qu'il se dirigeait plein nord à travers le parc…

— Je ne comprends pas. Il souffrait de quoi ? Ce n'est pas un prisonnier ordinaire. J'aurais dû être prévenu. Pourquoi n'ai-je…

— Il a refait une attaque. Nous pensons qu'il a feint la crise cardiaque.

— Ah ? Vous *pensez* à présent ?

Le gouverneur raccrocha.

— John, les survivants. Quel est leur état? Dites-moi tout.

— Il y a le pilote, le gardien et deux infirmières. Les premiers rapports disent qu'ils sont tous en vie. En attente d'être transportés au Mercy General. Leurs familles ont été prévenues.

— Mettez-moi en contact avec elles.

— D'abord il faut répondre aux policiers du comté, à la police fédérale, au FBI et au ministère des Transports.

— Les parents, alors, dit le gouverneur qui se passa les mains sur le visage en réfléchissant. Bon sang! Où est Hood? A-t-on commencé à le chercher? Doit-on faire appel à la Garde nationale? Il faut absolument mettre la main sur Hood avant qu'il ne trouve Paige... Bon sang! Ça se passe exactement dans le même secteur... Pourquoi Hood a-t-il décidé d'aller là? John, remettez le son de la télé, je vous prie.

— Très bien, dit la présentatrice du bulletin de nouvelles, assise derrière son bureau, en s'adressant à la caméra. Restez en ligne. Nous avons en direct Van Heston, notre reporter qui couvre les événements au parc des Glaciers...

— ... Tawni, avant toute chose, je... attendez...

Un homme dans la petite trentaine s'adressa à la caméra. Immobile. D'un ton grave et saccadé.

— ... OK, Tawni, je tiens d'abord à préciser que la nouvelle n'est pas confirmée. Je répète: nous n'avons pas confirmation, mais nous venons d'apprendre deux événements stupéfiants. Tout d'abord, d'après nos sources, l'hélicoptère Mercy Force qui s'est écrasé est, ou plutôt était, en train d'effectuer un transfert de prisonnier du pénitencier fédéral du Montana vers un hôpital local. Le malade – et la chose reste à confirmer – serait Isaiah Hood, le détenu dont l'exécution est prévue pour ce soir à minuit. Demeure également non confirmée la nouvelle qu'il aurait détourné l'hélicoptère en direction du Canada avant que l'appareil ne s'écrase à quelques kilomètres à peine de la frontière...

Le gouverneur sentit son estomac se révolter.

— ... Je répète, Tawni, tout cela demande confirmation. On suppose que Hood allait au Canada, où la peine de mort n'existe pas et où un processus d'extradition...

— Van, vous avez parlé de deux événements ?

— Oui, j'en arrive au second. Avant le crash, on a entendu dire que les parents de Paige Baker avaient subi des interrogatoires « musclés » de la part des agents du FBI. Ils sont devenus suspects en raison des doutes concernant la culpabilité de Hood dans le meurtre de la petite sœur de cinq ans d'Emily Baker, survenu dans le parc il y a vingt-deux ans. D'après certaines de nos sources, le FBI menait la vie dure aux parents, afin que ces derniers apportent des précisions quant à la disparition de leur enfant. Nous avons appris que Doug Baker, le père de Paige, avait un avocat. Les Baker, nous a-t-on dit, devaient à nouveau être entendus par le FBI lorsque la nouvelle a couru que la Gendarmerie royale canadienne avait trouvé, à quelques mètres à l'intérieur de sa frontière, une empreinte de pied toute fraîche, dont la forme correspond aux souliers que porte Paige Baker.

L'interphone du gouverneur bipa à nouveau.

— C'est CNN, monsieur.

— Pas maintenant. Dites-leur que nous ferons une déclaration ultérieurement.

L'interphone bipa encore une fois.

— Je vous en prie, je ne veux pas parler à la presse, dit le gouverneur.

— C'est la Maison-Blanche, monsieur.

Le ministre de la Justice du Montana parlait dans son cellulaire. Jackson baissa le volume de la télévision.

— Passez-moi la communication.

— Gouverneur ? s'enquit une voix.

— Oui.

— C'est le Bureau ovale. Veuillez patienter, le président désire vous parler.

Le gouverneur fit la moue, ne sachant que trop bien de quoi le président voulait l'entretenir.

— Gouverneur, commença la célèbre voix d'un ton plus grave qu'à la normale dans le téléphone. Nos pensées vont vers les gens mêlés aux événements qui se déroulent au Montana.

— Je vous remercie, monsieur le Président.

Le gouverneur se frotta les yeux, conscient de la position radicale du chef de la Maison-Blanche concernant la peine capitale, lorsqu'il était encore gouverneur de son État. Il restait inébranlable. Aussi bien aux pressions politiques les plus dures qu'à la pression internationale.

— Comment vont Cynthia et Ellen, Grayson ?

Le président ne s'était pas trompé de prénoms. En caressant les photos de sa femme et de sa fille, le gouverneur se dit que l'entourage du président avait dû exhumer sa bio du Montana.

— Elles vont bien, merci. Nous nous félicitons qu'il n'y ait pas eu de morts, et de votre appel, monsieur. Je vous en remercie.

— À présent, écoutez-moi, si vous avez besoin d'aide fédérale *supplémentaire* pour trouver une issue au problème – ce que je veux dire, c'est que le parc est fédéral et sous juridiction fédérale, contrairement à la prison… Mais si je peux vous être d'une quelconque utilité, n'hésitez pas à m'appeler.

Le gouverneur déglutit en décryptant le sous-entendu contenu dans les propos du président.

— Merci, monsieur, dit-il.

— Nos pensées et nos prières vous accompagnent afin que vous trouviez une issue pacifique à l'impasse.

— Oui, je devrais sûrement…

Le président lui coupa la parole pour dire d'un ton plus menaçant :

— Vous *devriez sûrement* reconsidérer vos aspirations nationales, gouverneur. On attendait au minimum de vous que ce type voyage sanglé à son brancard, pas que vous lui offriez une foutue virée en hélicoptère dans les Rocheuses.

Et le gouverneur se retrouva sans personne au bout de la ligne.

74

Les larmes de Doug Baker tachèrent les pages de l'article du *San Francisco Star* que son avocate lui avait remis le matin même, après l'avoir trouvé sur Internet et imprimé.

— Il est important, Doug, que vous lisiez ce que lit le reste du pays, lui avait-elle dit avant de l'abandonner dans la petite pièce du centre de commandement où le FBI le gardait enfermé.

Doug lut et relut l'histoire :

« Emily Baker était responsable de la mort de sa sœur. Cela donne l'impression que les recherches du FBI pour retrouver Paige, la fille de dix ans des Baker, ne servent à rien. »

Puis, un extrait du rapport du procureur du comté : « Elle m'a suppliée de la sauver… je n'oublierai jamais son regard plongé dans le mien à l'instant où elle est tombée. Mon Dieu, je t'en prie, pardonne-moi. »

Bien qu'assommé par l'horreur, Doug refusa d'y succomber, il se reprit et chercha des forces dans les montagnes où se trouvait Paige. Il aurait tant voulu y être, à sa recherche.

Il balança les copies de l'article.

Reste concentré. Reste concentré sur ce que tu sais.

Emily était psychologiquement enchaînée à une enfance douloureuse. Si elle était présente quand Isaiah

Hood a tué sa petite sœur, il est normal qu'elle se soit sentie coupable. Voilà comment il voyait les choses.

Était-il possible de vraiment savoir ce qu'il y a dans le cœur d'un être humain ?

Connaissait-il Emily ? La connaissait-il vraiment ? Elle lui cachait tellement de choses. Et si elle était mentalement malade ? Si elle était coupable ?

Doug balaya les montagnes du regard et se frotta les yeux. Que devait-il croire ? Une chose était certaine. Il n'avait pas tué sa fille. Il était coupable d'un comportement inexcusable, mais il n'avait pas tué sa fille. Et il ne croyait pas qu'Emily l'avait fait.

Vous en êtes certain ?

Croyez-vous que votre femme aurait pu faire du mal à votre fille ?

Emily donnerait sa vie pour Paige.

Non.

Ils étaient victimes d'horribles circonstances. Il regarda cette affreuse blessure à sa main. Se revit jeter sa hache comme s'il s'en débarrassait. Ils s'étaient disputés en présence de cette famille inconnue. Un détective new-yorkais, lui avait appris Crow. Perdre son sang-froid face à un flic de New York la veille de la disparition de sa fille et réapparaître avec une blessure de hache à la main, comme un assassin… Doug ne reprochait pas au FBI de le soupçonner.

Mais tous ceux qui analysaient la situation se trompaient.

Il entendit d'autres hélicoptères, l'activité s'intensifiait. Il s'en voulut de ne pouvoir y participer. Que se passait-il maintenant ? On ne lui disait rien. Personne ne l'informait.

Et si Paige est morte ?

On frappa délicatement. La porte s'ouvrit. Tracy Bowman et Maleena Crow accompagnaient Emily. Le regard de Doug redevint brillant.

— Vous êtes autorisé à passer quelques instants avec votre femme, dit Bowman.

— Et après ? Que se passera-t-il ?

— Quelques minutes seulement. Je suis désolée, c'est tout ce que j'ai le droit de vous dire.

Crow lui passa la main sur l'épaule.

— Doug, je m'évertue à vous faire libérer, dit l'avocate.

Elle salua les Baker d'un signe de tête et sortit en compagnie de Bowman en refermant la porte.

Emily resta immobile devant lui ; elle avait l'air brisé ; les yeux pleins de larmes, elle se touchait les lèvres de ses poings fermés.

— Doug, ils croient que j'ai… que tu as… qu'on a… Oh mon Dieu…

Il la prit dans ses bras. Ce qui le réconforta.

— Je suis au courant. Maleena m'a apporté l'article.

— Je n'ai fait de mal à personne, Doug.

— Je te crois. Je ne lui ai rien fait non plus, Emi.

Elle hocha la tête et avala sa salive.

— Je sais, dit-elle.

— Écoute-moi. On va surmonter tout ça. Elle n'est pas morte. Il faut qu'on se raccroche à ça.

— Doug, les policiers, ils disent des choses tellement horribles. Ils prennent la vérité et la triturent, et puis ils m'ont montré une partie des recherches à un moment où on croyait que c'était son cada… vre…

— Et c'était quoi ? Ils l'ont trouvée ?

Emily fit non de la tête.

— C'était une bestiole dans une crevasse. C'était tellement affreux. C'était horrible. Puis ils ont dit qu'une de tes élèves t'accusait de violence sur elle-même. Ils ont parlé de ta blessure, de la hache, de son t-shirt… Oh mon Dieu…

— Je sais tout ça, Emily. L'histoire de l'élève, ce n'est pas vrai. C'est une gamine qui a des problèmes dans sa famille. La hache, le sang et le t-shirt… On sait tout ça. Mais je n'ai jamais fait de mal à qui que ce soit. On ne peut pas en vouloir au FBI. C'est pour ça que j'ai accepté le détecteur de mensonges, pour prouver que je n'avais rien à cacher. Il faut qu'on s'accroche à l'idée que Paige est vivante. Malgré tout ce qu'on peut subir, c'est moins pire que ce qu'elle endure là où elle est. Si on abandonne l'espoir, c'est fichu. Il faut qu'elle sente qu'on pense à elle, même si le sort s'acharne contre nous.

Emily hocha la tête.

— Emi, Paige est avec Kobee. C'est une gamine intelligente. J'y ai repensé. Je crois qu'elle a à manger et à boire dans son sac.

— Mais son sac, Doug, elle ne l'a plus.

— Quoi ?

— Ils l'ont trouvé. Dans une crevasse où il y a des ours. Mais ils ne l'ont pas retrouvée… Oh… Je… Mon Dieu…

On frappa.

C'était Maleena. Tout essoufflée.

— Y a du neuf.

— Oh mon Dieu, quoi ?

— Tout près de la frontière, les *Mounties* ont trouvé une empreinte qui correspond à ses espadrilles. Une empreinte toute fraîche. Ils ont aussi trouvé une bouteille d'eau, vide, en provenance de l'aéroport de San Francisco.

— C'est moi qui la lui ai achetée juste avant de monter à bord ! dit Emily.

Doug sonda le regard de Maleena.

— Vous êtes certaine de ce que vous dites ?

— C'est Elsa Temple, la directrice du parc, qui vient de me l'apprendre.

Doug eut le sentiment qu'une montagne de chagrin venait de s'écrouler.

— C'est un signe qu'elle est en vie, dit-il.

— C'est un point positif, acquiesça Crow en hochant la tête. Je fais de mon mieux pour qu'on vous remonte là-haut, au poste de commandement. C'est là-bas que ça va se passer à présent.

75

Remontant les pentes des forêts, des vents frais apportaient le parfum des cèdres rouges, des mélèzes et des sapins jusqu'à Isaiah Hood, qui surveillait les Rocheuses de son œil perçant.

Tel un esprit de la montagne venant de se réveiller, Hood prit une profonde inspiration, attirant le pouvoir de sa force d'autrefois, activant ses sens acérés d'écoute, de vision, d'odorat et d'intuition animale.

Il repéra un chevreuil dans un bosquet d'épinettes à quelque soixante-dix mètres, il entendit le feulement des ailes d'un aigle impérial qui longeait les cimes des arbres d'une vallée plus bas, il repéra la douceur des érythrones à grandes fleurs et sentit les papillons d'altitude qui zigzaguaient parmi eux.

Hood était de retour chez lui. Libre. Comme un roi en son royaume. Il avançait d'un bon pas.

Il avait dupé ceux qui allaient le tuer. Trahi sa mort annoncée, comme il avait toujours su qu'il le ferait. Car c'était la seule chose équitable. Il les avait laissés s'amuser pendant vingt-deux ans. Le temps était venu de prendre les choses en main.

Hood avait des plans — des projets complexes — dessinés, parfaits, démontés et remontés au cours du million de rêves faits dans son tombeau de béton. Si son poster des Rocheuses avait été le portail de son paradis, ses transes, ses visions et la « compréhension de son esprit » avaient constitué les véhicules qui l'avaient conduit jusqu'ici.

Au sein même des chaînes de montagnes à cheval sur la frontière entre les États-Unis et le Canada subsistait tout un réseau d'anciennes pistes empruntées autrefois par les Indiens, les trappeurs et les prospecteurs. Si elles ne figuraient pas sur les cartes, elles existaient bel et bien dans le cœur de Hood. Il les connaissait toutes. Mieux que n'importe quel autre être humain. Enfant, il les avait arpentées, il y disparaissait des semaines entières après avoir subi la brutalité des crochets de son père. Ces pistes faisaient partie de son éducation. Il lui avait fallu des années pour savoir qui il était et la façon dont le monde le détestait.

Certains l'appelaient « la marque de Caïn ». Parce qu'il portait le péché de son père.

« Mais tu comprends donc pas ? » lui avait dit sa sœur la nuit où elle avait bouclé sa valise et fugué pour la dernière fois. « Papa a assassiné maman ! Il l'a jetée du haut d'une montagne. C'est à cause de ça que j'ai tout fait de travers. Éloigne-toi de cet homme ! Pourquoi lui restes-tu aussi soumis ? Il te bat comme un chien. Va-t'en, Isaiah, avant qu'il ne te tue à ton tour ! »

Au fond de lui-même, Hood savait que sa sœur avait raison, mais il ne pouvait l'admettre. Il avait quatorze ans à l'époque. Elle était partie à Seattle ; il avait fui dans les Rocheuses, où il pouvait rester des jours et des semaines, seul, sur les sentiers d'altitude. En quelque sorte, en cherchant sa mère, peut-être voulait-il, d'une certaine manière, prouver à sa sœur qu'elle avait tort. Mais plus vraisemblablement, c'était parce qu'il s'était rendu compte que, comme son père, il souffrait de ce besoin malsain de voir ceux qu'il dominait lui demander grâce et sc soumettre.

Mais pour Hood, c'était un jeu qui le dévorait.

« C'est un psychopathe atteint de confusion destructrice sur un plan neuropsychologique, due très vraisemblablement aux coups qu'il a reçus de son père. »

Voilà comment les médecins en parlaient.

C'était un jeu, un jeu auquel il était convié. Hood voyait les choses ainsi.

Cela avait débuté avec le chien, le lapin, le chat. Puis la fillette aux papillons. Personne ne comprenait que pour lui c'était un jeu.

Il accéléra le pas, en se délectant du cadeau qu'il avait laissé derrière lui. Le directeur de la prison, celui de l'administration pénitentiaire et le gouverneur, les gardiens du couloir de la mort. Hood pouvait les imaginer, chacun pointant un doigt accusateur, cherchant à se couvrir. Un vrai régal.

Hood fut surpris quand il sentit au loin la présence d'un hélicoptère.

À l'abri d'un épais bosquet de cèdres, il fouilla dans son sac à la recherche de la radio du gardien. La batterie était chargée. Passant d'une fréquence à l'autre, il entendit les messages d'urgence des gardes du parc, des équipes de recherches et d'autres personnes se trouvant dans la région. Il fixa la radio dans son holster à sa ceinture et s'équipa d'une oreillette.

Ses narines s'élargirent. Hood sentit qu'il y avait des chiens dans le secteur. Ils étaient encore loin et le cherchaient.

Il s'empressa de fouiller dans le sac. Une hachette, des fruits, de l'eau, une trousse de premiers secours, le portefeuille du pilote avec du liquide et des cartes de crédit, des lunettes de soleil et quelques objets divers. Puis il trouva le lunch de l'une des infirmières. Il mangea des légumes tranchés, des craquelins, du fromage et des biscuits. Il déchira un morceau de la serviette trouvée dans le sac, le passa sous ses aisselles, s'essuya l'aine en sueur et l'estomac où du sang et du pus suintaient toujours. Il fit une quinzaine de mètres pour gagner un endroit où les arbres étaient touffus, puis revint sur ses pas prudemment. Il déposa la serviette à terre.

Faut occuper le premier chien qui me suit, pensa-t-il en prenant la direction du nord.

Vêtu d'une combinaison de pilote bleue, avec une casquette, des lunettes de soleil, un walkie-talkie à la ceinture et aux pieds les bottes de Ballard, Hood avait tout d'un membre des équipes de recherches. Son plan consistait à passer au Canada en empruntant la piste la plus dangereuse de toutes, une ancienne piste indienne accrochée aux parois ouest des montagnes.

Mais un message lui arrivait.

Un sacré coup de théâtre dans ce qu'il avait prévu. La véritable raison de sa présence ici.

Il fut pris d'un de ses soudains et insupportables maux de tête.

Il savait qu'il avait le pouvoir de *la* trouver.

Non, je devrais pas faire ça.

Allez. Trouve-la. La clé du plan, c'est elle.

Le message prenait forme. Déclenchant la rage contenue pendant vingt-deux ans.

Pourquoi ne pas la trouver et jouer avec elle ?

Encore une fois.

La colère et l'adrénaline se combinèrent en lui pour former un mélange explosif. Sa tête tremblait de douleur. Il avait commis une erreur fatale avec la fillette aux papillons. Il avait épargné sa grande sœur.

Il l'avait payé très cher.

À présent, le message était clair.

La petite qui a disparu est tout près d'ici.

76

Frank Zander hurlait au téléphone.

— Oui, nous savons qu'Isaiah Hood était à bord de cet hélicoptère. Il s'est enfui ! Non, j'ignore pourquoi il était… Allô ? Vous êtes toujours là ?

Zander perdit la liaison avec les marshals. Il lâcha un juron en suivant le doigt d'un garde qui montrait l'endroit du crash sur la carte murale du parc des Glaciers.

Dans le poste de commandement, les walkies-talkies grésillaient et les cellulaires, y compris celui de Zander, n'arrêtaient pas de sonner. Les cinq postes de télé beuglaient, chacun branché à une chaîne d'infos en direct différente des quatre autres.

— … une incroyable série d'événements se déroule dans l'affaire de…

— … Isaiah Hood, ce détenu du couloir de la mort au Montana, dont l'exécution était…

— … a confirmé que Hood est le prisonnier qui s'est échappé dans le même secteur…

À la table des opérations, la voix d'un superviseur des services médicaux d'urgence qui s'entretenait au téléphone couvrit le brouhaha.

— Non, non et non ! Ils les emmènent immédiatement vers l'aire d'atterrissage du centre de commandement ! C'est ça ! Et d'ici ils seront conduits à Kalispell en voiture. Trois véhicules. Oui. Stable. À Kalispell, ils sont prévenus. Arrangez-vous pour qu'un des véhicules attende dès maintenant au poste de commandement jusqu'au retour de notre hélicoptère-ambulance… Oui, le plus gros. En attente… au poste… Voyez Brady Brook sur place…

Les téléphones sonnaient.

La Commission nationale de sécurité des transports, l'administration des U.S. marshals, les agences de presse, tous réclamaient d'urgence des informations.

— Frank ! Petite réunion.

Lloyd Turner conviait Zander à rencontrer Maleena Crow pour discuter sérieusement. Nora Lam et les autres détectives étaient présents.

— Tout ce que nous demandons, c'est que vous les autorisiez à retourner au poste de commandement et à leur campement, déclara l'avocate.

— Qu'en pensez-vous, Frank ?

— Le moment est mal choisi pour parler de ça.

— Vous ne pouvez pas retenir Doug plus longtemps sans l'inculper. Laissez-les remonter au poste de commandement. Pensez à tout ce qu'ils subissent.

Zander restait prudent. L'affaire avait pris un tour dramatique, mais il refusait de baisser sa garde.

— Ils sont au courant du rapport de la Gendarmerie royale canadienne, dit Crow.

— C'est moi qui les en ai informés, Frank, précisa Elsie Temple en fixant Zander droit dans les yeux. Ils ont le droit d'espérer.

Zander chercha des alliés parmi les gens présents. Bowman n'était pas là, occupée à essayer de joindre David Cohen. Le discret haussement d'épaules de Walt Sydowski laissait penser que, pour lui, que les Baker soient ou ne soient pas sous surveillance au poste de commandement ne changeait pas grand-chose.

— Je ne vois pas d'objection, *à l'heure où on se parle*, à ce qu'ils retournent au poste de commandement, dit Turner. Personne n'est en état d'arrestation ou en détention préventive. L'enquête reste ouverte. Personne n'avance l'idée que tout est terminé, Frank.

Mais Zander sentit que Turner et les autres pensaient que ça l'était ; ils croyaient que les événements avaient miraculeusement innocenté les Baker.

C'est exactement comme ça que ça s'est passé en Géorgie. Il ne se ferait pas avoir une nouvelle fois. *On ne connaît vraiment la vérité que lorsqu'on détient tous les éléments*.

Zander sentit que la décision d'autoriser le retour des Baker avait déjà été prise.

— A-t-on encore des agents au poste de commandement ? demanda-t-il à Turner.

Turner hocha la tête.

— Frank, attendons de voir ce qui va sortir des nouveaux développements.

— C'est à vous de décider, fit Zander en avalant sa salive.

— On va les renvoyer là-haut sous bonne escorte, dit Turner. Mais ça va prendre du temps avant qu'un hélico soit disponible. Jusqu'à leur départ, ils sont libres d'attendre dans cette pièce.

En sortant du local qui servait de remise, Doug et Emily furent happés par le maelström. Avant que Crow ne puisse les prévenir de l'évasion de Hood, ils se retrouvèrent face à sa photo qui figurait à côté de celle de Paige sur l'un des écrans géants de la pièce.

— *... Isaiah Hood, un détenu du couloir de la mort, s'est évadé il y a moins d'une heure quand l'hélicoptère-ambulance s'est écrasé dans le même secteur où...*

Emily se couvrit la bouche d'une main.

Doug était horrifié.

— Que se passe-t-il, Maleena ? *Hood s'est évadé ?* Mais comment ? Paige. On a du neuf ?

Crow fit asseoir les Baker et s'empressa de tout leur expliquer.

Emily chercha Zander dans toute cette agitation. S'agissait-il d'un nouveau piège psychologique éhonté ?

Elle l'aperçut en train de téléphoner et de prendre des notes, il était apparemment de mauvaise humeur. Non. C'est la vérité ! Elle regarda la télé. Elle vit Doug et Paige qui lui souriaient. Puis apparut une vieille photo de Rachel. Le regard de Rachel…

Crow ne put que leur dire la vérité. Hood s'était échappé dans le même secteur où la Gendarmerie royale avait repéré des traces récentes du passage de Paige.

Emily gémit et commença à trembler.

— Doug ! Ça recommence. Ah non, pas encore ! s'exclama-t-elle en levant les yeux au ciel. Pourquoi, mon Dieu ?

Le cœur de Doug faillit jaillir de sa poitrine ; son esprit n'était plus qu'un tourbillon de colère, de peur et de désespoir. Il serra Emily contre lui, autant pour ne pas sombrer dans la folie que pour lui apporter du réconfort.

Paige est vivante ! On a au moins des signes qu'elle est en vie. Mon Dieu ! Il faut qu'on la retrouve ! Il faut faire quelque chose. N'importe quoi. Allez, Baker, creuse-toi les méninges. Le temps file à toute vitesse. Merde ! Allez, réfléchis. Tu ne vas pas rester assis là à ne rien faire. Ça suffit maintenant.

Il devait bien exister une solution. Dans la confusion qui régnait, Doug écoutait d'une oreille distraite Crow lui expliquer qu'il fallait attendre l'hélico qui les ramènerait au campement, où seraient coordonnés les secours. L'entraînement militaire qu'avait subi Doug, ses aptitudes d'entraîneur sportif, tout bouillonnait en lui et l'incitait à réfléchir. Il tenait Emily. Il examina sérieusement la pièce bondée de monde, observant les gardes, les agents du FBI, les secouristes qui allaient et venaient.

Il fallait qu'ils s'arrangent pour sortir de là, Emily et lui. Et vite.

Il croisa le regard d'Isaiah Hood.

Doug n'avait pas d'autre solution.

77

L'instinct contraignit Paige à gagner les surplombs d'altitude où vivaient les chèvres sauvages.

Elle sentait le grizzly qui la traquait. Elle avait fini par s'habituer à son odeur de charogne. Pour la petite fille de dix ans, cette puanteur était celle de la mort.

Sa mort.

Elle l'entendit à nouveau haleter et perçut le claquement de sa mâchoire ; il gagnait du terrain. Dans ce qui était devenu un ballet morbide, elle escaladait aussi prestement que son corps épuisé et douloureux le lui permettait. L'énorme carnivore avançait d'un pas pesant et régulier.

Paige sanglota, luttant pour sa vie, s'arrêtant un bref instant, certaine d'avoir entendu un hélicoptère dans les parages. Puis il y eut un bruit sourd et lointain. Puis plus rien.

T'arrête pas. T'arrête pas.

Kobee avait appris à ne pas japper.

Mais ça ne servait à rien.

L'objet des tourments de Paige était une femelle de plus de deux mètres quarante de haut et de quatre cent cinquante kilos. De couleur crème pâle, mesurant presque un mètre vingt au garrot, elle régnait sur la plus grande partie de la Main-du-Diable, où elle avait tué férocement chevreuils, chèvres et loups. Elle incarnait des forces aussi vieilles que les montagnes. Victime des circonstances, Paige violait sans cesse les coins les plus intimes de son territoire, devenant ainsi une proie ennemie destinée à être chassée, tuée et enterrée dans une grotte peu profonde, puis dévorée par ses oursons.

Ayant atteint un endroit encore plus élevé, Paige s'empressa de fouiller les alentours, et trouva un modeste abri creusé à même la roche et barré naturellement par deux gros arbres déracinés. Paige se fit toute petite pour s'y frayer un passage et s'y blottir en compagnie de Kobee. Les troncs étaient énormes, mais l'ourse avait une taille cauchemardesque.

Kobee serré contre elle, Paige attendit, réalisant qu'elle n'était pas de taille face à un animal déterminé à la tuer.

Elle se mit à pleurer tout doucement. Les yeux fermés. Elle attendit.

Elle attendit la mort.

À travers les fentes entre les arbres, Paige n'aperçut que la lumière du jour et les sommets enneigés des Rocheuses. Elle commença à prier.

Je t'en prie, mon Dieu. Ne le laisse pas me blesser. Rien que ça, ne le laisse pas me blesser. Je t'en supplie.

Paige chercha quelque chose – n'importe quoi – dans son abri froid et obscur, quelque chose avec lequel elle pourrait écrire un dernier mot à ses parents. Un bout de bois ou une roche pour graver quelques mots dans la boue ou sur un rocher.

Je suis tellement désolée de m'être perdue. Je vous aime. P.

Quand le grizzly arriva sans bruit, il masqua le soleil, répandit son odeur immonde, titubant et dodelinant de la tête, réfléchissant au moyen d'ouvrir son garde-manger.

Paige serra Kobee.

L'ours avança une de ses énormes pattes.

Sentant la patte la frôler, Paige hurla.

L'ours grogna, poussa sa patte plus en avant, jusqu'à moins de trois centimètres du visage de la fillette.

Il grimpa sur les arbres, les faisant craquer sous son poids.

— Oh, je t'en prie, non ! Oh, s'il te plaît, non !

L'ours, en colère, grogna en direction du ciel, serrant, frappant et labourant les troncs de ses terribles griffes. Paige hurla, Kobee jappa.

Soudain, l'un des arbres bougea quand le grizzly le déplaça en le faisant rouler. Il avança sa patte et toucha Paige.

Le grizzly s'en prit au deuxième tronc, le giflant, le tirant, le poussant et le repoussant sur le côté. Agrippée à Kobee, Paige hurlait, sanglotait, reculait le plus possible dans le trou sans rien pour se défendre.

Impossible de fuir.

L'ours, écumant, dévoila ses énormes crocs jaunis. Paige sentit son horrible odeur et se prépara à subir son assaut.

Soudain l'ours disparut. La clarté envahit à nouveau le trou.

Paige, comme paralysée, retint son souffle, le cœur battant à tout rompre.

L'ours était parti.

Je peux sortir ? M'enfuir ?

Elle tremblait.

En une fraction de seconde, tout devint noir. Paige n'eut même pas le temps de hurler que le monstre avançait une patte dans la grotte et qu'une de ses griffes agrippait la fillette. Il la tira hors du trou et se dressa, victorieux, au-dessus d'elle.

Mon Dieu, je t'en supplie, je t'en supplie, ne le laisse pas me faire du mal.

Elle serra Kobee.

Le grizzly grogna et tira un peu plus l'enfant hors de sa cachette. Elle se retrouva entièrement à sa merci. Paige resta immobile alors qu'il grognait, levait sa truffe vers le ciel, sa bave luisant dans la lumière. Il remua la tête avec frénésie, se tenant presque sur ses pattes postérieures, approchant sa gueule ouverte de la petite.

Maman, papa… ne le laissez pas me faire du mal, je vous en prie…

Paige leva les yeux vers le ciel d'azur… Soudain, un éclair métallique aux contours mal définis vint frapper le crâne du grizzly, forçant la bête à marquer un temps d'arrêt alors que l'objet se retirait instantanément, avant de frapper à nouveau avec rapidité. Il y eut un troisième, un quatrième et enfin un dernier coup porté par quelqu'un, ou *quelque chose*, contraignant l'animal à laisser retomber son énorme tête et à s'écrouler sur le bas-ventre de Paige, son museau effleurant le visage de l'enfant. Une hachette était fichée entre les oreilles du grizzly, enfoncée d'une douzaine de centimètres dans le cerveau ; du sang chaud jaillit de la blessure et coula sur le ventre de la petite, le dernier souffle puant de la bête dilata les narines de Paige.

La fillette était trop stupéfaite pour crier.

Quelqu'un, un homme, la soulagea du poids de la tête du grizzly. Paige roula sur le côté. L'homme, une silhouette vêtue d'une combinaison de pilote bleue, se tenait dans le soleil.

C'était son sauveur.

— Tu n'as plus rien à craindre maintenant, la réconforta Isaiah Hood.

78

Là où l'hélico s'était écrasé, en prenant les choses en main, Rawley Nash mit un terme au débat qui opposait Levi Kayle à Hilda Sim, du groupe de recherches de l'Idaho.

— Y a personne qui va aller nulle part. Pas tant que les blessés ne courront plus aucun danger et ne seront pas en route vers l'hôpital.

— Je suis d'accord avec ça, dit Tom Reed, suivi par Molly Wilson et Sim qui réconfortaient les victimes.

Nash expliqua que deux hélicos arriveraient sous peu pour transférer les blessés vers le centre de commandement, d'où des ambulances les conduiraient à Kalispell.

— Je vais avoir besoin de vous pour les monter à bord. Après, si ça vous chante, vous pourrez former un groupe pour partir à la recherche du fuyard.

Le premier hélicoptère envoyé par le poste de commandement approchait.

— Dites, les journalistes, si on vous le demande, vous n'aurez qu'à répondre que vous étiez déjà là quand Sim et moi avons repéré le crash, d'accord ? fit Nash.

Il guida l'hélico vers une zone d'atterrissage improvisée, puis supervisa le chargement rapide du pilote et du petit gardien de prison, lesquels semblaient être les plus mal en point. Bien que conscients, ils geignaient.

Le second appareil prit l'infirmière McCarry à son bord. Personne ne posa de questions. Chacun pensait avant tout à évacuer les victimes. Nash fut le dernier à partir, avec Wordell à son bord. Alors qu'il décollait, il leva son pouce en direction des autres. De manière enthousiaste, Lux entraînait Sim vers le nord, vers la forêt. La poursuite commençait.

En jetant un œil à Wordell étendue sur les places arrière de son appareil, Nash remarqua qu'elle portait une bague de fiançailles dotée d'un diamant.

T'inquiète pas, ma belle. Grâce à Nash, tu seras à l'heure devant monsieur le curé.

Il ne pouvait effacer de sa mémoire les images de la découverte du crash.

Les victimes étaient menottées et enchaînées.

Il avait beau vouloir nier ces images, elles lui revenaient en mémoire alors qu'il essayait de comprendre ce que l'équipage du Mercy Force avait enduré. Qui était ce détenu ? Que s'était-il passé en cours de vol ? *Bon sang ! La situation n'était pas reluisante.*

Nash avait été contraint de se poser en urgence un certain nombre de fois. Il avait été frappé par la foudre au-dessus d'Atlanta alors qu'il transportait des responsables de la circulation routière. Ça n'avait guère été plaisant. À New York, un jour qu'il faisait de même pour une équipe de télé au-dessus de Manhattan, un morceau du fuselage de son appareil s'était détaché. Nash avait failli mourir de peur aux commandes quand il avait viré de bord en direction du World Trade Center, évitant la catastrophe de justesse. Ces deux fois-là, la mort n'était pas passée loin. Nash baissa les yeux vers les montagnes. *Mais là, menottés et enchaînés.* Il ne parvenait pas à imaginer ce qu'avaient pu vivre les passagers du Mercy Force. Qui donc était ce détenu ?

Concernant ses propres passagers, Nash pensa aux deux mille dollars qu'il venait d'empocher sans trop de difficulté. Ce n'était pas très honnête, mais il avait des factures à payer. Devait-il appeler ce type de la télé de San Francisco au camp de presse pour lui proposer un bon prix pour le vol de retour ? Ça dépendrait de sa prochaine mission.

À son arrivée au centre de commandement, tout fut réglé comme du papier à musique. Il y avait assez de personnel médical pour prendre les patients en charge.

Les instructions de Nash furent transmises par radio à ses numéros d'appel.

— Éteins ton rotor. Bouge pas de ton siège et reste à l'écoute. Les nouvelles missions arrivent. Bouge pas. Un appel du FBI. Quatre personnes à emmener au poste de commandement.

— Reçu. J'attends.

Se détendant dans son siège pour souffler un peu, Nash retira un côté de ses écouteurs et commença à jouer avec les fréquences radio des urgences pour s'informer des nouvelles. C'était surtout des instructions de rassemblement en provenance du poste de commandement des gardes du parc. Fréquence suivante. Des infirmiers de l'hôpital discutaient de signes vitaux et de sujets du même genre. Sur celle d'après, on échangeait à propos des conditions météo. Sur la suivante, il n'y avait que des parasites. Nash passa à une autre. *Attends !* Nash revint à la fréquence avec des parasites. Le volume était très faible et le son haché de façon épouvantable.

— Ser… *Psshh Spotch Spotch* … Garner… *Psshh* … PMC… *Psshh* … je… *Spotch Spotch* … vois… *Psshh Psshh* … fillette… *Spotch* … vivante… *Spotch* … kilomètre de moi… *Spotch Spotch* … coordonnées… *Spotch Psshh* … elle marche… *Psshh* … chien…

— Mais c'est quoi, ça ?

Nash se redressa dans son siège. Il remit son casque d'écoute.

— C'était quoi ?

Il joua avec les fréquences radio. Était-il le seul à avoir capté le message ?

— Reviens ! Reviens ! dit-il en giflant sa radio. Allez, mon grand, je t'en supplie.

79

Doug Baker regarda le centre de commandement se remplir de gardes du parc, d'agents du FBI, de représentants des autorités du Montana et de secouristes des équipes de recherches.

— On va s'en aller d'ici, murmura-t-il à Emily.

Le regard vide, elle hocha la tête.

Certains employés des agences passaient le relais à leurs collègues, on confiait de nouvelles missions, on réorganisait les moyens disponibles.

— Écoutez-moi, commanda une voix inconnue qui donna des instructions. Les efforts des équipes de recherches et des secouristes doivent se concentrer sur les secteurs suivants…

Les hommes qui avaient exploré la crevasse à l'aide d'une caméra étaient rentrés. Fatigués, ils gagnèrent les tables où il y avait de la nourriture et du café. Ils écoutèrent les mises à jour tout en retirant leurs casquettes et leurs ceinturons de travail.

— … en raison du danger, chaque équipe sera dotée d'un officier armé de l'administration du parc, d'un agent du FBI, d'un officier patrouilleur ou d'un adjoint du shérif. Le secteur, qui se trouve en altitude, est l'un des plus dangereux et difficiles d'accès…

Doug serra la main d'Emily. On semblait les avoir oubliés.

— Des équipes à pied ont déjà été déployées ou dirigées depuis le poste de commandement. Elles sont dans la région. Nous avançons rapidement…

Doug entendit des responsables du FBI demander qu'on prépare deux hélicoptères avec des tireurs d'élite. Il surprit une autre conversation à propos de l'enquête du lieu du crash et de U.S. marshals et enfin de quelqu'un chargé d'emmener des équipes cynophiles.

Doug réfléchit à toute vitesse. Il fallait le faire *maintenant*. C'était leur seule chance. *Maintenant*.

— Emily, murmura-t-il. Viens avec moi.

Les Baker jouèrent des coudes et se frayèrent un chemin à contre-courant parmi la foule qui gagnait la table, près de la porte, où se trouvait à manger ; personne dans la pièce surpeuplée ne leur prêta attention. Doug écouta la moindre bribe de conversation.

— Je vais aller faire un petit somme dans mon camion, dit quelqu'un d'une voix grave et fatiguée.

Les Baker s'approchèrent de la table.

— Je n'arrive pas à croire qu'on a conduit Hood à l'hôpital en hélico le jour de son exécution.

Les Baker passèrent près du tas de casquettes, de lunettes de soleil et de ceinturons de travail.

— … un gars de la Gendarmerie royale a repéré une empreinte de pied…

— … faut que j'aille pisser…

— … votre attention s'il vous plaît. Les hommes suivants doivent rester là : Hinkle, Prue, Framington, Barrow…

La plupart des gens présents tournaient le dos à la table pour regarder celui qui donnait les instructions. D'une manière naturelle, Doug prit deux casquettes et deux ceinturons, ainsi que deux petits sacs à dos sous la pile, et entraîna gentiment Emily vers la sortie. Ils chaussèrent rapidement des lunettes et ajustèrent leur casquette, sur laquelle s'étalaient les lettres FBI.

Saluant d'un signe de tête les officiers qui se regroupaient, équipés de leur sac à dos, walkie-talkie à la ceinture, les Baker gagnèrent la zone d'atterrissage d'où un hélicoptère repartait. Un second approchait et deux autres étaient au repos.

— Continue à marcher, Emily. Ne te retourne pas.

Doug considéra les deux hélicoptères à l'arrêt : un Bell et un Huey. Le pilote du second était seul dans le cockpit à écouter sa radio. Prêt à décoller. Il remarqua Doug, qui pointa un doigt en l'air, en guise de signal pour décoller, alors que lui et Emily approchaient de l'appareil.

Le pilote hocha la tête. Doug fut soulagé quand il entendit le démarreur et les pales qui commençaient à tourner.

— Vous ne deviez pas être quatre ? Où sont les deux autres ? cria Rawley Nash.

— On a changé les plans en raison des circonstances.

Bouclant sa ceinture dans le siège voisin de celui de Nash, Doug chaussa son casque radio d'un geste très professionnel et ajusta le micro.

— Faut qu'on décolle tout de suite, dit-il.

— Bien compris, répondit Nash. Ça va, derrière ?

— Tout est OK.

Emily savait comment se harnacher dans un hélico. Elle était sanglée et avait mis son casque radio. Son regard tomba sur les sièges tachés de sang.

— Y a du sang partout à l'arrière, cria-t-elle.

Les rotors prenaient de la vitesse, Nash activa la radio de bord et répondit :

— J'ai transporté l'une des infirmières du crash du Mercy Force. Pas eu le temps de nettoyer. Désolé.

— Vous y étiez ? demanda Doug. C'était aussi moche qu'on le dit ?

— Ils vont tous s'en tirer, mais à l'intérieur de l'hélico c'était pas beau à voir. Vous devez être au courant que le prisonnier les avait menottés avant de prendre la fuite. C'est vrai ce que je viens juste d'entendre à la radio, que c'est le condamné à mort ?

Doug avala sa salive et hocha la tête, sans quitter ses lunettes de soleil et sa casquette.

— Bon sang ! s'exclama Nash, qui annonça de manière hésitante son indicatif personnel dans la radio. Vous avez les coordonnées ? La liaison radio était mauvaise, j'ai pas tout saisi.

— Quelles coordonnées ? fit Doug.

— Celles du lieu où le gars de la Gendarmerie a repéré la gamine.

— Vous voulez parler de l'empreinte de pied ?

— Non, je parle de la *petite fille*. La petite fille des Baker. Y a pas deux minutes, j'ai reçu le message, mais y avait plein de parasites. On l'a repérée, elle est vivante. C'est bien là qu'on va, n'est-ce pas ?

Doug et Emily restèrent un instant sans voix.

— Bien sûr, répondit enfin Doug. Vous êtes censé nous conduire dans la zone où ça se passe. On recevra les coordonnées en cours de vol.

— Si vous le dites. Je crois que c'est pas loin du lieu du crash. C'est le coin où rôde Hood. Je sais qu'il a du monde aux trousses.

Nash annonça son plan de vol à la radio et mit les gaz.

— Et c'est parti !

Le Huey vibra, le sol commença à s'éloigner sous eux.

Emily serrait tellement ses mains que ses jointures blanchirent, des larmes dévalèrent ses joues sous les verres de lunettes.

Maman et papa s'en viennent, ma chérie.

Doug passa une main derrière son dossier. Il trouva celle d'Emily, qu'il serra, alors que l'appareil prenait de la vitesse.

Tiens, c'est bizarre, pensa Nash. *J'ai jamais vu des agents du FBI se tenir la main pendant le service.*

— Dites-moi, Creedence Clearwater Revival, vous aimez ça ?

80

C'était elle.

Paige Baker. Oui. Avec son chien. Un beagle. Un rapide coup d'œil dans les jumelles. Elle était à un, peut-être deux kilomètres de distance, avant de disparaître dans un épais bosquet d'épinettes. Le policier devait la localiser à nouveau.

Le sergent Greg Garner, de la Gendarmerie royale du Canada, continua à émettre des messages radio, conscient de la faiblesse de son signal en raison de la topographie de la vallée. Pas de réponse. S'il y en avait eu une d'émise, il ne l'avait pas reçue.

— Allons-y, mon ami.

Garner et Sultan se trouvaient à environ huit cents mètres au sud de la frontière entre le Montana et l'Alberta. Garner équipa le berger allemand d'une laisse de six mètres. Le chien suivait la trace de la petite fille. Le policier savait que la trace était bonne et fiable. Sultan haletait d'excitation, tirant sur sa longe, avançant si vite que son maître dut l'obliger à ralentir après avoir dérapé à quelques reprises.

— Hé, doucement, mon gros. Si je me foule la cheville, je ne te serai plus d'aucune utilité.

La fatigue de Garner se dissipa. Avoir repéré la petite Baker l'avait requinqué.

Contre toute attente, elle était vivante. Il l'avait vue.

Ah, s'il pouvait la rattraper ou lui envoyer un hélico.

Il était si près et si loin en même temps.

Excellent. Ils grimpaient maintenant. Excellent.

Garner n'avait aucun doute, la petite était passée par là, mais escalader la pente rocheuse accentuait la difficulté. Au sommet de la prochaine vraie pente, il s'arrêterait pour utiliser son puissant télescope. Sans compter que, de son côté, la radio émettrait mieux. Ils attaquèrent la difficulté, pratiquement à pas redoublé.

— *Oh boy.*

Quelques minutes plus tard, arrivé au sommet, Garner, ahanant comme un bœuf, s'accota à un rocher sur lequel il pouvait poser son télescope. Il se désaltéra pour retrouver un souffle normal et pouvoir regarder calmement dans l'œilleton.

Sultan jappa d'impatience.

— Je sais. Moi aussi.

Un moment passa. Garner, l'œil rivé au télescope, balaya les pentes de l'immense vallée alpine en direction de l'endroit où, d'après lui, devait se trouver la petite.

Sultan s'assit, haletant, les oreilles dressées.

— Du calme, du calme. On va la retrouver.

Garner aurait pu passer pour un chirurgien en train d'explorer quelque chose avec lenteur et assurance. Une minute s'écoula. Il ne voyait rien d'autre qu'une alternance de rochers et de forêts. Un chevreuil. Forêts, rochers, forêts, rochers… quoi ? Un éclair de couleur !

— Une seconde !

C'est bleu ? Grand ? Un homme ?

— Bon Dieu ! Mais qu'est-ce que…

Une combinaison bleue. Un individu. Avec une casquette. Et des lunettes de soleil. On aurait dit un membre des équipes de recherches. Un garde peut-être. Puis il y avait un petit chien. Le beagle. *Allons donc ! Là !* La petite était avec l'homme. Elle marchait doucement. C'était elle ! Elle marchait. Elle était vivante. *Dieu merci*. Mais qui l'accompagnait ? Il n'y avait pas d'hélico dans les parages. Rien. *Elle doit être entre les mains des équipes de recherches. Pour nous, c'est terminé*. Garner se sentit soulagé.

— On dirait bien qu'elle est en sécurité, mon ami.

Mais attends. Vaudrait mieux confirmer. Ils pourraient bénéficier d'un hélico là où ils sont.

En fait, il aurait souhaité communiquer la position. Garner déplia sa carte, calcula ses coordonnées, puis prit son walkie-talkie.

— Garner à base.

— C'est mieux, Greg, répondit une voix. Tu dois être sur une élévation présentement, parce qu'on te reçoit fort et clair. Tu as du neuf pour nous ?

— Je vais vous donner la position exacte de Paige Baker.

81

Sauvée.

Paige observa l'homme vêtu de bleu. Auquel elle devait la vie.

Elle ne rêvait pas. L'ours avait bel et bien existé. Son sang chaud coulait encore sur son t-shirt. Et la puanteur persistait.

Il avait bel et bien existé. Mais elle était vivante. Sauvée.

Paige en pleura de joie, de peur et de fatigue.

— Bois un coup, lui dit l'homme en lui passant une gourde.

Ils étaient à l'ombre d'un grand sapin, assis au milieu d'une oasis d'herbe douce. Il lui avait offert de l'eau, quelques légumes et des fruits. Paige n'avait jamais eu si faim et si soif. Elle partagea avec Kobee et sanglota tranquillement en mangeant. Elle ne pouvait s'arrêter de grelotter de froid. L'homme fouilla dans son sac et en sortit un grand t-shirt propre, qu'il enfila à la petite en faisant un nœud à la taille. Cela la réchauffa. Le sang coula au travers, mais elle s'en moquait. Elle était sauvée.

La radio de l'homme grésilla. Comme Hood s'y attendait, ça n'avait pas traîné.

— On dirait bien qu'un hélico est en route, dit-il. Je connais un endroit où il pourra se poser juste au-dessus de la crête. Un endroit plat près d'un surplomb.

La petite hocha la tête. Elle n'avait envie que d'une chose : retrouver ses parents, rentrer à San Francisco, revoir sa chambre, son lit. Ne plus jamais avoir peur.

Paige regarda l'homme.

— Y en a eu du monde à te chercher, dit-il.

La petite renifla, attirant Kobee contre elle. Elle était tellement désolée d'avoir fugué. Tellement désolée que ses parents se soient disputés. Elle ne parvenait toujours pas à cesser de trembler.

— Tu ne crains plus rien à présent, lui dit-il. Y a plus rien qui te fera du mal.

— Comment… dit-elle d'une voix faible. Comment vous avez réussi à me trouver ?

Il la regarda sans retirer ses lunettes de soleil.

— J'ai su, c'est tout, Paige. J'ai su.

Tout comme je connais cette partie du monde, ses secrets et ses promesses.

— Tu es prête pour aller attendre l'hélicoptère ? Tu crois que tu vas pouvoir encore marcher un bout ?

La petite acquiesça. Pour gagner le surplomb plat qui saillait de la falaise, le chemin était facile et court. C'est Hood le premier qui entendit les hélicos. Ils étaient loin, mais s'approchaient à grande vitesse.

Si je calcule bien mon coup, ils vont tous voir de quoi je suis capable.

— Tu les entends ? demanda-t-il.

Paige n'entendait rien.

— Les hélicoptères. Ils arrivent. Ils seront bientôt là.

Ils restèrent à attendre.

Des papillons voletaient, qui lui rappelèrent des souvenirs. Il s'avança au bord de la falaise. Là, regardant le rocher jusqu'au fond, quelque cent mètres plus bas, il se retourna vers la paroi et écarta les bras.

— C'est ici que j'habite.

Paige était à bout de forces. Interloquée. Pas très sûre de le comprendre.

— Mais je n'ai pas d'amis, dit-il. Veux-tu être mon amie ?

Paige cligna des yeux. Elle réfléchit. Essayant toujours de comprendre, elle hocha mollement la tête.

— Approche. Je voudrais te montrer quelque chose.

Elle entendit les hélicoptères. Kobee jappa.

— Je suis bien où je suis, dit-elle. Les falaises, ça me rend un peu nerveuse.

Kobee continuait à aboyer en signe d'avertissement.

— S'il te plaît, fit Hood en haussant le ton. Tu ne devineras jamais ce que je vais faire.

— Regardez, les hélicoptères approchent ! s'exclama Paige en leur faisant des signes. Par ici ! Par ici ! Par ici !

— Je t'en prie, Paige, tu as dit que tu étais mon amie.

Où était le mal ? Il lui avait sauvé la vie. Prudemment, elle s'approcha de lui.

— Tu veux jouer à un jeu ?

Elle étira le cou pour regarder en bas du gouffre et secoua la tête.

— Jouons à un jeu.

Un jeu ? Paige ne comprenait pas. C'était bizarre.

— J'ai pas envie.

— Une partie rapide.

La petite recula en secouant la tête.

— T'es bien comme ta satanée mère ! hurla Hood.

Il sourit, dévoilant ses dents marron cassées.

— Regarde bien ce que j'vais faire.

Kobee jappa quand Hood le saisit et le jeta du haut de la falaise.

Paige hurla.

Hood s'avança vers elle.

82

Bowman eut l'impression de reconnaître les deux agents du FBI qui avançaient courbés sous les pales de l'hélicoptère.

Les apercevoir en train de presser le pas vers le vieil Huey l'empêcha de se concentrer alors qu'elle arpentait le camp de presse à la recherche de David Cohen.

Par curiosité, elle n'arrêta pas de regarder dans leur direction.

Il se prépare quelque chose.

Bowman aperçut une partie de la tête de l'avocat derrière une forêt de caméras de télévision. Et elle continua à observer les agents.

Leur silhouette. Leur manière de se tenir. Cela la chicotait.

— Veuillez me suivre, monsieur Cohen. Nous avons besoin de vous au centre de commandement.

Reconnaissant le sceau du ministère de la Justice sur la chemise de Bowman, Cohen accepta.

— Si c'est au sujet de la soi-disant évasion de Hood, je suis comme tout le monde : abasourdi. Je…

Bowman ne l'écoutait pas. Alors qu'elle gagnait le poste de commandement avec Cohen, tout s'éclaircit dans son esprit quand elle vit le vieux Huey décoller.

C'était Doug et Emily Baker ! Avec des casquettes du FBI et des lunettes de soleil.

En proie à l'inquiétude, Bowman pressa le pas.

Que se passe-t-il ? Il y a quelque chose qui cloche. L'hélico prit de l'altitude. Bowman ne le quitta pas des yeux tout en courant vers la salle des opérations. Elle chercha Frank Zander, abandonnant un Cohen intrigué au beau milieu de l'agitation générale.

Elle trouva Zander en train de lire un rapport à côté d'un des gardes du parc.

— Frank, vous pouvez m'expliquer ce qui se passe avec les Baker ?

— Que voulez-vous dire ? Ils sont par là-bas, dit-il.

De la tête, il désigna un coin de la pièce équipé d'un grand écran de télé en ajoutant :

— Ils attendent qu'on vienne les chercher…

— Madame la directrice ! cria un garde à Elsie Temple. Un appel urgent pour vous. C'est le service des communications !

Zander se rapprocha de Bowman.

— Vous disiez, Tracy ?

— Qu'il y a quelques secondes j'ai vu les Baker monter à bord d'un hélico.

— Quoi ? s'étonna Zander en se dirigeant vers le coin télé où se tenaient les Baker quelques instants plus tôt. Dites-moi, Tracy, quelqu'un de chez nous les accompagnait ?

— Votre attention s'il vous plaît ! cria Temple. Les *Mounties* ont repéré la petite. Elle est vivante !

On exulta, on se tapa dans les mains au-dessus de la tête dans toute la salle des opérations.

Bowman et Zander captèrent le message et acceptèrent les tapes dans le dos qu'ils reçurent tout en se débattant avec la nouvelle situation des Baker.

— Non, Frank, ils portaient des casquettes du FBI et des lunettes de soleil. Ils sont montés à bord d'un vieux Huey. Sûrement un de ceux qui font des vols charters.

— Le vieux Huey, c'est celui de Rawley Nash.

Un pilote des équipes de recherches surprit leur conversation alors qu'il griffonnait les coordonnées laissées par le policier de la Gendarmerie.

— Nash, c'est tout un personnage, dit-il.

— Que voulez-vous dire ? demanda Zander.

— C'est un rebelle. Il aime bien prendre des raccourcis avec la réglementation.

Zander passa en revue une foule de scénarios possibles.

— Vous seriez prêt à décoller? demanda-t-il au pilote.

— Bien sûr. J'ai l'engin le plus rapide de la région, mais on doit me signifier ma prochaine mission…

— Je viens de vous la donner, dit Zander. Vous allez nous déposer là où ce Nash a emmené les Baker, ordonna-t-il en empoignant le pilote par le haut du bras. Et tout de suite. Sans discuter. C'est une urgence du FBI. Allez, venez, Tracy !

Quelques minutes plus tard, le centre de commandement rétrécissait sous leurs pieds alors que le Bell flambant neuf vrombissait au-dessus du lac, avant de dépasser Howe Ridge, puis Heavens Peak.

Zander caressa la crosse de son pistolet glissé dans son holster, en luttant contre la peur qui le grignotait pendant qu'ils survolaient les forêts ne formant plus qu'un tapis vert et flou.

Faites que je me trompe. Faites que je me trompe.

Leur pilote, qui était entré en contact radio avec Nash, confirma que le Huey se trouvait quelques kilomètres devant eux. Ils le rattrapaient et convergeaient vers le même endroit que lui. Sur l'insistance de Zander, on ne posa pas de questions à Nash sur l'identité de ses passagers.

La radio du Bell grésilla à nouveau.

— C'est pour vous, annonça le pilote à Zander.

— Turner à agent Zander, vous me recevez ?

— Zander, j'écoute.

— On vient d'apprendre le départ non autorisé de nos individus.

Zander contempla les montagnes, laissant un blanc dans la communication et contraignant Turner à poursuivre.

— Frank, personne n'aurait pu prévoir ces événements.

En Géorgie, c'est aussi ce qu'ils disaient.

— Frank ?

— Lloyd, avez-vous le personnel nécessaire pour aller là-bas ?

— Derrière vous, à bord de l'appareil de sauvetage de la Garde nationale, il y a deux équipes de tireurs d'élite.

Le Bell à bord duquel se trouvaient Zander et Bowman rugit en longeant Flattop Mountain.

— Eh bien, monsieur, dit Zander en employant un langage d'agent chevronné du FBI, on va voir ce qui se passe. Terminé.

Faites que je me trompe.

Comment et quand les Baker ont-ils su où se rendre ? Comment s'y sont-ils pris ? Et cette évasion d'Isaiah Hood. Juste au même moment. Comme si c'était programmé. Pourquoi Emily Baker est-elle revenue au Montana ? Exactement à l'endroit où sa sœur est morte ? Pourquoi ?

C'était horriblement dramatique. Et horriblement évident.

Juste sous leur nez.

Faites que je me trompe.

L'hélico vira de bord brutalement. La gravité pesa sur l'estomac de Zander.

Faites que je me trompe au sujet des Baker.

Zander s'interrogeait. Était-il encore apte à s'occuper d'affaires comme celle-ci ?

Quand tout serait terminé, que ferait-il de sa vie ? Il n'en savait trop rien.

Il regarda Bowman et se réjouit de sa présence.

Il avait besoin d'elle.

83

Hilda Sim mit soigneusement au point ses jumelles.

Levi Kayle l'imita avec le téléobjectif de son Nikon numérique.

Le walkie-talkie de Sim recevait sans cesse des messages d'alerte concernant leur secteur, qui confirmaient qu'Isaiah Hood était bien le fugitif rescapé du crash.

— Je les vois, annonça Kayle dont les traits se crispèrent derrière son œilleton. Hood a la petite !

— Oh mon Dieu ! dit Wilson qui grimaça et porta la main devant les yeux. On peut les rattraper ?

Tory Sky réglait la netteté de l'objectif de sa caméra vidéo.

— On est trop loin.

Ils étaient à environ mille mètres, mais un impressionnant ravin d'une centaine de mètres de profondeur les séparait de Hood et de Paige. Sim prit sa radio.

Des hélicoptères approchaient.

À travers ses petites jumelles, Tom Reed apercevait une grande silhouette bleue et une plus petite. Elles étaient au bord du précipice. D'où il était, le groupe ne pouvait voir que la partie supérieure, le rebord.

Kayle commença à shooter.

— Nom de Dieu ! Hood vient de balancer quelque chose dans le vide ! dit Kayle qui shoota à nouveau. Les hélicos feraient bien de presser le mouvement !

Le Huey de Rawley Nash fut le premier appareil à atteindre la zone de la falaise. Emily Baker s'escrimait à essayer de regarder à travers ses jumelles qui vibraient contre les os de son crâne.

— Doug ! C'est Paige ! cria-t-elle en se cramponnant aux jumelles. C'est Hood ! Il jette… Oh mon Dieu, Doug, il est en train de… de… nooon !

Doug ?

Instantanément, Nash fit le rapprochement. Ses passagers étaient les parents de la petite !

— Hé, mais c'est quoi ce…

Doug Baker assista à l'horrible scène qui se déroulait sous ses yeux. Hood, en tenue de pilote, se battait avec sa fille. Il cria à Rawley :

— Déposez-nous ! Immédiatement !

Nash descendit de quelque deux cents pieds quand le FBI appela, lui intimant l'ordre d'évacuer la zone de manière à ce que les agents commencent l'opération de sauvetage.

— J'peux pas ! J'viens de recevoir l'ordre de dégager ! dit Rawley qui commençait à remonter.

Emily hurla en voyant ce qui se jouait sous ses yeux. Hood entraînait Page vers l'abîme.

— Il va la tuer !

— Pour l'amour de Dieu, déposez-nous ! tonna Doug.

Emily criait, Doug hurlait. Le FBI ordonnait à Nash de libérer l'espace de façon à ce que ses agents puissent atterrir. C'était surréaliste. Nash fit du surplace. Emily criait, tapait et trépignait à l'intérieur de l'appareil.

— Paige ! Non. Mon Dieu ! Posez-nous ! Posez-nous ! Il va tuer notre fille !

Témoin de l'horreur, Nash fit soudain descendre son hélico. Malgré les protestations de colère du FBI dans la radio. Hood luttait avec Paige. Les courants d'air vibraient. L'appareil descendit d'une trentaine de mètres le long de la falaise en direction du petit surplomb.

Anéantie, choquée, Emily sauta de son siège avant que l'hélico touche le sol, elle se força à courir avec Doug sur les talons.

Emily eut le sentiment que tout se passait au ralenti, comme dans un horrible cauchemar.

Le Huey de Nash reprit de l'altitude pour laisser place au FBI. Le souffle des pales balaya la casquette et les lunettes de Hood dans le vide.

Paige avait le visage couvert d'ampoules et d'égratignures. Elle vit sa mère. Elle était horrifiée. En vain, elle tendit les mains vers sa mère. *Les yeux de Rachel. Sa main qui glisse.* Hood ceinturait Paige de ses bras puissants. Il se retourna. Et tomba.

— Non !

Doug criait.

Hood est avec Paige. Ils disparaissent. Par-dessus bord.

Je vous en supplie. Non.

Les hélicoptères de la Garde nationale arrivèrent, le premier se positionnant juste au-dessus du ravin, à environ une soixantaine de mètres de distance de la falaise. Un tireur d'élite du FBI s'arrangea pour aussitôt avoir Hood dans la ligne de mire de sa lunette.

— Attendez, lui ordonna son supérieur. Il la tient dans ses bras.

Le second appareil se mit en position à une heure à cent mètres à la verticale de Hood ; un autre tireur d'élite le tenait aussi dans sa ligne de mire.

Les hélicos restaient assez loin pour que les courants d'air dus aux rotors ne créent pas de risques.

— Attention ! dit le chef du FBI.

◆

Regarder Hood évoluer à cent mètres d'altitude. Garder son sang-froid. Rester calme. On voyait battre les muscles des mâchoires de Zander. Il se força à laisser son entraînement prendre le dessus.

— Descendez, intima-t-il au pilote. Encore. Encore.

Bowman était stupéfiée par la scène qui se déroulait sous ses yeux.

Le Bell descendit en piqué et se posa derrière le Huey. Bowman et Zander jaillirent de leur hélico sur les talons de Doug et d'Emily.

C'était comme si Emily nageait sous l'eau. En approchant du rebord de la falaise, elle vit la tête de Hood. Il avait sauté sur un grand surplomb situé un peu plus bas.

Terrorisée, la jeune femme se figea en découvrant la scène cauchemardesque.

Oh mon Dieu. Non.

Hood se tenait au bord du précipice. Bras tendus, ses grosses mains serraient Paige par la taille et la balançaient comme un pendule au-dessus d'un abîme de cent vingt mètres à donner le tournis.

— Ah, s'il vous plaît ! S'il vous plaît ! suppliait Paige.

En pleurs, elle agitait ses pieds en cherchant en vain à atteindre le rocher salvateur. Haletante, sanglotant, elle regarda le vide comme si elle regardait la mort. Elle tendit les bras et cria :

— Mamannnn !

Les hélicos faisaient un vacarme assourdissant.

Avec une agilité tout animale, Hood se déplaça pour descendre Paige le long de la paroi, lui permettant à peine de poser ses orteils sur un éperon rocheux de cinq ou six centimètres. À présent, on ne voyait plus que les doigts de la petite dépasser de la falaise et se cramponner de façon précaire. Ils glissaient. Ils glissaient. Paige s'accrochait à la vie. Elle haletait. Elle suppliait. Hood se baissa lui-même pour descendre en aval de Paige vers un autre surplomb encore plus bas. Il leva les yeux juste à temps pour voir Emily se plier en deux pour tendre les bras vers sa fille.

— Maman, s'il te plaît !

— Je te tiens, ma chérie !

Emily prit sa fille par les poignets et commença à reculer. Elle la hissait quand elle sentit soudain l'horrible poids.

Hood tire Paige par les chevilles !

— Mamannnn !

La petite avait un regard suppliant. *Le même que Rachel*. Sauve-moi. Aide-moi.

— Lâche-la, Isaiah ! criait Emily. Tu l'auras pas ! Lâche-la !

Deux éclats se détachèrent de la paroi rocheuse près de la tête de Hood. Son regard se planta dans celui d'Emily.

— Je voulais juste avoir un ami dans la vie, cria-t-il.

Emily tira. Paige hurla quand Hood sauta de son surplomb. Tout son poids suspendu aux chevilles de la petite aurait entraîné la mère et la fille dans le vide sans l'intervention de Doug.

— Bon Dieu, grogna-t-il. Tenez bon !

Paige poussa un cri perçant en sentant son corps s'étirer. Trois autres éclats volèrent près de la tête de Hood. Les tireurs d'élite manquaient leur cible de quelques centimètres.

Zander et Bowman arrivèrent et se jetèrent à terre. Bowman trouva l'avant-bras droit de Paige ; Zander tendit la main vers son arme. Paige hurlait, à la limite de l'évanouissement tellement la douleur devenait insupportable.

Emily cria pour couvrir le vacarme des rotors :

— Isaiah, si tu la lâches, je serai ton amie pour toujours ! Je t'en supplie, lâche-la !

Hood lui sourit de ses dents jaunies.

— C'était rien qu'un jeu, Natalie Ross. Rien qu'un jeu.

Hood céda, il lâcha Paige. Ses bras s'écartèrent, son regard trouva celui d'Emily.

Le visage tourné vers le ciel, il chuta en souriant, enveloppé d'un courant d'air tiède. Il n'y aurait plus de coups de crochets, de prison, de souffrance… rien que le ciel d'azur, les sommets des montagnes, le soleil, la sérénité et la paix. Il était libre. Chez lui. Avec une amie pour toujours.

◆

Paige fut prise d'une violente crise de larmes.

On la remonta en sécurité.

Emily la prit dans ses bras.

— C'est fini. C'est fini, dit-elle en pleurant.

Doug serra sa femme et sa fille en même temps.

Zander regarda dans le vide pour voir Hood s'écraser sur les rochers. Restée aux côtés des Baker sur le surplomb, Bowman essayait de reprendre son souffle.

Personne ne parlait. On n'entendait que les turbines des hélicos pendant qu'Emily réconfortait Paige qui sanglotait.

C'est Bowman la première qui entendit une faible plainte.

— C'est quoi ?

Un jappement.

Zander chercha d'où venait le gémissement. Il aperçut Kobee à une dizaine de mètres.

— Salut, toi !

Retenu par son harnais, le beagle apeuré pendait au bout de sa laisse qui s'était enroulée autour d'un éperon rocheux quand Hood avait jeté l'animal dans le vide.

Zander se baissa pour récupérer le chien, qu'il rendit à Paige.

— Kobee !

Agglutinés les uns aux autres, les Baker ne détachaient pas leurs regards de Zander et de Bowman.

Les hélicoptères continuaient leur vacarme.

Les walkies-talkies crachotaient.

Le sourire des Baker mit du baume au cœur meurtri de Zander.

C'était terminé.

ÉPILOGUE

Paige s'endormit après avoir avalé une pizza et un grand verre de *root beer*.

Les médecins du Montana Mercy General informèrent les journalistes que la petite souffrait d'être restée au froid, de déshydratation, de coups de soleil, d'une entorse de l'épaule, d'élongations de tendons et de ligaments, ainsi que d'un stress post-traumatique dû à l'épreuve qu'elle avait traversée.

— Elle est tout de même dans une forme remarquable après cinq jours et cinq nuits passés dans de telles conditions extrêmes. La présence du chien l'a aidée à supporter le froid, mais aussi sur un plan psychologique ; c'était un être dont elle devait s'occuper et qui lui tenait compagnie.

C'est ce que dit le docteur Oliver Veras, chef de service au Mercy, aux médias lors d'une conférence de presse retransmise en direct à travers tout le pays.

— Quand toute l'Amérique pourra-t-elle voir la petite, docteur ? demanda un journaliste d'une chaîne de télé.

— La réponse appartient à ses parents. Nous espérons que Paige sera en bonne forme à son réveil demain matin.

◆

Ce soir-là, Tom Reed, Molly Wilson et Levi Kayle classèrent leurs photos et articles concernant l'histoire des Baker. Le *San Francisco Star* s'empressa de verrouiller les droits pour toutes les agences de presse du monde entier, et le reportage de photos et de texte fut acheté par des quotidiens, de Colombus au Caire en passant par Buffalo et Bucarest. On commença à parler du Pulitzer.

— Violet est aux anges, dit Wilson en passant son cellulaire à Reed quand ils eurent terminé leur travail de rédaction.

— Bon Dieu, Reed. On t'envoie pêcher une histoire et tu nous rapportes Moby Dick ! C'est du bon boulot.

Plus tard au cours de la nuit, Reed appela Ann à Chicago.

— Je n'ai pas oublié le mariage, ma chérie. Je prendrai l'avion demain soir, après la conférence de presse.

Paige dormit vingt-quatre heures d'affilée. Kobee, qui avait été autorisé à dormir dans le lit d'hôpital, ne quitta pas un seul instant sa jeune maîtresse.

À compter de ce jour, Paige devint la fillette de dix ans la plus célèbre de la planète. Son histoire fit le tour du monde.

Des officiers de la police de la route du Montana gardèrent sa chambre d'hôpital, qui se remplit de ballons, d'ours en peluche, de fleurs, de jouets et de cartes de la part de gens qui lui souhaitaient de vite se rétablir.

Le flot semblait ne jamais vouloir s'arrêter.

Cela déborda bientôt dans le couloir, jusque dans la chambre où dormaient Emily et Doug.

À un moment donné, au cours de la nuit, Emily se réveilla et alla à la porte de la chambre de sa fille. Les deux agents du FBI qui montaient la garde l'autorisèrent à jeter un œil à Paige, qui dormait profondément, un bras passé autour de Kobee.

Emily déambula dans le couloir plongé dans le silence. Dans le salon, elle trouva Bowman tout éveillée dans un fauteuil et s'assit près d'elle.

Ni l'une ni l'autre ne parla pendant très longtemps. Puis Bowman prit Emily par la main et leurs regards se croisèrent dans la pénombre.

— Emily, je...

— Vous et moi, Tracy, savons ce que ça fait que de perdre quelqu'un.

Bowman acquiesça.

— Euh... Vous savez que Frank et moi devons lui parler en premier. Le dossier n'est pas officiellement clos.

— Oui, murmura Emily en hochant la tête.

Elle sourit timidement et retourna se coucher.

Tracy, le regard perdu dans la nuit, se souvint de Carl, puis elle pensa à Mark.

Les médecins firent venir le FBI quand Paige se réveilla. Zander et Bowman entrèrent dans la chambre de la petite. Son lit était recouvert de peluches. Elle buvait un jus d'orange, une perfusion piquée dans le bras. Les cheveux retenus en queue de cheval, le visage constellé d'égratignures, elle rayonnait d'un bonheur de petite fille heureuse. Les agents se présentèrent et discutèrent quelques instants avec Paige en plaisantant au sujet des cadeaux qu'elle avait reçus.

Bowman finit par demander :

— Alors, qu'est-ce qui s'est passé ?

— Que voulez-vous dire ? répondit Paige en fronçant les sourcils.

— Tu peux nous expliquer comment tu t'es retrouvée séparée de papa et de maman ? demanda Zander.

— Kobee a couru après un suisse. Je suis partie à sa recherche et on s'est perdus.

— C'est tout ? insista Zander en souriant. Est-ce que ton père était en colère ou quelque chose du genre ?

Paige mâcha sa paille en hochant la tête.

— Il s'était blessé à la main en coupant du bois.

— Et après ?

— J'ai voulu rejoindre ma mère et je me suis perdue. C'est de la faute de Kobee.

— L'homme qui t'a trouvée, demanda Bowman, à part le moment où vous étiez sur la falaise, t'a-t-il fait du mal d'une manière ou d'une autre ?

Paige fit non de la tête.

— Il a tué un ours qui essayait de me tuer. Il m'a sauvée.

Zander et Bowman échangèrent un regard.

— Maintenant, je peux aller voir mes parents ?

— Bien sûr, répondit Zander en tapotant l'épaule de Paige.

Dans le couloir, Zander informa le médecin qu'ils en avaient terminé. Le cellulaire de Bowman se mit à sonner. Zander gagna le salon déserté à l'extrémité du couloir, cherchant quelque chose dans les Rocheuses qui couronnaient l'horizon.

— Vous avez agi comme il fallait, Frank, dit Sydowski qui lui avait emboîté le pas.

— J'en suis pas si sûr.

— Essayez de voir ce que vous avez affronté : le temps imparti, les circonstances, les hommes politiques… Vous êtes un sacré flic. Ce serait un honneur pour moi de retravailler un jour avec vous.

Zander baissa les yeux et accepta de serrer la main que Sydowski lui tendait.

— Vous rentrez à San Francisco ?

— J'ai un avion ce soir, répondit Sydowski en souriant. J'ai un rendez-vous à honorer et de l'argent à récupérer dans une partie de cartes avec un vieux renard qui prétend être mon père. Et vous ? Vous allez faire quoi ?

— Peut-être prendre du temps pour réfléchir.

— Écoutez-moi : on ne peut jamais prévoir quelle tournure va prendre une enquête. Je sais de quoi je parle. Je sais aussi que vous êtes un excellent enquêteur, Frank.

Sydowski serra l'épaule de Zander avant de le laisser seul face aux montagnes.

Zander s'assit quelques instants, le regard perdu dans le ciel, quand il entendit quelqu'un l'appeler. C'était Emily Baker, qui se tenait dans le cadre de porte du salon. Doug l'accompagnait. Zander se leva et chercha quoi dire au fond de son cœur. C'est Emily qui parla la première.

— Nous comprenons.

— C'était très compliqué, commença Zander.

— Frank, dit Doug. Je sais que ça avait l'air très moche, parce que *c'était* très moche. Pour tout le monde. L'inspecteur Sydowski nous a tout raconté, y compris cette affaire en Géorgie.

Emily avait les yeux pleins de larmes. Son visage exprimait la gentillesse. Elle serra Zander contre elle.

— À votre manière, vous aussi vous vous êtes bagarré pour Paige.

— C'est vrai, dit Zander dans un murmure. Je suis content pour vous.

— Paige va avoir onze ans dans deux mois. Si Tracy et vous pouviez venir à sa fête d'anniversaire, ça nous ferait plaisir.

— Comptez sur moi ! répondit Zander en clignant de l'œil.

Emily l'informa qu'avant de rentrer en Californie ils allaient passer à Buckhorn Creek.

— Pour que les choses s'apaisent, dit-elle.

— C'est sûrement la meilleure chose à faire, répondit Zander en hochant la tête.

Le docteur Veras entra en poussant Paige assise dans un fauteuil roulant. La petite avait Kobee sur les genoux.

— Je crois qu'en bas on vous attend, dit Veras.

Emily sécha ses larmes. Le sourire aux lèvres, ils partirent pour la conférence de presse de Paige.

Zander décida de rester seul dans le salon pour suivre l'événement à la télé.

À l'hôpital, on avait transformé la cafétéria en salle de conférences. Presque trois cents journalistes s'y entassaient pour un événement retransmis en direct sur pratiquement toutes les chaînes américaines.

Tout commença quand Emily et Doug Baker remercièrent les gardes du parc des Glaciers, les équipes de recherches, les sauveteurs et tous les autres participants.

— Et, dit Emily Baker, nous tenons à remercier particulièrement Frank Zander et Tracy Bowman, du FBI, qui, face à tout un défi, ont accompli leur travail avec les plus grands respect, politesse et professionnalisme.

Fatigué, seul face à la télé, Zander s'essuya les yeux de la main.

Où trouvent-ils l'élégance de dire cela ?

Des reporters commencèrent à demander à Paige de raconter son supplice.

À Helena, c'est avec soulagement que le gouverneur et son équipe regardèrent la conférence de presse.

Quant au gardien de prison et au personnel de l'hélicoptère Mercy Force, ils la suivirent du fond de leur lit d'hôpital à Kalispell.

David Cohen la regarda tout seul, dans sa chambre de motel à Deer Lodge, où il attendait qu'un directeur de salon funéraire lui apporte les cendres de Hood. Cohen retournerait les disperser dans le parc national des Glaciers. Peut-être allait-il accepter l'invitation à dîner de Maleena Crow. Cohen avait prévu rentrer à Chicago par la route. L'introspection meublerait le long trajet jusqu'à Chicago à travers les États de l'Ouest. Il aurait tout le temps de réfléchir au contenu des lettres qu'il écrirait aux Baker, au gouverneur, à Lane Porter et à sa firme. Il souhaitait prendre une année sabbatique.

La conférence de presse tirait à sa fin quand Bowman entra dans le salon.

— Ah ! Vous êtes là, Frank, dit-elle dans un sourire qui illumina la pièce. On vous cherchait.

— « On » ?

— Oui. Je suis avec quelqu'un qui aimerait vous saluer.

Un garçon, sensiblement de l'âge de Paige Baker, entra.

— Je vous présente Mark, mon fils. Mon amie l'a conduit jusqu'ici ce matin. Sa mère lui manquait. Shérif, dis bonjour à Frank Zander.

Tracy regarda Frank droit dans les yeux et ajouta :

— Un des meilleurs parmi les meilleurs.

— Bonjour, monsieur, dit Mark en tendant la main.

Le garçon croisa le regard de Frank.

— Eh bien, salut à toi, Mark.

— Vous ne devez pas rester ici tout seul, Frank, c'est sordide. Mark et moi allons descendre en ville. On connaît un endroit où ils servent les meilleurs cheeseburgers à l'est des Rocheuses. On a quelque chose à célébrer.

— Quoi donc ?

— Une enquête qui se termine bien et ma mutation à Los Angeles.

— On va déménager en Californie, dit Mark.

— Le soleil, le surf, les stars de cinéma…

— Alors ? Vous nous accompagnez ? demanda Mark.

— C'est d'accord, conclut Zander. Un burger ne me fera pas de mal.

Plus tard, alors qu'ils dînaient, Zander se sentit véritablement à l'aise en compagnie de Tracy et de Mark. Il eut le sentiment d'avoir trouvé ce qu'il avait perdu il y avait fort longtemps. Quelque chose qui lui manquait. En dégustant une portion de tarte aux pommes accompagnée de crème glacée, il révéla à Tracy que l'agence de Los Angeles lui proposait un emploi d'agent spécial chargé des enquêtes.

— Croyez-vous, Tracy, que ce serait une bonne chose d'accepter ?

Elle lécha sa cuiller à crème glacée et le regarda droit dans les yeux pour lui répondre :

— Je crois, Frank, que ce serait une excellente chose.

Remerciements

Les spécialistes diront que, dans cet ouvrage, j'ai par moments pris des libertés avec la réalité. Pour les amateurs qui ont goûté la fréquentation du passé et de ce qui est plausible, je tiens à remercier tout spécialement Fred Vanhorn, qui est chef adjoint des gardes du parc national des Glaciers, l'agent spécial et superviseur Ronald Nolan, et madame Maureen Schutz, du FBI de Washington, D.C., Tom Lacesky, de l'Associated Press à Helena, le sergent Daniel Rahn, technicien de scènes de crimes, spécialiste des prélèvements sanguins, ainsi que le sergent Warren Ganes, de l'équipe cynophile à la Gendarmerie royale du Canada.

J'exprime aussi ma gratitude aux membres de Prime Crime : John Rosenberg, Samantha Banton, Susan Bowness, Lynne Reid, Wendy Dudley, Mildred Marmur, Ann LaFarge, Jeff Aghassi, Mary Jane Maffini et Linda Wiken, ainsi qu'à ceux de « The Club ». Je suis profondément reconnaissant envers les nombreux amis, trop nombreux pour être cités ici, qui m'ont apporté leur soutien.

Je suis très redevable envers les libraires qui, partout, m'ont si gentiment fait connaître en présentant mes ouvrages aux lecteurs.

Rick Mofina...

... a grandi à Belleville, à l'est de Toronto, en Ontario. Il a commencé à écrire des histoires dès l'école primaire et vendu sa première nouvelle à un magazine du New Jersey à l'âge de quinze ans. Adolescent, il est allé en Californie en faisant du pouce et a raconté ses tribulations dans un roman. Il a fait toutes sortes de métiers, comme employé dans un hippodrome ou livreur de voitures jusqu'en Floride, avant de fréquenter l'Université Carleton, où il a étudié le journalisme, la littérature anglaise et le roman policier américain. Étudiant, il a travaillé l'été comme reporter au *Toronto Star* avant d'embrasser la carrière de journaliste dans différentes rédactions pendant une trentaine d'années. Il a notamment travaillé au *Ottawa Citizen*, au *Calgary Herald* et comme agencier au *Southam News*. Depuis son premier roman policier, *La Dérive des anges*, il a publié treize ouvrages distribués dans vingt et un pays.

EXTRAITS DU CATALOGUE

Collection « Essais »

003	*Le XIXe siècle fantastique en Amérique française*	Claude Janelle *et al.*
004	*Le Roman policier en Amérique française*	Norbert Spehner
005	*La Décennie charnière*	Claude Janelle *et al.*
006	*Scènes de crimes*	Norbert Spehner
007	*Le Roman policier en Amérique française -2*	Norbert Spehner
008	*Le DALIAF (Dictionnaire des Auteurs des Littératures de l'Imaginaire de l'Amérique Française)*	Claude Janelle

Collection « GF »

007	*La Chair disparue* (Les Gestionnaires de l'apocalypse -1)	Jean-Jacques Pelletier
008	*Le Deuxième gant*	Natasha Beaulieu
009	*Un choc soudain* (Jane Yeats -1)	Liz Brady
010	*Dans le quartier des agités* (Les Cahiers noirs de l'aliéniste -1)	Jacques Côté
011	*L'Argent du monde* (Les Gestionnaires de l'apocalypse -2)	Jean-Jacques Pelletier
012	*Le Bien des autres* (Les Gestionnaires de l'apocalypse -3)	Jean-Jacques Pelletier
013	*Le Sang des prairies* (Les Cahiers noirs de l'aliéniste -2)	Jacques Côté
014	*Mauvaise Rencontre* (Jane Yeats -2)	Liz Brady
015	*La Faim de la Terre* (Les Gestionnaires de l'apocalypse -4)	Jean-Jacques Pelletier
016	*Le Cas des casiers carnassiers* (Malphas -1)	Patrick Senécal
017	*La Course de Jane* (Jane Yeats -3)	Liz Brady
018	*Torture, luxure et lecture* (Malphas -2)	Patrick Senécal
019	*La Dérive des anges* (Reed & Sydowski -1)	Rick Mofina
020	*Sous le ciel*	Guy Gavriel Kay
021	*Regarde-moi*	Natasha Beaulieu
022	*Les Visages de l'humanité*	Jean-Jacques Pelletier

Collection « Romans » / « Nouvelles »

088	*Mort d'une femme seule*	Eric Wright
089	*Les Enfants du solstice* (Les Chroniques de l'Hudres -2)	Héloïse Côté
090	*Reine de Mémoire 2. Le Dragon de Feu*	Élisabeth Vonarburg
091	*La Nébuleuse iNSIEME*	Michel Jobin
092	*La Rive noire*	Jacques Côté
093	*Morts sur l'Île-du-Prince-Édouard*	Eric Wright
094	*La Balade des épavistes*	Luc Baranger
095	*Reine de Mémoire 3. Le Dragon fou*	Élisabeth Vonarburg
096	*L'Ombre pourpre* (Les Cités intérieures -3)	Natasha Beaulieu
097	*L'Ourse et le Boucher* (Les Chroniques de l'Hudres -3)	Héloïse Côté
098	*Une affaire explosive*	Eric Wright

099	*Même les pierres…*	Marie Jakober
100	*Reine de Mémoire 4. La Princesse de Vengeance*	Élisabeth Vonarburg
101	*Reine de Mémoire 5. La Maison d'Équité*	Élisabeth Vonarburg
102	*La Rivière des morts*	Esther Rochon
103	*Le Voleur des steppes*	Joël Champetier
104	*Badal*	Jacques Bissonnette
105	*Une affaire délicate*	Eric Wright
106	*L'Agence Kavongo*	Camille Bouchard
107	*Si l'oiseau meurt*	Francine Pelletier
108	*Ysabel*	Guy Gavriel Kay
109	*Le Vide -1. Vivre au Max*	Patrick Senécal
110	*Le Vide -2. Flambeaux*	Patrick Senécal
111	*Mort au générique*	Eric Wright
112	*Le Poids des illusions*	Maxime Houde
113	*Le Chemin des brumes*	Jacques Côté
114	*Lame* (Les Chroniques infernales)	Esther Rochon
115	*Les Écueils du temps* (La Suite du temps -3)	Daniel Sernine
116	*Les Exilés*	Héloïse Côté
117	*Une fêlure au flanc du monde*	Éric Gauthier
118	*La Belle au gant noir*	Robert Malacci
119	*Les Filles du juge*	Robert Malacci
120	*Mort à l'italienne*	Eric Wright
121	*Une mort collégiale*	Eric Wright
122	*Un automne écarlate* (Les Carnets de Francis -1)	François Lévesque
123	*La Dragonne de l'aurore*	Esther Rochon
124	*Les Voyageurs malgré eux*	Élisabeth Vonarburg
125	*Un tour en Arkadie*	Francine Pelletier
126	(N) *L'Enfant des Mondes Assoupis*	Yves Meynard
127	(N) *Les Leçons de la cruauté*	Laurent McAllister
128	(N) *Sang de pierre*	Élisabeth Vonarburg
129	*Le Mystère des Sylvaneaux*	Joël Champetier
130	*La Faim de la Terre -1* (Les Gestionnaires de l'apocalypse -4)	Jean-Jacques Pelletier
131	*La Faim de la Terre -2* (Les Gestionnaires de l'apocalypse -4)	Jean-Jacques Pelletier
132	*La Dernière Main*	Eric Wright
133	*Les Visages de la vengeance* (Les Carnets de Francis -2)	François Lévesque
134	*La Tueuse de dragons*	Héloïse Côté
135	(N) *Les Prix Arthur-Ellis -2*	Peter Sellers (dir.)
136	*Hell.com*	Patrick Senécal
137	*L'Esprit de la meute*	François Lévesque
138	*L'Assassiné de l'intérieur*	Jean-Jacques Pelletier
139	*RESET – Le Voile de lumière*	Joël Champetier
140	(N) *Odyssées chimériques*	Claude Lalumière
141	*L'Infortune des bien nantis*	Maxime Houde
142	*La Saga d'Illyge*	Sylvie Bérard
143	*Montréel*	Éric Gauthier
144	*Le Deuxième Gant*	Natasha Beaulieu
145	*Une mort comme rivière* (Les Carnets de Francis -3)	François Lévesque
146	*L'Inaveu*	Richard Ste-Marie
147	*Un choc soudain* (Jane Yeats -1)	Liz Brady
148	*Un ménage rouge*	Richard Ste-Marie
149	*Mauvaise Rencontre* (Jane Yeats -2)	Liz Brady

La Peur au corps
est le vingt-troisième volume de la collection « GF »
et le cent quatre-vingt-dixième titre publié
par Les Éditions Alire inc.

Il a été achevé d'imprimer
en février 2013 sur les presses de

Imprimé au Canada

Imprimé sur Rolland Enviro100, contenant 100% de fibres recyclées postconsommation, certifié Éco-Logo, Procédé sans chlore, FSC Recyclé et fabriqué à partir d'énergie biogaz.